La ciencia del Derecho penal
ante el nuevo milenio

ALBIN ESER
WINFRIED HASSEMER
BJÖRN BURKHARDT
Coordinadores de la versión alemana

La ciencia del Derecho penal ante el nuevo milenio

Traducción de Manuel Cancio Meliá, José Cerezo Mir, María del Mar Díaz Pita, Pastora García Álvarez, Carmen Gómez Rivero, María Gutiérrez Rodríguez, Carmen López Peregrín, Teresa Manso Porto, Francisco Muñoz Conde y María José Pifarré de Moner.

FRANCISCO MUÑOZ CONDE
Coordinador de la versión española

tirant lo b‖anch
Valencia, 2004

© FRANCISCO MUÑOZ CONDE
ALBIN ESER
WINFRIED HASSEMER
BJÖRN BURKHARDT

© TIRANT LO BLANCH
EDITA: TIRANT LO BLANCH
C/ Artes Gráficas, 14 - 46010 - Valencia
TELFS.: 96/361 00 48 - 50
FAX: 96/369 41 51
Email: tlb@vlc.servicom.es
http://www.tirant.com
DEPOSITO LEGAL: V - 258 - 2004
I.S.B.N.: 84 - 8442 - 998 - 9
IMPRIME: GUADA IMPRESORES, S.L. - PMc

Los traductores y el coordinador dedican esta edición al
Prof. Dr. Dr.h. c. mult. Albin ESER,
por su contribución al Derecho comparado y
al entendimiento entre los penalistas de todo el mundo

ÍNDICE

Prólogo a la edición española

Las relaciones entre la Ciencia española y la alemana del Derecho penal se remontan al siglo XIX, con la traducción y consiguiente influencia en los llamados correccionalistas de algunas obras de Röder, un penalista y penitenciarista alemán de impronta krausista. Posteriormente, el Profesor salmantino Pedro Dorado Montero tradujo el Tratado de Derecho penal de Merkel. Y ya en el primer cuarto del siglo XX, los profesores de la Universidad de Madrid Quintiliano Saldaña y Luis Jiménez de Asúa tradujeron el importante Tratado de Derecho penal de von Liszt. Esta influencia se hizo más patente e incluso se convirtió en decisiva con la traducción de la segunda edición (1933) del Tratado de Derecho penal de Edmund Mezger, realizada en 1935 por José Arturo Rodríguez Muñoz. Esta obra, tanto por su propio valor intrínseco como por la excelente traducción y las breves pero interesantes notas que le añadió el traductor, se convirtió pronto en el libro de cabecera de todos los profesores españoles de Derecho penal, que adoptaron su sistemática y su visión principalmente dogmática del Derecho penal, que había llegado en aquella época y con esta obra a su máximo esplendor en Alemania. Esta influencia se extendió pronto a toda Latinoamérica, gracias sobre todo a la labor y al ingente Tratado de Derecho penal del penalista español Luis Jiménez de Asúa que, durante su forzado exilio argentino, redactó su Tratado basándose, en gran parte, en el Tratado de Edmund Mezger y en las aportaciones dogmáticas y políticocriminales que había aprendido de su maestro berlinés, Franz von Liszt.

A partir de entonces, la Dogmática jurídico-penal, es decir, la interpretación y sistematización del Derecho penal vigente conforme a unos criterios en parte basados en el Derecho positivo, en parte con miras trascendentes y fundamentos filosóficos más allá del propio Derecho penal positivo, ha sido cultivada por la mayoría de los penalistas y ha ido creciendo en importancia hasta el punto de que hoy prácticamente no hay un penalista o profesor de Derecho penal hispanoparlante que no explique esta materia conforme a dicho método, más o menos actualizado de acuerdo con las modificaciones que esa

Dogmática de origen fundamentalmente alemán ha tenido en estos últimos sesenta años. Nombres como los de Welzel, Maurach, Jescheck, Roxin o Jakobs, por sólo citar el de aquellos cuyos Tratados han sido traducidos y han tenido mayor influencia en la Dogmática penal de habla española, han sido y son cita obligada en cualquier artículo, monografía u obra de carácter general de Derecho penal que se publica en lengua española.

Sin embargo, esta visión puramente dogmática de la problemática del Derecho penal está hoy en franca crisis en la propia Alemania, donde son ya muchos los penalistas que cuestionan la importancia y valor excesivo que se le ha dado a la Dogmática del Derecho penal en estos últimos años, en detrimento de otras cuestiones quizás más importantes y con consecuencias prácticas inmediatas, como son los problemas de la eficacia y de las clases de penas, de las alternativas a las mismas, de las cuestiones de descriminalización y criminalización como centro de gravedad de la Política Criminal, etc. Desde luego, de lo que no cabe duda es de que no se puede reducir la Ciencia del Derecho penal, ni siquiera en sus aspectos más exclusivamente jurídicos, a una elaboración puramente dogmática, entendida ésta como elaboración sistemática de las reglas que informan el sistema de imputación de responsabilidad penal en el Derecho penal vigente, por más que ésta sea una de las actividades más importantes de la aplicación práctica del Derecho penal por los Tribunales de Justicia. Antes y después de esta actividad hay otras muchas cuestiones de índole jurídica que diariamente ocupan a la praxis y con ello también la Ciencia del Derecho penal, como son las procesales o incluso las constitucionales. Y a esto hay que añadir otras cuestiones de índole extrajurídica, organizativas, políticas o económicas, pero no por ello menos importantes, que también deben ser tenidas en cuenta en la solución de los problemas jurídicos. Por otra parte, la enorme expansión que está teniendo el Derecho penal a sectores tradicionalmente alejados del mismo, como la economía o el medio ambiente, así como los nuevos retos tecnológicos, principalmente en materias como la informática o la manipulación genética, están modificando las bases mismas de la responsabilidad individual, introduciendo nuevos bienes jurídicos difícilmente delimitables y modelos de imputación que no se corresponden con los elaborados para los delitos tradicionales por el Derecho penal clásico. El Código penal español de 1995 es un ejemplo muy representativo de este «moderno» Derecho penal, que algunos representantes de la Escuela de Frankfurt, como Hassemer, critican y que otros, como Schünemann, en cambio, consideran inevitable y totalmente necesario para enfrentarse eficaz-

mente a los problemas más característicos y preocupantes de la sociedad actual, que el filósofo alemán Beck ha calificado como «sociedad de riesgo».

Pero igualmente el incremento de la violencia y la lucha contra el terrorismo a unos niveles bélicos, que no podían siquiera imaginarse antes del 11 de septiembre del 2001, está modificando la imagen del Derecho penal del Estado de Derecho, como un Derecho respetuoso con las garantías y los derechos fundamentales del ciudadano, transformándola en la de un Derecho penal bélico, un «Derecho penal del enemigo» (expresión utilizada y desarrollada por Jakobs en la ponencia que se contiene en este libro), en el que las garantías prácticamente desaparecen para convertirse exclusivamente en un instrumento que busca a toda costa la seguridad cognitiva, por encima de cualquier otro valor o derecho fundamental. La creación del Tribunal Penal Internacional no parece que vaya a ser en los momentos actuales un freno eficaz contra este nuevo Derecho penal que nos puede retrotraer a los tiempos más oscuros del Derecho penal totalitario de los años 30 del pasado siglo.

Fueron principalmente estas cuestiones, estrechamente vinculadas a los dos polos de interés más característicos del momento presente, la «globalización» y la «lucha contra el terrorismo», más que las dogmáticas, las que constituyeron el objeto central de la reunión internacional que tuvo lugar en la Academia de Ciencias de Berlín-Brandenburgo del 3 al 6 de octubre de 1999. Responsables directos y organizadores de la misma fueron Albin Eser, Director del Instituto Max Planck de Derecho penal internacional y comparado de Friburgo de Brisgovia, Winfried Hassemer, Catedrático de Derecho penal de la Universidad de Frankfurt am Main y Vicepresidente del Tribunal Constitucional Federal de la República Federal de Alemania, y Björn Burkhardt, Catedrático de Derecho penal de la Universidad de Mainz. El título de dicho Congreso, Die deutsche Strafrechtswissenschaft vor der Jahrtausendwende, Rückbesinnung und Ausblick, («La Ciencia alemana del Derecho penal ante el cambio de milenio, Reflexión retrospectiva y perspectivas de futuro»), refleja el carácter de reflexión general que quería darse al mismo. Varios penalistas, profesores, jueces, políticos, abogados, etc., principalmente alemanes pero también de otros países, dieron cuenta del estado actual de la Ciencia del Derecho penal; de sus logros y éxitos, pero también de sus fracasos e insuficiencias, así como de las perspectivas que se abren a la misma en el inminente futuro. El volumen conteniendo todo este valioso material se publicó en alemán, idioma oficial de las Jornadas, a finales del año 2000 en la editorial C.H. Beck, de Múnich. Y ahora se publica en esta versión española, de la que sólo se han suprimido los resúmenes de las discusiones habidas después de cada sesión y las palabras de salutación de los organizadores y autoridades presentes en el momento de la inauguración, y en la que se ha sustituido el título originario por el de «La Ciencia del Derecho penal ante el nuevo milenio».

Esta edición española ha sido posible gracias a la magnífica labor de traducción que, coordinados por mí, han venido realizando en estos dos últimos años un grupo de jóvenes penalistas españoles, cuyos nombres figuran por méritos propios en la portada y a los que quiero agradecer en este momento públicamente el enorme y desinteresado esfuerzo que han hecho para que esta obra pueda aparecer ahora en lengua española. Algunos de ellos son discípulos/as directos míos, que por mi consejo o sugerencia estudiaron en Alemania con algunos de los maestros cuyas aportaciones a este libro y otras publicaciones han traducido puntualmente al español. Este es el caso de María del Mar Díaz Pita, Pastora García Álvarez, Carmen Gómez Rivero y Carmen López Peregrín, Profesoras titulares de Derecho penal de la Universidad de Sevilla, de la Dra. María Gutiérrez Rodríguez, anteriormente becaria de investigación en el Departamento de Derecho penal y Procesal de la Universidad de Sevilla y ahora abogada en Madrid, y de María José Pifarré de Moner, durante muchos años becaria colaboradora del Instituto Max Planck de Derecho penal de Friburgo y actualmente Profesora de Derecho penal en la Universidad de Castilla-La Mancha. Los otros dos traductores, Manuel Cancio Meliá, Profesor titular de Derecho penal en la Universidad Autónoma de Madrid, y Teresa Manso Porto, referente del Instituto Max Planck de Derecho penal de Friburgo, pertenecen a otras escuelas, pero no han tenido ningún inconveniente en colaborar igualmente con el mismo entusiasmo y eficacia en la traducción de otras aportaciones de las contenidas en este libro. Finalmente, la aportación mía y la del Profesor Cerezo Mir a estas Jornadas, a las que fuimos invitados a participar, han sido traducidas por nosotros mismos, agradeciendo igualmente el que suscribe al Profesor Cerezo Mir su desinteresada colaboración.

Pero lo que, por encima de las diferentes tendencias que cada uno representa, nos une a todos, es ante todo un enorme respeto y admiración por la Ciencia penal alemana, a la que debemos una parte importante de nuestra formación jurídica e intelectual; pero también un afán común por comunicar los últimos hallazgos de la misma y renovar el arsenal teórico, que para muchos penalistas hispanos de mi generación y de la inmediatamente anterior quedó anclado en los años 50 y 60 del pasado siglo, cuando no incluso en fechas anteriores. Ahora con esta obra el lector de habla española tiene a su disposición un valioso material en el que se recogen las nuevas tendencias y diversas reflexiones de los más destacados penalistas sobre los retos que plantea a la Ciencia del Derecho penal la época actual, que quizás un tanto dramáticamente se denomina como el «nuevo milenio». Agradezco a la Profesora López Peregrín no sólo su eficaz labor de traducción, sino también la ayuda prestada en la corrección y coordinación de la edición española.

Francisco Muñoz Conde
Sevilla, marzo 2003

Índice de abreviaturas

---

*   *La mayoría de las abreviaturas son siglas de revistas científicas e instituciones, principalmente alemanas, cuyo nombre o título se mantiene en el idioma original.*

Ed.   *edición*

Edit.   *Editor (compilador)*

EMRK   *Europäische Menschenrechtskonvention (Convención Europea de Derechos Humanos)*

E 1962   *Entwurf eines Strafgesetzbuches mit Begründung, Bonn 1962*

EuGH   *Europäischer Gerichtshof*

EuR   *Europarecht (Derecho europeo)*

EuZW   *Europäische Zeitschrift für Wirtschaftsrecht*

GA   *Goltdammer's Archiv für Strafrecht*

GG   *Grundgesetz (Ley Fundamental, Constitución alemana)*

GrS   *Grosser Senat*

GS   *Gerichtssaal*

HIV   *Human immunodeficiency virus (SIDA)*

HRR   *Höchstrichterliche Rechtsprechung (Jurisprudencia del TS)*

JBl   *Juristische Blätter (Austria)*

JuS   *Juristische Schulung*

JZ   *Juristenzeitung*

KritJ   *Kritische Justiz*

KritV   *Kritische Vierteljahresschrift für Gesetzgebung und Rechtswissenschaft*

KWG   *Gesetz über das Kreditwesen*

L.Ed   *Lawyers' Edition of United States Supreme Court Reports*

LK   *Leipziger Kommentar*

N. E   *North Eastern Reporter*

NJ   *Neue Justiz*

NJW   *Neue Juristische Wochenschrift*

NoV   *NomikoVima (Juristisches Forum)*

NStZ   *Neue Zeitschrift für Strafrecht*

NuR   *Natur und Recht*

NVwZ   *Neue Zeitschrift für Verwaltungsrecht*

Ob.cit.   *Obra citada*

ÖZöR   *Österreichische Zeitschrift für öffentliches Recht*

ÖJZ   *Österreichische Juristen-Zeitung*

OrgKG   *Gesetz zur Bekämpfung des illegalen Rauschgifthandels und anderer Erscheinungsformen der organisierten Kriminalität*

p.	página
Riv.it.dir. e proc.pen	Rivista italiana di diritto e procedura penale
Poin. Chr.	Poinika Chronika (Crónica penal)
PVS	Politische Vierteljahresschrift
RG	Reichsgericht (Tribunal Supremo alemán, antes de la 2ª Guerra Mundial)
RGSt	Entscheidungen des Reichsgerichts in Strafsachen
RJ	Rechtshistorisches Journal
S. C. R	Canada Supreme Court Reports
S.Ct.	Supreme Court Reporter
SK-StGB	Systematischer Kommentar zum StGB
s.	página siguiente
SS	Schutzstaffel (Institución policial y paramilitar nazi)
ss.	páginas siguientes
StGB	Strafgesetzbuch (Código penal alemán)
StPO	Strafprozessordnung
StraFo	Strafverteidiger Forum
StrÄndG	Strafrechtsänderungsgesetz
StrRG	Strafrechtsreformgesetz
StV	Strafverteidiger
U. S.	United States Reports
WiVerw	Wirtschaft und Verwaltung
WM	Wertpapier-Mitteilungen
WuV	Wirtschaft und Verwaltung
ZGR	Zeitschrift für Unternehmens- und Gesellschaftsrecht
ZLR	Zeitschrift für das gesamte Lebensmittelrecht
ZRP	Zeitschrift für Rechtspolitik
ZStrR	Schweizerische Zeitschrift für Strafrecht
ZStW	Zeitschrift für die gesamte Strafrechtswissenschaft
ZUR	Zeitschrift für Umweltrecht
ZZP	Zeitschrift für Zivilprozess

La autocomprensión de la Ciencia del Derecho penal frente a las exigencias de su tiempo[*]

W. Hassemer
Frankfurt am Main

I. JUSTIFICACIÓN

El cambio de siglo no es una razón original pero sí una buena razón para llevar a cabo un repaso y un análisis de lo que sea. Naturalmente, también nos permite, aunque sea algo simple, constatar la presencia de numerosos penalistas masculinos frente a la escasez de penalistas femeninos.

Quien se dedique al Derecho penal, tiene razones especiales para este repaso y este análisis. Algunas de estas razones son de signo negativo; otras, sin embargo, son de signo positivo.

1. Déficits

Aquellas de signo negativo nos serán explicadas, si tenemos suerte, a lo largo de este coloquio, por los distintos ponentes, que no tienen que ver con el Derecho penal y también por aquellos que sí proceden de la ciencia penal alemana; por ello, su visión será fresca y aguda. Pero presumiblemente nos adularán, puesto que, en comparación, nosotros realizamos un trabajo bastante decente en nuestro tradicional campo de

---

[*]   Traducción de Mª del Mar Díaz Pita.

la dogmática penal, e incluso tenemos en cuenta lo que pasa a nuestro alrededor. Pero sin embargo, podrían constatar lo poco que sabemos de todo lo relacionado con repasos y análisis: constataciones históricas y metodológicas; enseñanza sistemática a lo largo de mundos lejanos.

La *historia* del Derecho penal como ciencia comienza de forma vacilante[1], mientras que los civilistas y los estudiosos del Derecho público se dedican desde hace mucho tiempo a investigaciones profundas sobre la historia de estas ramas, que llegan a convertirse en obras maestras[2]. La metodología de la enseñanza del Derecho penal ha estado siempre a la sombra de los descubrimientos de los civilistas[3] y aún hoy no presenta una línea definida y parece estar sometida a convicciones como las de Gustav Radbruch, mi «abuelo» científico y gran criminalista, quien, en el año 1929 dijo, inspirándose en el espíritu de su tiempo, que sólo los científicos enfermos se preocupaban de la metodología[4]; visto así, parece que nosotros estamos bastante sanos.

Las relaciones del Derecho penal con la *filosofía*, que nos han obligado durante siglos a asumir, reflexionar y rehacer[5], aparecen controladas por

---

[1]   Resulta ilustrativo que la Introducción de *Eberhard Schmidt* (Einführung in die Geschichte der Strafrechtpflege, 3ª ed., Göttingen, 1965) del año 1965 todavía aparece como la obra de referencia. La única publicación sistemática, aunque corta, de los últimos tiempos es *Hinrich Rüping*, Grundriss der Strafrechtgeschichte, 3ª ed., Munich, 1998.

[2]   Vid. *Franz Wieacker*, Privatrechtsgeschichte der Neuzeit, reimp. de la 2ª ed., 1967, Göttingen, 1996, así como los tres tomos de *Michael Stolleis*, Geschichte des öffentlichen Rechts in Deutschland, Munich, 1988, 1992 y 1999.

[3]   Vid. *Klaus Lüderssen*, Zur Methode der Rechtsanwendung im Strafverfahren, en Peter Riess (ed.), Löwe-Rosenberg StPO, tomo 1, 25ª ed., Berlin/Nueva York, 1999, párrafo L de la introducción.

[4]   *Gustav Radbruch*, Einführung in die Rechtswissenschaft, 7ª/8ª ed., Leipzig, 1929, p. 199. La cita, extraída del último capítulo del libro titulado «Rechtswissenschaft», dice así: »Las investigaciones sobre el método jurídico son numerosas. Como los seres humanos, que se martirizan autoobservándose, son, en su mayoría seres enfermos, de la misma manera, los científicos que se preocupan por sus propios métodos son científicos enfermos; los hombres sanos y los científicos sanos no se preocupan mucho de saber sobre sí mismos». Una perla en la obra de Radbruch que deja a uno perplejo.

[5]   Cfr. *Arthur Kaufmann*, Problemgeschichte der Rechtsphilosophie, en *Arthur Kaufmann/Winfried Hassemer* (ed.) Einführung in die Rechtsphilosophie und

una complejidad ciega y un esoterismo dogmático. También las *humanidades y las ciencias sociales* han perdido el interés que durante los años setenta y ochenta nos hicieron investigar sedientos de ciencia[6]; en la actualidad, aparecen marginadas sólo como ciencias auxiliares. El *Derecho penal comparado*[7] tiene en Alemania, tradicional[8] y actualmente[9], un

---

Rechtstheorie der Gegenwart, 6ª ed., Heidelberg, 1994, p. 30 y ss; Wolfgang Naucke, Rechtsphilosophische Grundbegriffe, 3ª ed., Neuwied, 1996.

[6] *Testigo de esa época son las obras editadas por Klaus Lüderssen y Fritz Sack: Lüderssen/Sack, Seminar: Abweichendes Verhalten, tomos 1-4, Frankfurt a.M. 1975-1980; igualmente, los mismos, Vom Nutzen und Nachteil der Sozialwissenschaften für das Strafrecht, 2º tomo, 1980. Cfr. Las aportaciones en Winfried Hassemer/Klaus Lüderssen/Wolfgang Naucke, Fortschritte im Strafrecht durch die Sozialwissenschaften?, Heidelberg, 1983.*

[7] *El estudio del Derecho comparado se restringe y se ha restringido tradicionalmente a los trabajos —desde luego numerosos y valiosos— producidos en el Max-Plank-Institut de Freiburg y las aportaciones de la sección extranjera de la ZStW. A diferencia de lo que ocurre en el derecho civil (piénsese sólo en la Rabel´s Zeitschrift o en la ZVglRw), no tenemos una revista propia en Derecho penal dedicada exclusivamente al derecho comparado. Pero este panorama está cambiando lentamente. Hans-Heinrich Jescheck/Thomas Weigend, Lehrbuch des Strafrechts, 5ª ed., Berlín, 1996, ha «reforzado la orientación de derecho comparado... de la obra» de forma consecuente, tal y como se anuncia en el prólogo.*

[8] *Esta tradición proviene de los siglos XIX y comienzos del XX pero no se mantiene. Von Liszt dotó a su Lehrbuch de numerosas referencias de derecho comparado, no sólo de los códigos alemanes sino también del derecho penal proveniente de Estados no alemanes (Franz v. Liszt, Lehrbuch des Deutschen Strafrechts, 7ª ed., Berlín, 1896, passim, por ej., parag. 8 IV (p. 37), parag. 25 II (p. 97), parag. 82 VI (p. 290 y ss). Ampliamente también, Robert v. Hippel, Deutsches Strafrecht, tomo I, Berlín, 1925, que dedica el tercer capítulo por completo (pp. 376 a 456) al derecho comparado. Respecto al derecho procesal, ocurre lo contrario. En casi todos los manuales encontramos una amplia referencia a la comparación de los distintos sistemas procesales y no sólo —como ocurre hoy en día normalmente— respecto del sistema anglosajón. Cfr. Heinrich Albert Zachariae, Handbuch des deutsches Strafprocesses, tomo I, Göttingen, 1860, parags. 27 y ss; 32 y ss; Joseph Mittermaier, Das deutsche Strafverfahren, 1º parte, Heidelberg, 1845, parags. 20 y ss; Esta tradición se ha recuperado hoy felizmente; cfr. Claus Roxin Strafverfahrensrecht, 25ª ed., Heidelberg, 1999, capítulo 7.*

[9] *Cfr. Recientemente Heicke Jung, Grundfragen der Strafrechtsvergleichung, JuS 1998, p. 1 y ss; sobre el caso Pinochet, han tenido también mucha repercusión los tribunales de Naciones Unidas y los resultados de la Conferencia de Roma sobre la ceración de Tribunales penales internacionales: Kai Ambos, Der neue*

papel secundario y con ello perdemos la oportunidad de entender y ordenar mejor nuestro trabajo— una oportunidad, que, teniendo en cuenta la proximidad de un futuro Derecho penal europeo, deberíamos necesariamente aprovechar[10].

2. Experiencias cotidianas y política

Las razones especiales para un repaso y un análisis que se incluyen dentro de las de signo positivo, me llevan al objeto de mi exposición: la esencia de la ciencia del Derecho penal.

Ellas están relacionadas con la situación específica de nuestra asignatura: una ciencia que tiene que ver con la tradición, la racionalidad y la Constitución en lo que a la libertad se refiere y que tiene un objeto que exige la salvaguarda de esa libertad a la vez que la cuestiona[11]. Prohibir, amenazar, controlar y sancionar por la conculcación culpable del derecho son hechos que determinan nuestra vida tanto pública como privada. No sólo afecta profundamente a nuestra vida cotidiana sino también influye en nuestras pesadillas e incluso en las Bellas Artes. Prohibir y sancionar es también un hecho político, un medio público para la comprensión normativa sobre nuestros intereses fundamentales así como

---

Internationale Strafgerichthof —ein Überblick, en NJW 1998, p. 3743 y ss; el mismo, Zur Bekämpfung der Makrokriminalität durch eine supranationale Stragerichtsbarkeit —Historische Hintergründe und erste Urteile, en Klaus Lüderssen (ed.), Aufgeklärte Kriminalpolitik oder Kampf gegen das Böse?, tomo III: Makrodelinquenz, Baden-Baden, 1998, pp. 377-410.

10 *He intentado en KritV 1999, pp. 133 y ss demostrar no sólo que estamos al principio sino además, mal orientados («Corpus Juris»: Auf dem Weg zu einem europäischen Strafrecht?); los otros trabajos publicados en este número llegan a conclusiones similares; respecto al Corpus Juris, vid. Mireille Delmas-Marty, Corpus Juris der strafrechtlichen Regelungen zum Schutz der finanziellen Interessen der Europäischen Union, Colonia, 1998; en general sobre la «europeización», las publicaciones de Ulrich Sieber (ed.), Europäische Integration und europäischhes Strafrecht, Colonia, 1993; Al fenómeno del proceso penal europeo lo corona acertadamente Kühne con un signo de interrogación (n. 8) p. 13 y ss y discute las numerosas influencias en esa dirección de forma muy instructiva.*

11 *Esto se ampliará infra III.3.*

la frontera de la libertad. La fascinación privada y política que despierta la ciencia del Derecho penal, supone una carga y reduce el énfasis de su función de llamada a la garantía de la libertad científica.

El objeto de nuestra ciencia no es sólo fundamental, también es cambiante, determinado por la época. Ello dificulta su comprensión para adecuarlo a nuestros métodos y resultados. Las prohibiciones penales y su procedimiento, las garantías de aquellos que se ven afectados inmediatamente por el Derecho penal y mediatamente las de todos nosotros, la explicación de las penas, las críticas y justificaciones desde la perspectiva de la ciencia penal constituyen un indicador fiable de los constantes cambios en las bases fácticas del Derecho penal: miedo al peligro y confianza en el mundo, necesidad de control y deseo de libertad se mueven en un equilibrio inestable. Y detrás de todo ello se puede observar y enjuiciar cómo y hasta dónde nuestra ciencia encaja en el mundo que la rodea.

Estas exigencias cambian con el tiempo. Es decir, cada cierto tiempo —también con exigencias científicas— debemos preguntarnos qué hemos hecho y qué podemos esperar: repaso y análisis.

Pero antes es preciso analizar con más detenimiento algunos pilares científicos y conceptuales y, en caso de necesidad, apuntalarlos, ya que deben cargar con el peso de la crítica. En una empresa llena de experiencia, como es el Derecho penal, no debemos temer que estos pilares estén huecos. En este ámbito, las cuestiones conceptuales suelen ser cuestiones fácticas. Por ello, el trabajo sobre los conceptos nos llevarán al conocimiento de las cosas.

II. CIENCIA DEL DERECHO PENAL

Lo que se quiere decir cuando hablamos de la «ciencia del Derecho penal», quiénes son sus productores y lo que se puede entender por su resultado, sólo está determinado a primera vista. Si se analiza con más detenimiento las certezas sobre los límites de nuestro ámbito se diluyen.

1. Ciencia

Los científicos del Derecho penal tratan la ciencia del Derecho penal, sin embargo no reflexionan con profundidad sobre lo que debe entenderse por ciencia y dónde se encuentran sus barreras. El reproche de que algo es acientífico apenas tiene lugar en nuestro gremio en lo que se refiere a las formas de tratamiento y fuera de la enseñanza. Se conoce a los colegas, sus obras y publicaciones y con eso basta. Desde el punto de vista científico, interesa la asignatura pero no sus límites[12]. (En este punto, sería de gran ayuda, aunque sólo fuera para las exigencias de carácter científico-político saber, con profundidad y exactitud científicas, qué consideramos científico y qué no).

Los constitucionalistas están en otra situación. Saben exactamente qué es la «Ciencia» del Derecho penal. Y ello, porque el art. 5.3.1. de la Ley Fundamental de Bonn les ofrece un concepto, científicamente trabajado de «Ciencia»[13]. Pero sobre todo, saben que las esperanzas de manejar un concepto de ciencia, útil y a la vez preciso, son pura apariencia y que en ningún caso puede ser demasiado estrecho[14]. Por ello, el Tribunal Constitucional Federal entiende por «Ciencia» «todo aquello que, por su contenido y su forma se puede considerar como un serio esfuerzo de investigación de la verdad»[15]. De este amplio espectro sólo podemos aprovechar un poco.

---

[12]   Al respecto Ulfried Neumann, *Wissenschaftstheorie der Rechtswissenschaft*, en *Kaufmann/Hassemer*, (nota 5), pp. 422 y ss.

[13]   El precepto reza: «El arte y la ciencia, la investigación y la docencia son libres».

[14]   Esto siempre lo ha aclarado el Tribunal Constitucional alemán; cfr. por ej., BverfGE 90, 1, 13: «Una obra no pertenecerá a la ciencia cuando, no sólo desde el punto de vista de las exigencias científicas individuales o de escuela, sino desde un punto de vista sistemático es errónea. Se dará este caso cuando no se oriente a la búsqueda de la verdad sino que opiniones y conclusiones preconcebidas confieran la apariencia de ser científica y demostrable»

[15]   BverfGE 35, 79, 113; Una ordenación de esta jurisprudencia la encontramos en Bodo Pieroth/Bernhard Schlink, *Grundrechte Staatsrecht II*, Heidelberg, 1998, marg. 621 y ss; más referencias, también sobre bibliografía en Ingolf Pernice, en Horst Dreier, GG, Tübingen, 1996, art. 5 III (Ciencia), marg. 113 y ss; Claus Dieter Classen, *Wissenschaftsfreiheit ausserhalb der Hochschule*, Tübingen, 1994,

Pero en lo que a mí respecta, es suficiente. No encuentro ninguna razón, precisamente en nuestra asignatura, para reducir el ámbito de protección constitucional en comparación con otros esfuerzos sistemáticos de búsqueda del conocimiento verdadero. Únicamente, lo que se agota en la solución de un caso concreto no debería recibir la calificación de «Ciencia» por parte de los juristas. Todo lo demás que, yendo más allá de esta mera solución, pueda estudiarse y formularse de forma más profunda, con perspectiva generalizadora y orientada a la sistematización, puede calificarse como Ciencia.

Cuando ya se ha descrito el resultado se puede saber quienes son sus productores. No son sólo los profesores y colaboradores científicos realizando su quehacer los únicos que se ocupan de la «Ciencia del Derecho penal»[16]. También todos los prácticos, independientemente de su procedencia, que argumentan de forma sistemática, orientada al descubrimiento de la verdad y más allá del caso concreto.

2. Derecho penal

Tampoco resulta obvio lo que aquí entendemos por Derecho penal. En realidad, no tenemos ninguna idea clara del contenido legítimo de nuestra asignatura. Muy al contrario, podríamos sondear y criticar, de la mano de la historia del Derecho penal, lo que debe considerarse «Derecho penal» y lo que no[17]. Si el «Derecho penal» lo constituyen las teorías generales, si y en qué medida el Derecho procesal penal y la Criminología (y entonces, ¿cuál de ellas?) forman parte de aquél, qué exigencias tienen, desde una perspectiva científica, la ciencias humanas y sociales

---

p. 72 y ss; sobre el concepto de ciencia del Tribunal Constitucional alemán, Thomas Dickert, Naturwissenschaften und Forschungsfreiheit, Berlín, 1991, pp. 203 y ss.

[16] Los estudiantes también pueden formar parte; cfr. Pieroth/Schlink (nota 15), marg. 623.

[17] Esto lo he intentado en mi trabajo sobre la Ciencia penal en la República Federal de Alemania, publicado en Dieter Simon (ed.) Rechtswissenschaft in der Bonner Republik. Studien zur Wissenschaftsgeschichte der Jurisprudenz, Frankfurt a.M. 1994, pp. 259 y ss. (hay traducción española de Henán Hormazabal Malarée, ADP 1993).

o la política criminal, todo ello son cuestiones cruciales, aún por responder.

Incluso los temas fundamentales y los límites de los planes de estudio de las Universidades, los objetos adecuados de examen transforman nuestra concepción del «Derecho penal», sin que nos sentemos a discutir estos temas de manera sistemática. Y esta concepción se dirige exclusivamente a la superficie de los conceptos; se alimenta en realidad de las representaciones que tenemos de lo que es un Derecho penal bueno, completo y auténtico. Pero estas representaciones no son unívocas y no contamos con todas ellas.

Si existe, como de todos es conocido, junto a la escuela de Frankfurt de Filosofía, de diseño de dibujos animados y de boxeadores, una cuarta escuela de Derecho penal[18] y si esta cuarta escuela ha destacado algo, ese algo es la comprensión del Derecho penal como una «Ciencia global del Derecho penal» en el sentido de un concepto amplio, ordenado y con peso que abarca todos los esfuerzos sistemáticos realizados en torno al delito y a la pena (en los que se incluyen los metodológicos, empíricos, políticos, psicológicos, sociológicos, filosóficos, históricos y por supuesto procesales). El hecho de que nadie pueda presumir de que esto sea un invento original, de que incluso esta comprensión amplia del Derecho penal se haya convertido en una corriente tradicional en la que también se incluye la escuela de Munich[19], no altera un ápice la afirmación de que constituye una tarea racional considerar un problema de contenido de nuestra ciencia establecer los límites de lo que debe considerarse el objeto legítimo de la Ciencia del «Derecho penal» y no una mera elucubración teórica.

Hablando en plata: para los científicos, los prácticos y los estudiantes —o sea, para todos aquellos que tienen una relación inmediata con el Derecho penal— un concepto amplio de «Derecho penal» en el sentido de «Derecho penal global» resulta muy fructífero. El hecho de que el Derecho procesal penal pertenezca indiscutiblemente al Derecho penal

---

[18] De ello habla Claus Roxin, Strafrecht AT, tomo I, 3ª ed., Munich, 1997, parag. 2, marg. 29.

[19] Me refiero al «Institut für gesamten Strafrechtswissenschaften».

es un ventaja de la concepción alemana tanto en la ciencia como en la formación de los estudiantes. El hecho de que la Historia, la Filosofía y la Sociología del Derecho penal no se vean excluidas de decisiones previas o ciegas sino que se incluyan en el discurso científico para desvelar lo que tienen que aportar, no supone más que atender a las fuentes de conocimiento de las que dependemos.

El concepto científico de «Derecho penal», por tanto, nunca puede ser lo suficientemente amplio; con la expresión «Derecho penal global» me refiero al sentido que le daba Franz von Liszt[20] y todos sus seguidores.

III. AUTOCOMPRENSIÓN

1. Vaguedad

El significado de «autocomprensión» parece ser un misterio. Si nos fijamos atentamente veremos que, por ejemplo, esta palabra es de difícil traducción a las lenguas románicas; también para los alemanes resulta un poco oscura. Ello se demuestra, por ejemplo, con la pregunta de si es posible una autocomprensión falsa (y cuales serían los criterios correctos) o solamente con la descripción incorrecta de lo que se entiende por autocomprensión, sea cual sea su significado.

En este punto mi interés no se dirige a arrojar luz sobre la oscuridad. La vaguedad, en las fases previas de una reflexión científica, puede resultar fructífera porque activa el proceso de búsqueda. Mi propuesta de definición de «autocomprensión» es la siguiente: una cantidad de autorreconocimiento subjetivo y una justificación objetiva de esta perspectiva por sí misma. Esta vaguedad la considero aprovechable desde el momento en que me pregunto cuales serían las condiciones especiales de la «autocomprensión» de la ciencia del Derecho penal[21].

---

[20] Franz v. Liszt/Adolf Duchow, An unsere Leser, ZStW 1 (1881), pp. 1 y ss.
[21] Vid infra III.3. Un modelo de la esencia de la justicia penal lo encontramos en Dirk Fabricius, Selbst-Gerechtigkeit, Baden-Baden, 1996.

2. Certezas

Antes que nada hay que establecer una obviedad que no determina de forma excluyente la ciencia del Derecho penal pero que es necesaria para su propio entendimiento. Me refiero a la ordenación de certezas que impregnan la esencia de una ciencia en coordenadas temporales. Esta ordenación puede ser fructífera en orden a la comprensión de las diferencias de categorías y, sobre todo, significa que también en la ciencia del Derecho penal, se dan diferentes objetivos y convicciones estables y de la misma manera, evidencias diferentes y estables. No todas nos resultan de interés.

Así, nuestro trabajo se ve impregnado de evidencias cuya contingencia es cuestionable (por ejemplo, la investigación científica sobre las causas y los límites de una reacción penal frente a una transferencia de patrimonio hacia Luxemburgo, con la finalidad de ahorrarse impuestos) junto a aquellas que, en cualquier caso desde una perspectiva pragmática, tienen aspiraciones de permanencia en el tiempo (como por ejemplo, el interés de reunir en un único contexto, de forma sistemática, todo lo referente al Derecho penal[22]). En medio de ello encontramos principios científicos que, por establecer una determinada relación de la ciencia del Derecho penal con la política criminal, aparecen como estables en el tiempo pero en realidad son cambiantes.

Resulta claro que no debemos perder de vista los polos de las evidencias científico penales[23]; incluso debemos, antes que nada, esperar una lección sobre lo que hay entre esos polos. Así que no me voy a detener en los puntos fundamentales, cambiantes a corto plazo, de los intereses científico-penales y me guardaré muy mucho de perderme en estos laberintos científico-teóricos. Antes bien, para la «autocomprensión» de la ciencia del Derecho penal la cuestión a resolver son aquellas apariencias que se encuentran a medio camino entre el primer vistazo y la eternidad.

---

[22] Al respecto, recientemente, Michael Köhler, Strafrecht Allgemeiner Teil, Berlín, 1997, sobre el fundamento de la pena, p. 7 y ss.
[23] Cfr. Infra V.3 a.

3. Libertad y obligatoriedad

El núcleo de las evidencias científico penales reside en una tensión fundamental. Esta tensión es inevitable. Proviene indefectiblemente de la dirección estatal y de la configuración de una empresa como es la ciencia del Derecho penal. Se trata de la tensión entre libertad y obligatoriedad, entre las garantías de los derechos fundamentales de una ciencia y las expectativas que se dirigen hacia esa ciencia[24]. La ciencia del Derecho penal no puede eliminar esta tensión ni ello debe ser tampoco su objetivo; al contrario, debe mantenerla. Esto significa que debe proteger la libertad que le es propia como ciencia y, al mismo tiempo, justificar la obligatoriedad que emana de su objeto.

La Ciencia del Derecho penal disfruta de la misma libertad de cualquier ciencia amparada por la Constitución sin ocupar un estadio inferior a éstas, puesto que se encuentra ligada a un campo práctico que constituye su objeto— un campo práctico que se caracteriza sobre todo por la utilización de la fuerza y la limitación de la libertad. Como ciencia, se desarrolla según sus propias reglas y define sus objetivos y métodos de forma autónoma[25]. Esta ciencia no está subordinada por hechos externos, como por ejemplo, «las necesidades de la práctica».

La Ciencia del Derecho penal, sin embargo, se enfrenta a expectativas que nacen de su propio objeto. Estas expectativas se dirigen a ella desde el exterior y se configuran, como todas las evidencias de la ciencia del Derecho penal, según coordenadas temporales, que pueden ser a largo o a corto plazo[26]. Afectan, por nombrar algún ejemplo, a una recensión de

---

[24]   El significado de la ciencia para el Estado moderno lo ha puesto de relieve Classen (nota 15) pp. 1 y ss con numerosas referencias: la protección de la investigación como «política social a largo plazo» se documenta con datos que revelan el significado de nuevos resultados de las investigaciones y su aplicación para el producto interior bruto. Cfr. Ebenda p. 22 y ss.

[25]   Erhard Denninger, en Rudolf Wassermann (ed) Grundgesetz. Alternativ-Kommentar, 2ª ed., Neuwied 1989, art. 5, párrf. 3 I, marg. 13 y ss; Classen (nota 15), p. 79 y ss; Andreas Reich, Das Amt des Hochschullehrers als Vertrauensstellung, Bad Honnef, 1996, pp. 33 y ss.

[26]   Supra III.2.

un manual o una sentencia judicial, a la cobertura científica de la formación de los juristas, a la revisión del sistema científico-penal tras una reforma del derecho positivo o al comentario de una ley.

La Ciencia del Derecho penal tiene, como ciencia, la libertad de no colmar las expectativas que a ella se dirigen. La dignidad científica de sus métodos y resultados no tienen nada que ver con estas expectativas. Al amparo de la Constitución, queda excluido que las expectativas dirigidas a la ciencia del Derecho penal limiten alevosamente su libertad, como si fueran el caballo de Troya.

El hecho de que la libertad de la ciencia del Derecho penal como tal ciencia esté garantizada no supone, necesariamente, la supresión de las expectativas que a ella se dirigen y no significa ningún cambio respecto de la posibilidad de que la frustración de estas expectativas lleve aparejada una sanción[27]. Una Ciencia del Derecho penal que se concentra de forma duradera y completa, por ejemplo, en la estructura lógica de las reglas penales y no muestra ningún interés hacia la formación de los juristas o la actual legislación no abarcaría en su totalidad su objeto — o, lo que es lo mismo, no lo abarcaría en absoluto.

La determinación constitucional de la libertad científica conlleva tensión, por lo menos en principio. El art. 5.3.1. de la Ley Fundamental garantiza la libertad, no de los científicos, sino de la ciencia y con ello hace referencia a un beneficiario intersubjetivo junto con todas las reglas objetivas y deberes de comunicación a las que estos beneficiarios están obligados a crear. La ciencia habla de un «doble contenido» de la libertad científica, que incluso abarca determinadas ideas acerca de la utilidad social y de los objetivos políticos[28] y que ha sido formulado con cierta tosquedad por el Tribunal Constitucional: «La distancia, que la sociedad y el Estado deben conceder a la Ciencia en aras de su libertad, no implica que la Ciencia deba dar la espalda desde el principio a cualquier discusión sobre los problemas sociales. Este espacio de libertad

---

[27]   Con una terminología teórico-sistémica, Niklas Luhmann, Rechtssoziologie, 2ª d., Opladen, 1983, pp. 40 y ss, 43; el mismo, Das Recht der Gesellschaft, Frankfurt a. M., 1993, p. 254.

[28]   Pernice, en Dreier (nota 15) art. 5 III (ciencia), marg. 15.

no se garantiza, desde una valoración constitucional, para una Ciencia aislada del Estado y de la sociedad sino para una Ciencia que a la postre debe servir, tal y como prevé la Constitución, al bienestar del individuo y de la comunidad»[29].

El Derecho constitucional proporciona a la Ciencia del Derecho penal una perspectiva desde la que podemos advertir que la tensión entre libertad y obligatoriedad que a la misma subyace, indica que estamos ante una característica de cualquier ciencia no formal: la Ciencia del Derecho penal no está aislada sino que comparte su destino y representa sus problemas básicos. No voy a entrar en el análisis de la postura del Tribunal Constitucional que mantiene que dichas ciencias deben estar al servicio del bienestar del individuo y de la comunidad; para discutirla adecuadamente deberíamos volver al debate[30] sobre lo que hay que entender por «Ciencia» y si los límites de la Ciencia y sus relaciones con los campos situados más allá de esos límites (o sea, el individuo y la comunidad) deben determinarse fuera de la autonomía y la libertad científicas. En cualquier caso estimo correcto y orientador, en lo que sigue, esta afirmación: nadie puede justificar que la Ciencia del Derecho penal se aleje de su objeto, de sus reglas y de sus resultados, pero cualquiera puede sostener, de forma argumentada, que la ciencia del derecho penal se ha equivocado en su objeto.

De ello se deriva, para nuestro trabajo la siguiente conclusión: la Ciencia del Derecho penal debe, como «ciencia práctica», desarrollar y organizar su autocomprensión; una autocomprensión que se pueda componer de libertad científica y obligatoriedad, autonomía y relación con su objeto en una conjunción práctica. Las particularidades de esta relación de tensión cambian continuamente y también cambian, a largo plazo, sus puntos fundamentales. Sin embargo, hay algo que es y que permanece como motor de una concordancia exitosa: el amplio arco en el que se mueven los intereses que afectan a la Ciencia del Derecho penal— desde la lógica deontológica hasta la teoría de la práctica de la

---

[29]   BverfGE 47, 327, 370.
[30]   Supra II.1; vid. También infra IV.2 sobre la tesis de que, sobre lo que ha de entenderse por ciencia no puede determinarse si no se hace científicamente.

defensa. Al científico en particular le será difícil optimizar a partes iguales la libertad y la obligatoriedad pero no así a la ciencia; el art. 5.3.1. de la Constitución está sabiamente formulado.

IV. EXIGENCIAS

Cuando se pregunta por las exigencias que deben plantearse a la ciencia penal desde el punto de vista de su esencia, se descubre, antes de reflexionar, lo que podrían ser para la ciencia penal, las verdaderas «exigencias». De ellas hay muchas —en el caso de que uno se haya convencido previamente de que una actividad libre como la ciencia penal debe aceptar todas, o al menos reconocer algunas exigencias.

Tales exigencias se pueden agrupar en dos apartados; estos apartados se pueden ordenar siguiendo las pautas de cualquier «ciencia práctica»: exigencias que provienen del carácter científico de la propia ciencia de que se trate y exigencias que provienen del objeto práctico de la misma. Las primeras constituyen la materia propia de esa ciencia y podemos calificarlas como internas; las segundas conectan esta materia con el mundo y podemos calificarlas como externas.

1. Carácter científico

Bajo el término «exigencias» se pueden abarcar, si no manejamos un uso estricto del lenguaje, todas aquellas expectativas dirigidas a la ciencia penal por el hecho de ser «ciencia».

Estas expectativas se justifican como tales y hasta ahora no han sido cuestionadas. Por ello no quisiera discutirlas[31] como tales sino hacer un simple recordatorio: obviamente la ciencia penal es sólo aquello que se orienta a la verdad, que se argumenta de forma sistemática y más allá del caso concreto[32]. Está claro que las exigencias relacionadas con el carácter

---

[31]   *Las encontramos formuladas en Neumann (nota 12), pp. 423 y ss.*
[32]   *Supra II.1.*

científico no están anquilosadas sino que cambian con la historia; y está claro que plantean cuestiones referentes a los límites y a la aplicación de la ciencia; ello sin embargo no cambia un ápice el hecho de que, hoy por hoy, estas exigencias están, para nosotros, bien fundamentadas:

Como no podía ser de otra manera, los tres criterios muestran su dureza sólo en su núcleo. Por los bordes, sin embargo, se deshilachan y plantean otras cuestiones de diferente dificultad.

Así, para empezar con lo más simple, se podría preguntar acerca de la dignidad, más allá del caso concreto, de la expresión de una opinión de alguno de los partícipes en un proceso, como por ejemplo, el abogado defensor, «cuya» decisión se presentará ante la opinión pública especializada a través del comentario a la sentencia en un tono de alabanza o de crítica[33]. Así, podríamos poner en tela de juicio, la sistemática de una argumentación diciendo que aquélla ha pasado por alto objeciones evidentes o que no se corresponde con la complejidad que en la actualidad presenta nuestra materia. Así, se podría echar por tierra la orientación a la verdad de una publicación con el argumento de que se trata sólo de una simple opinión con citas o que está «comprada»: en los tres casos se puede discutir estupendamente sobre la concreción de los tres criterios propios del carácter científico y, de paso, sobre los límites de la ciencia.

No me gustaría hacer esto aquí. Aquí no se trata de los límites de la ciencia en general, sino, de forma concreta, del catálogo de las exigencias que implica el carácter científico que debe ser válido para la ciencia penal. Para ello basta con mostrar que existe ese catálogo, su composición y que no se puede manipular a ciegas. Eso es lo que yo he hecho.

Me gustaría, sin embargo, dejarlo apuntado, más allá de ejemplos sin importancia, en el ámbito de las opiniones de los juristas poco amigos de la libertad y de los individuos[34]. «La delicada atención al individuo, a

---

[33]   *Hay que reconocer que estas aportaciones contienen información que despiertan la reflexión e incluso la investigación científicas; por ejemplo, «Anmerkung des Einsenders zur Prozessgeschichte» (zum Urteil des BGH vom 12.2.1998-1 StR 588/97), StV 1999, 463, 465.*

[34]   *Ejemplos de la bibliografía en la época nazi los encontramos en Ilse Staff, Justiz im Dritten Reich, Frankfurt a. M. 1964, p. 160 y ss; 2ª ed., Frankfurt a.M. 1978, pp.*

diferencia de lo que sucedía en el Estado liberal, no será tenida en cuenta nunca más. Para los que quebrantan la ley, para los enemigos del Estado y de la comunidad sólo hay, tanto en la determinación concreta de la pena, como en la ejecución o cumplimiento de la misma, una cosa: enérgica severidad y aniquilación total y exitosa»[35]. Naturalmente, hay buenas razones para negar a semejantes barbaridades el adjetivo de científico, como por ejemplo a los conocidos panfletos de Wilhem Sauer, en los que se alude al «sentimiento del pueblo», se califica al Führer como la «luz» o a nuestros antepasados como «almas góticas»[36]. Es igual: la verdadera monstruosidad no reside en el carácter científico de seme- jantes desviaciones, sino en su contenido.

La subsunción de estos y otros ejemplos de opiniones despectivas para con el individuo de renombrados científicos, bajo los criterios de la cientificidad, dando como resultado la calificación de los mismos como «acientíficos» (y, por lo tanto, desde un punto de vista interno, despre- ciables), sería defendible; pero esta solución sería demasiado fácil. No se trata de conceptos sino de objetos. Aunque hubiera buenas razones, como pasa con mi ejemplo, para negar el calificativo de «científico», los penalistas deberían deshacerse de esta carga de su pasado (o de su presente) pero no sólo a través de delimitaciones conceptuales que provienen de su forma de actuar. Antes bien deberían preguntarse (y esta pregunta también puede considerarse científica) cómo puede un penalis- ta pensar y hablar de este modo[37].

---

147 y ss; vid para el Derecho penal el trabajo de Diemut Majer, Hans-Ludwig Schreiber, Heinrich Rüping und Dieter Dölling, en Ralf Dreier/Wolfgang Sellert (ed.) Recht und Justiz im «Dritten Reich», Frankfurt a. M., 1989.

[35] Günther Küchenhoff, Nationaler Gemeinschaftsstaat, Volksrecht und Volksrechtsprechung, Berlín, 1934, p. 12, citado en Staff (nota 34), 1978, p. 158.

[36] Wilhem Sauer, Schöpferisches Volkstum als national —und weltpolitisches Prinzip, en Archiv für Rechts— und Sozialphilosophie 27 (1933/34), 1, 13.

[37] Además de reprochar en el discurso científico que esto o aquello es o no científico, el principal reproche que se podía y se puede realizar es el hecho de no haber medido las palabras. Estos reproches significan, aun cuando son escasos y normal- mente poco serios, no sólo que la posición criticada está fuera del ámbito del art. 5.3.1. de la Ley Fundamental de Bonn, sino también que dicha posición es falsa. Así lo formula un lector en una carta al director, en el sentido de que la forma de argumentación del autor citado «puede únicamente con mucho esfuerzo esconder

2. Conexión temporal

Para ser exactos, el título de mi intervención cierra ya desde el principio la opción a la existencia y la supervivencia de una ciencia penal desvinculada de su tiempo. «Las exigencias de su tiempo» constituyen un dato pleno de sentido, si se parte de la premisa de que la ciencia penal y estas exigencias tienen alguna relación.

Yo parto de la premisa previa de que la ciencia penal no enfoca las exigencias como un problema sino que, al contrario, las resuelve gustosamente. Para una ciencia práctica, no hay, desde mi punto de vista, una alternativa racional. Naturalmente, cualquier penalista tiene derecho a elegir y tratar libremente[38] su objeto dentro de los límites de la ciencia[39]. Igual de claro es el hecho de que la ciencia penal debe ajustarse a su objeto: puede acertar y equivocarse respecto del mismo, puede dibujarlo, ignorarlo o confundirlo.

Lo que es invariable es que, sea lo que sea lo que la ciencia penal entiende por su objeto, éste debe determinarse siempre desde parámetros científicos: no existe un objeto denominado «Derecho penal», que pueda crearse y literalmente dominarse por la ciencia[40] como *factum brutum*, fuera de la observación y de los conceptos científicos. Incluso para establecer la relación entre la ciencia penal y su objeto resulta imprescindible el conocimiento hermenéutico, ya que, para el conocimiento humano no existe un objeto más allá de la observación del mismo, ni la verdad es simplemente la solemne armonía entre el mundo exterior y el conocimiento sobre el mismo, sino el frágil resultado del precario acercamiento de ambos[41].

---

tras la apariencia científica su intención política» (ZRP 1999, 347). A la vista del art. 5 de la Ley Fundamental citado, previsiblemente, el escritor estaría espantado.

[38]   Supra II.1; III.3.

[39]   Supra IV.1.

[40]   Sobre lo cambiante del objeto de la ciencia jurídica y sobre las consecuencias para el concepto de ciencia véase Neumann (nota 12), pp. 424 y ss.

[41]   En profundidad, véase mi articulo sobre Juristische Hermeneutik, ARSP 72 (1986), pp. 195 y ss; y aplicado al Derecho penal, mi Einführung in die Grundlagen des Strafrechts, 2ª ed., Munich, 1990, pp. 83, 94, 131 y ss. (hay traducción española de la 1ª edición, de Francisco Muñoz Conde y Luis Arroyo Zapatero, Barcelona 1985)

Esta explicación teórica desde la perspectiva del conocimiento supone la apertura para la ciencia penal, de un amplio espectro (como ocurre con todas las ciencias que tienen que ver con el mundo exterior, es decir, que son «prácticas»): los límites de lo que esa ciencia abarca y desecha, es decir, los límites de su objeto, no aparecen señalados sino que dependen de sí misma. Lo que sea el objeto de la ciencia penal en particular no constituye el presupuesto de la observación y la reflexión científicas sino, antes bien, su resultado.

Naturalmente, esto no es un discurso en defensa de la aceptación de la determinación del objeto de una ciencia práctica sino sólo la consecuencia que se deriva de la siguiente premisa: la teoría de la correspondencia de la verdad[42] nos ofrece una falsa promesa que consiste en afirmar que el verdadero conocimiento es el reflejo de la realidad; nosotros no disponemos del original de la realidad. Lo que constituye la realidad y el objeto «real» de una investigación científica es algo previo a esta tarea.

Ello trae consigo tres consecuencias para nuestro conocimiento actual a la hora de determinar lo que estimamos como exigencias de nuestra ciencia. Dos de estas consecuencias se presentan en una relación de tensión mutua; la tercera extrae los parámetros de una estrategia de investigación.

(1) la consecuencia más inmediata de mi propuesta, desde una perspectiva teórica de consenso[43], para determinar la verdad y el conocimiento es la siguiente: no tiene ningún sentido colocar a la ciencia penal y su objeto en una brusca relación de contradicción. Lo que nosotros consideramos exigencias de nuestro tiempo no nos vienen dadas, sino que se nos priva de ellas: fuera del conocimiento científico, no hay ningún dato detectable que debamos ejecutar sino que estamos ante un

---

[42]	Jürgen Habermas, Wahrheitstheorien, en, el mismo, Vorstudien und Ergänzungen zur Theorie des Kommunikativen Handelns, Frankfurt a. M., 1984, pp. 127 y ss, 132 y ss, 149 y ss.

[43]	En este sentido, Habermas (nota 42), págs.137 y ss, 159 y ss. Sobre el significado de la teoría del consenso para la ciencia penal y el Derecho penal, Hassemer (nota 41), Einführung, p. 130 y ss.

problema científico, que tenemos que tratar y resolver en el marco de un discurso científico y siguiendo las reglas de la ciencia.

Ello significa, por ejemplo, que cualquier invitación o presunción ajena a la ciencia penal, para convertirla en una ciencia práctica sólo requiere una comprobación científica y no un seguimiento científico.

(2) Por otro lado, destruiríamos la relación de tensión entre el conocimiento y el objeto del conocimiento en el marco de una teoría hermenéutica del mismo, si al conocimiento se le atribuyera la posibilidad o incluso el derecho de construir su objeto a su gusto. Ello sería una contradicción en sí misma: estaríamos ante una concepción unidimensional de una ciencia «práctica», lo contrario de una ciencia ajustada a su tiempo y su entorno, supondría la paralización del avance científico a través del aprendizaje de los cambios del entorno, de la observación sistemática del mundo y del tiempo. Incluso en los supuestos en los que a las ciencias prácticas les viene dado su objeto, éstos no se pueden configurar al antojo de dichas ciencias. Antes bien, éstas se encuentran fijadas por su objeto.

Ello significa, por ejemplo, que cualquier argumento externo dirigido a la ciencia penal sobre su ámbito práctico debe someterse al examen científico. De una ciencia práctica como la nuestra no se puede afirmar que su entorno no le afecta; el entorno (ya) no le afectará sólo cuando se haya demostrado científicamente la irrelevancia del mismo. Y ello significa también que se pueden falsificar las afirmaciones sobre una ciencia práctica con el argumento, científicamente provechoso, de que el entorno no pertenece al objeto de esa ciencia.

(3) De esta relación de tensión entre la ciencia penal y su objeto, deduzco, de forma estratégica para la investigación, una determinación más amplia del ámbito que constituye el campo relevante para la ciencia penal, es decir, su objeto. Ya sólo a partir del concepto «Derecho penal» determinado de forma previa a cualquier trasfondo y abarcando consideraciones distintas al concepto de «Derecho penal global»[44], se amplía considerablemente la delimitación del campo relevante para la ciencia penal. La razón, respecto de esta extensión teórica, es sencilla:

---

[44]		Supra II.2.

Cuando el objeto de una ciencia práctica se construye el mismo con un tratamiento científico, la sonda de esa ciencia, con la que se acerca al mundo exterior, debe desarrollar su trabajo con amplitud y fuerza. Si no ocurre así, la observación científica de su objeto será errónea, porque sólo lo percibirá de forma fraccionada. Deslindar de nuevo las informaciones sobre el mundo externo a una ciencia práctica, que a la postre resultan irrelevantes desde una perspectiva científica, constituye un problema de análisis de la complejidad; pero este problema se puede resolver[45]. Las informaciones relevantes, por el contrario, que desde el principio no se perciben y que la ciencia sólo las advierte como aparentemente irrelevantes pueden ser irrecuperables y, con ello, pueden dañar de forma irreparable el análisis de la realidad propio de una ciencia práctica.

Ello acarrea para la ciencia penal la consecuencia de tener que observar como propio un ámbito amplio, ajeno y escabroso. A dicho ámbito pertenecen, sin duda, la legislación, la jurisprudencia y el Ejecutivo, tanto federal como de los Estados federales (no sólo en lo que se refiere al Derecho penal global), las otras ciencias jurídicas y las ciencias humanas y sociales. Sin embargo la política, en su quehacer diario y de partido se demuestra como dudosa productora de objetos relevantes para el Derecho penal. Por el contrario, está claro que la opinión pública y los medios de comunicación pertenecen al ámbito del Derecho penal[46]. Las exigencias temporales dirigidas al Derecho penal son pues bastante amplias.

Con ello, la ciencia penal queda determinada en su ámbito desde un punto de vista analítico. En resumen, se puede afirmar y argumentar que la ciencia penal, como ciencia práctica, debe afrontar las exigencias de su tiempo con amplitud de miras, sin renunciar a la comprobación

---

[45]   Al respecto, Niklas Luhmann, Das Recht der Gesellschaft, Frankfurt a. M., 1993, p. 61, 255 y ss; el mismo Rechtssystem und Rechtsdogmatik, Sttutgart, 1974, pp. 20 y ss; el mismo, Ausdifferenzierung des Rechts, Frankfurt a. M., 1981, pp. 269 y ss.

[46]   Cfr. Por ej. Michael Hettinger, Entwicklungen im Strafrecht und Strafprozessrecht, Heidelberg, 1997, pp. 6 y ss, sobre la discusión pública respecto de los límites entre la ciencia penal y los medios de comunicación en la criminalidad organizada.

científica y a la toma de decisiones. En lo que sigue, corregiremos este marco con comentarios y aportaciones y lo completaremos con material que proviene de distintos puntos de vista.

V. POLÍTICA

Para finalizar, echaremos un vistazo al ámbito de la ciencia penal, no para ampliar nuestro punto de vista pero sí para profundizar en él y afinarlo, con el fin de enriquecer y hacer más comprensible mi posición analítica sobre nuestra esencia. Me centraré en ejemplos, precarios y actuales de lo que se pueda aprender algo. Para ello, elegiré la política como fuente de exigencias de la esencia de la ciencia penal. Ello supone, a finales del siglo, una entrada que nos conducirá a intereses y contra-dicciones.

1. Política por omisión

La relación entre política y ciencia no siempre ha sido reconocida. El hecho de que a la investigación científico-penal le falta algo importante si no tiene en cuenta la política no ha sido algo evidente durante grandes épocas de nuestra tradición. Algunos ejemplos:

La «lucha de escuelas» durante el pasado cambio de siglo[47] y la teoría de la acción final[48] a mediados de éste se concentraron tanto en la justificación de la pena y en el fundamento de la imputación que aparentemente no repararon en lo que les rodeaba: no atendían a su entorno.

La preocupación científica con las particularidades de la normativa procesal penal en el periodo nazi no permitió percatarse de que, con la creación de los «tribunales del pueblo», la prisión preventiva decretada

---

[47] Al respecto, Monika Frommel, *Präventionsmodelle in der deutschen Strafzweck-Diskussion*, Berlin, 1986, pp. 42 y ss.

[48] Hans Welzel, *Das deutsche Strafrecht*, 11ª ed., Berlín, 1969, pp. 33 y ss.

por la policía, los tribunales militares, los tribunales del partido, los tribunales de las SS y, sobre todo, los tribunales de excepción[49], el derecho procesal de la justicia penal ordinaria se había convertido, en la práctica, en un mero adorno de la justicia penal[50].

Wolfgang Naucke nos dejó claro en su intervención en las jornadas de Profesores de Derecho penal celebradas en Kiel en 1972, al analizar y criticar lo que apasionaba a los penalistas alemanes en el homenaje a Kohlrausch (1944), es decir, en la peor época de la justicia sanguinaria y que cosas se obviaron (¿de forma intencionada?)[51].

Nuestra asignatura, como ciencia práctica, ha subestimado tradicionalmente el aspecto práctico frente al científico. La práctica, normalmente, no ha interesado a la ciencia penal alemana como objeto de su estudio. Su interés se ha concentrado en unos pocos objetos de la Parte general donde ha construido gruesos diques y allí se ha instalado para reflexionar con profundidad. El hecho de que, en ese hatillo que supone el interés de la asignatura, la «práctica» abarque algo más que la mera «Política», como por ejemplo, la medición de la pena, las leyes penales especiales, la criminología, incluso la Parte especial y el derecho procesal penal, que ocupan un lugar secundario, constituye, en el mejor de los casos, un débil consuelo.

La indiferencia por parte de la ciencia hacia la política relevante para el Derecho penal no significa, sin embargo, que la ciencia penal no haya tenido repercusiones políticas. Lo ha hecho, utilizando nuestra terminología, por omisión. Para ilustrar esta afirmación voy a exponer tres ejemplos de distinto calibre:

---

[49]   Una visión escueta con referencias la encontramos en Hinrich Rüping, *Grundriss der Strafrechtsgeschichte*, 3ª ed., Munich, 1998, pp. 100 y ss, 103 y ss.

[50]   Hinrich Rüping, *Zur Praxis der Strafjustiz im «Dritten Reich»*, en Dreier/Sellert (nota 34), pp. 180 y ss, 185 y ss; el mismo, *Strafjustiz im Führerstaat*, GA, 1984, pp. 297, 298 y ss; con otra perspectiva, respecto del Tribunal del Pueblo, Klaus Marxen, *Das Volk und sein Gerichtshof*, Frankfurt a. M., 1994, sobre todo pp. 55 y ss, 75 y ss.

[51]   Wolfgang Naucke, *Über das Verhältnis von Strafrechtswissenschaft und Strafrechtpraxis*, ZStW 85 (1973) pp. 399, 404 y ss.

Cuando alguien en el año 1944 aparecía ante la opinión pública discutiendo sobre sutilezas científico-penales, demostraba —lo hiciera a propósito o no, se diera cuenta de ello o no— que de lo que realmente debía ocuparse un penalista era de estas sutilezas y no de las barbaridades que se estaban llevando a cabo en esa época. Si alguien en la posguerra resucitaba al Derecho natural y se preocupaba de las certezas apriorísticas y las estructuras lógico-objetivas que subyacen al Derecho penal[52], enfocaba con ello un espacio atemporal en el que se podía sentir bastante seguro y a salvo de preguntas comprometedoras sobre el pasado reciente. Si alguien hoy interpreta el Derecho penal como algo apuntalado y dirigido exclusivamente a la eficacia, dejando a un lado su relación con la historia y su sistemática[53], entonces estará ofreciendo su bendición a la legislación actual.

Desde luego, los tres ejemplos aparecen separados a años luz en la escala de la repercusión política y de la sutileza científica. Pero precisamente por eso demuestran la amplitud de las posibilidades de comisión por omisión de la ciencia penal frente a la evolución de la política. Una ciencia como la nuestra no puede escapar de la política; no puede, a través del silencio, permanecer pura. Nuestra ciencia sólo tiene dos opciones: o incluir en sus planteamientos científicos las consecuencias políticas que de ella se derivan y con ello facilitar la discusión, o hacerse la boba ante estas consecuencias.

2. Política activa

La disposición a considerar las cuestiones de carácter político como parte de la ciencia penal es también una parte importante de nuestra

---

[52] Edmund Mezger, Vom Sinn der strafbaren Handlung, JZ, 1952, pp. 673 y ss; Hans Welzel, Um die finale Handlungslehre. Eine Auseinandersetzung mit ihren Kritikern, Tübingen 1949, sobre todo p. 10 y ss; el mismo, Aktuelle Strafrechtsprobleme im Rahmen der finalen Handlungslehre, Vortrag, 1953, sobre todo p. 4; el mismo, Naturrecht und Rechtspositivismus in Rechts- und Staatswissenschaftliche Fakultät zu Göttingen (ed.) Festschrift für Niedermayer, Göttingen, 1953, p. 279, 290 y ss.

[53] Ejemplo de lo contrario lo encontramos en Herbert Tröndle/Thomas Fischer, StGB, 49ª ed., Munich, 1999, parag. 43ª, marg. 3ª-3c, 6.

tradición. *Paul Johann Anselm von Feuerbach, Franz v. Liszt, Gustav Radbruch*, los penalistas de la Gran Comisión para el Derecho penal desde 1954 a 1959 y sobre todo los autores del Proyecto Alternativo de 1966[54], todos ellos han atendido, a su manera, a las exigencias de su tiempo y han acercado la ciencia penal a la política, a veces, incluso, con resultados concretos.

Ello no sólo ha enriquecido a la política sino también a la ciencia penal, que ha resultado beneficiada. Desde mi punto de vista[55], a partir de mediados de los sesenta, la idea de «orientación a las consecuencias» pertenece a nuestro arsenal metodológico. El análisis de los resultados con base en sus consecuencias y la tendencia a examinar esos resultados desde la perspectiva de las consecuencias sobrepasan una mera forma analítica de observación a favor de un concepto[56] sintético-político[57].

Este concepto no ha oscurecido ni cerrado las otras ramas de la ciencia penal, por el contrario, las ha ampliado y completado. Así, hoy en día los penalistas se preocupan, al justificar y exponer sus conocimientos, no sólo de rendir cuentas sobre la pureza de conceptos y la riqueza de contenidos sino también de la posibilidad de conexión con instrumentos, ajenos al Derecho penal, de control social o sobre las consecuencias favorables de una política penal.

3. Criterios

En la cuestión de la esencia del Derecho penal frente a las exigencias políticas de su tiempo se debate no sólo el si, sino el como. Para ese

---

[54] Cfr. Claus Roxin, *Franz v. Liszt und die kriminalpolitische Konzeption des Alternativentwurfs*, ZStW 81 (1969), pp. 613 y ss.

[55] En profundidad y con referencia, mi trabajo *Strafrechtswissenschaft in der Bundesrepublik Deutschland* (nota 17) pp. 276 y ss.

[56] Sobre este concepto me he manifestado con intensidad en *Über die Berücksichtigung von Folgen bei der Auslegung der Strafgesetze*, en Norbert Horn /ed.) Festschrift für Helmut Coing, tomo I, Munich 1982, pp. 493 y ss.

[57] En el sentido amplio en el que aquí se utiliza el término «político»; cfr. Supra IV.2.(3).

«como» me gustaría proponer varios criterios y ponerlos a prueba con un ejemplo[58].

a) Polos

Como ya hemos dicho en la determinación general de la autocomprensión[59] del Derecho penal, no tiene ningún sentido, especialmente en lo que se refiere a las exigencias políticas, agotarla en polos opuestos. La absoluta negación a considerar la evolución política no constituye una opción realista, como tampoco lo es la total compenetración con la misma[60]. Lo primero sería un error del aspecto práctico de una ciencia práctica; lo segundo, un error del aspecto científico. Más bien se trata —y con esto anticipo el resultado— de una equidistancia: una relación con las exigencias políticas de la época que a través de la distancia ponderada y equilibrada entre los dos ámbitos, nos lleve a la autocomprensión del Derecho penal, es decir, a las estructuras y características que distinguen y determinan nuestra asignatura de forma perdurable.

Antes de aclarar[61] los criterios de la equidistancia y la esencia y los someta a prueba con un ejemplo[62], me gustaría empezar con una idea inofensiva:

b) Tipos de política

A las exigencias políticas para la Ciencia penal pertenecen todas aquellas que, siguiendo un concepto amplio de política que incluya la política diaria y la de partido[63], sean relevantes para el Derecho penal. Ello no significa que por ejemplo, la política diaria no se refuerce de

---

[58]   Infra V.4.
[59]   supra III.2, 3.
[60]   Vid. V.1.
[61]   infra V.3.e.
[62]   infra V.4.
[63]   supra IV.2.(3).

alguna manera desde el punto de vista de sus contenidos; sólo significa que los acontecimientos de la política diaria pertenecen al ámbito de la ciencia penal y en esa medida deben ser atendidos. Lo que tenga un significado científico es algo que la propia ciencia penal habrá de decidir. Lo mismo podemos afirmar sobre el asesoramiento político o cualquier otra forma de trabajo público realizado por expertos científicos.

De jure, son evidentes, de la misma manera, dos presupuestos de la publicidad de la ciencia penal en relación con su ámbito, que, de facto, no encuentran la atención merecida y que por ello han sido aquí escasamente mencionados.

c) Formas de la política criminal

La forma en que años pasados se ha llevado a cabo la política criminal[64] ha contado con una participación de la ciencia penal —y lo diremos cuidadosamente— bastante desfavorable[65]. Mientras que en nuestro campo se realizaron reformas en los años cincuenta y sesenta pensadas y calibradas, (como hoy se llevan a cabo en ámbitos jurídicos como, por ejemplo, la culpabilidad) las reformas de las leyes penales se han caracterizado desde hace ya un tiempo por su precipitación y opacidad. Sólo un pequeño círculo sabe lo que pasa antes de que pase y los penalistas no pertenecen a este círculo. La crítica de cada penalista post festum[66] no tiene ningún eco en los políticos.

Aquí debemos inmiscuirnos sin ningún pudor. Y ello porque sin una información amplia y puntual sobre la evolución relevante de la política resulta imposible una participación científica en la misma; lo único

---

[64] *Para una información completa, Michael Hettinger, Entwicklungen im Strafrecht und Strafprozessrecht, Heidelberg, 1997; sobre la «avalancha normativa» (p. 2) que esta política criminal ha desatado en el derecho material (p. 9 y ss) y en el derecho procesal (p. 43 y ss).*

[65] *Winfried Hassemer, Perspektiven einer neuen Kriminalpolitik, StV, 1995, p. 483.*

[66] *Por ejemplo, Peter-Alexis Albrecht, Erosionen des rechtstaatlichen Strafrechts, KritV, 1993, pp. 163 y ss; Wolfgang Naucke, Schwerpunktverlagerungen im Strafrecht, KritV, 1993, pp. 35 y ss.*

factible es saludar la iniciativa de algunos colegas que están dispuestos a conseguir esa información y a divulgarla[67].

Además nuestra sociedad debe insistir, en lo que se refiere a la política interior y legislativa, en conceptos como minuciosidad y el carácter discursivo de las reformas[68]. ¿Quién, sino los penalistas, podría representar de forma convincente, las reformas del derecho estatal intervencionista, que afectan profundamente a nuestra cultura normativa y necesitan del conocimiento, la experiencia y la reflexión?

d) El espíritu de la época

En la relación con su entorno político, los penalistas tienen un problema que otros científicos prácticos no tienen: los límites entre el científico y el ciudadano son difíciles de determinar. Formulado de otra manera podemos decir que la cercanía del espíritu de la época es aplastante. Ahí radica la carga pero también la oportunidad para los penalistas.

La carga es evidente. El penalista que, como tal, se inmiscuye en asuntos políticos, puede recibir el reproche de «zapatero a tus zapatos», absolutamente rechazable cuando estamos hablando claramente de ámbitos relevantes para el Derecho penal. Los propios criminólogos no deberían huir[69] hacia los arcanos de lo empírico sin valoraciones, sino que deben contestar a la pregunta de por qué precisamente ahora presentan sus hechos incontestables y justo en ese contexto —o bien por qué no lo hacen.

---

[67]   Georg Freund, *Der Entwurf eines 6. Gesetzes zur Reform des Strafrechts*, ZStW 109 (1997), pp. 455 y ss.

[68]   Un ejemplo de ello lo encontramos en Dorothae Rzepka, *Mehr Strafrecht als Antwort auf rechtsextremistische/fremdenfeindliche Gewalt?*, en Institut für Kriminalwissenschaften Frankfurt am Main (ed.) *Vom unmöglichen Zustand des Strafrechts*, Frankfurt a.M., 1995, pp. 245 y ss, que entiende su artículo de forma explícita como una aportación a la discusión política polarizada y que recopila conocimientos tanto empíricos como teórico-penales.

[69]   Véase Fritz Sack, *Sozio-politischer Wandel, Kriminalität und sprachlose Kriminologie*, en KritV, 1995, 205 sobre todo pp. 209 y ss, 212 y ss.

Esto resulta invariable. Prohibir y castigar pertenecen al conocimiento y a la cultura cotidianos.; su investigación a través de instrumentos científicos no corta esa relación ni la convierten en algo cualitativamente distinto. Siguen atrapados en las teorías cotidianas, que no se diferencian mucho[70], en su estructura, de las teorías científicas, tropiezan con un ejército de expertos indiscutidos y por ello, contra lo que podría pensarse, el penalista rinde homenaje, como también lo hacen los demás, al espíritu de la época —sólo que el penalista lo formula de forma más complicada.

Pero también podemos ver una oportunidad: no debe ser ninguna desventaja trabajar duramente en el campo político como ciudadano y como científico —al contrario. El trabajo científico puede aprender, de los políticos y de la máxima «Tua res agitur», algo de implicación y de perdurabilidad; los intereses políticos pueden refinarse con virtudes científicas como el escepticismo y la amplitud de miras. Presupuesto de la materialización de esa oportunidad es, naturalmente, que los límites entre ambas formas de actuar no se borren, sobre todo, que la simple opinión política no se embadurne de cientificidad.

e) Equidistancia y esencia

Lo que queremos expresar se puede aclarar con la ayuda de los criterios «equidistancia entre la ciencia penal y la política» y «la autocomprensión de la ciencia penal»; y se puede discutir con el apoyo de ejemplos referidos a la tendencia actual de endurecimiento del Derecho penal.

La relación adecuada entre el Derecho penal y las exigencias de su tiempo debe construirse, como hemos dicho[71], sobre la base de una distancia equilibrada entre ciencia y política, determinada por aquellas estructuras y características que distinguen a la ciencia penal de forma constante y que le son propias. En esta determinación se contienen más cosas:

---

[70] Cfr. Klaus Friedrich Röhl, Rechtssoziologie, Colonia, 1987, pp. 90 y ss.
[71] Supra V.3.a.

La polarización entre el simple rechazo y la identificación entre los dos ámbitos queda excluida. Por el contrario, se incluyen tanto la relación de reciprocidad entre la ciencia penal y la política así como la determinación de las instancias a partir de las cuales se pueden establecer el contenido y los límites de esta relación. Desde esta perspectiva, la ciencia penal tiene que establecer su relación con la política de manera que conserve su esencia: o sea, aquello que constituyen características irrenunciables y perdurables tanto de su objeto como de ella misma[72].

La esencia de la ciencia penal, aquello que la caracteriza invariablemente y que puede ser útil en la sociedad, el Estado y el ordenamiento jurídico, lo constituye la investigación sistemática y la formalización del control social de graves desviaciones[73], es decir, la estrecha relación de la respuesta penal con principios orientados a la protección de aquellas personas que están implicadas en conflictos criminales y su resolución. Estos principios de la respuesta penal de un Estado de Derecho han sido conformados, tradicionalmente, sobre todo por la ciencia penal y lo siguen siendo en los últimos tiempos a la luz de nuestra Constitución[74]: el principio de culpabilidad, el principio de taxatividad, el derecho a la defensa, ne bis in idem, imputación individual, prohibición de retroactividad y de analogía, etc. En la materialización de esos principios reside el ethos del Derecho penal en la práctica y en la ciencia. Ellos representan el mensaje de la ciencia penal en su relación con las exigencias políticas de su tiempo, y son la paráfrasis del «Derecho penal» al que

---

[72]   *supra III.3.*
[73]   *En profundidad y con referencias, Hassemer, (nota 41), Einführung, parag. 30 II.*
[74]   *Véase por ejemplo, Gregor Staechelin, Strafgesetzgebung im Verfassungsstaat. Normative und empirische materielle und prozedurale Aspekte der Legitimation unter Berücksichtigung neuerer Strafgesetzgebuchspraxis, Berlín, 1998, sobre todo, pp. 30 y ss, 317 yss; Otto Lagodny, Strafrecht vor der Schranken der Grundrechte, Tübingen, 1996, sobre todo, pp. 367 en referencia el principio de culpabilidad; Ivo Appel, Verfassung und Strafe, Berlín, 1998, pp. 303 y ss, 333 y ss (sobre la concurrencia de los principios de la teoría penal y de la dogmática constitucional) y passim; una exposición amplia de la jurisprudencia la encontramos en Aurelia Paulduro, Die Verfassungsmässigkeit von Strafrechtsnormen, insbesondere der Normen des Strafgesetzbuches im Lichte der Rechtsprechung des Bundesverfassungsgericht, Munich, 1992.*

Franz v. Liszt le atribuyó el papel de barrera infranqueable de la política criminal[75].

4. Un objetivo cambiante

Nunca como hasta ahora[76] ha sido tan precaria la esencia de la ciencia penal frente a las exigencias políticas de su tiempo. La ciencia penal, llena de expectativas, aparece confrontada al Derecho penal y a su análisis científico, que pueden abrir nuevas dimensiones. Plantearé la evolución y la discusión que desde hace tiempo nos ocupa[77], a grandes rasgos: siempre y cuando colmen la idea de equidistancia de la ciencia penal y la política con la vida.

La protección penal puede hacerse cargo de tareas que nunca se le han encomendado. La necesidad cada vez más extendida en la sociedad y en el Estado, de dominar peligros y prevenir grandes catástrofes vuelve su mirada hacia el Derecho penal. Se exigen intervenciones rápidas y efectivas allá donde surge la amenaza[78]. La opinión pública política confía en que el Derecho penal cuenta con la suficiente potencia para ello[79].

---

[75]   Franz v. Liszt, Über den Einfluss der soziologischen und anthropologischen Forschungen auf die Grundbegriffe des Strafrechts, en, el mismo, Strafrechtliche Aufsätze und Vorträge, tomo 2, Berlín, 1905, pp. 75, 80.

[76]   Ello quizás lo explica el ambiente de endurecimiento, que Hettinger (nota 64), pp. 5 y ss., constata.

[77]   Cfr. Günter Heine, Die strafrechtliche Verantwortlichkeit von Unternehmen, Baden-Baden, 1995; Felix Herzog, Gesellschaftliche Unsicherheit und strafrechtliche Daseinsvorsorge, Heidelberg, 1991; Winfried Hassemer, Produktverantwortung im modernen Strafrecht, 2ª ed., Heidelberg, 1996, p. 9 y ss (hay traducción española, con un capítulo sobre el problema en el Derecho penal español, de Francisco Muñoz Conde, Valencia 1995); Günter Stratenwerth, Das Strafrecht in der Krise der Industriegesellschaft, Basel, 1993; en general sobre el concepto de «sociedad del riesgo», Cornelius Prittwitz, Strafrecht und Risiko, Frankfurt a.M., 1993, pp. 49 y ss; también Eric Hilgendorf, Strafrechtliche Produzentenhaftung in der «Risikogesellschaft», Berlín, 1993, pp. 17 y ss, 40 y ss.

[78]   Al respecto, Winfried Hassemer, Perspektiven einer neuen Kriminalpolitik, StV, 1995, pp. 483 y ss.

[79]   Estas opiniones las encontramos recogidas en Hettinger (nota 64), pp. 5 y ss.

El ruego de la ciencia liberal en el sentido de no tocar el tradicional Derecho penal nuclear y no manipularlo como simple adorno para la resolución de problemas suena cada vez más anacrónico. La legislación, apoyada por gran parte de la doctrina, corresponde al milímetro a las expectativas con endurecimientos de la amenaza penal tanto con la creación de nuevos tipos como con la ampliación de las sanciones, la utilización de delitos de peligro sobre la base de bienes jurídicos universales vagos, el adelantamiento de las barreras de lo punible, la inclusión de nuevos métodos de investigación y de prueba y nuevas formas de imputación.

Quien, como yo, observa a la ciencia penal inmersa en la tensión entre libertad y obligatoriedad[80], pone el acento en su relación con su tiempo[81] y critica su «política por omisión»[82], no caerá en la idea de que el Derecho penal y la ciencia penal en la actual situación pueden ser independientes con sólo mirar a otro lado. En una situación de violencia juvenil, drogodependencia, corrupción, contaminación del medio ambiente, criminalidad organizada y transfronteriza, la cuestión no es si percibimos problemas serios y en parte nuevos y si el Derecho penal debe hacer algo ante esa situación. La cuestión es sólo ¿cómo?

Ante esta cuestión, la idea de equidistancia y autocomprensión resulta fructífera —no sólo para resolver la controversia de si el Derecho penal puede colmar las nuevas expectativas y cómo puede hacerlo (esta controversia dura ya un tiempo y no quiero repetir aquí mi postura al respecto[83]), sino para contestar a una cuestión previa: cómo puede la ciencia penal abordar esta controversia. La respuesta es: la compenetración inmediata con las expectativas políticas queda excluida. La tarea de la ciencia penal es, sobre todo, la mediación entre el Derecho penal y las expectativas políticas. Esa mediación debe preservar la autocomprensión del Derecho penal y, con cuidado, traducirla a la situación actual. Esa

---

[80]   Supra III.3.
[81]   supra IV.2.
[82]   supra V.1.
[83]   en profundidad mi trabajo sobre Produktverantwortung im modernen Strafrecht (nota 77).

*autocomprensión se compone de los principios fundamentales que pro-
vienen de la tradición del Derecho penal y del Derecho procesal.*

*Con ello no termina la discusión, sino que, si todo va bien, continúa.
Las exigencias de la época son, desde luego, un objetivo cambiante.*

La autocomprensión de la ciencia del Derecho penal ante los desafíos del presente[*]
(Comentario)

GÜNTHER JAKOBS
Bonn

La ciencia del Derecho penal no sólo lleva a cabo la tarea de reunir las normas jurídico-penales de una sociedad y ordenarlas según criterios externos, es decir, «de alguna manera», sino de exponer la necesidad y los límites de dichas normas para su tiempo y, en este sentido, sintetizar derecho penal y tiempo en un mismo concepto. Como ciencia práctica, la ciencia del derecho penal está íntimamente acoplada a otros dos sistemas sociales, a saber, primero, con la fijación autoritaria del derecho en forma de leyes, es decir, con la política, y segundo, aún más fuertemente, con la práctica de la diferenciación entre derecho e injusto, es decir, con el sistema jurídico propiamente. Así, gran parte de los comentarios de la literatura pueden concebirse por lo menos también como una despensa de argumentos de la práctica, depurada de incorrecciones. A esto se añade el acoplamiento de la ciencia del derecho penal con el sistema de educación, que está institucionalizado a través de la unión personal de científicos y profesores académicos y que ha conducido a una profusión todavía creciente de obras didácticas, las cuales no pretenden aportar por sí mismas ciencia, sino quizá capacitar para dicho rendimiento o, cuando menos, para la participación en la práctica jurídica —por

---

[*] Traducción de Teresa Manso Porto.

cierto, un acoplamiento entre formación y mercado editorial que por su parte merecería un estudio—.

Los sistemas acoplados —ciencia, política, derecho, educación— presentan un cuadro colorido y ello hace posible cubrir más o menos un tono para hacer destacar tanto más uno de los otros. Por regla general, se formula que la ciencia ha de marcarle pautas al derecho positivo, pero también sistematizarlo y que por eso la ciencia del derecho es una ciencia práctica. Así, se dice, por ejemplo, que la ciencia del derecho se refiere «a los principios categóricos del derecho penal»[1], que debe alumbrar los «conceptos jurídicos fundamentales», y además de manera «deductiva» (!), pero ello sin que la «teoría del derecho vigente» sea excluida de la ciencia del derecho[2]. En lugar de principios categóricos, se habla también —más débilmente— de «estructuras», que «le son dadas de manera previa al legislador y que la ciencia ha de elaborar», si bien el legislador nacional con sus leyes da «únicamente ocasión para esos análisis», «que agilizan la comprensión» ; junto a esta parte de la ciencia libre de fines, entraría el fomento de la praxis jurídico-penal a través de la transmisión de los conocimientos generales, así como de la crítica del caso particular, de tal manera que la ciencia, incluso «por cada decisión futura de los órganos estatales» —es decir, tanto del sistema político como del sistema jurídico—, tendría una «responsabilidad compartida»[3]. Lo práctico de la ciencia del derecho es entendido en parte en un doble sentido: primero, como caracterización de la instauración «de una justicia equitativa y uniforme» y segundo, como caracterización de la ciencia del actuar justo e injusto, es decir, como parte de la filosofía práctica[4] —en todo caso, se vinculan nuevamente ciencia, política y derecho—.

Incluso el positivismo jurídico-penal, que pretendía dejarlo en la sistematización del derecho positivo, es decir, que sacrificaba la ciencia prima facie y quería mostrarle solamente a la práctica jurídica los rumbos

---

[1]   Michael Köhler, Strafrecht. Allgemeiner Teil, Berlín/Heidelberg/Nueva York, 1997, p. 7.
[2]   Köhler (nota 1), p. 8.
[3]   Eberhard Schmidhäuser, Strafrecht. Allgemeiner Teil, 2ª ed, Tubinga, 1975, p. 1.
[4]   Hans Welzel, Das Deutsche Strafrecht, 11ª ed., Berlín, 1969, p. 1.

de sus posibles travesías, o bien —como en v. Liszt— al lado de dicha actividad apriorística con respecto a la política hace entrar en juego a la criminología y a la penología como crítica a la actuación legislativa[5], o bien —como en Binding, cuya vinculación entre ciencia y praxis cabe considerar como notoria— reivindica para la ciencia jurídica como ciencia de un «orden de la especie humana» al mismo tiempo también su «racionalidad»[6]: «ningún error es ... más funesto que el considerar que lo positivo se agota en el derecho escrito»[7]. En la consecuencia, también un positivista se ve «siempre en la antesala de la producción jurídica» y «cada propuesta de legislación es un hecho de la ciencia jurídica»[8].

Resumiendo lo anterior, se puede constatar que a la comprensión de la ciencia jurídico-penal moderna pertenece —no unánimemente; especialmente se ha hecho un paréntesis con el planteamiento de Kelsen[9]— un acoplamiento con el sistema político y con el sistema jurídico, por el cual política y praxis, en razón de su propia estabilidad, deben servirse de los conocimientos de la ciencia. El acoplamiento con el sistema de educación es evidente y basta con mencionarlo.

El análisis acerca de si este acoplamiento armónico, que ya casi resulta idílico, entre cuatro sistemas —ciencia, política, derecho, educación— alguna vez fue real o si se basa únicamente en suposiciones contrafácticas de armonía puede quedar aquí al margen; el gran desafío del presente, el dominio del sistema económico y, como consecuencia de ello, la internacionalización de todas las instituciones, va a imponer de todas formas un nuevo orden.

La época en la que la sociedad (también) se representaba a través de su ciencia libre de fines, al igual que el medievo (también) lo hacía a

---

[5]   *Franz v. Liszt, Lehrbuch des deutschen Strafrechts, 4ª ed., Berlín, 1891, pp. 2, 4 y s.; véase además el mismo/Eberhard Schmidt, Lehrbuch des deutschen Strafrechts, 25ª ed., Berlín y Lepzig, 1927, p. 2.*

[6]   *Karl Binding, Handbuch des Strafrechts, Leipzig, 1885, p. 13.*

[7]   *Binding (nota 6), p. 11.*

[8]   *Binding (nota 6), p. 15, nota 15.*

[9]   *Hans Kelsen, Reine Rechtslehre, 2ª ed., Viena, 1960, p. 1; véase también la propuesta de Joachim Hruschka, Kann und sollte die Strafrechtswissenschaft systematisch sein?, JZ 1985, 1 y ss.*

través de sus catedrales, parece tocar a su fin: la economía no valora el conocimiento per se, sino sólo el conocimiento aprovechable, es más, aprovechable para ella misma, esto es, para una economía que actúa internacionalmente. Para ésta, sin embargo, acostumbrada a hacer balance anualmente o incluso con mayor frecuencia, un conocimiento jurídico-penal es sólo aprovechable para ver cómo puede mejorar más o menos a corto plazo la situación de seguridad de los bienes o, al menos, mantenerse. Empleando el término clave, lo que se exige es efectividad del derecho penal. Sin embargo, el contexto del derecho penal y la efectividad, entendida ésta como seguridad de los bienes, constituye un asunto delicado: juridicidad y seguridad no son precisamente una misma cosa.

Las personas en derecho no se caracterizan primordialmente a través de la seguridad óptima de sus bienes, sino a través del hecho de que en general se las reconoce como titulares de derechos y obligaciones, es decir, que ostentan el correspondiente estatus. Un hecho penal se puede caracterizar —paralelamente a esto— no como lesión de bienes, sino sólo como lesión de la juridicidad. La lesión de la norma es, como muestra la punibilidad de la tentativa, el elemento decisivo del hecho penal, y no la lesión de un bien. Paralelamente, tampoco la pena puede estar referida a la seguridad de los bienes o algo similar; la seguridad de los bienes o la prevención del delito están en una relación con la pena demasiado elástica como para poder pasar por funciones de ésta. La pena se debe entender más bien como marginalización del hecho en su significado lesivo para la norma y, con ello, como constatación de que su existencia normativa no ha cambiado; la pena es la confirmación de la identidad de la sociedad, esto es, de la existencia normativa, y con la pena este —si se quiere— fin de la pena se consigue siempre.

Ahora bien, la función abierta de la pena, confirmar la identidad de la sociedad, no excluye admitir como función latente una dirección de la motivación: la marginalización del hecho y la confirmación de la configuración social que tiene lugar de manera permanente excluye las formas de comportamiento delictivo del repertorio de las que en todas partes se insinúan o quizá recomiendan. En otras palabras, en la organización normal cotidiana no se reflexiona primero acerca de la posibilidad de proceder delictivamente. Esta es la llamada prevención general positiva como función latente de la pena. A ello se podría añadir además un efecto intimidatorio, es decir, una prevención negativa, y otros más.

La separación del efecto confirmador de la pena de los efectos preventivos, esto es, la división entre función abierta y funciones latentes es de gran importancia, ya que la pena, dependiendo de su función, ha de dirigirse a destinatarios distintos. El efecto confirmador se dirige a *personas*, es decir, a partícipes de la comunicación considerados como poseedores de disposición jurídica, es más, se dirige absolutamente a todas. Teniendo como destinatarios a personas, el daño penal que se le inflige al autor mediante la privación de medios de desarrollo (libertad, dinero) no es para producir miedo o compasión u otros estados psíquicos, sino que sólo es portador de un significado, que es que no hay que tomar el hecho como comunicación válida. Ya la mera declaración de culpabilidad tiene este significado, pero de la misma forma que el hecho es más que una afirmación, es decir, también es su objetivización, la declaración de culpabilidad también debe hacerse duradera, objetivarse, y eso significa que la pena debe ejecutarse. La función abierta se alcanza por lo tanto en la comunicación personal; se trata solamente del cercioramiento acerca de qué es derecho y qué es injusto. *Kant* designaría a los destinatarios como *homo noumenon*. De manera distinta sucede cuando se trata de las funciones latentes. Acostumbrarse a ser fiel al derecho o quizá dejarse intimidar, esas no son reacciones personales; las personas no necesitan habituación o intimidación, pues, como se ha dicho anteriormente, son consideradas como partícipes de la comunicación con disposición jurídica. Solamente ha de ser dirigido mediante habituación o intimidación aquel que carece per se de disposición jurídica, de nuevo en el lenguaje kantiano, el *homo phaenomenon*, el individuo que se balancea entre la apetencia y la inapetencia.

También una sociedad consciente de los riesgos puede medir la pena según su función abierta, es decir, con vistas a la confirmación de la identidad normativa, y suponer que con el tiempo se generará un provecho suficiente en cuanto a prevención. Que la sociedad actual disponga del aliento suficiente es, sin embargo, dudoso. Pero, además, tampoco sería correcto dejar transcurrir a la función latente siempre en un segundo término. En otras palabras, la pena determinada jurídico-estatalmente es demasiado poco en algunos ámbitos. Con la mayor brevedad:

Un estado de juridicidad es un estado de validez del derecho; esta validez puede mantenerse, ese es incluso el aspecto central, de manera contrafáctica, marginalizando el comportamiento que quebranta la nor-

ma. Pero sin algún tipo de aseguramiento cognitivo, una sociedad constituida jurídicamente no funciona, porque en ella no sólo confirman su
identidad personas heroicas, sino que también individuos temerosos quieren encontrar un modo de sobrevivir. Para la mayoría de los ciudadanos
la supervivencia individual está por encima de la juridicidad; de lo contrario no habría dictaduras —el que puede morir, no puede ser obligado—. Junto a la certeza de que a nadie le está permitido matar, debe
darse también la de que muy probablemente nadie va a matar. Pero no
es sólo la norma la que precisa de un aseguramiento cognitivo, sino
también la persona. Quien quiera ser tratado como persona, debe dar
también una cierta garantía cognitiva de que se va a comportar como tal.
Si esta garantía no se da o incluso es denegada de forma expresa, el
derecho penal pasa de ser la reacción de la sociedad frente al hecho de
uno de sus miembros a convertirse en una reacción frente a un enemigo.
Esto no significa que entonces esté *todo* permitido, incluso una acción sin
medida. Al contrario, al enemigo se le reconoce una personalidad *potencial*, de tal manera que en una lucha no puede superarse el límite de lo
necesario. Pero eso aún permite mucho, todavía más que en la legítima
defensa, en la que la defensa necesaria tiene que ser siempre reacción
frente a una agresión actual, mientras que en el derecho penal de
enemigos, como se va a mostrar a continuación, también se trata de la
defensa frente a agresiones futuras.

El derecho penal de enemigos sigue otras reglas distintas a las de un
derecho penal jurídico-estatal interno y todavía no se ha resuelto en
absoluto la cuestión de si aquel, una vez indagado su verdadero concepto,
se revela como derecho. Particularidades típicas del derecho penal de
enemigos son: 1) amplio adelantamiento de la punibilidad, es decir,
cambio de la perspectiva del hecho producido por la del hecho que se va
a producir, siendo aquí ejemplificadores los tipos de creación de organizaciones criminales o terroristas (pgfos. 129, 129 a Código penal alemán)
o del cultivo de narcóticos por parte de bandas organizadas (pgfos. 30 I
1, 31 I 1 Ley de Narcóticos); 2) falta de una reducción de la pena en
proporción a dicho adelantamiento, por ejemplo, la pena para el cabe-
cilla de una organización terrorista es igual a la del autor de una tentativa
de asesinato, por supuesto cuando se aplica la aminoración de la tentativa (pgfos. 129 II, 211 I, 49 I 1 Código penal alemán) y en su mayoría
sobrepasa ostensiblemente a las penas reducidas por tentativa previstas

*en los otros delitos de asociaciones terroristas mencionados; 3) paso de
la legislación de derecho penal a la legislación de la lucha para combatir
la delincuencia, en la que de lo que se trataría es de combatir la
delincuencia económica*[10], *el terrorismo*[11], *la criminalidad organizada*[12],
*pero también —con alguna pérdida de contornos— delitos sexuales y
otras conductas penales peligrosas*[13], *así como —abovedando todo— la
delincuencia en general*[14]; 4) *supresión de garantías procesales, constituyendo entretanto la incomunicación del procesado (pgfos. 31 y ss. Ley de
Introducción a la Ley sobre la Constitución Judicial) el ejemplo clásico.*

*Con este lenguaje —adelantando la punibilidad, combatiendo con
penas más duras, limitando las garantías procesales—, el Estado no habla
con sus ciudadanos, sino que amenaza a sus enemigos, y queda el interrogante de quiénes son considerados enemigos. El enemigo es un individuo que, no sólo de manera incidental, en su comportamiento (delitos
sexuales; ya el antiguo delincuente habitual «peligroso» según el pgfo. 20
a Código penal alemán*[15]) *o en su ocupación profesional (delincuencia
económica, delincuencia organizada y también, especialmente, tráfico de
drogas) o principalmente a través de su vinculación a una organización
(terrorismo, delincuencia organizada, nuevamente el tráfico de drogas o
el ya antiguo «complot de asesinato»), es decir, en cualquier caso, de una
forma presuntamente duradera, ha abandonado el derecho y, por tanto,
no garantiza el mínimo cognitivo de seguridad del comportamiento
personal y demuestra este déficit a través de su comportamiento.*

---

[10]   *Primera Ley para la Lucha contra la Delincuencia Económica, de 29 de julio de
1976, Boletín Oficial Federal, vol. I, p. 2034; Segunda Ley para la Lucha contra
la Delincuencia Económica, de 15 de mayo de 1986, Boletín Oficial Federal, vol.
I, p. 721.*

[11]   *Art. 1 de la Ley para la Lucha contra el Terrorismo, de 19 de diciembre de 1986,
Boletín Oficial Federal, vol. I, p. 2566.*

[12]   *Ley para la Lucha contra el Tráfico Ilegal de Drogas y otras Formas de Delincuencia Organizada, de 15 de julio de 1992, Boletín Oficial Federal, vol. I, p. 1302.*

[13]   *Ley para la Lucha contra la Delincuencia Sexual y otros Delitos Peligrosos, de 26
de enero de 1998, Boletín Oficial Federal, vol. I, p. 160.*

[14]   *Ley para la Lucha contra la Delincuencia, de 28 de octubre de 1994, Boletín
Oficial Federal, vol. I, p. 3186.*

[15]   *Suprimido por la Primera Ley de Reforma del Derecho Penal, de 25 de junio de
1969, Boletín Oficial Federal, vol. I, p. 645.*

Si todo no induce a error, el número de enemigos no va a descender tan pronto, sino que más bien todavía va a aumentar. Una sociedad que ha perdido el respaldo tanto de una religión conforme al Estado como de la familia, y en la cual la nacionalidad es entendida como una característica incidental, le concede al individuo un gran número de posibilidades de construir su identidad al margen del derecho o, al menos más de las que podría ofrecer una sociedad de vínculos más fuertes. A esto se añade el poder detonante de la llamada pluralidad cultural. Un completo absurdo: o bien las diferentes culturas son simples adiciones a una comunidad jurídica base, y entonces se trata de multifolclore de una cultura, o bien —y esa es la variante peligrosa— las diferencias forjan la identidad de sus miembros, pero entonces la base jurídica común queda degradada a mero instrumento para poder vivir los unos junto a los otros y, como cualquier instrumento, se abandona cuando ya no se necesita más. A quien esto le resulte exagerado, que se lea la Carta sobre la tolerancia de John Locke[16], quien, no sin fundamento, tenía fama de liberal.

Así pues, la sociedad seguirá teniendo enemigos —visibles o con piel de cordero— deambulando por ella. A falta de seguridad cognitiva, una sociedad consciente de los riesgos no puede dejar de lado esta problemática; pero tampoco puede solucionarla sólo a base de medidas policiales. Por ello, no existe ninguna alternativa al derecho penal de enemigos que sea actualmente perceptible. La seguridad cognitiva, que en el Derecho penal de ciudadanos se puede regular de un modo simultáneo, se convierte en el derecho penal de enemigos en el objetivo principal. En otras palabras, ya no se trata del mantenimiento del orden de personas tras irritaciones sociales internas, sino que se trata del restablecimiento de unas condiciones del entorno aceptables por medio de la —si se me permite la expresión— neutralización de aquellos que no ofrecen la mínima garantía cognitiva necesaria para que a efectos prácticos puedan ser tratados en el momento actual como personas. Es cierto que el procedimiento para el tratamiento de individuos hostiles está regulado jurídicamente, pero se trata de la regulación jurídica de una exclusión: los individuos son actualmente no-personas. Indagando en su verdadero

---

[16]   *John Locke, Ein Brief über Toleranz, traducido por Julius Ebbinghaus, Hamburgo, 1957, especialmente p. 90/91 ss., 94/95 s.*

concepto, el derecho penal de enemigos es, por lo tanto, una guerra cuyo carácter limitado o total depende (también) de cuánto se tema al enemigo. Todo esto resulta chocante, y ciertamente lo es, pues se trata de la imposibilidad de una juridicidad completa, es decir, contradice la equivalencia entre racionalidad y personalidad. Pero con la ultima ratio de *Kant* solamente, según la cual cualquiera puede ser obligado a tomar parte de una relación jurídica con garantías, es decir, del Estado (una «constitución ciudadana»)[17], no se esquiva el problema de cómo proceder frente a aquellos que ni se dejan coaccionar ni se mantienen apartados y que, por lo tanto, persisten como entorno perturbador, como enemigos. Es tarea apenas iniciada de la ciencia la de identificar las reglas del derecho penal de enemigos y separarlas de las del derecho penal de ciudadanos para, dentro de éste último, poder persistir tanto más en el tratamiento del delincuente como persona jurídica.

Con ello queda señalada la principal tarea que se le impone a la autocomprensión de la ciencia del derecho penal: tiene que separar lo que circula bajo el nombre de derecho penal, es decir, someter a discusión el complemento del derecho penal a través un derecho de combate del enemigo. Si no quiere reconocer la necesidad de este último, será marginalizada por una sociedad dominada por lo económico, debido a su falta de eficacia. Y si a todo lo que circula bajo el nombre de «derecho penal» lo trata igual, capitula ante la política con su capacidad de diferenciación y se pierde a sí misma. De modo que a la ciencia del derecho penal, que no puede decidir la meta del viaje de la sociedad, le queda al menos la tarea de denominar las direcciones tomadas.

De manera análoga se plantea la tarea de la ciencia del derecho penal dentro de la internacionalización del derecho, sin bien aquí solamente ha de tratarse una parte del sector, a saber, la de la reacción penal frente a violaciones de derechos humanos en otro país a los ciudadanos de dicho país, ya sea un castigo penal a través de un tribunal internacional, ya sea a través de uno nacional. Del ovillo de problemas que quedan a

---

[17]   *Immanuel Kant, Die Metaphysik der Sitten. Erster Theil. Metaphysische Aufangsgründe der Rechtslehre*, ed. de la Academia, vol. VI, Berlín, 1907, p. 203 y ss., 256 (= *Der Rechtslehre Erster Theil, Erstes Haupstück, § 8*).

pesar de la delimitación, se pretende aquí tirar de un único hilo, a saber, la relación del principio *nulla poena* con el fin de la pena. En los supuestos esbozados, no se puede sostener que en el momento y lugar de su realización los hechos hayan sido realmente punibles en el sentido de que el autor tendría que haber contado con una imposición de pena con un índice de probabilidad considerable. O bien faltaba el tipo penal, o éste fue derogado. La punibilidad en el lugar y en el momento del hecho ha de entenderse, por tanto, normativamente, salvo que quiera prescindirse por completo del principio *nulla poena*, y ello significa que, o bien se acoge uno a una regulación internacional que no estaba implantada en el lugar y al tiempo del hecho, o bien se atiende a la regulación del lugar del hecho que se hubiera aplicado si en el país se hubiese procedido con respeto hacia los derechos humanos, o uno se acoge al derecho natural, el cual está claro que no satisface igualmente el principio *nulla poena*. En todos los casos se reemplaza la validez real por una validez postulada; el autor no se ha sustraído a un ordenamiento vivido, sino que no ha puesto en práctica uno postulado.

Pues bien, puede que este cambio de un ordenamiento real a un ordenamiento postulado se tenga por irrelevante, siempre y cuando los postulados estén bien fundamentados, pero con ello se destruye el principio *nulla poena*. Éste solamente es necesario cuando con posterioridad al hecho existen buenas razones para una pena. El principio *nulla poena* tiene la función —prescindiendo de las explicaciones psicologicistas desde *Feuerbach*[18] hasta la actualidad[19]— de limitar la pena a aquellos hechos contrarios a ordenamientos *en funcionamiento*, contrarios a la constitución *realmente existente* de la sociedad y no basta para ello con un postulado emitido *antes* del hecho, sino que debe tratarse de una norma establecida en la comunicación con anterioridad al hecho. Uno sólo puede cerciorarse a través de la pena de lo que ya existe; el derecho penal sólo puede preservar una realidad normativa existente, pero no conducir a tiempos mejores.

---

[18]   *Anselm v. Feuerbach, Lehrbuch des gemeinen in Deutschland gültigen peinlichen Rechts*, 11ª ed., Gießen, 1832, pgfos. 13 y ss., 20.

[19]   *Una amplia exposición en Hans-Ludwig Schreiber, Gesetz und Richter*, Francfort del Main, 1976, p. 299 y ss.

Cuando a pesar de todo, y al parecer sin reservas, se exige la instauración de tribunales penales internacionales, se trata de una confusión generada por el equívoco «pena» en el Estado y «pena» en el estado de naturaleza. Lo primero, pena en el Estado, presupone un orden existente que el delincuente desestabiliza y que se reafirma mediante el castigo de éste. Lo último, la pena en el estado de naturaleza, es un medio de coerción contra aquel que no se suma a un orden deseado por otros. La primera se impone categóricamente, la segunda mediante reglas de astucia, y eso significa que cuando el autor resulta más provechoso como parte del contrato que como penado, se prescinde de pena; lo dominante es la mera oportunidad, la astucia, justamente. Todo eso lo confunde el que no ha comprendido que *derecho penal* y *mera fuerza* penal se dividen categorialmente, es decir, el que confunde del lado del autor la sustracción a un orden existente con la negativa a embarcarse en un orden a establecer. Formulado de otro modo: el empleo del nombre «pena» en el estado de naturaleza sugiere una forma jurídica allí donde de lo que se trata es de un —quizá perfectamente legitimable— sometimiento (del que puede que surja consecutivamente derecho). Sugiere, por tanto, una obligatoriedad que no existe y una justificación que primero tendría que demostrarse, en una palabra, confunde derecho establecido con poder posiblemente legitimable. Formulado nuevamente de otro modo: puede que haya buenas razones para obligar a otro a un estado de juridicidad[20], pero antes de que eso haya sucedido, falta el estado de juridicidad[21]. *Derecho penal previo a un monopolio de la fuerza en funcionamiento es un mero nombre, no un concepto.*

Tales reservas no van a poder detener la tendencia actual. Al parecer existen poderosos estímulos para la interferencia mediante pena. En primera línea, hay que mencionar las comprensibles reivindicaciones de venganza por parte de la víctima de aquellos por quienes fue subyugada. Más allá, se trata seguramente también de demostrar que el ordenamiento protector de los derechos humanos es un ordenamiento bien meditado; cuando uno sabe con exactitud que tiene razón, puede imponer su

---

[20]   Véase *supra* el texto sobre la nota 17.
[21]   Más ampliamente *Günther Jakobs, Untaten des Staates – Unrecht im Staat,* GA 1994, p. 1 y ss., 5 y ss.

*modo de parecer a fuego y espada y «castigar» a los incrédulos obstina-
dos. Y posiblemente sobrevendrán otras cosas. De todo eso tendrá que
extraer la ciencia el verdadero concepto, lo que desde luego no se va a
conseguir parcheando la brecha existente entre un ordenamiento real y
uno postulado. Sólo con la separación entre la pena jurídica y la —no
necesariamente ilegítima— pena de poder adopta la ciencia del derecho
penal el presupuesto para desarrollar una conciencia de sí misma como
ciencia jurídica.*

La autocomprensión de la Ciencia jurídico-penal frente a los desafíos de su tiempo[*]
(Comentario)

LOTHAR KUHLEN
Mannheim

I

Puede decirse que el tema de nuestra intervención lo constituye la cuestión de la autocomprensión que la Ciencia del Derecho penal tiene o debiera desarrollar hacia los desafíos de su tiempo. El señor *Hassemer* le ha dado a esta cuestión una respuesta con la que estoy completamente de acuerdo: la Ciencia jurídico-penal debería *asumir* estos desafíos. Esto está tan estrechamente relacionado con el concepto «desafío», que no quiero seguir justificándolo[1]. A raíz de esta afirmación hay que hacerse dos preguntas.

---

[*] Traducción de Pastora García Álvarez.

[1] La situación del tema podría ser criticada incluso como poco correcta, porque ya el propio concepto «desafío» insinúa la consabida respuesta. Quien califica un problema como desafío lo cataloga como una cuestión importante cuya respuesta justifica también importantes esfuerzos. Por ello, sólo en broma puede decirse: «X es un desafío de la Ciencia jurídico-penal, pero ésta no debería preocuparse de X». No obstante, la situación del tema no prejuzga nada cuando se aclara únicamente que dispuesta la clasificación de un problema como desafío contiene una decisión importante. Quien cree que el Derecho penal o la Ciencia jurídico-penal no deberían adaptarse a problemas concretos, pone de manifiesto, sin más, que recha- za que esta cuestión tenga el estatus de un desafío (en cualquier caso para el

1. *¿Cuáles son los desafíos jurídicos-penales relevantes del momento?*

2. *¿Cómo debe la Ciencia jurídico-penal asumirlos?*[2]

Expondré algunas tesis sobre ambas cuestiones, aunque, claro está, no inmediatamente. Y ello porque al haber tenido la Ciencia jurídico-penal alemana que ir respondiendo a los desafíos de su tiempo, hay gran cantidad de respuestas para ambas preguntas. Estas respuestas son muy diferentes: hay desafíos filosóficos, dogmáticos, criminológicos y político-criminales y la Ciencia jurídico-penal en su conjunto aborda estas cuestiones con gran intensidad. Y naturalmente trataremos las respuestas de la Ciencia jurídico-penal a los desafíos más importantes no sólo en esta sesión, sino también en otras Secciones de este Congreso.

Por razones de tiempo sólo puedo referirme aquí a una de estas respuestas, concretamente a la crítica del moderno Derecho penal acuñada fundamentalmente por Hassemer[3]. Se ofrece ésta no únicamente porque yo actúe como conferenciante, sino también porque esta teoría constituye un intento de ajustar el Derecho penal a determinados desafíos de nuestro tiempo especialmente pretencioso, sugerente desde distintas perspectivas y bastante exitoso en el plano académico.

II

Quiero declarar expresamente que coincido con la hipótesis básica de esta teoría, que da una respuesta todavía bastante abstracta a la pregunta de cómo debe la Ciencia jurídico-penal asumir los desafíos. Señalado

---

Derecho penal o la Ciencia jurídico-penal) y en su lugar manifiesta, por ejemplo, que el más importante desafío para el Derecho penal o para la Ciencia jurídico-penal radica en buscar la solución a determinados problemas no penales o no científico-penales, respectivamente.

[2]   *La diferencia entre ambos interrogantes es un recurso provisional carente de pretensión analítica.*

[3]   *Habla en este contexto de la «teoría crítica» (de la legislación y la Política criminal) en relación a los trabajos de Winfried Hassemer, Olaf Hohmann, Rezension von Bernd J. A. Müssig, Schutz abstrakter Rechtsgüter und abstrakter Rechtsgüterschutz, GA 1995, 497.*

esto, resultan indiscutiblemente de gran importancia el análisis *dogmático* y la crítica del Derecho penal vigente, así como de determinadas propuestas legislativas[4]. Pero la totalidad de la Ciencia jurídico-penal no se agota en esta Dogmática. A ella pertenece también una *teoría crítica* del Derecho penal y su desarrollo. Se puede hablar de *teoría* en la medida en que se consiguen asociar importantes fenómenos jurídico-penales aislados, unos con otros, hacerlos inteligibles en su contexto ideológico y genuino, y reducirlos, en la medida de lo posible, a los desarrollos sociales más habituales. Por tal motivo esta teoría es *crítica*, sobre todo porque no se conforma con un entendimiento empíricamente adecuado del desarrollo del Derecho penal, sino que para ello adopta una postura normativa[5]. Se presenta, además, con la exigencia de la obligación práctica, esto es, con la idea de que sea defendible, e incluso deseable, que el Derecho penal se configure o aplique conforme a su criterio.

Esta pretensión resulta evidente para los juristas, ya que también se formula sin excepción en la Dogmática jurídica, aunque sea la mayor parte de las veces de forma tácita[6]. Fuera de la Dogmática conduce, por supuesto, a un posicionamiento y a un llamamiento *político-criminal*; el que esto sea admisible en el ámbito de una teoría científica se puede valorar siempre de diferentes maneras[7]. No entraré en esta problemática general valorativa, sino únicamente en la concreta forma y manera en que, a menudo, muchos análisis y críticas se vinculan con un rechazo decisivo al moderno Derecho penal. Me regiré por las cuestiones inicialmente planteadas y empezaré por la primera de ellas.

---

[4] Como la crítica dogmática reiterada a la sexta ley de reforma jurídico-penal.

[5] Además la teoría aquí discutida es crítica también en otro sentido (ideológico), ya que en aspectos importantes vuelve tras las *intenciones* de los protagonistas sociales y reclama una compenetración más profunda en la teoría del Derecho penal simbólico o de la sociedad de riesgo. A parte de eso es crítica en el sentido de que su toma de posición normativa en relación al desenvolvimiento del moderno Derecho penal muestra un rechazo fuertemente *negativo*. Ambos aspectos no se entienden aquí como definitorios para una teoría jurídico-penal crítica.

[6] Expresamente por *Günther Jakobs, Strafrecht. Allgemeiner Teil*, 2. Aufl., Berlin/ New York 1993, p. VII: «Por ello no se encuentra aquí ninguna propuesta de solución que no fuera realizable».

[7] Compárese sobre ello únicamente la toma de postura de *Eric Hilgendorf* y *Lothar Kuhlen*, en: *los mismos, Die Wertfreiheit in der Jurisprudenz*, Heidelberg 1999.

III

¿Cuáles son los desafíos jurídico-penales más relevantes de nuestro tiempo?

Conforme a la Teoría crítica del moderno Derecho penal se trata sobre todo de los siguientes problemas[8]:

– Progresiva ampliación de la protección jurídico-penal a bienes universales difíciles de precisar.

– Adelantamiento del Derecho material a través de delitos de peligro abstracto.

– Debilitamiento de la imputación individual a través de la responsabilidad por conductas relacionadas con organizaciones o incluso por exigencia de responsabilidad a la organización.

---

[8]   A continuación no se trata de dar un concepto de esta Teoría con capacidad de subsunción (y tampoco de la conformidad de destacados autores con este principio), sino de la clasificación de determinadas tesis y de los modelos de argumentación que juegan un papel importante en la literatura científica jurídico-penal de los últimos 15 años y que construyen un tipo de argumentación de «aspecto» inconfundible. Representativos son sobre todo los trabajos de Hassemer. Compárense Winfried Hassemer, Prävention im Strafrecht, JuS 1987, 257; el mismo, Symbolisches Strafrecht und Rechtsgüterschutz, NStZ 1989, 553; el mismo, Kennzeichen und Krisen des modernen Strafrechts, ZRP 1992, 378; el mismo, Aktuelle Perspektiven der Kriminalpolitik, StV 1994, 333; el mismo, Produktverantwortung im modernen Strafrecht, 2. Aufl., Heidelberg 1996; el mismo, Perspektiven einer neuen Kriminalpolitik, StV 1995, 483. Vid. de lo demás, por ejemplo, Peter-Alexis Albrecht, Erosionen des rechtsstaatlichen Strafrecht, KritV 1993, 163; el mismo, Das Strafrecht im Zugriff populistischer Politik, NJ 1994, 193; el mismo, Organisierte Kriminalität: Das Kriminaljustizsystem und seine konstruierten Realitäten, KritV 1997, 229; Detlef Frehsee, Verunsicherung des Strafrechts angesichts gesellschaftlicher Modernisierungsprozesse, StV 1996, 222; Felix Herzog, Gesellschaftliche Unsicherheit und Daseinsvorsorge, Heidelberg 1991; Cornelius Prittwitz, Strafrecht und Risiko, Franfurt am Main 1993. Compárese también la exposición de diferentes principios para la limitación del Derecho penal de Günther Kaiser, Kriminalisierung und Entkriminalisierung in Strafrecht und Kriminalpolitik, en: Günter Kohlmann (Hrgs.), Festschrift für Ulrich Klug, Köln 1983, p. 579; Heinz Müller-Dietz, Aspekte und Konzepte der Strafrechtsbegrenzung, en: Klaus Geppert y otros (Hrgs.), Festschrift für Rudolf Schmitt, Tübingen 1992, pp. 95 y ss.

– *Flexibilización de las consecuencias jurídico-penales.*

– *Ampliación de la competencia de enjuiciamiento por parte de la autoridad policial, con la consiguiente pérdida de delimitación con el Derecho de policía.*

– *Flexibilización también del procedimiento judicial a través de la merma del principio de legalidad, la progresiva importancia de los acuerdos entre las partes en el proceso y la disminución de las formalidades del mismo.*

Esta lista contiene sin duda problemas importantes y por ello desafíos de la Ciencia jurídico-penal. Pero, a pesar de ello, es una lista manifiestamente incompleta, puede decirse: un triunfo tardío del labeling approach. Contiene exclusivamente problemas de segundo orden; los que se crean por la reacción jurídico-penal a determinados problemas sociales o desafíos predeterminados. Pero faltan[9], por el contrario, los desafíos sociales en sí mismos, es decir, los problemas de primer orden.

---

[9]	*Esto no significa, en absoluto, que estos problemas sociales sean cuestionados explícitamente o consecuentemente eliminados (al igual que tampoco la teoría del labeling approach es llevada a la práctica consecuentemente por sus partidarios; compárese al respecto Lothar Kuhlen, Die Objektivität von Rechtsnormen. Zur Kritik des radikalen labeling approach in der Kriminalsoziologie, Frankfurt am Main 1978, p. 7 y ss.). Pero queda aún un gran escepticismo, ya sea respecto a la realidad de determinados problemas sociales, o respecto a la posibilidad de contribuir a su solución con medios jurídico-penales, que permite sostener con igual razón, en mi opinión, que la teoría crítica del moderno Derecho penal asume como desafíos del Derecho penal o de la Ciencia jurídico-penal no los denominados problemas sociales, sino únicamente los de la reacción jurídico-penal, tan cierto como puede decirse que la teoría del labeling approach está vinculada con un alejamiento de los comportamientos criminales y una concentración en su etiquetamiento. Como ejemplo véanse los grandes cuestionamientos sobre la existencia de la criminalidad organizada de Albrecht (ob. cit., nota 8), KritV 1997, 229, por un lado, y por otro, la prudente toma de postura de Hassemer (ob. cit., nota 8), StV 1995, 483, 487 y ss. Mientras que Hassemer caracteriza la criminalidad organizada en general como «una cosa bastante invisible», sin cuestionar su existencia, le reconoce a una forma especial de esta criminalidad, similar a la corrupción, el estatus de un problema social agravado, por supuesto cuestiona en el mismo instante su carácter de desafío jurídico-penal (y con ello su carácter de desafío científico jurídico-penal) bajo el indicio de que la prevención organizada «(podría) hacer superflua o reducir sensiblemente» la agravación jurídico-penal.*

– Pero, ¿no pertenecen también a los retos del tiempo la lesión manifiesta y la especial vulnerabilidad de los bienes universales y la pregunta de si podemos renunciar en realidad para su protección a las normas de conducta de sanción reforzada[10]?

– ¿Y no los peligros potenciales creados a través de la técnica moderna y la pregunta de si podemos renunciar a disminuirlos a través de los delitos de peligro abstracto[11]?

– ¿Y la creciente trascendencia social de los entes organizados de carácter colectivo[12]?

– ¿No tendríamos que darnos cuenta también del problema al que lleva la flexibilización de las consecuencias jurídicas? Por un lado, en el futuro tendríamos que hacer depender la ampliación de la confirmación de la norma de las sanciones estatales, y por otro lado no nos podemos permitir más una reacción consecuente con las clásicas sanciones de privación de libertad y multa que se imponen tras un costoso proceso[13].

– ¿No tendríamos que ponderar el incremento de la intervención, especialmente de la policía, y con ello la correspondiente merma de la libertad en la relación entre ciudadanos y Estado, con las numerosas

---

[10]   Compárese *Lothar Kuhlen*, Umweltstrafrecht -auf der Suche nach einer neuen Dogmatik, ZStW 105 (1993), p. 697, 701 y ss.; *Bernd Schünemann*, Kritische Anmerkung zur geistigen Situation der deutschen Strafrechtswissenschaft, GA 1995, 201, 203 y ss.

[11]   Sobre esto concretamente *Kuhlen* (ob. cit., nota 10), p. 711 y ss.; *el mismo*, Zum Strafrecht der Risikogesellschaft, GA 1994, 347, 362 y s.; *el mismo*, Technische Risiken im Strafrecht, en: Koreanisch-Deutsche Gesellschaft für Rechtswissenschaft (Hrgs.), Das Recht von den Herausforderungen der modernen Technik, Seoul 1999, p. 43, 49 y ss.

[12]   Sobre ello con amplias referencias *Günter Heine*, Die strafrechtliche Verantwortlichkeit von Unternehmen, Baden-Baden 1995; *Hans Achenbach*, Rechtsfolgen gegen Unternehmen und Ahndung unternehmensbezogenen Verhaltens, en: Hans Achenbach/Wolfgang J. Wannemacher (Hrgs.), Beraterhandbuch zum Steuer- und Wirtschaftsstrafrecht (Stand 1999), § 3.

[13]   Vid. sobre esto *Claus-Jürgen Hauf*, Strafverfolgung im Dilemma, ZRP 1994, 3; *Claus Roxin*, Zur Entwicklung des Strafrechts im kommenden Jahrhundert, en: Emil W. Plywaczewski (Hrsg.), Aktuelle Probleme des Strafrechts und der Kriminologie, Bialystok 1998, p. 443, 448 y ss.

amenazas y lesiones a la libertad del ciudadano a través de comportamientos punibles de otros ciudadanos que deben ser rechazados con un poder de intervención semejante[14]? - ¿Y no tendríamos finalmente que reconocer y tener en consideración junto a la flexibilización del proceso y el aspecto menguante de la formalización (desmoronamiento de las «formalidades protectoras») la aptitud funcional del Derecho penal[15]?

Estas preguntas son retóricas. Quien quiera negarlas necesita buenos argumentos para sostener esta percepción parcial del problema. A mí no me convencen los argumentos que se aluden para ello. Si el Derecho penal no fuera un medio adecuado para influir en los comportamientos, podrían por supuesto olvidarse una gran parte de las cuestiones por mí planteadas[16]. Esta falta de efectividad del Derecho penal se afirma repetidas veces, por ejemplo, con la crítica a la teoría de la prevención general. Pero esta afirmación general carece de fundamento[17]. Y si estu-

---

[14] No obstante, no se trata únicamente de las lesiones y limitaciones de la libertad ciudadana manifiestas a través de la criminalidad común (compárese, por ejemplo, las experiencias descritas por *Wolfgang Naucke*, Schwerpunktverlagerungen im Strafrecht, KritV 1993, 135, 141, nota 20), sino también de la amenazas menos evidentes, aunque no por ello menos importantes, que actualmente pueden agruparse mayoritariamente bajo la palabra clave de criminalidad organizada. En contra, *Hassemer* (ob. cit., nota 8), StV 1995, 488, «la gente» (sic!) no sólo tiene «miedo de la criminalidad común y de la criminalidad de masas», sino también temor (en mi opinión algo absolutamente fundado) ante el incremento de la criminalidad organizada.

[15] Por ejemplo, podrían servir las reformas desformalizadoras de la StPO como la admisión de la autodefensa en el proceso (§ 249, apartado 2 StPO) o la limitación del derecho de proposición de pruebas por los testigos extranjeros (§ 244, apartado 5, S. 2 StPO).

[16] Éstas serían entonces muy posiblemente, a decir verdad, problemas *sociales* de peso, pero no desafíos para el *Derecho penal* a cuya respuesta debiera contribuir constructivamente la *Ciencia jurídico-penal*, y por tanto, tampoco serían desafíos de la Ciencia jurídico-penal.

[17] Compárese *Kuhlen* (ob. cit., nota 11), GA 1994, 363 y ss.; *el mismo*, Anmerkungen zur positiven Generalprävention, en: Bernd Schünemann/Andrew von Hirsch/ Nils Jareborg (Hrsg.), Positive Generalprävention, Heidelberg 1998, p. 55. «Medidas» de intimidación a nivel cuantitativo como las de *Henning Curti*, Strafe und Generalprävention, ZRP 1999, 234, deberían por supuesto mantener con vida la equivocada crítica a la eficacia preventivo general del Derecho penal.

viera fundamentada, los críticos del moderno Derecho penal tendrían además el problema de aclarar por qué exceptúan de su crítica el núcleo tradicional del Derecho penal.

Además, se puede poner en tela de juicio, con lo que se despacharían muchos de los desafíos por mí mencionados, que el Derecho penal sea necesario como medio de solución, o mejor dicho, para disminuir los problemas indicados porque haya soluciones más moderadas y mejores a los problemas. El número de las alternativas aquí sopesadas es considerable. Se extienden desde la política social y económica[18] sobre la prevención de los delitos técnica u organizativamente creada[19], hasta la propuesta de modificar sectores del Ordenamiento jurídico ya existentes, como el Derecho civil[20], o de crear un nuevo sector del Ordenamiento jurídico como el Derecho de intervención[21]. Aquí se encuentran varias sugerencias llenas de interés, pero nada más. A modo de advertencia señalar, por ejemplo, que aunque se quiera hacer desaparecer el moderno Derecho penal, o en su lugar reducir el paro, o establecer en el sitio del Derecho penal algo completamente nuevo, no se puede pretender en serio poner en práctica tales compromisos.

Se podría abogar porque el Estado se retire de la función de la confirmación de la norma a través de la sanción por su infracción y la deje a los ciudadanos[22]. Quizás en el futuro no nos quede alternativa alguna a este camino, cuya andadura hace desaparecer de un solo golpe todos los problemas del Estado de Derecho en la relación ciudadano-Estado[23]. Pero el que así se pueda o deba resolver todo el nudo gordiano

---

[18]   Compárese Hassemer (ob. cit., nota 8), StV 1995, 488.

[19]   Sobre ello, Hassemer (ob. cit., nota 8), StV 1995, 489 y s.

[20]   Compárense sobre ello las reflexiones de Klaus Lüderssen, Die Krise des öffentlichen Strafanspruchs, Frankfurt am Main 1989, p. 37 y ss.; el mismo, Opfer im Zwielicht, en: Thomas Weigend/Georg Küpper (Hrsg.), Festschrift für Hans Joachim Hirsch, Berlin/New York 1999, p. 879, 889 y ss.

[21]   Así, Hassemer (ob. cit., nota 8), StV 1995, 490.

[22]   Compárense sobre esto Sebastian Scheerer, Die abolitionische Perspektive, KrimJ 1984, 90, así como Günther Kaiser, Abolitionismus -Alternative zum Strafrecht?, en: Wilfried Küper (Hrsg.), Festschrift für Karl Lackner, Berlin 1987, p. 1027.

[23]   Esto vale sobradamente no sólo para las materias del moderno Derecho penal, como el Derecho penal en materia de drogas, sino también para los temas nuclea-

del moderno Derecho penal, todavía hay que ponerlo seriamente en duda[24].

Finalmente se puede declarar abiertamente que se excluyan determinados desafíos o problemas y se confíen a otros, así, por ejemplo, que se preocupe únicamente de la crítica y limitación del Derecho penal, y se deje su confirmación a otros científicos[25]. Un papel similar desempeña el esfuerzo por ajustar el *concepto de Estado de Derecho*, para conseguir un arma afilada de crítica, circunscribiéndolo a las relación del ciudadano con el Estado y excluyendo los factores materiales como la funcionalidad de la Administración de Justicia[26]. Que esto tenga sentido, puede quedar sin respuesta. Pero caso de que lo tuviera no podría ya elevarse una crítica adecuada a la exigencia del compromiso práctico. Así, por ejemplo, la legislación penal de los últimos 20 años se puede caracterizar como un debilitamiento incesante de los principios del Estado de Derecho en Derecho penal y Derecho procesal penal, lo que tiene lugar frecuentemente, pero hay que añadir entonces, honestamente, que con ello no está en absoluto aun decidido si este debilitamiento está justificado, es razonable, o, por lo menos, defendible. Pero la restricción conceptual del Estado de Derecho no está preparada para esta concesión, más bien se extiende a la crítica político jurídica y contribuye a la notable firmeza que tanto caracteriza a la crítica del moderno Derecho penal[27].

Corto en este punto y resumo. No hay buenos argumentos para un criterio parcial drástico con el que la Teoría crítica del moderno Derecho

---

res del Derecho penal tradicional, como la protección jurídico-penal de la propiedad o del honor.

[24] Especialmente se renunciaría, de hecho de modo indiscutible, a los bienes jurídicos universales, confiándose en su protección a través de los particulares.

[25] Compárese al respecto las reflexiones de *Naucke* (ob. cit., nota 14), KritV 1993, 160 y ss.

[26] Así, *Winfried Hassemer*, Die «Funktionstüchtigkeit der Strafrechtspflege» -ein neuer Rechtsbegriff?, StV 1982, 275; *Detlef Krauss*, Strafgesetzgebung im Rechtsstaat, KritV 1993, 183, 185, bajo remisión a la «función fundamentalmente retórica» del concepto de Estado de Derecho.

[27] Esto es comprensible en cualquier caso, porque, de no ser así, la maniobra completa de restricción conceptual perdería todo su sentido práctico.

penal se ocupe de los desafíos del tiempo para el Derecho penal y la Ciencia jurídico-penal, por lo que la lista de estos desafíos debe ampliarse en el sentido por mí indicado.

IV

Con esto paso a la pregunta que formulé en segundo lugar al comienzo de mi intervención: *¿Cómo debe la Ciencia jurídico-penal adaptarse a los desafíos del presente?* Tampoco responderé esta pregunta directamente, sino con el análisis de la teoría crítica del moderno Derecho penal. De ahí infiero su hipótesis fundamental de que se tendría no sólo que analizar el desarrollo actual del Derecho penal, sino también tomar una postura con la exigencia del compromiso práctico. El modo y la manera en la que tal toma de postura tiene lugar actualmente es, evidentemente, por su parte, digno de crítica y ha contribuido a que la teoría crítica del moderno Derecho penal haya llegado a una difícil situación. Sobre ello formularé de modo concluyente algunas tesis y haré algunas puntualizaciones:

– La crítica decisiva al moderno Derecho penal está político-criminalmente *fuera de juego.*

– Eso no se puede cambiar a través de la *aclaración* de la política jurídica o del pueblo.

– Es mucho más conveniente una mayor *moderación* de la Ciencia jurídico-penal. Porque el cómo se tome partido ante los desafíos jurídico-penales del momento depende fundamentalmente de *valoraciones*[28], y no hay ninguna razón que fundamente la hipótesis de que los penalistas valoren «más correctamente» o «mejor» que los políticos que hacen el Derecho o los ciudadanos sin formación jurídica.

La teoría crítica del moderno Derecho penal se desarrolla en esencia durante los años ochenta. Ciertamente se extendió ya entonces a las materias más importantes de la crítica como, por ejemplo, el Derecho

---

[28]   A ello alude, por ejemplo, *Müller-Dietz* (ob. cit., nota 8), p. 115 y ss.

penal medioambiental, el Derecho penal económico o la legislación antiterrorista. Pero estuvo marcado en muchos aspectos por el espíritu dominante de la época, que era favorable a un rechazo del Estado punitivo lo que producía resultados prácticos como la Diversión en el Derecho penal juvenil[29]*. La idea de poder influir también la política jurídica práctica a largo plazo no era una ilusión al final de los ochenta*[30]*.*

Esta situación ha cambiado drásticamente, desde la perspectiva alemana, con la caída del Telón de Acero tras la reunificación[31]*. Por qué esto es así, si se ciñe a verdaderos desafíos del Derecho penal, nuevos o incrementados, o a la observación de problemas recientes apoyados en la inseguridad, o (como debe sospecharse) a ambos, podría discutirse largamente. Por este lado tiene que bastar el* resultado *y el consenso que percibo sobre el mismo. Ya Hassemer en 1994 declaró con tal motivo, atendiendo a la normativa para la lucha contra la criminalidad organizada, que los críticos del moderno Derecho penal habían perdido la* «batalla» *y que no se daba* «ni una pizca de posibilidad de anulación de lo causado» *y que el* «clima político-criminal» *no prometía, en general,* «nada bueno»[32]*.*

---

[29]   *Compárese sobre esto por fin la completa síntesis de* Wofgang Heinz, Diversion im Jugendstrafrecht und im Allgemeinen Strafrecht, *DVJJ-Journal 1998, 245; 1999, 11, 131, 261, así como los comentarios críticos de* Michael Bock, Je weniger desto besser. Wie im Jugendstrafrecht kriminologische Torheiten dogmatisch geadelt wurden, *en: Udo Ebert y otros (Hrsg.),* Festschrift für Ernst-Walter Hanack, *Berlin/New York 1999, p. 625.*

[30]   *Compárense las propuestas de reforma de* Peter Alexis Albrecht *y otros,* Strafrecht -ultima ratio. Empfehlungen der Niedersächsischen Kommision zur Reform des Strafrechts und des Strafverfahrensrechts, *Baden-Baden 1992;* Peter Alexis Albrecht/ Winfried Hassemer/Michael Voss *(Hrsg.),* Rechtsgüterschutz durch Entkriminalisierung. Vorschläge der Hessischen Komission «Kriminalpolitik» zur Reform des Strafrechts, *Baden-Baden 1992.*

[31]   *Vid. sobre ello las posturas puntual y diferenciadamente acentuadas, aunque coincidiendo en el mismo juicio de que aquí se inició una transformación profundamente arraigada, de* Naucke *(ob. cit., nota 14), KritV 1993, 140, nota 19, 149 y ss.;* Franz Streng, Die Öffnung der Grenzen und die Grenzen des Strafrechts, *JZ 1993, 109;* Rudolf Wassermann, Ist die Justiz auf dem rechten Auge blind?, *NJW 1994, 833, 835 y ss.*

[32]   Hassemer *(ob. cit., nota 8), StV 1994, 333. Compárese también* Hassemer *(ob. cit., nota 8), StV 1995, 483, y* Cornelius Prittwitz, Paradigmenwechsel in der

La teoría crítica del Derecho penal reaccionó y reacciona preponderantemente a esta marginación práctica de una manera relevante no cognitivamente, sino normativamente[33]. Esto es, se aferra a la profunda crítica del moderno Derecho penal y encuentra, con su asumible veracidad, una *explicación* confirmatoria para su supremacía fáctica. La nueva y no en casos aislados, sino sistemáticamente desacertada legislación penal se atribuye, por un lado, a un carácter simbólico-engañoso[34]; y por otro y en incremento, a un populismo de la Política criminal que invade a los partidos políticos, y de ahí también que los políticos, salvo un mejor conocimiento de causa, tomen decisiones político-criminalmente irracionales atendiendo simplemente al sentido de los votos[35].

Pero por muy clarificadoras y, al mismo tiempo, atractivas que sean estas explicaciones para los críticos del moderno Derecho penal, no pueden convencer. Por de pronto, debería antes tenerse en cuenta que la tesis del populismo[36], aun cuando se refiere en una formulación teórica del sistema a un «Subsistema político-criminal» o a algo similar, está

Verbrechensbekämpfung —Eine resignative Bestandsaufnahme des Straf- und Prozessrechts und die Hoffnung auf positive Gegenentwicklungen—, *Frankfurter Rundschau vom 14.4.1997, p. 11.*

[33] *Vid. sobre esta distinción Niklas Luhmann, Rechtssoziologie, 3. Aufl., Opladen 1987, p. 40 y ss. Para Hassemer la crítica a los desarrollos más actuales del Derecho penal resulta incluso, por supuesto en los últimos tiempos, progresivamente moderada. Se puede consultar por ejemplo, Hassemer (ob. cit., nota 8), StV 1995, 487, con nuevas aportaciones como Winfried Hassemer, Über Sprayer, die gestörte Bevölkerung und den Ruf nach Strafe, Frankfurter Rundschau vom 18.10.1997, p. 14; el mismo, «Ordnung schaffen!» -Über die Angst in der Bevölkerung und die Erwartungen an die Polizei, Frankfurter Rundschau vom 17.9.1998, p. 17.*

[34] *Representativamente, Hassemer, (ob. cit., nota 8), NStZ 1989, p. 553.*

[35] *El rechazo al populismo goza de una enorme aceptación en la crítica político-criminal de los años 90. Compárese especialmente Albrecht (ob. cit., nota 8), NJ 1994, 193; así como Frankfurter Institut für Kriminalwissenschaften (Hrsg.), Vom unmöglichen Zustand des Strafrechts, Frankfurt am Main/Berlin/New York/Paris/Wien 1995, p. 5 y s.; Stefan Braums, Verdeckte Ermittlung -Kontinuitätsphänomen des autoritäten Strafverfahrens, en: Frankfurter Institut für Kriminalwissenschaften (Hrsg.), en el lugar citado, p. 13, 21; Rainer Hamm, «Täter-Opfer-Ausgleich» im Strafrecht, StV 1995, 491, 492, 496.*

[36] *Favorable a la restringida fuerza aclaratoria de la teoría del Derecho penal simbólico, compárese Kuhlen (ob. cit., nota 11), GA 1994, 366 y s.*

vinculada a una fuerte crítica moral a la conducta de las personas que contribuyen responsablemente a la formación de la Política criminal. Se les echa en cara que no puede justificarse, por motivos oportunistas, su responsabilidad práctica en decisiones sistemática y conscientemente absurdas[37]. *Por otro lado, hay que llamar la atención sobre el hecho de que la toma en consideración del modo de pensar de la población («el atender al sentido de los votos») constituye una motivación plenamente legítima para las decisiones político-criminales. Esta toma en considera-ción juega un papel fundamental en la legitimación de la democracia*[38], *y por ello se ofrece sin rodeos con relevante amplitud*[39]. *El atender a la*

---

[37] *Compárese sobre esto recientemente, Regina Harzer, Die Verletzung von Sipelregeln und das Strafrecht -Sanktionsmöglichkeiten und Sanktionsverfahren im Profifussball, KritV 199, 114, que promueve «oponerse al estudio político-criminal en Derecho penal» (p. 125) e, introduciendo escasas restricciones, le reprocha a la política interior alemana (de la más cercana de todas, que «abre fronteras, para exculpirlas de controles policiales estatales de regulación nacional,... se dedica a la degradación social y eleva el paro a derecho») «el que haya contribuido a la progresiva radicalización y al transformado embrutecimiento real de los comporta-mientos sociales» (p. 116). Es comprensible que en la actividad político jurídica se reaccione de modo sensible a esta crítica, masiva y moralista, siempre que ésta se manifiesta a tal efecto. Compárese, por ejemplo, Wolfgang Hertzer, Vermögenseinziehung, Geldwäsche, Wohnraumüberwachung, wistra 1994, 176, a la crítica de Jürgen Welp, Kriminalpolitik in der Krise, StV 1994, 161.*

[38] *Básicamente sobre esto Joseph A. Schumpeter, Kapitalismus, Sozialismus und Demokratie, 7. Aufl., Tübingen/Basel 1993, p. 427 y ss.*

[39] *La extensión que alcanza esta amplitud apenas se puede determinar en abstracto, en cuanto que hay que conceder a cada político un amplio margen de juicio. Ciertamente es honesto que una ministra de Justicia se retire porque quiere responder políticamente y no puede sostener sobre sus propias convicciones la decisión de la aprobación de graves ingerencias en la intimidad. Pero hay todavía una amplia hilera de razones que podrían justificar a un político que apoye una decisión de esa clase, incluso cuando vaya en contra de sus convicciones persona-les. Aunque los penalistas son propensos a concebir esto como una exigencia excesiva, también corresponden a una democracia cosas tan profanas como la presión de la coalición. Compárese como ejemplo de la prohibición de enmasca-ramiento, Horst Schüler-Springorum, Kriminalpolitik für Menschen, Frankfurt am Main 1991, p. 52, y Herbert Jäger, Irrationale Kriminalpolitik, en: Peter-Alexis Albrecht y otros (Hrsg.), Festschrift für Schüler-Springorum, Köln/Berlin/Bonn/München 1993, p. 229.*

mayoría puede justificar moralmente que el político a la hora de crear Derecho decida en contra de su propia idea de las cosas[40]*.*

Además, está la cuestión de cómo se fundamenta la tesis más importante para la crítica populista, de que las decisiones político-jurídicas que constituyen y siguen desarrollando el moderno Derecho penal, sea como fuere, se adoptan en su mayoría, en contra del mejor criterio. No se encuentra ninguna justificación empírica para este modo de pensar (en mi opinión totalmente incomprensible). Serían únicamente renunciables si la crítica al Derecho penal fuera tan evidentemente correcta que nunca más tuviera que contarse seriamente con la posibilidad de que personas inteligentes y profesionalmente competentes[41] *valoraran este Derecho penal de modo manifiestamente más positivo a como lo hacen sus críticos. Pero de esto no se puede hablar ahora.*

Hasta qué punto se ha hecho difícil la posición de la crítica se aclara si se desplaza la atención de los pretendidos políticos populistas al pueblo mismo. ¿Cómo se le puede pedir en realidad su capacidad de juicio en cuestiones político-criminales si obliga, por así decirlo, en sentido simbólico o populista, a una Política criminal errada por principio? Encontramos aquí, como es natural, afirmaciones poco directas. Pero tampoco es necesario porque sólo hay una respuesta consistente y dice: el pueblo o, en cualquier caso, su más amplia mayoría no está en situación de enjuiciar razonablemente cuestiones político-criminales[42]*.*

---

[40]   *Para los penalistas esto tampoco sirve cuando toman postura en cuestiones político-jurídicas. Deberían y tendrían que ser incluso menos oportunistas que los políticos. Sería una tosca interpretación de esta diferencia de las posturas de actuación y una tosca medida para desviar una supremacía moral de la toma de postura científico jurídico-penal hacia las decisiones de la política jurídica.*

[41]   *Y esto deberían serlo no obstante la mayoría de los políticos que hacen el Derecho. Al ser esto así, tampoco puede la crítica populista librarse por ello de que se comprenda objetivamente (analógicamente para la comprensión de la Política criminal simbólica como engañosa objetivamente, Hassemer —ob. cit., nota 8—, NStZ 1989, 555 y s.), que admita incluso junto al populista de mala voluntad también al ignorante.*

[42]   *Compárese por ejemplo, Sebastian Scheerer, Zwei Thesen über die Zukunft des Gefängnisses -und acht über die Zukunft der sozialen Kontrolle, en: Trutz von Trotha (Hrsg.), Festschrift für Fritz Sack, Baden-Baden 1996, p. 321, 330, donde*

Con este modo de ver las cosas bastante delicado tras 50 años de democracia y libertad de opinión, en cualquier caso en los viejos Estados de la República Federal Alemana antes de la Reunificación[43], guarda relación una amplia batería de argumentos inspirados científicamente que se alegan para los excesos de las sentencias de *sentido común* en cuestiones político-criminales[44].

---

para la profundización en los métodos secretos de investigación en el proceso dice: «Para el ciudadano de la República Federal alemana no siempre es clara, por razones de peso comprobadas, la trascendencia de tales cambios». En los mismos términos formulan de modo pretencioso *Jürgen Korell/Urban Liebel*, Wie mit der Angst vor der Kriminalität Politik gemacht wird, Frankfurter Rundschau vom 30.10.1997, p. 20: «Para perder los miedos, dejen a los ciudadanos que sean ellos mismos los que se reduzcan los derechos de libertad».

[43]   El enfoque político-criminal de la población en los nuevos *Ländern* muestra, dicho sea de paso, a pesar de muchas desigualdades, notables coincidencias con el de los países de la Alemania del oeste. Vid. sobre ello *Günther Kräupl/Heike Ludwig*, Wertewandel und Normbruch, en: *Hans-Dieter Schwind* y otros (Hrsg.), Festschrift für Hans Hoachim Schneider, Berlin/New York 1998, p. 37.

[44]   Críticamente sobre alguno de estos argumentos, *Michael Bock*, Kriminalität der Mächtigen, en: *Günther Kaiser/Jörg-Martin Jehle* (Hrsg.), Kriminologische Opferforschung, Teilband I, Heidelberg 1994, p. 171, 178 y ss.; *Gunther Arzt*, Amerikanisierung der Gerechtigkeit: Die Rolle des Strafrechts, en: *Kurt Schmoller* (Hrsg.), Festschrift für Otto Triffterer, Wien/New York 1996, p. 527, 548. La devaluación de las resoluciones populares en cuestiones político-criminales sorprende inmediatamente. Donde la opinión popular se vuelve contra la ciencia y la técnica en relación con el proyecto *tecnocrático*, se enjuicia, como es sabido, por autores progresistas fundamentalmente bien intencionados, la caracterización hasta aquí ampulosa del *sentido común* como «post-modern emancipatory Knowledge» (*Boaventura de Sousa Santos*, Toward a New Common Sense. Law, Science and Politics in the Paradigmatic Transition, New York 1995, p. 54). Surge el interrogante de si el juicio popular se descalifica como «mesa de tertulia» o como «emancipatorio», lo que depende, de modo evidente, de la cuestión política de si es una crítica o una postura de afirmación del dominio. En el último caso mencionado se interesa *Bock*, lug. cit., p. 182 —también por lo demás autores influenciados por el *labeling approach* ya no por la reclamación de los ethno metodologicistas—, sobre el que indica que la Sociología tendría que tomar en serio a los actores de la vida cotidiana como expertos sociales y no tratarlos como tontos («judgemental dopes»). Compárese al respecto *Kuhlen* (ob. cit., nota 9), p. 43 y ss., 85 y ss.

De la *presunción de inocencia* se sacan también especialmente importantes consecuencias, incluso para la crítica de la moderna regulación penal. Así se puede leer que pertenece al «entendimiento trivial» y por consiguiente «ya en la introducción criminológica del primer semestre... se les explica a los estudiantes de Derecho que puede hablarse de un comportamiento criminal únicamente después de una sentencia firme»[45]. Si esto fuese correcto, les estaría prohibido a los ciudadanos y a los penalistas de la misma manera, referirse a experiencias propias o ajenas con delitos o delincuentes. El que, por ejemplo, se convierte en víctima de un robo o de una lesión corporal estaría excluido ya con anterioridad de la condena correspondiente, en abstracto, y permanentemente en la mayoría de los casos (en los que nunca se llega a una condena). Lo que aquí se describe como «entendimiento trivial», no es otra cosa que la tesis fundamental del radical *labeling approach*. A pesar de sus fatales consecuencias, se hace publicidad de esta tesis entre los criminólogos con argumentos científicos. Quien realmente tenga algo de confianza en sí mismo, puede tratar también de aclarar a la población que no se puede ser en absoluto autor o víctima de un delito sin las sentencias correspondientes. En cualquier caso, esta forma de ver las cosas no puede apoyarse en la presunción de inocencia[46]. La presunción de inocencia le exige al Estado, especialmente a las instancias judiciales, partir de la inocencia del ciudadano particular hasta haber encontrado la prueba legítima de la culpabilidad. Pero no le exige ni al penalista ni al ciudadano que sólo hable de culpabilidad del delito o del autor una vez que ésta se haya probado. Resulta, por tanto, incluso jurídicamente lícito y lleno de sentido, por ejemplo, hablar de delitos no esclarecidos o de delincuentes aún no descubiertos.

---

[45] *Albrecht* (ob. cit., nota 8), KritV 1997, 232. En términos similares *Michael Walter*, Über subjektive Kriminalität, en: Hans-Dieter Schwind y otros (Hrsg.), Festschrift für Hans Joachim Schneider, Berlin/New York 1998, p. 119, 123: «Al modo de vista teórico pertenece también el jurídico. Por ello se debe hablar de la criminalidad solamente si ésta se comprueba, de modo obligatorio, en un proceso constitucional».

[46] De no ser así la tesis fundamental del radical *labeling approach* sería obligatoria conforme a la ley (más exactamente: por Constitución). Este punto de vista es absurdo, pero fue aisladamente defendido con anterioridad. Compárese al respecto *Kuhlen* (ob. cit., nota 9), p. 36 y s.

Igualmente legítimo y lleno de sentido es tener en cuenta, para la creación e interpretación de las normas penales, que éstas sean adecuadas para probar la culpabilidad y condenar a los autores de un delito[47]. Porque hay delitos y delincuentes se puede conocer y tener presente el interrogante de la culpabilidad sin infringir la presunción de inocencia mientras esté abierto el proceso contra el concreto inculpado. El que en la nueva legislación se acentúe el interés de condena con conceptos como «ley de lucha contra el delito» o «ley para la lucha contra la criminalidad organizada», puede ser juzgado políticamente de diferentes formas, pero no contradice en ningún caso la presunción de inocencia[48].

Esto sirve también para la reflexión sobre si determinadas facultades de intervención son necesarias para la lucha contra determinados grupos de autores (especialmente de la criminalidad organizada). El que esta reflexión se describa como «pérfida» o como un «truco[49]», respectivamente, o se critique como «tan falsa como irresponsable político jurídicamente»[50], es jurídicamente apenas comprobable. Es verdad que estas injerencias procesales son censuradas, en casos aislados, siempre contra personas que son tenidas por inocentes[51]. Pero incluso en el caso concreto mismo la

---

[47] Esto rige también, y no en último lugar, para el *Derecho procesal penal* porque los intereses de condena no se pueden ignorar de modo permanente en el proceso (vid. *Arzt* —ob. cit., nota 44—, p. 532). Compárese también *Richard A. Posner, Sentence first, verdict afterwards,* Times Literary Supplement de 26.2.1999, p. 9.

[48] Por supuesto que esta legislación para la configuración del Derecho penal insiste en la *seguridad* de los ciudadanos, que se aspira incrementar de esta forma, y que se reclama por muchos. Así se sostiene por *Christine Pott,* Rechtsgutsgedanke versus Freiheitsverletzung. Zum Begriff des Unrechts bei der Vergewaltigung, nach dem 6. Strafrechtsreformgesetz, KritV 1999, 91, 113: «El concepto de Derecho penal y el concepto de seguridad se excluyen mutuamente». Esto suena bastante atrevido. Pero quizás se sospecha bastante ingenuamente, como se recoge en la frase que se cita a continuación (trivialmente correcta) que: «Ningún Derecho penal, por poderoso que sea, puede prometer que nadie será víctima de un delito».

[49] Así *Hassemer* (ob. cit., nota 8), StV 1995, 488, donde dice, a mayor abundamiento, que se trata de «un golpe contra la presunción de inocencia».

[50] Así, *Hans-Heiner Kühne,* Das Paradigma der inneren Sicherheit: Polizeiliche Möglichkeiten-Rechtsstaatliche Grenzen, en: *Hasns-Dieter Schwind y otros* (Hrsg.), Festschrift für Hans Joachim Schneider, Berlin/New York 1998, p. 3.

[51] En lo que tendrían que tenerse en consideración también las normas generales del proceso. En esto es correcta la crítica al § 98a Abs. 1 S.2 StPO y a otros preceptos,

presunción de inocencia no dice nada sobre si el acusado es realmente culpable o no[52]. ¡Y mucho menos exige, en la discusión sobre normas generales (facultad de injerencia), hacer como si no se supiera que hay determinados delitos y autores (incluso sin una condena firme)!

De la apuntada crítica, tan dura como jurídicamente fundada, de la nueva regulación penal de la presunción de inocencia queda así, únicamente, el indicio de que la facultad de injerencia que se crea para la lucha contra determinados grupos de autores, conducirá, conforme a toda previsión, a la intervención en los derechos de otras personas, entre ellas, inocentes[53]. Este indicio está justificado[54] y merece consideración en el ámbito de la ponderación político-criminal. No requiere, por supuesto, ninguna deducción de la presunción de inocencia y ni siquiera es compatible con el entendimiento del mismo que aquí se rechaza[55].

También donde no se excluyen de principio, jurídica o abstractamente, las experiencias de los ciudadanos con delitos, se acentúa frecuentemente su carácter subjetivo[56], así como la circunstancia de que la fuente de estas experiencias se enturbia a través de los medios de comunicación y de los grupos de intereses como la Policía, los servicios privados de seguridad o los asistentes sociales[57]. Así se piensa que la irracionalidad

---

en los que se trata del «autor», de *Rainer Zaczyk, Prozesssubjekte oder Störer? Die Strafprozessordnung nach dem OrgKG -dargestellt an der Regelung des Verdeckten Ermittelrs, StV* 1993, 490.

[52]   No tiene, por tanto, razón *Kühne* (ob. cit., nota 50), p. 3, cuando dice que como «claramente demuestra» la presunción de inocencia, siempre son «los derechos del inocente los que se afectan».

[53]   Ya que «nosotros no sabemos exactamente, en procesos de investigación, si tenemos que ver con un "mafioso", y no tendríamos que investigarlo si ya lo supiéramos». (*Hassemer* —ob. cit., nota 8—, *StV* 1995, 488).

[54]   Absolutamente justificado, esto es, empíricamente plausible, siempre que, por supuesto, los ciudadanos fieles al Derecho estimen como escasa la posibilidad de que ellos mismos estén sujetos a semejantes intervenciones.

[55]   Porque da una diferenciación entre culpable e inocente sin recurrir a una condena firme.

[56]   Vid., por ejemplo, *Frechsee* (ob. cit., nota 8), *StV* 1996, 224; *Walter* (ob. cit., nota 45).

[57]   Compárese el ejemplo de *Dieter Dölling, Kriminalberichterstattung in der deutschen und polnischen Tagespresse -ein Vergleich,* en: *Dieter Dölling/Karl Heinz Gössel/*

del miedo al delito de determinados grupos de población no se corres-
ponde adecuadamente con el riesgo objetivo de que se conviertan en
víctimas de un delito[58]*. Pero semejantes correlaciones no fundamentan*
ninguna crítica de la racionalidad, mientras no pueda especificarse el
grado adecuado de miedo ante el delito[59]*; y ni siquiera hay que excluir*
que la mayor pusilanimidad, por ejemplo, de los ciudadanos más viejos,
contribuya a que por ello caigan menos como víctimas de delitos que los
jóvenes[60] *(lo cual tendría un aspecto completamente racional*[61]*). Por eso*
es problemático querer relativizar el miedo de la población a la crimina-
lidad, llamando la atención, por ejemplo, sobre el hecho de que un gran
número de delitos cometidos anualmente se distribuyen sobre un número
aún mayor de víctimas potenciales[62]*, de tal manera que «el delito violen-*
to en la vida del individuo, vista estadísticamente, representa, ahora
como antes, un accidente sumamente inusual[63]*» o el tráfico vial en*
Alemania cuesta más vidas humanas que la criminalidad[64]*.*

Stanislaw Waltos (Hrsg.), Kriminalberichtersttatung in der Tagespresse, Heidelberg 1998, p. 141, 143. Para Hartmut-Michael Weber/Wolf Dieter Narr, Wozu die Kombination von Angst und (Schau-)Lust führt, Frankfurter Rundschau de 27.2.1997, p. 18, la alusión al papel de los medios de comunicación en la discusión irracional sobre el aguzamiento jurídico se encuentra en seguida una docena de veces (por ejemplo, en acuñaciones como «pánico producido por los medios de comunicación», «alarma de los medios de comunicación contra la prostitución infantil» o «la explotación por los medios de comunicación de muertes infantiles para la creación de audiencia televisiva»).

[58] *Sobre los correspondientes estudios empíricos de la Victimología y «la investigación del miedo», vid., Ezzat A. Fattah, The Elderly's High Fear/Low Victimization Paradox: An Unconventional View, en: Hans-Dieter Schwind y otros (Hrsg.), Festschrift für Hans Joachim Schneider, Berlin/New York 1998, p. 415; Edwin Kube, Verbrechensfurcht -ein vernachlässigtes kriminalpolitisches Problem, en: Hans-Heiner Kühne (Hrsg.), Festschrift für Koichi Miyazawa, Baden-Baden 1995, p. 199.*

[59] *Y tal «nivel del miedo funcional al delito» difícilmente se dejará calcular, Kube (ob. cit., nota 58), p. 210.*

[60] *Así como en el tráfico vial el mayor temor podría conducir a comportamientos defensivos en el tráfico y a la correspondiente disminución del riesgo de acciden-tes.*

[61] *Concretamente sobre esto Fattah (ob. cit., nota 58), p. 422 y ss.*

[62] *Compárese Albrecht (ob. cit., nota 8), NJ 1994, 195.*

[63] *Kube (ob. cit., nota 58), p. 208.*

[64] *Así, por ejemplo, Weber/Narr (ob. cit., nota 57).*

Completamente cuestionable es la tendencia de hacer *responsables* por el miedo a la criminalidad junto al coste social de sus consecuencias, no a los autores, sino a las (potenciales) víctimas. Por supuesto que esto es consecuente únicamente si el miedo al delito fuese «una proyección subjetiva» y si además se pudiera «presumir» «que los costes sociales y científicos ocasionados a través del mero miedo al delito (restricciones limitadoras del riesgo de las actividades de vida; costes de seguridad técnica), son difícilmente inferiores a las cargas y costes que provocan los verdaderos daños criminales en el ámbito de los correspondientes delitos»[65]. De la misma manera sería consecuente entonces la advertencia sociológica criminal de que cada víctima de un delito tiene en sus manos no inquietarse demasiado y definir su victimización, en vez de como una catástrofe de la vida, como una mera contrariedad que suele pasar en la vida[66]. Tal inversión de la atribución de responsabilidad en la relación entre autor y víctima[67] ha sido caracterizada acertadamente por *Arzt*: «Además del daño causado por al pérdida de seguridad, el ciudadano tiene que aguantar la ironía científico social de que su inseguridad es imaginaria»[68].

En resumen, hay que decir que la crítica del moderno Derecho penal con su reducción a una Política criminal simbólica o populista ha establecido una relación muy difícil no sólo con la Política criminal existente, sino también con la población, cuyo modo de ver las cosas es tomado en consideración por esta Política criminal. Según esta opinión, los ciudadanos no están en su mayoría en situación de enjuiciar racionalmente cuestiones político-criminales y por eso se convierten en el *objeto* de la aclaración científica[69]. Este modo de ver las cosas está equivocado,

---

[65]   *Frehsee* (ob. cit., nota 8), StV 1996, 224.
[66]   Así, *Gerhard Hanak/Johannes Stehr/Heinz Steinert*, Ärgenisse und Lebenskatastrophen. Über den alltäglichen Umgang mit Kriminalität, Bielefeld 1989.
[67]   Crítica autorizada a las correspondientes propuestas político-criminales la de *Udo Ebert*, Verbrechensbekämpfung durch Opferbestrafung?, JZ 1983, 633.
[68]   *Arzt* (ob. cit., nota 44), p. 548.
[69]   Así sostiene *Hassemer* (ob. cit., nota 8), StV 1995, 488, el miedo de diferentes grupos de población ante «un problema social masivo» e impulsa para su solución la «aclaración científica» como «un trabajo firme sobre el miedo al delito en la población». Pero ahora lo acentúa *Hassemer* de otra manera (ob. cit., nota 33),

el afán de aclaración que a él se vincula no tendrá mucho éxito en la política jurídica y en la población.

V

Concluyo. El mayor desafío para una teoría crítica del Derecho penal radicará probablemente en entender adecuadamente los cambios en el sistema de los controles sociales, que actualmente tienen lugar y que en el futuro se verificarán. Cuando el penalista quiera adoptar una toma de postura personal ante los desafíos del Derecho penal y de la Ciencia jurídico-penal debe hacerlo, pero sin exceso «teórico». Porque tales tomas de postura, tanto si se trata únicamente de cuestiones particulares como la sanción de la contaminación ambiental, los conductores borrachos o de graves intromisiones en la intimidad, de cuestiones básicas como la de si, en general, las normas de conducta como la prohibición de lesiones corporales, hurtos o daños deben ser garantizadas por el Estado o incluso sobre hipótesis fundadas como por ejemplo, la efectividad del Derecho penal, aún con todas las posibilidades ofrecidas de información y argumentación referidas al asunto, dependen esencialmente, en definitiva, de valoraciones a las que los penalistas no tienen ningún acceso privilegiado.

Frankfurter Rundschau de 17.9.1998, p. 7, donde se aborda la experiencia general del «miedo al riesgo y la erosión de las normas».

La autocomprensión de la Ciencia del Derecho penal frente a los desafíos de su tiempo[*]
(Comentario)

CARLO ENRICO PALIERO
Pavia

I. INTRODUCCIÓN

El tema que me ha sido propuesto para este seminario de Berlín es tan vasto, que para poder tratarlo de un modo plausible se hace necesario formalizarlo ulteriormente, precisando de manera especial el enfoque metodológico que aquí se pretende dar.

Para ello parto de la intención de discutir el tema propuesto considerando su argumentum *como un* caso de relación *entre dos términos (que señalo en su formulación alemana originaria) «strafrechtwissenschafliche Selbstverständnis» (percepción que la ciencia del Derecho tiene de si misma)* versus *«zeitlichen Herausforderungen» («desafíos de su tiempo»); dos términos que expresan respectivamente dos realidades sociales distintas y que se supone que pueden interactuar el uno sobre el otro dando lugar a consecuencias prácticas que a su vez merecen ser descritas y valoradas.*

Con esta finalidad, he seguido con mucho gusto las indicaciones programáticas de Winfried Hassemer vertidas en el documento de base

---

[*] Traducción de María José Pifarré. Versión ligeramente modificada de la publicada en la edición alemana de esta obra.

que éste ha realizado para el seminario, limitándome a puntualizarlas
ulteriormente para adaptarlas al corte de mi discurso y al ordenamiento
jurídico que para mí constituye la principal (aunque no exclusiva) referencia, que es obviamente el italiano.

Para ello he creído útil, por un lado, precisar también a nivel semántico
los *términos de la relación* objeto de nuestro discurso y por el otro,
individuar un *modelo metodológico* específico dentro del que desarrollar
dialécticamente tanto la propia relación entre los dos términos, como sus
consecuencias de naturaleza práctica.

II. SUMARIO

El camino que recorrerá mi investigación tiene por ello tres etapas,
que se corresponden con los elementos estructurales y dinámicos de la
«hipótesis de relación» a la que se refiere el *argumentum*, y que concier-
nen:

1. A los *términos de la relación*, precisados en su valor semántico y
encuadrados en un modelo interpretativo que permita el *desarrollo* de la
propia relación según una *metodología unitaria*;

2. A la *estructura* de la relación, es decir, al análisis del contenido de
los elementos portadores de la conexión entre las dos distintas realidades
sociales de las que los términos mencionados son expresión: es decir, la
estática de la relación;

3. A las *consecuencias* de la relación, es decir, cómo interaccionan las
dos realidades sociales mencionadas entre sí, modificándose —en su
caso— mutuamente la una a la otra: es decir, la *dinámica* de la relación.

III. LOS TÉRMINOS DE LA RELACIÓN

1. *Léxico de la relación*

Para introducirnos en el tema, la definición lexical de la expresión
que «califica» la relación —«*Selbstverständnis*»—, a pesar de lo rebuscado

y relativamente raro del término[1], es ya muy significativa. El diccionario Duden, Deutsches Universalwörtebuch, dice: «Selbstverständnis – Vorstellung von sich selbst, mit der eine Person, eine Gruppe, oder änliches lebt (und sich in der Öffentlichkeit darstellt)»[2], («representación de si misma con la que una persona, un grupo o similar, vive y con la que se presenta al público»). En mi idioma la única expresión por la que se puede traducir, si bien no literalmente, expresando mejor su significado es «autocoscienza», que en castellano se podría traducir por «autocomprensión».

Se trata por tanto de un término que semánticamente implica una relación con el exterior, y su significado, además, es «ontológicamente» dinámico. Efectivamente, ya a nivel semántico se pone en relación el objeto de la autorepresentación (el «si mismo») con objetos heterorepresentados (el Público). Además, dado que el término tiene un valor dinámico, indica más que un «esse», un «fieri»: hay que hablar de un «proceso de autocomprensión», porque la propia autocomprensión no nace ex abrupto, sino que sólo puede ser el fruto de una progresiva «toma de conciencia» por parte del sujeto de los lazos relacionales antes mencionados. Lazos que a su vez son de inter-reactividad: son el (inter)actuar comunicativo»[3] entre el «si mismo» y «el Público», es decir, el proceso de transformación recíproca que surge entre las expectativas (en lenguage luhmanniano «Erwartungen») del «si mismo» frente al «Público», tal como este primero se autorepresenta, y las expectativas del «Público» frente al «si mismo», tal como viene heterorepresentado.

Proyectando este dato semántico-lexical sobre un plano metodológico, lo primero que se me sugiere es intentar encuadrar la relación objeto de nuestra discusión en el sistema funcionalista[4], hoy familiar también a la

---

[1] *Los Hermanos Grimm ya mencionaban la expresión a principios del siglo XIX definiéndola como «hoy menos usual» («heute wenig gebräuchlich»): cfr. Jakob u. Wilhelm Grimm, Deutsches Wörterbuch, Band 16, Abteilung I, Leipzig, 1905, p. 502.*

[2] *Duden, Deutsches Universalwörterbuch, 2a. ed., Mannheim-Wien-Zürich, 1989, ad vocem.*

[3] *Habermas, Theorie des kommunikativen Handelns, Frankfurt a. M., 1981.*

[4] *Luhmann, Ausdifferenzierung des Rechts, Frankfurt a. M., 1999.*

reflexión penal[5]. *Es decir, se trata de desarrollar el discurso formalizándolo como una relación entre (sub)sistemas, y específicamente entre:*

a) el sub-sistema cultural, *que por comodidad definimos como «Ciencia penal», y que a continuación será objeto de algunas precisiones;*

b) y el sub-sistema social, *que para permanecer fieles al* argumentum *original definiremos como «zeitliche Herausforderungen» («desafíos del momento»), sustancialmente representado por el organismo (que será la «colectividad» o simplemente el «sistema social») del que proceden las* expectativas sociales *en materia de «seguridad colectiva» y de gestión pública de los* conflictos de naturaleza delictiva.

2. Semántica de la relación: (a) el sub-sistema cultural

El mencionado sistema de cuño funcionalista es, por otra parte, coherente con el esquema introductivo contenido en el documento de base.

La «*Ciencia penal*», como sistema de producción de cultura del control social, tiene una función social *autónoma* por el hecho de ser un típico sistema *autopoyético*[6] de reelaboración de conflictos y de formalización de modelos de comportamiento. Pero al mismo tiempo, interfiere con el sistema social en al menos tres aspectos, que fácilmente se ponen de manifiesto en el esquema analítico del documento de *Hassemer*:

(a) En primer lugar existen interferencias entre los objetos de ambos sistemas (que *Hassemer* llama «*Gebiet*»), que yo hago corresponder con el *proceso de criminalización* considerado en su conjunto (que abarca tanto la criminalización primaria como la secundaria, incluyendo los «efectos secundarios» o «*Nebeneffekte*» —estigmatización individual, disfuncionalidad social de la pena— e incluyendo también los *sucedáneos de la criminalización* —Derecho administrativo sancionador, medidas de prevención y de policía, tratamientos médicos y psico-pedagógicos en mayor o menor medida larvadamente coactivos, etc.—. La «*Ciencia*

5　　*Jakobs, Strafrecht, A.T., 2ª ed., Berlin-New York, 1991; del mismo autor, Sociedad, norma y persona en una teoría de un Derecho penal funcional, Bogotà, 1996*

6　　*Teubner, Recht als autopoietisches System, Frankfurt a. M., 1989.*

penal», en la medida en que es *ratio cognoscendi* de la formalización penal de un conflicto, es también *ratio essendi* de la reelaboración social de este conflicto a través de la pena: por lo tanto, como medio de producción de *saber penal* que es, participa en la creación del *poder* de definición social del comportamiento criminal (según los teóricos de la doctrina del *labelling approach*, participan en la *creación de la delincuencia* en sentido estricto)[7].

(b) Existen también interferencias en el ámbito de los actores de ambos sistemas (que *Hassemer* denomina «*Produzenten*»), y ello porque actualmente ya no es posible distinguir entre «*científicos*» y «*técnicos*» del Derecho penal (según estos actores participen únicamente en la construcción teórica del *saber* penal, o bien en su traducción en *técnica* de criminalización). El mecanismo de contornos poco claros y de tipo «co-participativo», propio de los modernos circuitos, de producción legislativa penal[8] fomenta un intercambio de roles continuo entre los actores de la «*Ciencia penal*», que se convierten en referencia de sí mismos en la producción del saber (el profesor universitario que se ha convertido en abogado entra en dialéctica autoreferencial con el profesor universitario-abogado enrolado en la burocracia ministerial que pasa a engrosar las filas de los «*asesores legislativos*»: el actor es uno sólo, pero las acciones sociales que desarrolla son múltiples y recíprocamente contaminantes[9]. Al mismo tiempo, la propia «*Ciencia penal*» ha perdido su connotación cultural *humanista* para asumir un papel de *saber tecnocrático* mediante el que un grupo de técnicos autoalimenta su *propio* sistema de reglas para legitimar la función social del sistema; con ello, por el otro lado, el sistema social, de esta co-participación de este sistema cultural en sus

---

[7]　Sobre este punto, en la literatura alemana, *Keckeisen, Die gesellschaftliche Definition abweichenden Verhalten*, München, 1974; *Rüther, Abweichendes Verhalten und «Labelling Approach»*, Köln-Berlin-Bonn-München, 1975. En general, *H. Becker, Outsiders. Studies in the Sociology of Deviance*, Glencoe, 1963; *Bersani* (Ed.), *Crime and Delinquency*, London-New York-Toronto, 1970, p. 303 ss.

[8]　Cfr. *Amelung, Strafrechtswissenschaft und Strafgesetzgebung*, ZStW 92 (1980), p. 63 ss.

[9]　Recientemente, sobre estas problemáticas, *Grossi* (coord.), *Giuristi e legislatori (Pensiero giuridico e innovazione legislativa nel processo di produzione del diritto)*, Milano, 1997, (específicamente, para el Derecho penal, p. 312 ss.).

opciones tecnocráticas, obtiene la legitimación política para estabilizar coactivamente su *propio* sistema de reglas (Derecho penal como «sistema autopoyético de segundo grado» *versus Sociedad* como «sistema autopoyético de primer grado»)[10].

(c) Por último, existen también *interferencias* entre los *productos* de estos sistemas («Produkte» en el léxico hassemeriano). La *«Ciencia penal»*, en su transformación de «ciencia del Hombre» a «ciencia de la sociedad», al menos desde los tiempos de *Radbruch*[11], junto a la «buena conciencia» ha perdido también —suponiendo que alguna vez la haya tenido— su *neutralidad*. Como sistema de racionalización del uso de la fuerza[12], participa directamente en la distribución del «bien negativo»[13] que consiste en la definición social de la criminalidad (y de la pena, que constituye su consecuencia práctica)[14]. Ello presupone la *hegemonía* del *poder social* que realiza esta distribución[15], hegemonía a la que, al mismo tiempo, la *«Ciencia penal»* —con sus modelos teóricos y formas de garantía[16]— proporciona la legitimación y el criterio racional de distribución *distributivo* necesarios para las definiciones sociales que en concreto asignan el estigma criminal. Por otro lado, la *«Ciencia penal»*, como ciencia de la sociedad —y no (ya no) como ciencia del Hombre— no posee una *capacidad productiva autónoma*, sino que sólo puede elaborar los conflictos que el poder social le proporciona en cada momento (autolegitimando, a través del *consenso*, la hegemonía de este último)[17].

---

[10]   *Teubner* (nt. 6), p. 36.
[11]   *Radbruch*, Einführung in die Rechtswissenschaft, 9ª ed., Stuttgart, 1958, p. 136.
[12]   *Kelsen*, Hauptprobleme der Staatsrechtslehre, Tübingen, 1923, p. 212 ss.
[13]   Ampliamente, *Kaiser*, Kriminologie-Eine Einführung in die Grundlagen, 3ª ed., Heidelberg-Karlsruhe, 1976, p. 92.
[14]   Recientemente, *Baratta*, Jenseits der Strafe-Rechtsgüterschutz in der Risikogesellschaft, Fest. Arthur Kaufmann, Heidelberg, 1993, p. 323 ss.
[15]   *Haferkamp*, Herrschaft und Strafrecht, Opladen, 1980, en particular p. 81 ss.
[16]   Para un punto de vista histórico acerca de esta cuestión, vid., *Ferrajoli*, Diritto e ragione, Bari, 1989.
[17]   *Paliero*, Consenso sociale e diritto penale, Rivista italiana di diritto e procedura penale, 1992, p. 849 ss.

3. Semántica de la relación: (b) el sub-sistema social

Por su parte, los «desafíos del momento» frente a los que la «Ciencia penal» (el sub-sistema cultural) debe madurar su propia autocomprensión vienen insertados en un sub-sistema social que ha asumido connotaciones particulares, que también deben ser formalizadas de un modo más específico. A mi manera de ver, estas connotaciones coinciden principalmente, si no de manera exclusiva, con el topos de la modernización del Derecho penal[18], ya conocido en el debate penal.

Si nos mantenemos en el modelo explicativo funcionalista, los desafíos actuales que comporta el sistema social continúan pudiéndose traducir luhmannianamente, como siempre, en «expectativas», y concretamente, en su especie, en «expectativas de comportamiento», cuya «estabilización contrafactual» (es decir, a pesar de que cotidianamente se vean defraudadas)[19] se pone en manos del Derecho, y especialmente en manos del Derecho penal, privilegiado por sus medios coativos «de grado máximo». Al mismo tiempo, sin embargo, ha tenido lugar una metamorfosis en las expectativas de comportamiento afirmables de modo coactivo mediante una pena, que se puede interpretar como modernización de las expectativas sociales del sistema.

Según yo lo interpreto, el «sistema de expectativas» elaborado por el moderno sistema social ha superado el modelo o sistema tradicional fundado en la díada —también de cuño luhmanniano— estabilización de expectativas contra orientación de conductas («Erwartungsstabilisierung versus Verhaltenssteuerung»)[20], pensado sustancialmente en atención a los comportamientos individuales y a sus (aisladas) consecuencias nocivas, para dirigirse en su lugar a privilegiar una dimensión exclusivamente colecti-

---

[18]   Cfr. Hassemer, Kennzeichen und Krisen des modernen Strafrechts, ZRP, 1992, p. 378 ss.; Herzog, Nullum Crimen Sine Periculo Sociali oder Strafrecht als Fortsetzung der Sozialpolitik mit anderen Mitteln, en Lüderssen-Nestler-Tremel-E. Weigend, Modernes Strafrecht und ultima-ratio-Prinzip, Frankfurt a.M.-Bern-New York-Paris, 1990, p. 105 ss.; Naucke, Schwerpunktverlagerungen im Strafrecht, Krit.V., 1993, p. 135 ss., además, desde un punto de vista particular, Höffe, Demokratie im Zeitalter der Globalisierung, 1999.

[19]   Luhmann, Rechtssoziologie, 3ª ed., Opladen, 1987, p. 40 ss.

[20]   Luhmann (nt. 4), p. 73 ss., 79, 84.

vista de los conflictos sociales, que debe ser reelaborada a través de la pena. A la exigencia de control de los individuos y de los comportamientos individuales definidos como delictivos, le ha sucedido la exigencia de control, sea de comportamientos colectivos, por el mero hecho de ser propios de sistemas organizados antagonistas al sistema social, sea del comportamiento de la colectividad como tal, como expresión de la reacción social a la delincuencia.

Intentaré explicar mejor esta tesis indicando en tres objetivos estratégicos las expectativas que el sub-sistema social de nuestros días parece manifestar frente al sub-sistema penal que empezamos a definir como moderno. Estos son:

(a) la estabilización simbólica de la «seguridad colectiva»;

(b) la neutralización social de los mega-riesgos producidos por el desarrollo económico.

(c) la defensa a ultranza del monopolio estatal de la organización social.

– El primer objetivo consiste en canalizar el problema social, que no consiste en el conjunto de episodios de conflictualidad personal considerados en sí mismos (es decir, los delitos, y especialmente los «street crimes» considerados de uno en uno), sino que precisamente consiste en la reacción social a la delincuencia (a estas formas de delincuencia). El objetivo de proteger los bienes jurídicos de naturaleza individual se ve totalmente suplantado por la exigencia de proteger el bien jurídico colectivo formalizado en la literatura criminológica alemana bajo la etiqueta de «innere Sicherheit» («seguridad interior»)[21], o, mejor dicho, de una representación social de ésta que sea socialmente aceptable y que consiga desactivar, estabilizándolas, las espirales de emotividad que surgen como reacción al fenómeno de la delincuencia, que notoriamente generan inestabilidad política.

– El segundo objetivo social afecta a la neutralización —que por otra parte como mucho será una neutralización simbólica— de los riesgos no susceptibles de ser calculados que se crean en el desarrollo del sistema

---

[21]   *Trato este problema con profundidad en Paliero, Il principio di effettività del diritto penale, Rivista italiana di diritto e procedura penale, 1990, p. 531 ss.*

económico-productivo en su conjunto, o en cada una de las macroestructuras de organización compleja. Ya no se trata de compensar socialmente con la pena la causación de un hecho lesivo, incluidos los macroscópicos, que sea la concretización de riesgos específicos preformalizados en un tipo penal. En realidad se trata de decantar el ansia social por el *riesgo en sí mismo* percibido como elemento estructural del desarrollo social (corolario, este último, de la afirmación de una «sociedad del riesgo» («*Risikogesellschaft*»)[22], canalizándola hacia el circuito penal.

– El *tercer objetivo estratégico*, en cambio, concierne la lucha por el mantenimiento del *monopolio* de la *organización social* por parte del subsistema social estatal, para sustraer este sistema de la competencia proveniente de sistemas *organizados* alternativos y *antagonistas*. Con esto me refiero a algo que a estas alturas se ha convertido ya en un *topos* penal: la *delincuencia* organizada[23]. Frente a ésta, el sub-sistema social ha elaborado, «a hombros» del sistema penal, una estrategia global de *lucha política* contra las estructuras delictivas *organizadas* (en primer lugar, las varias mafias, pero se dirige también contra tráfico de estupefacientes), en su calidad de *sujetos que hacen la competencia* al propio sistema en la organización de las reglas sociales (mercado económico-financiero incluido). También en este caso, el objetivo primario no es la compensación social de cada uno de los hechos lesivos de naturaleza delictiva, sino la neutralización del *hecho organizativo*: en Italia lo demuestra la estrategia dominante de dejar *totalmente impunes* los gravísimos delitos-medio de aquellos indivíduos que con su delación ponen al descubierto las redes subterráneas de una organización (los llamados «arrepentidos»), permitiendo así que el sistema persiga únicamente el macroscópico delito-fin.

---

[22] Cfr., en general, *Beck*, Risikogesellschaft, Frankfurt a.M., 1986; desde el punto de vista penal, *Herzog*, Gesellschaftliche Unsicherheit und strafrechtliche Daseinsvorsorge, Heidelberg, 1990; *Prittwitz*, Strafrecht und Risiko, Frankfurt a.M., 1993; *Kuhlen*, Zum Strafrecht der Risikogesellschaft, GA, 1994, p. 306 ss.

[23] Críticamente, sobre este punto, *Lüderssen*, Polizei zwischen Effizienzerfordnissen und rechtsstaatlichen Kontrollbedürfnissen, en Abschaffen des Strafens?, Frankfurt a. M., 1995, p. 343 ss.; en la literatura italiana, cfr., recientemente, *Aleo*, Diritto penale e complessità, Torino, 1999; *Moccia*, La perenne emergenza, Napoli, 1995.

Estos son los terrenos a los que el sub-sistema social traslada *sus desafíos actuales* al sub-sistema cultural penal, dirigiéndole sus propias expectativas de solución. Queda por verificar *si, y en qué medida,* éste último tiene *autocomprensión* de ello, y sea todavía capaz —de acuerdo con la que sería su misión— de estabilizar tales expectativas.

IV. LA ESTRUCTURA DE LA RELACIÓN

1. *Los límites de la autocomprensión*

Si la *Ciencia penal fuese una ciencia neutral,* el discurso sobre la autocomprensión se concentraría sobre la dialéctica entre «*libertad*» científica y «*función social*» de la ciencia: una dialéctica en la que ambos elementos contrapuestos mantendrían su *autonomía categorial,* sin compenetrarse ni contaminarse recíprocamente.

Pero como he dicho, al menos desde los años treinta del siglo XX en adelante, además de tener «*conciencia*», tiene las «*manos sucias*»: ya no es (si es que alguna vez lo ha sido) una fuente de *conocimiento de la realidad,* sino un instrumento de *ejercicio del poder.* Lo demuestran las experiencias de la justicia penal en Alemania y en Italia tanto durante el periodo totalitarista como en la posterior época del terrorismo, así como los más recientes problemas habidos en Italia en la fase de la lucha contra la criminalidad organizada[24] y contra el ejercicio sistemático de la corrupción político-financiera (la llamada «Tangentopolis»), y en Alemania el tratamiento de la llamada «macrocriminalidad», común y política[25].

Por ello, a mi modo de ver, es demasiado optimista reconducir los *productos* de la ciencia penal —como hace *Hassemer* en su anteriormente citado documento— a la fórmula propuesta por el Tribunal Constitucional alemán en relación a la protección constitucional de la ciencia (art. 5 G.G.): «*Todo aquello que por su forma o su contenido pueda ser*

---

[24]   *Moccia* (nt. 23), p. 27 ss.
[25]   *Jäger, Makrokriminalität, Frankfurt a. M., 1989.*

considerado un intento serio y planificado de *investigación de la verdad*» (BVerfGE 35, 79, 113, la cursiva es mía). Es igualmente utópico conti-nuar sosteniendo —tal como se hace especialmente en Alemania— una visión idealista de la dogmática penal según la que la propia dogmática sería sistema-independiente, y deducir de ello que: «No existe una Cien-cia del Derecho penal únicamente nacional, sino (...) sino sólo una Ciencia del Derecho penal que según las medidas científicas generales sea correcta o equivocada»[26].

Bien al contrario, la ciencia penal es directamente responsable de la *selección* – puramente *valorativa y no cognoscitiva*, y por tanto *en sí misma extraña al modelo «verdadero/falso»* – de los comportamientos que de-ben ser socialmente definidos mediante una pena (y por tanto es respon-sable del *poder de distribución* del estigma criminal en la estructura social); y en ello participa plenamente también la dogmática «pura», como por ejemplo nos lo muestran las diversas construcciones (todas formalmente correctas pero con muy diferente *poder selectivo*) del tipo *objetivo* del ilícito (especialmente en materia los delitos culposos) y, aún más, del tipo *subjetivo* del delito[27]. Pero en estas operaciones, la «racionalidad orientada a los fines» de la ciencia penal no es *objetiva* (es decir, corres-pondiente a la objetividad intrínseca del sistema), sino *subjetiva* (es decir, orientada a satisfacer las expectativas del sistema social); de este modo, a pesar del proclamado dominio en la moderna ciencia penal de la orientación a las consecuencias (Folgenorientierung), la racionalidad del sistema cultural penal deja de ser un sistema orientado a los fines para orientarse a los «valores» o incluso a la «afectividad»[28], teniendo en cuenta que por otra parte estos dos últimos no son *intrínsecos* a la ciencia penal (al «sistema cultural»), sino que *exceden su autocomprensión* al provenir directamente del «sistema social».

De este modo, en el momento presente entreveo en la ciencia penal una autoconciencia —por así decirlo— de *soberanía limitada*: limitada

---

[26]　*Hirsch, Gibt es eine national unabhängige Strafrechtswissenschaft?, in Strafrechtliche Probleme, Berlin, 1999, p. 128 ss., 143.*

[27]　*Ampliamente, Rehr-Zimmermann, Die Struktur des Unrechts in der Gegenwart der Dogmatik, Münster-Hamburg, 1994.*

[28]　*M. Weber, Wirtschaft und Gesellschaft, Tübingen, 1922, p. 12 ss. 22 ss.*

*desde dentro por razones estructurales y limitada desde fuera por razones
funcionales. Especificando, la ciencia penal: (a) no goza de (plena) «libertad de ciencia» en la selección de los objetos a introducir en su propio saber
(a causa de su autoreferencialidad formal); (b) no goza de (plena) «libertad de conciencia» en la elaboración de los objetos que ya han entrado en
su propio saber (a causa de su instrumentalidad funcional).*

2. El límite estructural

Como saber formalizado en estructuras con un alto grado de
esquematización (de tipicidad), la ciencia penal —se ha dicho— tiene
connotaciones marcadamente *autopoyéticas*: de ello se derivan importantes consecuencias para la *capacidad* de *expansión* de su autoconciencia.

Si es cierto que debido a la *complejidad* de los modernos sistemas
(sociales y culturales) ya no es posible «concebir los modelos de producción legislativa según el esquema input/output y como intercambio de
información entre Derecho y Sociedad»[29], entonces, la producción científica penal no se halla en relación de causa/efecto con las necesidades
de la sociedad, sino que establece con ellas una relación muchísimo más
compleja, sometida al *filtro selectivo* que representa el *circuito autoreferencial*
de los dogmas, de las estructuras heurísticas y de las formalizaciones
conceptuales correspondientes a un tipo ideal que son *propias sólo al*
sistema cultural penal.

Esto implica que la ciencia penal no es *materialmente* capaz, ni siquiera
queriéndolo, de representarse *todas* las exigencias de la sociedad, y de
hacerlo *en los mismos términos* en que la sociedad los plantea. Se trata de
un problema *de códigos de expresión*: entre los dos circuitos cerrados existe
una «barrera semántica» representada por la *diversidad* de los códigos
vigentes en cada uno de los sistemas: la comunicación entre ellos «pasa»
a través de una operación que implica descifrar el «mensaje» desde el
código de proveniencia hacia el código de destino. Pero esta «traducción» no tiene posibilidades *ilimitadas*, porque *no todo* lo que proviene de
un sistema es traducible al código del otro sistema; ese *filtro* que antes se

---

[29]   *Teubner* (nt.6), p. 93.

ha mencionado opera de hecho a través de una *selección forzosa* de los *inputs* y únicamente sobre la base de la *precomprensión* del sistema[30]. Solo lo que *ya existe*, pre-comprendido, en el saber penal, en la medida en que esté *pre-formalizado* por él según las *estructuras* penales, puede ser objeto de formalización *ulterior* por el impulso externo (de las espectativas de la sociedad): pero sólo se puede formalizar por *extensión*, o, como máximo, por *especificación* de los modelos ya existentes, y *nunca* por *adición* de modelos que sean totalmente «nuevos», es decir, que no hayan sido aún formalizados por el circuito penal.

Un ejemplo fundamental de esto es el *concepto de acción*. De hecho — dice *Teubner*—, «no existe ningún concepto de acción de validez general, sea de tipo filosófico, sea de tipo práctico, del mismo modo que tampoco existe ninguna ventaja en un concepto de acción relativo al sistema en comparación con otros»[31]. En especial, no existe correspondencia entre el «concepto social» de acción y el «concepto penal de acción» («*strafrechtlicher Handlungsbegriff*»). La llamada «teoría social de la acción»[32] no es más que un intento parcial y sustancialmente fracasado de modernizar con componentes positivistas el tradicional dogma idealista del «delito como acción»[33], pero de hacerlo para su exclusivo uso interno en el Derecho penal, sin ninguna aspiración a llevar a cabo una fusión conceptual de saberes en torno a este elemento[34].

En principio, por tanto, la ciencia penal sólo se puede confrontar con modelos de acción social (específicamente: con comportamientos) *directamente* subsumibles o al menos *simplificables* en la *tipología* de acciones

---

[30]   Sobre este concepto y sus implicaciones en el pensamiento jurídico, v. *Esser*, Vorverständnis und Methodenwahl in der Rechtsfindung, Frankfurt a. M., 1972.

[31]   *Teubner* (nt. 6), p. 56 s.

[32]   Es ya clásica en este tema la cita de *Maihofer*, Der soziale Handlungsbegriff, in Fest. Eb. Schmidt, Göttingen, 1961, p. 157 ss.; *Jescheck*, Der strafrechtliche Handlungsbegriff in dogmengeschichtlicher Entwicklung, ibídem, p. 139 ss.; *Bloy*, Finaler und sozialer Handlungsbegriff, ZStW (90), 1978, p. 609 ss.

[33]   *Marinucci*, Il reato come «azione» – Critica di un dogma, Milano, 1971; *Noll*, Der strafrechtliche Handlungsbegriff, Kriminologische Schriftenreihe, 54 (1971), p. 22 ss.; *Roxin*, Zur Kritik der finalen Handlungslehre, ZstW 74 (1962), p. 515 ss.

[34]   *De Giorgi*, Azione e imputazione, Lecce, 1984.

preformalizadas como «acciones en sentido penal» —es decir, reconducibles, como muchas otras species, al pre-formalizado genus «concepto penal de acción» («strafrechtlicher Handlungsbegriff»). Por el contrario, los comportamientos y fenómenos sociales no susceptibles de esta simplificación encallarán en la «barrera del código extraño». Esto demuestra, por lo tanto, que el principio tipológico (el principio por el cual el Derecho penal se organiza en tipos) —sobre el que el Derecho penal se regula—[35] es válido no sólo como criterio interno de organización del saber penal, sino también como criterio de adquisición del saber del exterior (o mejor dicho, de su objeto científico: las fenomenologías comportamentales).

Con ello queda claro, por tanto, que la autoconciencia de la ciencia penal es por definición un «conciencia limitada»: limitada, en particular, por su incapacidad natural para abarcar en su objeto todos los módulos comportamentales (y todos los conflictos) distintos a aquéllos que ella misma ya ha tipificado y ya ha formalizado.

3. El límite funcional

En dirección opuesta al anterior límite estructural se orienta el límite funcional con que la autocomprensión del sub-sistema cultural penal se encuentra en el momento en que se relaciona con el sub-sistema social.

Como moderno instrumento de ingeniería social que es, el sistema penal arrastra su saber a la lucha por la división del poder social. El modo en que este «bien negativo» viene desigualmente distribuido en la sociedad a través del poder de definición de la delincuencia, condiciona desarrollos ulteriores —y ulteriores equilibrios— de la estructura social. El saber penal no se limita simplemente a «asistir» a este ejercicio de poder, sino que —como antes se ha dicho— forma parte de él de un modo funcional. Esto comporta, sin embargo, que la racionalidad puramente «orientada a

---

[35]   Cfr., en particular, *Delitala*, Il «fatto» nella teoria generale del reato, Padova, 1930; *Hassemer*, Tatbestand und Typus, Köln-Berlin-Bonn-München, 1967; *Marinucci, Fatto e scriminanti*, Rivista italiana di diritto e procedura penale, 1983, p. 1190 ss.

los fines» por la que se rige este poder del sistema social condicione *desde fuera*, manipulándola, la autocomprensión que la ciencia penal tiene de su *propia* racionalidad (que se orienta tanto a «los fines» como a «los valores»).

Intentaré aclararlo con el paradigmático ejemplo italiano de la «lucha contra la corrupción» en los asuntos de «Tangentopolis» (las investigaciones y procesos de las operaciones llamadas de «manos limpias»)[36].

Como consecuencia del hecho de que las estructuras penales están enclavadas en el concepto categorial de la acción penal («strafrechtliche Handlung»), el intercambio sistemático de corrupción entre política y negocios no podía ser tratado por el sub-sistema penal de ningún modo como fenómeno *unitario*, sino que debía ser reelaborado dándole una forma disgregada, a modo de constelación de conductas *individuales*, cada una de las cuales debe ser en sí misma lesiva de bienes personales (patrimonio, libertad individual, etc.) o institucionales (administración pública, organización política, constitución económica, etc. Por el contrario, el sistema social ha reelaborado de hecho esta fenomenología delictiva en forma de *acción colectiva*, que al mismo tiempo ha sido el blanco y el ambicionado objeto de un *enfrentamiento político* entre dos sub-sistemas organizados antagónicos (la «clase judicial» y la «clase política»), pero sobre todo, entre dos sistemas antagónicos de organización de las reglas sociales, y principalmente de aquellas reglas relativas a la distribución del poder político-financiero. Lo peculiar del caso es el hecho de que este enfrentamiento se ha llevado a cabo *exclusivamente* con las armas del Derecho penal. Incluso la imaginación colectiva por una parte ha confiado al *sistema penal* la tarea de realizar la renovación del sistema social (y de hecho se ha llegado al menos a la liquidación de una clase política que contaba con cuarenta años de antigüedad); y por el otro, le ha otorgado el papel de elemento de dramatización del enfrentamiento político entre dos clases sociales de las que los citados sub-sistemas organizados eran, y son, entidades representativas: la clase neoburguesa emergente encarnada en el «partido de los Jueces» (la

---

[36] *Pulitanò, La giustizia penale alla prova del fuoco*, en *Rivista italiana di diritto e procedura penale*, 1997, p. 3 ss.

resistencia al viejo *status quo*) *versus* la «clase postcapitalista», en los paños de un «partido de la política» (a modo de contra-resistencia).

Sin embargo lo que aquí más interesa es que en esta «lucha de clases» la ciencia penal se ha «*manchado las manos*» utilizando precisamente su *poder* de definición de la criminalidad, que en esta contienda ha resultado totalmente estratégico. Y lo ha podido hacer con especial facilidad gracias a *la contaminación de los roles* que tiene lugar entre los actores de la *Ciencia penal* a la que antes se ha hecho mención (*supra, 1.2. bb*). Cuando se ha tratado de formalizar problemas totalmente *inmanentes* al sub-sistema cultural penal —como la posibilidad de utilización procesal los testimonios de *referencia* de los arrepentidos (art. 513 del código de procedimiento penal italiano), el valor procesal o sustancial de la prescripción o la construcción de la tipicidad objetiva y de la tipicidad subjetiva de algunos delitos (falsedad en las cuentas de la empresa)— la *racionalidad orientada a los fines* conforme a la que se ha orientado la ciencia penal italiana no ha sido una racionalidad *endógena* propia del sistema penal (su coherencia sistemática), sino una *exógena*, propia del sistema social (la decisión del conflicto entre las dos clases antagonistas). El «hombre de ciencia» (profesor universitario) convertido en «técnico» (abogado) y, como ocurre de modo no infrecuente, convertido ulteriormente en «tecnócrata» (como «consejero del Príncipe» inmerso en la red de las burocracias ministeriales que hoy proveen en solitario a monopolizar el entero ciclo de producción legislativa), ha adoptado una posición distinta sobre estos problemas según que el rol que estuviera desempeñando en ese momento le viera entre las filas de un bando o en las del otro (atento siempre a las consecuencias que esta posición adoptada pueda tener para el *destinatario* de la norma, y no para el *sistema normativo*).

Es precisamente aquí donde la autoconciencia de la *Ciencia penal* encuentra su límite externo, inescindiblemente ligado a su *función tecnocrática* (de ingeniería social): al menos en un sector de la ciencia penal, y en situaciones de crisis, hay que constatar que a la plena autocomprensión de ésta, subentra una *automistificación* originada en las «razones de clientela» o en el mejor de los casos de la ideología. Y dado que la ideología es falsa comprensión, también esta «comprensión mistificada» es *falsa comprensión* y no autocomprensión.

V. LA CONSECUENCIAS DE LA RELACIÓN

1. Balance

Fijados ya los «términos lexicales» y la estructura sintáctica de la posible relación entre sub-sistema cultural penal y sub-sistema social, en último lugar hay que verificar la *dinámica* de esta relación. En particular hay que verificar: (a) si la ciencia penal ha sido autoconsciente del *rol* que asume frente a las *expectativas actuales* que se dirigen al sistema penal. (v. *supra 1.3.*); (b) si la respuesta es afirmativa, cuáles son las *consecuencias* que este proceso de autoconciencia comporta para el sistema cultural penal y para el sistema social.

(a) A la primera pregunta respondo en sentido afirmativo, al menos en lo que respecta a todos aquellos ámbitos problemáticos en los que el saber penal no se ha topado con las rémoras de la *automistificación* antes mencionada, fruto de la ideología y de la «militancia de parte» (*supra, 2.2.1.*). Para confirmar *el alto nivel* de autoconciencia que la cultura penal actualmente ha alcanzado basta traer a colación la importante parte de la producción científica que en Alemania, Italia, España e incluso en los más pragmáticos Estados Unidos —tras el estancamiento neoformalista de los años noventa— vuelve a orientarse hacia los «temas cumbre» de la política criminal, las funciones de la pena, las macroestructuras de la responsabilidad penal (*Tatbestandlehre*, dolo, culpabilidad de la persona física *versus* culpabilidad de la persona jurídica, etc.)[37].

(b) En cuanto a la segunda cuestión, en un primer momento la discusión debería articularse desde un punto de vista aún más general y de modo mucho más amplio. Por razones de economía, en este trabajo creo indispensable circunscribir el análisis únicamente a las *dinámicas actuales*, es decir, a los sectores penales en los que la dialéctica entre ambos subsistemas está *transformando* la realidad social y —recíprocamen-

---

[37]　*Lampe, Strafphilosophie*, Köln-Berlin-Bonn-München, 1999; *Müller-Tuckfeld, Integrationsprävention*, Frankfurt a. M., 1997; en la literatura anglosajona, *Garland, Punishment and Modern Society*, London, 1990; en la literatura italiana, *Eusebi, La pena in crisi*, Brescia, 1990; *Ronco, Il problema della pena*, Torino, 1996.

te— el *orden cultural*. Y a mi modo de ver, estos sectores coinciden plenamente con las problemáticas en las que se ha observado la *máxima divergencia progresiva* entre la funcionalidad del sistema penal (en términos de *reelaboración* de los conflictos) y las expectativas del sistema social (en términos de *solución* de los conflictos). La corriente sólo pasa cuando entre dos polos existe una diferencia de potencial, y la velocidad de ésta será tanto mayor cuanto más alta sea esa diferencia.

– Desde el punto de vista del sistema social, estos «puntos de máxima tensión» se corresponden esencialmente con los *objetivos estratégicos* antes indicados (*supra, 1.3.*) como expresión de la *modernización* de las expectativas de comportamiento estabilizables mediante pena.

– Desde el punto de vista del sistema cultural penal —que es el que naturalmente privilegio en este discurso— estos puntos coinciden necesariamente con las *macroestructuras* conceptuales del propio sistema. En el caso específico, los ejes en torno a los que el «proceso de modernización» ha desarrollado en mayor medida sus dinámicas en relación a la autoconciencia, a mi juicio, se tienen que *buscar precisamente en las cuestiones fundamentales*, y afectan:

(aa) al *método* de la ciencia penal

(bb) y a la *función social* de su «sistema de referencia», es decir, a la función social del propio sistema penal.

2. *Cambio de estructura en el método penal*

El modo de proceder comunicativo que se desarrolla entre ciencia penal y (nuevas) expectativas del sistema social ha tenido ya una *consecuencia fundamental*, que es la única sobre la que me detendré: el *cambio de modelo* en la formalización de los conflictos, y en consecuencia, de los problemas de tipo penal.

En extrema síntesis, la ciencia penal es (*era hasta el presente*) uno de los pocos saberes aún sometidos a una *lógica binaria* de cuño aristotélico basada en el principio de no contradicción (*o es* (a), *o es no*(a): *tertium non datur*). Hasta el momento, la definición de los tipos y de los conceptos penales siempre ha respondido al criterio absoluto del «*aut/aut*» (siguiendo una estructura *clasificadora*); sólo de manera *subsidiaria* ha dejado espacio al criterio gradual del «*más/menos*» (siguiendo entonces una estructura *ordenante*), que sólo se tenía en consideración cuando el criterio de identificación clasificador-*tipológico* (específico de la «materia penal») hubiese *operado anteriormente* seleccionando lo penalmente *típico* de lo penalmente *atípico*. Este es el motivo por el que la dogmática penal únicamente haya tomado en consideración la (más moderna) lógica de los «*Steigerungsbegriffe*» (conceptos graduables)[38] en la dosimetría sancionadora —es decir, a nivel legislativo—, en el ámbito científico de la teoría de la medición de la pena[39], o en la graduación del contenido de ilícito (el *Unrechtsgehalt* de la «teoría de la graduación») en los delitos de bagatela[40]: es decir, con la finalidad de graduar en sentido ordenador la gravedad *del delito* (y en consecuencia del merecimiento de pena) después de que la *tipicidad* del hecho —es decir, la presencia del *tipo penal* — se haya afirmado en base a un criterio *clasificador*. Y es precisamente ahí donde se ha manifestado por excelencia el *dominio del tipo* en la formalización de los conflictos penales: tanto en lo que respecta a la *tipificación* clasificadora de cada conflicto como en lo que respecta a la elaboración conceptual de cada *elemento* del tipo penal (empezando por la acción y la causalidad, y finalizando por el dolo y la culpa).

Esto hasta hace poco. Actualmente, bajo el impulso de las modernas expectativas del sistema social, este *fundamento metodológico* del sistema penal ha sufrido tal golpe, que ha llevado hasta el punto de provocar *un cambio de método* del que la ciencia penal empieza a tener *autoconciencia*.

3. Lógica *fuzzy* versus lógica binaria en la teoría del delito

Hace ya un cuarto de siglo que en el pensamiento epistemológico se ha difundido la llamada lógica *fuzzy*[41]. El postulado básico de ésta lo

---

[38]   V. *Hempel-Oppenheim, Die Typusbegriff im Lichte der neuen Logik,* Leiden, 1936.

[39]   *Bruns, Strafzumessungsrecht,* 2ª ed., Köln, 1974; del mismo autor, *Das Recht der Strafzumessung,* 2ª ed., Köln, 1985; *Dolcini, La commisurazione della pena,* Padova, 1979.

[40]   *Krümpelmann, Die Bagatelldelikte,* Berlin, 1966, p. 72 ss.; *Paliero,* «*Minima non curat praetor*», Padova, 1985, p. 653 ss.

[41]   *Kosko, Fuzzy Thinking: The New Science of Fuzzy Logic,* 2ª ed., New York, 1993.

constituye el que a la lógica *binaria* de cuño aristotélico (basada en el binomio irreducible «verdadero/falso») le puede ser legítimamente contrapuesto un modelo *fuzzy* o «difuminado», que conlleva la sustitución de la tradicional visión *bivalente* (un sujeto es o *alto* o *bajo*) por una visión *polivalente* (el sujeto es «*en cierta medida* alto» o «*relativamente alto*», o inversamente, al mismo tiempo «*en cierta medida bajo*» o «*relativamente* bajo»). De este modo se abandona aquella lógica *clasificadora* según la que un objeto (un enunciado, un delito, un elemento de éste, etc.) puede pertenecer a *una —y sólo a una—* clase (de objetos, delitos o elementos), para transmigrar a una lógica puramente *ordenadora*, en la que un objeto (etc.) puede pertenecer *en mayor o menor grado* contemporáneamente a *una* y a *otra* de las clases que se encuentran en *antítesis*[42].

La *modernización* de las expectativas de control social y de solución de conflictos mediante la pena ha creado de hecho situaciones de *crisis* en el sistema penal que han puesto en duda su propia *capacidad funcional* mientras contemporáneamente sus estructuras tradicionales permanecían inalteradas.

En particular —como en otro lugar he sostenido[43]— se ha tratado de tres tipos distintos de crisis: (a) una crisis «*de transparencia*», (b) una crisis «*de incapacidad*», y (c) una crisis «*de complejidad*».

(a) Con la primera fórmula me refería a la incapacidad del sistema penal (en este caso principalmente incapacidad procesal) de hacer frente a la repentina e inesperada «vistosidad» de la criminalidad político-empresarial que en Italia, tras las famosas investigaciones del movimiento «manos limpias», ha destapado una situación en la que la corrupción aparece como *fenómeno estructural* y *de masa* (v. *supra*, 2.1.2.). No parece que el Derecho penal haya sido capaz de reelaborar estos conflictos —presentes en la sociedad de forma masiva a través de sus estructuras basadas en la infracción originada en sectores marginales—, y en conse-

---

[42] Para su aplicación a la lógica jurídica, cfr. *Pillips, Unbestimmte Rechtsbegriffe und Fuzzy Logic*, Fest. Arth. Kaufmann, Heidelberg, 1993, p. 265 ss.

[43] *Paliero, L'autunno del patriarca, Rivista italiana di diritto e procedura penale*, 1994, p. 1237 ss.

cuencia, se ha planteado una «solución política» (amnistía, consenso ampliado), que «by-pase» el sistema penal, que lo sortee, reabsorbiendo directamente el conflicto a nivel social, sin elaborarlo jurídicamente.

(b) Con la segunda locución («incapacidad»), hacía alusión al surgir de fenomenologías socialmente dañosas que el Derecho penal no ha sido capaz de contener dentro de sus estructuras típicas por el carácter gigantesco de tales fenómenos, debido, no tanto a la difusión de los comportamientos lesivos, como a la enormidad de los resultados lesivos producidos (piénsese en las infecciones mortales en masa producidas en el «escándalo de la sangre infectada» en Francia, la catástrofe producida por la ruptura de la presa de Stava en Italia, o en el envenenamiento colectivo debido a la ingestión de aceite de colza desnaturalizado en España). La respuesta del Derecho penal —con penas irrisorias, imputaciones impropias y dispersión de las responsabilidades— ha sido sustancialmente la bagatelización de estos hechos hiperlesivos hasta rozar lo grotesco simplemente porque las correspondientes estructuras penales no están concebidas para contemplar tal extensa enormidad de las consecuencias lesivas en una o más conductas individuales.

(c) Como tercer tipo de crisis del sistema (crisis «de complejidad») hacía mención a la problemática que originan las fuentes de dañosidad social —como ejemplo típico se puede señalar la producción industrial— frente a las que el Derecho penal «clásico» no dispone de instrumentos adecuados de intervención debido a la complejidad de éstas, que rebasa sus límites, y que se debe tanto a las modalidades causales de realización de los resultados lesivos como a la estructura polivalente de las conductas utilizadas, así como también a la hipersegmentación de los centros de imputación[44]. Por el momento, la consecuencia ha sido un sustancial abandono de la protección frente a este tipo de riesgos a los instrumentos —ya no suficientes— del Derecho civil.

Mi tesis consiste en que en un primer momento el sistema penal ha reaccionado frente a estas crisis con una parálisis, o al menos con un

---

[44]   Hassemer, Produktverantwortung im modernen Strafrecht, Heidelberg, 1994; Kuhlen, Fragen einer strafrechtlichen Produkthaftung, Heidelberg, 1989.; Hilgendorf, Strafrechtliche Produzentenhaftung in der «Risikogesellschaft», Berlin, 1993.

«estancamiento» funcional; en un segundo momento, sin embargo, fomentado desde su cultura «de referencia» (la ciencia penal), ha comenzado un abandono parcial y progresivo en su *metodología* del «*dogma tipológico*», de cuño binario, *para proceder a la reelaboración, en parte, de sus propias estructuras fundamentales a partir de la lógica fuzzy*.

Esto ha sucedido en al menos tres de las *piedras angulares* de la estructura de la ciencia penal: (*aa*) la conducta, (*bb*) la causalidad, (*cc*) y el dolo.

(*aa*) En demasiados sectores, la conducta (es decir, la acción y la omisión) ha perdido la nitidez de contornos consustancial a su *materialidad*, que en el Derecho penal actuaba sin excepciones como piedra angular de la *tipicidad* del delito. Tanto en la práctica judicial como en la elaboración conceptual la acción se reconstruye actualmente en términos descriptivamente difuminados y naturalísticamente vagos, es decir, *fuzzy*. De este modo, unas veces ha perdido su dimensión *naturalista* como unidad psico-física de actos de expresan un significado socio-comportamental preciso (distinguible de todos los demás significados, y por ello *típico*); y otras, ha perdido su dimensión *personalista* de unidad socio-comportamental de actos que reflejan el proceso decisional de un sujeto (distinguiéndolo de los procesos decisionales de todos los demás sujetos, y por ello *personal*).

Doy únicamente tres ejemplos. En la delincuencia de los órganos colegiados (*Kollegialdelinquenz*)[45], la mencionada unidad de acción personal viene sustituida por una *decisión colegial* de colectivos o de órganos que a veces ni siquiera actúan dentro de un mismo contexto. De este modo, el proceso decisional se concreta en un «acto de formación progresiva» que se asemeja más a un procedimiento burocrático que a un proyecto humano[46], y en consecuencia hoy en día aparece como total-

---

[45]   *Franke, Kriminologische und strafrechtsdogmatische Aspekte der Kollegialdelinquenz, Fest. Blau, Berlin-New York, 1985, p. 227 ss.*

[46]   *Hassemer, Person, Welt und Verantwortlichkeit. Prolegomena einer Lehre von der Zurechnung im Strafrecht, Fest. Bemmann, Baden-Baden, 1997, p. 175 e 187 ss. (Hay traducción española de Diaz Pita y Muñoz Conde, Persona, mundo y responsabilidad, Valencia, 1999).*

mente *indeterminado* debido a la actual ineptitud de la ciencia penal —
basada en la psicología individual— para formalizar los procesos
decisionales *propios* de los aparatos de poder y de las organizaciones
complejas[47]. También en el sector emergente —y sin embargo a estas
alturas indispensable— de la protección penal del patrimonio informático
(y especialmente en el recientísimo ámbito de «Internet»), la conducta
humana *típica* susceptible de ser incriminada resulta por un lado pulve-
rizada en una mirada de polos decisionales de los cuales *ninguno es de por
sí*, o podría decirse *a priori*, socialmente significativo, de modo que el
significado social «típico» (para la ley penal) se puede adquirir sólo *ex-
post*, mediante la interconexión simultánea de todos los fragmentos de
conducta diseminados a lo ancho de la «red». Por el otro lado, la propia
«conducta humana» no consigue mantenerse en pie sin el esqueleto que
para ella representan los centros operativo-decisionales *no-humanos*, sino
cibernéticos *(server, etc.)*, que operan automáticamente, y cuyo poder
decisional es *autónomo e independiente* del poder decisional de los agentes
humanos. El resultado más «visible» de esta «dispersión» de la conducta
es que en este sector, el procesalmente indispensable concepto del «*locus
commissi delicti*»[48] se ha vuelto puramente *fuzzy* y por tanto inaferrable.
Por último, en el ámbito de la criminalidad organizada, las últimas
novedades jurisprudenciales en materia de reconstrucción del tipo penal
de asociación ilícita han puesto en el candelero a los nuevos *topoi* de la
«*contigüidad mafiosa*» y de la «*cooperación externa*» con asociaciones
delictivas. Con ello se pone de manifiesto que se han rebasado los
esquemas clásicos de la teoría de la participación, sobre todo en las áreas
jurídicas en las que rige *principio de accesoriedad* (autor, coautor, inductor,
cómplice[49]: estructuras todas ellas caracterizadas por contener *requisitos de*

---

[47] Sobre este punto, *Lampe, Zur ontologische Struktur des strafbaren Unrechts*, Fest.
Hirsch, Berlin-New York, 1999, pp. 83 ss. e p. 87.

[48] *Picotti, Profili penali delle comunicazioni illecite via internet*, Diritto
dell'informazione e dell'informatica, 1999, p. 320 ss.; *Idem, Fondamento e limiti
della responsabilità penale dei Service-Providers in internet*, Diritto Penale e Processo,
1999, p. 379 ss., 501 ss.

[49] *Fiandaca, Il «concorso esterno» agli onori della cronaca*, Foro penale, 1997, V, p.
1 ss.; *Grosso, la contiguità alla mafia, concorso in associazione mafiosa ed irrilevanza
penale*, Rivista italiana di diritto e procedura penale, 1993, p. 1185 ss.

tipicidad basados en la *lesión* del bien jurídico) con la finalidad de englo-
bar dentro de lo penalmente relevante cualquier actividad (económica,
empresarial, profesional) —indefinida, y *a priori indefinible*—*de por sí*
lícita, pero que resulte *objetivamente útil* a la organización criminal, respecto a la que sin embargo se mantendrá siempre orgánicamente *extraña* (es
decir, «externa»). Y lo mismo ocurre con el *modelo unitario-causal*, aún
vigente en Italia y anclado en el *requisito de tipicidad causal* de la aportación monosubjetiva que hace que se vea totalmente alterado el modelo
de causalidad considerado relevante para la integración del *tipo*
plurisubjetivo. Este caso, junto con lo visto en los casos precedentes, pone
en evidencia que en el proceso decisional mediante el que el juez realiza
la subsunción de los hechos en el tipo penal, la lógica bivalente (de la
«certeza») se ha visto sustituida a la fuerza por la lógica polivalente (de
la «posibilidad»).

(bb) El problema de la *causalidad* es quizá, sobre todo a partir de los
años setenta, el sector en el que la ciencia penal más ha reelaborado sus
estructuras orientándose rigurosamente hacia una lógica binaria, debido
especialmente a la reformalización noeciencista del modelo —*nomológico-*
deductivo de cuño engischiano[50]— de la subsunción en las leyes científicas[51]. Sin embargo, también en este segmento crucial de la tipicidad
penal, la modernización de las necesidades de tutela ha conllevado un
repentino *cambio de estructuras*. Desde el punto de vista *estructural* —o
por así decirlo, «*interno*» al modelo causal— los factores que principalmente han provocado la «crisis» han sido, por un lado la dilatación de
la responsabilidad *por omisión* (especialmente en el ámbito médico-quirúrgico) y del consiguiente modelo «*hipotético*» o «*doblemente*
contrafactual» de causalidad[52], y por el otro lado, la valorización del *riesgo*

---

[50]   *Engisch, Die Kausalität als Merkmal strafrechtlicher Tatbestände, Tübingen, 1931,*
     p. 21 ss.
[51]   Cfr., en la literatura alemana, *Maiwald, Kausalität und Strafrecht, Berlin, 1980;*
     Puppe, Der Erfolg und seine kausale Erklärung im Strafrecht, ZStW 92 (1980), p.
     863 ss.; *Volk, Kausalität im Strafrecht, NStZ, 1996*, p. 108 ss.; en la italiana es
     fundamental *Stella, Leggi scientifiche e spiegazione causale dell'evento, Milano,*
     1975.
[52]   *Paliero, La causalità dell'omissione. Rivista italiana medicina legale, 1992*, p. 821
     ss.

como centro de gravedad de la imputación penal[53]. Desde el punto de vista *funcional*, sin embargo —que ejerce «desde fuera» su influencia sobre la estructura causal— la ruptura del modelo se ha visto acelerada al agudizarse la «necesidad de pena» en al menos tres sectores que giran en torno al bien *jurídico «salud humana»*: los sectores *médico, medioambiental* y de la *producción industrial*. De hecho, en un primer momento esto ha llevado a la afirmación de un modelo *estocástico-disposicional* (es decir, basado en una conjetura de la incidencia de los acontecimientos en términos probabilísticos) en detrimento del modelo *nomológico-deductivo* (basado en la verificada constancia de los acontecimientos)[54]; y en un segundo momento, ha llevado a la delineación de un concepto *de causación múltiple* (o «*red causal*»)[55] entendido como un *complejo causal suficiente* en el que no es necesario individualizar *cada uno de los factores causales de manera individual*[56]: también la acción humana tiene relevancia causal en cuanto se encuentra insertada en la red causal, sin que se deba individuar (y demostrar) el efecto etiológico-*autónomo* de la misma. En especial en el ámbito del tratamiento médico-quirúrgico[57] esto ha llevado a reestructurar en profundidad el modelo de explicación causal redescribiendo incluso el concepto de *resultado*, que deja de coincidir con la lesión o la muerte y pasa a ser la *posibilidad de curación*, que a su vez viene concebida en términos de *asiento contable*, es decir, como un valor en íntima conexión con el sujeto y evaluable en términos de pura graduación. En el sector medioambiental, esta formulación ha dejado espacio a la formalización de series causales *abiertas* en las que la irrelevancia causal de una conducta aislada verificada sobre la base del modelo nomológico se «compensa» con el «valor causal añadido» que tal contribución adquiriría por el efecto de su «acumulación» (sinérgica e

---

[53] Sobre esta cuestión, es fundamental Frisch, Tatbestandsmäßiges Verhalten und Zurechnung des Erfolgs, Heidelberg, 1988, p. 69 ss.

[54] Pizzi, Teorie della probabilità e teoria della causa, Bologna, 1983; del mismo autor, Eventi e cause, Milano, 1997.

[55] Kim, Causation, Nomic Subsumpion and the Concept of events, Journal of Philosophy, 1973, p. 224 ss.; Kim, Causes and Controfactuals, ibídem, p. 570 ss.

[56] Vineis, Modelli di rischio, Torino, 1990.

[57] Fincke, Arzneimittelprüfung. Strafbare Versuchsmethoden, Heidelberg-Karlsruhe, 1977.

*interactiva) con otras contribuciones, incluso futuras, que independiente-
mente de su procedencia se puedan añadir a esta serie —abierta— de
acontecimientos potencialmente lesivos. En último lugar, por lo que
respecta a la problemática —de recientísima aparición desde el punto de
vista penal— de la responsabilidad del productor, el déficit de transparencia causal del mecanismo de producción de los resultados lesivos (el
llamado efecto «black-box»)*[58] *ha fomentado en este sector la utilización
de una fórmula heurística «débil» de nueva creación, que se compone de
dos elementos de signo contrario que poseen una eficacia complementaria: 1) la relevancia de una mera conexión temporal entre el resultado
lesivo y la utilización del producto; y 2) la causalidad negativa, es decir,
la ausencia de cursos causales alternativos comprobados*[59]. *Pero también
en este caso queda claro que, al igual que en los casos precedentes, la
bivalencia conceptual (necesario/no necesario) característica de la cláusula
de la «conditio sine que non» se ve hoy sustituida por una fórmula
heurística basada en la polivalencia que está constituida por valoraciones
del grado de probabilidad causal*[60]: *sin embargo, de este modo, el modelo
causal, un tiempo pilar de la tipicidad penal, se relativiza mediante
valoraciones «inmanentes al caso» realizadas por el juez en lugar de
absolutizarse mediante las valoraciones «trascendentes al caso» del hombre de ciencia.*

*(cc) También el dolo, la forma más típica y rica de significado de la
imputación penal, ha sufrido un proceso de empobrecimiento de su
«patrimonio genético» que basta para poner en cuestión su propia
reconocibilidad como categoría. En este caso el problema es más conocido
y me puedo limitar a realizar unas pocas alusiones sintéticas. El punto de
partida se sitúa en la concepción del dolo como criterio de imputación
con contenido real y de dimensión naturalista. El dolo ha ocupado siempre una posición preeminente entre las «estructuras ontológicas» del ilícito*

---

[58]   *Hassemer* (nt. 44), p. 33.

[59]   Cfr., sobre este punto, *Piergallini, Danno da prodotto e responsabilità penale*,
Ascoli Piceno, 2000, p. 251 ss. (y la literatura ahí citada).

[60]   Cfr. *Galavotti-Gambetta* (coord.), *Causalità e modelli probabilistici*, Bologna, 1983;
*Dacunha-Castelle, La scienza del caso. Previsioni e probabilità nella società
contemporanea*, Bari, 1998.

penal «personal»[61] en su calidad de *esqueleto psicológico de la acción*, capaz de dar a ésta un *significado social* —de *sub-especie* del «desvalor de intención»— *inmediatamente típico*, es decir, sin la mediación de ulteriores valoraciones de tipo *normativo* (como por el contrario ocurre con la imprudencia). Por otra parte, precisamente la evolución de la psicología como *ciencia*, son su corolario de estructuras científicas de verificación de los procesos motivacionales y afectivos, era sin duda alguna capaz de proporcionar al sistema penal ese *Know-how* de generalizaciones y de criterios de predicción capaces de orientar —al igual que en el caso de la causalidad— la búsqueda de la *verdad científica* acerca de la intención del sujeto, incluso en los casos «fronterizos» del dolo eventual[62]. En la práctica las cosas han ido de otro modo y actualmente la praxis y la dogmática han tomado la vía del abandono de la «concepción filológica» del dolo (orientada a formalizar mediante modelos científicos su sustancia naturalista-psicológica), para entregarse a una «concepción tipológica» del dolo (dirigida a estandarizar las «formas de manifestación» de la intencionalidad en estereotipos exclusivamente funcionales a la imputación normativa de la responsabilidad)[63]. Constituyen manifestaciones clarísimas de esta tendencia, por un lado el renacimiento en el ámbito del Derecho penal económico —con fórmulas renovadas, pero conservando inalterada la función de inversión de la carga de la prueba— del «viejo «topos» del *dolus ex re*[64]; y por el otro lado, el paulatino proceso de *objetivización* del dolo (objetivización «limitada» o «total», según la formulación del concepto de dolo que se adopte), que constituye una consecuencia directa del predominio asumido por el *riesgo* en el seno del tipo objetivo del delito (dolo como «conocimiento de un riesgo ya caracterizado»)[65] —que conduce hasta el resultado, radical pero no in-

---

[61]   *Lampe* (nt. 47).

[62]   *Prittwitz*, Dolus eventualis und Affekt, GA, 1994, p. 454 ss.

[63]   *Schünemann*, Vom philologischen, zum typologischen Vorsatsbegriff, Fest. Hirsch, Berlin-New York, 1999, p. 363 ss.

[64]   *Bricola*, Dolus in re ipsa, Milano, 1960; más recientemente, *Volk*, Dolus ex re, Fest. Arth. Kaufmann, Heidelberg, 1993, p. 661 ss.

[65]   En esta dirección, por un lado, *Frisch*, Vorsatz und Risiko, Köln-Berlin-Bonn-München, 1983, p. 255 ss., 494 ss., y por el otro, *Herzberg*, Das Wollen beim Vorsatzdelikt und dessen Unterscheidung vom bewußten fahrlässigen Verhalten, JZ, 1988, p. 573 ss., 635 ss.

consecuente, de una simple parificación de dolo e imprudencia (por lo menos en su forma de imprudencia «consciente», que la doctrina alemana recientemente ha definido como «dirigida»)[66]. Sin embargo, tanto si se quiere tomar conciencia de estos radicales desarrollos conceptuales como si no, el resultado práctico sigue siendo la *disolución* del dolo en la imprudencia (o viceversa): y ni siquiera el propugnado modelo alternativo de la *tipologización* del dolo[67] aporta una contribución efectiva de tipicidad capaz de compensar el déficit de «contenido psicológico real» que este cambio de modelo necesariamente implica.

La aplicación de un modelo de este tipo (o de modelos análogos, prácticos o doctrinales) demuestra que efectivamente sí que existe una tipologización del concepto de dolo, pero que ésta no se ha realizado por *tipos de dolo* (en el sentido de una formalización estandarizada de contenidos psicológicos *reales*), sino que se ha hecho según los *tipos de riesgo* (en el sentido de una formalización *objetivada* de la *situación de riesgo* en sí, *prescindiendo* de la efectiva representación psíquica del riesgo mismo). Esto resulta evidente cuando se comparan entre sí los resultados interpretativos que emergen sobre este punto en los sectores del *tráfico rodado* y *del contagio del virus del SIDA*[68]: a la superación de la barrera del riesgo lícito mediante estructuras psicológicas *reales* que son idénticas entre si, en el primer sector se otorga una calificación *imprudente*, mientras que en el segundo recibe una calificación *dolosa*. El criterio decisivo es el *significado social* del modelo de comportamiento que objetivamente se toma en consideración. Siendo esto así, el moderno concepto de dolo es *doblemente fuzzy*. Lo es porque pertenece *tanto* a la «categoría» de los conceptos psicológicos *como* a la «categoría» de los conceptos normativos, con porcentajes de «pertenencia» que dependen exclusivamente de valoraciones *externas* a estas «categorías» conceptuales (el criterio decisivo es el *valor social* del riesgo asumido). Y lo es, además, porque a diferencia de la imprudencia —cuyas estructuras normativas actualmente

---

[66] Jakobs, Über die Behandlung von Wollensfehlern und von Wissensfehlern, ZStW, 101 (1989), 516 ss., en particular, p. 529.

[67] Schünemann (nt. 63), p. 370 ss.; v. de nuevo, *Puppe*, Vorsatz und Zurechnung, Heidelberg, 1992, p. 42 ss.

[68] Recientemente, en la literatura italiana, *Canestrari*, Dolo eventuale e colpa cosciente, Milano, 1999, p. 35 ss.

se hallan ya consolidadas por un proceso de estandarización *por sectores de riesgo siempre más analítico y denso de Know-how* científico— la normativización del dolo es, al menos por ahora, rudimentaria, intuitiva y dejada en manos de estereotipos científicamente no verificados.

4. El diálogo sobre la función del Derecho penal: ¿orientación de comportamientos o estabilización de expectativas?

Con lo dicho hasta ahora creo haber demostrado que la modernización de las expectativas sociales ha transformado sensiblemente las estructuras de la ciencia penal. Ahora hay que preguntarse si la modernización —a veces forzada— de la ciencia penal, ha condicionado del mismo modo las expectativas sociales.

En este caso, la cuestión se centra sobre las *funciones* que el sistema social pretende asignar al Derecho penal.

El dilema es conocido: el Derecho penal, ¿desempeña una función de orientación de los comportamientos (*Verhaltenssteuerung*), o bien una función de estabilización de las expectativas (*Erwartungssicherung*)?

– *La función de estabilización* asigna a la pena un rol *de confirmación contrafactual* de las expectativas defraudadas, y a la norma penal el significado de «*expectativas de expectativas*» (es decir, la norma penal es una expectativa del ordenamiento de un comportamiento por parte de los co-socios, cuyo contenido consiste en la expectativa de éstos de comportamientos conforme al Derecho, incluso en presencia de comportamientos que defraudan esas expectativas)[69]. Bajo esta óptica, el objetivo del sistema no es tanto el efectivo *condicionamiento* de comportamientos específicos conformes a la norma, como más bien la conservación de *un clima general* de confianza de los co-socios en la conformidad con el Derecho[70].

– *La función de orientación,* por el contrario, otorga a la pena un rol de *inducción directa de comportamientos conformes a Derecho:* no pretende

---

[69] *Luhmann, Recthssoziologie,* 3ª ed., Opladen, 1987, p. 42 s.

[70] *Jakobs* (nt. 5), p. 9 ss.

estabilizar la conformidad con el Derecho de la colectividad que actúa conforme a éste, sino que busca inducir coactivamente a la conformidad con el Derecho a aquéllos que de él se desvían. El centro de gravedad de este modelo funcional, comparándolo con el anterior, se ha trasladado desde el control de la reacción social ante la criminalidad, para situarse sobre el control directo de los comportamientos criminales. Las posibilidades de este modelo, por otra parte, son de tipo «expansivo». Al contrario que el anterior, de mera «conservación» de los valores consolidados, este segundo modelo ha mostrado en el proceso de modernización progresiva del Derecho penal importantes aptitudes tecnocráticas, de ingeniería social, que, excediendo de su alcance jurídico, tienen un alcance cultural. La función de guía y de dirección que el Derecho penal ha asumido de este modo acaba trascendiendo el propio condicionamiento de los comportamientos individuales para acabar proyectando, siguiendo directivas preestablecidas, el desarrollo socio-cultural del conjunto de la sociedad[71].

– Llegados a este punto, el discurso sería complejo. Sin embargo, lo simplifico formulándolo en forma de tesis.

Tesis 1: El moderno sistema social tiene una marcada propensión a la orientación de conductas (Steuerung), que tiende a realizar utilizando el fuerte poder de definición social que el Derecho penal posee. Por tanto, son evidentes los impulsos expansionistas del sistema social hacia un tipo de proyecto tecnocrático de la evolución social, realizada (también) a través de la pena. Las puntas del iceberg de esta orientación son, no sólo la demanda progresiva de criminalización de los factores de riesgo colectivo (ambiental, económico, institucional, etc.), sino también el hecho de que el propio sistema social asuma el rol de «empresario de moralidad» (Moralunternehmer) en los sectores de la bioética, la planificación familiar (aborto), o la pornografía[72].

Tesis 2: La ciencia penal, por su parte, bajo el impulso de la modernización, ha desarrollado una fuerte autoconciencia de sus propios límites funcionales, tendiendo a sustraerse de sus tareas de orientación de la sociedad para enrocarse en una posición de mera estabilización de las

---

[71] Cfr. *Lüderssen, Die Krise des öffentlichen Strafanspruchs, Frankfurt a. M., 1989.*
[72] *Sobre este punto, Paliero (nt. 17), p. 879 ss.*

expectativas comportamentales, *prescindiendo incluso de un* condicionamiento *efectivo de los* comportamientos *respectivos. Esta actitud se ha revelado en tres direcciones:*

(a) *La renuncia a la* orientación del autor, *dejando de lado el modelo reeducativo, y experimentando siempre más a fondo las posibilidades del modelo de la «prevención general integradora»*[73]. *La cultura penal tiende a hacerse cada vez menos cargo del problema social del autor del delito, trasladándolo sencillamente a la dinámica socio-conflictual de provenencia;*

(b) *El tendencial abandono de la* orientación de la víctima —*al menos en los conflictos de base interpersonal*— *mediante la activación de un «conflicto* negativo *de competencia» del Derecho penal ante sistemas alternativos, de entre los que hay que destacar especialmente la* mediación. *El Derecho penal tiende a despojarse de su propia competencia en este sector «primordial», reconociendo que la gestión del conflicto originado por un delito, ya no basada en la pura represión, sino en la reelaboración, debe ser restituida a las «partes» a través de mecanismos de solución/ compensación (Roxin) ofrecidos por el modelo mediador*[74].

(c) *La difusión del* minimalismo penal[75], *que por un lado pone en tela de juicio la* capacidad *del Derecho penal para resolver los conflictos sociales de naturaleza* colectiva *(como los medioambientales, y los relativos a las instituciones económicas)*[76], *y por el otro discute la* legitimidad *del Derecho penal para entrar en competición directa con sistemas organizativos* antagonistas *(como las organizaciones delictivas o las aso-*

---

[73]   *Müller-Tuckfeld* (nt. 37)

[74]   Cfr. Naucke, *Gesetzlichkeit und Kriminalpolitik*, Frankfurt a.M., 1997, p. 225 ss.; sobre el modelo de la mediación, en la doctrina italiana, v. Mannozzi, *La mediazione penale*, Padova, 1999.

[75]   Recientemente, *Marinucci-Dolcini*, Diritto penale «minimo» e nuove forme di criminalità, Studi Pisapia, Milano, 2000.

[76]   *Hassemer*, Grundlinien einer personalen Rechtsgutslehre, Fest. Arth. Kaufmann, Heidelberg, 1989, p. 685 ss.; *Hassemer*, Bilder vom Strafrecht, Böllinger-Lautmann (Hrsg.), Vom Guten, das noch stets das Böse schafft, Frankfurt a. M., 1993, p. 235 ss.

ciaciones terroristas)[77] —de modo que al sistema penal le quedaría únicamente la labor de reelaborar los «clásicos» conflictos interpersonales
del «sano, buen, viejo Derecho penal[78]».

VI. RESUMEN

Al contrario de lo que ocurre con los problemas del método, en el
terreno de las *funciones* ha sido la autoconciencia de la ciencia penal –
que ante todo es *conciencia de sus límites* – la que ha condicionado las
expectativas del sistema social. En general, éste último parece renunciar
progresivamente a proyectar el *condicionamiento efectivo* de los comportamientos sociales y de su dirección en clave tecnocrática: las campañas
moralizadoras mediante la conminación de una pena han encallado siempre;
la gestión de las reglas del mercado e incluso de la tutela medioambiental se
confían siempre en mayor medida a los sistemas de control *administrativos*
(tanto tradicionales, como las nuevas autoridades *ad hoc*). Incluso en el
campo de la criminalidad clásica —la delincuencia callejera— la cultura
penal ha sabido transmitir su «sentido de frustración» al sistema social, que
en este tema, hoy políticamente candente, pone en escena una política
criminal puramente *demostrativa*, de estabilización social de las «necesidades de seguridad» a través del aumento simbólico de los marcos de la
pena y del endurecimiento del régimen penitenciario (estoy pensando en
las recientes propuestas legislativas en Italia). Para compensar, con una
especie de *compromiso*, el sistema social ha arrancado a la cultura penal
un aval para proseguir su lucha *política* contra las organizaciones *antagonistas* (supra, 1.3.): y ello siempre a través del sistema penal, pero de un
sistema penal reelaborado para la ocasión en forma de una especie de
microsistema «paralelo» debidamente desviado hacia las vías periféricas
de la red de las garantías, pero claramente dirigido —al contrario que el
sistema «principal»— hacia la «efectividad a cualquier precio».

---

[77]   *Baratta*, Principi del diritto penale minimo, Dei delitti e delle pene, 1985, p. 443
       ss.; *Ferrajoli*, Il diritto penale minimo, *ibidem*, p. 493 ss.
[78]   Críticamente, sobre este punto, *Lüderssen*, Zurück zum guten, alten, liberalen,
       anständigen Kernstrafrecht? en *Böllinge-Lautmann* (Hrsg.) (nt. 76), p. 268 ss.

Dogmática penal afortunada y sin consecuencias*/**

BJÖRN BURKHARDT
Mannheim

Los dogmáticos del Derecho Penal sostienen que la dogmática jurídico-penal es la parte más importante de la ciencia penal alemana y que ha sido, además, la que le ha proporcionado su proyección internacional[1]. Se sobreentiende, entonces, que la dogmática[2] adquiera una papel central en un coloquio sobre «La ciencia jurídico-penal alemana ante el cambio de milenio». La elaboración concreta de los temas a tratar es mucho menos comprensible. Mi deseo inicial era hablar acerca de las miserias, es decir, de las «sombras de la dogmática jurídico-penal» (*Elend der Strafrechtsdogmatik*). La propuesta se rechazó por ser demasiado descarada y parcial. Tampoco el título «Esplendor y miseria», o «Luces y

---

*   Traducción de María Gutiérrez Rodríguez.

**   El presente artículo contiene algunos pasajes a los que no pude aludir en Berlín por razones de tiempo. Por lo demás, se trata de una versión sin cambios de la conferencia, dejando a salvo las notas a pie de página que sí se han ampliado. No he intentado convertir mi discurso en un escrito.

[1]   Vid., por ejemplo, *Reinhart Maurach/Heinz Zipf*, Strafrecht, AT, t. 1, 8ª ed., Heidelberg, 1992, p. 40; *Claus Roxin*, Strarecht, AT, t. 1, 3ª ed., München, 1997, p. 145 y siguiente; *Hans-Heinrich Jescheck/Thomas Weigend*, Lehrbuch des Strafrechts, AT, 5ª ed., Berlin, 1996, p. 42. Más ampliamente, *Roxin*, en este libro, p. 369 y ss.

[2]   El término «dogmática» lo utilizo siempre referido a la dogmática jurídica (dogmática del Derecho) y a la dogmática jurídico-penal. Las especialidades de la dogmática jurídico-penal (respecto a la dogmática jurídico-civil y a la dogmática del derecho público) se desprenden del (con-)texto (vid., también *infra* n. 35 y siguiente).

sombras de la dogmática jurídico-penal» (Glanz und Elend der Strafrechtsdogmatik) se consideró adecuado por haber sido ya bastante utilizado. Finalmente, el consenso se alcanzó con el título «Dogmática penal afortunada y sin consecuencias» (Geglückte und folgenlose Dogmatik).

Debo reconocer, que en un primer momento no estaba contento con la determinación del tema. Mi primera impresión coincidió con la de mi colega M. de H., quien se inscribió en el coloquio con ciertas reservas, debido a que el tema, tal y como había quedado perfilado, le parecía un tanto indeterminado y poco comprensible. Mas, cuanto más reflexioné acerca del tema, más me gustaba, porque precisamente su indeterminación le hacía contener un gran potencial creativo y me dejaba bastante libertad –incluso para poder decir que una dogmática sin consecuencias puede ser definida como una dogmática afortunada.

También he hecho uso de esta libertad, para dividir mi intervención en tres partes principales. En la primera parte, se aborda la cuestión abstracta de qué debe entenderse por dogmática jurídico-penal afortunada y sin consecuencias (A). En la segunda parte, haré algunas apreciaciones sobre el estado actual de la dogmática jurídico-penal alemana (B). De todo ello, resulta una imagen un tanto oscura, de modo que, en la tercera parte, será necesario investigar acerca de las causas (C)[3].

I. CRITERIOS DE UNA DOGMÁTICA JURÍDICO-PENAL AFORTUNADA Y SIN CONSECUENCIAS

Tan sólo es posible aproximarse a la cuestión referente a los criterios de una dogmática jurídico-penal afortunada y sin consecuencias (vid. III), si previamente se ha concretado cuál es el objeto de estudio: la dogmática jurídico-penal. Debo, por tanto, aludir de forma breve, en primer lugar, a la definición y a las funciones de la dogmática jurídico-penal. (vid. I y II).

---

[3]   *El tratamiento de todas las cuestiones anunciadas en el marco de esta conferencia se hará con limitaciones. Asumo una cierta parcialidad y utilizaré expresiones breves y precisas. Muchas preguntas quedarán (obligatoriamente) sin responder.*

1. Sobre la definición de la Dogmática jurídico-penal

Los dogmáticos tienen diversas opiniones no sólo cuando ejercen la dogmática-penal, sino también cuando se enfrentan a su definición[4]. El «contenido empírico del carácter controvertido de la dogmática»[5] se pone de relieve en varios planos. Para no detenerme en exceso en este primer aspecto complejo que se nos plantea, me limito a realizar seis explicaciones aclaratorias sobre la definición de la dogmática jurídica:

1. El fin último de la actividad dogmática es el desarrollo de reglas jurídicas mediante determinados métodos, es decir, de aquellas proposiciones «con las cuales la ley debe ser completada para que pueda cumplirse una condición imprescindible del principio de igualdad»[6].

---

[4]   Las correspondientes aportaciones empiezan, generalmente, con la afirmación de que definir la dogmática es una tarea difícil y que no existe al respecto una visión unitaria (vid., por ejemplo, *Winfried Hassemer*, Strafrechtdogmatik und Kriminalpolitik, Hamburg 1974, p. 12 y p. 146 y siguiente; *Jan Harenburg*, Die Rechtsdogmatik zwischen Wissenschaft und Praxis, Stuttgart 1986, p. 37 y siguientes; *Hans Hermann Séller*, Rechtsgeschichte und Rechtsdogmatik, en: Karsten Schmidt (Ed.), Rechtsdogmatik und Rechtspolitik. Hamburger Ringvorlesung, berlin 1990, p. 109 y siguiente; *Claus-Wilhelm Canaris*, Theorienrezeption und Theorienstruktur, en: Hans G. Leser/Tamotsa Isomura (Ed.), Wege zum japanischen Recht. Festschrift für Zentaro Kitawago zum 60. Geburtstag, Berlin 1992, p. 74 y siguientes; *Gerhard Struck*, Dogmatische Diskussion über Dogmatik, JZ 1975, p. 84; *Manfred Maiwald*, Dogmatik und Gesetzgebung im Strafrecht der Gegenwart, en: Okko Behrenda/Wolfram Henckel (Ed.), Gesetzgebung und Dogmatik, Göttingen 1989, p. 120 y siguientes). Especialmente grande es la diversidad de opiniones en Derecho Civil.

[5]   *Harenburg* (n. 4), p. 54 y siguientes, y p. 197 y siguiente.

[6]   *Eike von Savigny*, Die Rolle der Dogmatik –wissenschaftstheoretisch gesehen, en: el mismo/ Ulfried Neumann/ Joachim Rahlf, Juristische Dogmatik und Wissenschaftstheorie, München 1976, p. 106 y p. 120; también *Winfried Hassemer*, Einführung in die Grundlagen des Strafrechts, 2ª ed., München 1990, p. 200; *Franz Bydlinski*, Unentbehrlichkeit und Grenzen methodischen Rechtsdenken, AcP 188 (1988), p. 477; *Harenburg* (n. 4), p. 6 y p, 270 y siguiente. Característico de la dogmática es el hecho de que se dedique a argumentar de lege lata, es decir, que siempre va referida al derecho vigente (así, la gran mayoría de la doctrina, cfr. *Canaris* (n. 4), p. 74 y siguiente; *Harenburg* (n. 4), p. 7 y p. 59; *Adalbert Podlech*, Zur Theorie einer juristischen Dogmatik, en: el mismo (Ed.), Rechnen und Entscheiden, Berlin 1977, p. 155). Claro está que también se defienden otros

2. El resto de las facetas de la dogmática[7], por ejemplo, el análisis de los conceptos jurídicos, la investigación sobre los elementos constitutivos del hecho punible o el desarrollo de los sistemas jurídico-penales, sirve para preparar la elaboración de reglas jurídicas, para fundamentar y criticar esas reglas, y para sistematizarlas y estabilizarlas.

3. Teniendo en cuenta lo anterior, el término «dogmática jurídica» cuenta con diversas acepciones: (a) como disciplina, que elabora reglas[8]

---

conceptos de dogmática (cfr. *Joachim Hruschka, Das Strafrecht neu durchdenken!*, *GA* 1981, p. 237 y siguientes; *el mismo, Strafrecht nach logisch-analytischer Methode*, 2ª ed., Berlin 1988, p. XVI (donde, de todas formas, habla de la Ciencia del Derecho Penal y no de la dogmática jurídico-penal); *Armin Kaufmann, Lebendiges und Totes in Bindings Normentheorie*, Göttigen 1954, p. XI y siguiente). Aunque los argumentos que ofrece la dogmática lo son de lege lata, esto no significa que los argumentos de política-criminal no tengan ninguna importancia (para la creación de las reglas que complementan la ley) (cfr., sobre la relación entre la política criminal y la dogmática, *Roxin* (n. 1), p. 174 y siguiente; *Hassemer*, *Strafrechtsdogmatik* (n. 4), p. 165 y siguientes, p. 174 y siguiente y p. 184 y siguientes; *Bernd Schünemann, Strafrechtssystem und Kriminalpolitik*, en: *Klaus Geppert* (Ed.), *Festschrift für Rudolf Schmitt zum 70. Geburtstag*, Tübingen 1992, p. 117 y siguientes; también, *Karsten Scmidt, Zivilistische Rechtsfiguren zwischen Rechtsdogmatik und Rechtspolitik*, en: el mismo, (n. 4), p. 9 y siguientes. Sobre la exigencia del método, *Harenburg* (n. 4), p. 110 y siguientes y p. 161 y siguiente; *Canaris* (n. 4), p. 76.

7   *Winrich Langer, Strafrechtsdogmatik als Wissenschaft*, *GA* 1990, p. 435 y siguientes, menciona tres «criterios de una dogmática jurídico-penal científica»: aclaración de conceptos, sistematización y reflexión sobre el método. *Hruschka* (n. 6), p. 237 y siguientes, considera que la función de la dogmática no reside exclusivamente en la elaboración y comentario del «denominado derecho vigente», sino también, y sobre todo, en el análisis de la estructura del sistema de normas jurídico-penales y en la reflexión en un plano ético-normativo sobre el merecimiento de pena. *Armin Kaufmann* (n. 6), p. IX y siguiente, entiende por dogmática jurídica (siguiendo a *Gerhard Husserl*) la «ciencia de los presupuestos de existencia del derecho» y contrapone la dogmática a la interpretación (al mero servicio de la ley). El extremo contrario –la dogmática meramente como interpretación del derecho positivo- lo encontramos en *Michael Potacs, Rechtsdogmatik als empirische Wissenschaft*, *Rechtstheorie* 25 (1994), p. 191. Según la opinión dominante la dogmática es una «disciplina pluridimensional», una «mezcla de diversas actividades»; crf., *Robert Alexy, Theorie der juristischen Argumentaion*, Frankfurt 1978, p. 307 y siguientes.

8   Cfr., por ejemplo, *Roxin* (n. 1), p. 145: «La dogmática jurídico-penal es una disciplina que se encarga de la interpretación, sistematización y desarrollo de las

(b) como método para la búsqueda de reglas jurídicas[9] *(c) como actividad productora de reglas (proceso de elaboración)*[10] *y, finalmente, (d) como producto, esto es, como sistema de proposiciones con contenido normativo referidas al derecho vigente y que cumplen determinadas exigencias metódicas*[11]. *Estas cuatro acepciones básicas pueden ser utilizadas conjuntamente, y así sucede en múltiples ocasiones. También yo procederé de tal manera, aunque generalmente aludiré a la dogmática como producto.*

4. *Cuando se define la dogmática jurídica como producto, siguiendo, por ejemplo, a Fritz Loos: «Quintaesencia de las propuestas de solución de la ciencia jurídico-penal para la aplicación del derecho vigente»*[12]*, se*

---

prescripciones legales y de las opiniones doctrinales en el ámbito del Derecho Penal». *Harenburg* (n. 4), p. 42 y siguiente: la dogmática como «ciencia del derecho vigente en el ámbito de un determinado ordenamiento jurídico (…), que tiene como fin conocer el derecho vigente, y crear y revisar las proposiciones que corroboran el derecho vigente».

[9]   Vid, por ejemplo, *Franz Wieacker, Zur praktischen Leistung der Rechtsdogmatik*, en: Rüdiger Bubner/ Konrad Cramer/ Reiner Wiehl (Ed.), *Hermeneutik und Dialektik, Festschrift für Hans-Georg Gadamer zum 70. Geburtstag*, t. II, Tübingen 1970, p. 333: «La dogmática jurídica como instrumento de la creación del Derecho en el ámbito de la razón y la moral prácticas»; *Harro Otto, Grundkurs Strafrecht, AT*, 5ª ed., Berlin 1996, p. 31 y siguiente: la dogmática jurídica como «un proceso hermenéutico dirigido a la práctica jurídica»; *Schmidt* (n. 6), p. 13: la dogmática jurídica como «método para conseguir el derecho "correcto"»; *Werner Krawietz, Was leistet Rechtsdogmatik in der Richterlichen Entscheidungspraxis?*, ÖZöR 23 (1972), p. 55: la dogmática jurídica como «creación exegético-dogmática del derecho a partir de un método heurístico».

[10] Vid., por ejemplo, *Manfred Maiwald* (n. 4), p. 121: la dogmática, entre otras cosas, como «una actividad ordenadora, vinculada a la aplicación, que se esfuerza en hacer las normas del derecho vigente más claras, más comprensibles y más manejables»; *Maximilian Herberger, Rangstufen der Dogmatik im Hinblick auf deren Bedeutung für die Gesetzgebung*, en: Behrends/Henckel (n. 4), p. 67: la dogmática como «actividad de los jueces y de la doctrina (…), siempre y cuando operen aceptando un conjunto de conceptos jurídicos, instituciones, principios y reglas como orientación, que como parte integrante del ordenamiento jurídico-positivo reclaman un reconocimiento y seguimiento generales con independencia de su fijación legal».

[11] Vid., por ejemplo, *Alexy* (n. 7), p. 312 y siguientes; *Podlech* (n. 6), p. 6 y siguientes, p. 42 y siguientes; también en n. 12.

[12] *Fritz Loos, Grenzen der Umsetzung der Strafrechtsdogmatik in der Praxis*, en: Ulrich Immenga (Ed.), *Rechtswissenschaft und Rechtsentwicklung*, Göttingen

plantea la cuestión de si todas las propuestas de solución con aspiraciones de validez son proposiciones dogmáticas o si, por el contrario, la definición debería ser más estrecha, como la que propone Okko Behrends: «Quintaesencia de aquellas proposiciones que la doctrina científica y jurisprudencial considera válidas dentro de un sistema jurídico positivo»[13]. Para alcanzar mis fines debo partir de un concepto amplio, donde tenga cabida el elemento empírico del carácter controvertido de la dogmática[14]. Una definición de este tipo nos ofrece Podlech, según la cual «la dogmática de un ámbito jurídico en un momento temporal concreto (…) es la mención de todas las reglas jurídicas que no son discutidas en ese ámbito y la elección entre múltiples propuestas de solución controvertidas»[15].

1980, p. 261; Eberhard Schmidhäuser, Strafrecht. AT, 2ª ed., Tübingen 1984, p. 3: la dogmática jurídico-penal como «un sistema de proposiciones académicas que son el resultado de los esfuerzos científicos»; Christian Starck, Rechtsdogmatik und Gesetzgebung im Verwaltungsrecht, en: Behrends/Henckel (n. 4), p. 106: «La dogmática jurídica es (…) un conjunto integrado de proposiciones y reglas jurídicas, que se desarrollan tanto intra legem como extra legem y que reclaman un reconocimiento y seguimiento generales».

[13] *Okko Behrends, Das Bündnis zwischen Gesetzgebung und Dogmatik und die Frage der dogmatischen Rangstufen, en: Behrends/Henckel (n. 4), p. 10; también, Ottmar Ballweg, Phonetik, Semiotik und Rhetorik, en: Ottmar Ballweg/Thomas Michael Seibert (Ed.), Rhetorische Rechtstheorie. Festschrift zum 75. Geburtstag von Theodor Wiehweg, München 1982, p. 40: la dogmática jurídica como un conjunto de «estructuras de opinión incontrovertidas que sirven para adoptar decisiones en el ámbito de la valoración jurídica». Hubert Rottleuthner (Rechtswissenschaft als Sozialwissenschaft, Frankfurt 1973, p. 178), señala que: «Las proposiciones jurídicas son aquéllas que la mayoría de los juristas consideran acertadas»; cfr., al respecto, Alexy (n. 7), p. 317 y siguiente.*

[14] *Más ampliamente al respecto (y también sobre el problema que de ahí se deriva relativo a la construcción adecuada de conceptos), Harenburg (n. 4), p. 9 y siguiente, p. 54 y siguientes y p. 179 y siguiente; Podlech (n. 6), p. 151 y siguientes (quot capita tot sententiae). «El carácter controvertido de la dogmática» se refiere al descubrimiento (empírico) de que el «resultado global de los esfuerzos realizados para conocer el Derecho» en un determinado ámbito contiene, generalmente, proposiciones (propuestas de solución) controvertidas e incompatibles entre sí, sin que pueda decirse que no existen contradicciones. Harenburg (n. 4), p. 55, señala que, frecuentemente, la característica controvertida de la dogmática es ignorada o, al menos, no se considera importante.*

[15] *Podlech (n. 6), p. 156 y siguiente.*

5. *Las propuestas de solución controvertidas (por ejemplo, la defini-ción de banda) pueden ser clasificadas según su «intensidad de validez»*[16] *o, utilizando otro término que expresa la misma idea, según su «grado de certeza» («valor de certeza»), es decir, existen diversos niveles según el «grado de aceptación»*[17]. *Así se pone de relieve una de las especialidades de la dogmática jurídica: cada opinión publicada y cada decisión judicial pueden influir en la intensidad de validez de una proposición dogmática, y ello, independientemente, de que se contribuya con algo nuevo o no.*

6. *Y por último: para la comunidad científica, a la dogmática jurídico-penal no sólo pertenecen la doctrina jurídico-penal orientada dogmáticamente, sino también la jurisprudencia penal y, en parte, la burocracia ministerial*[18].

Tanto los científicos del Derecho como los jueces pertenecen a la comunidad científico-dogmática; sin embargo, existen diferencias impor-tantes entre ellos, que se fundamentan en que sus funciones y sus presupuestos de actuación son diferentes[19]:

---

[16]   Vid., *Hassemer* (n. 4), p. 150 y siguientes, quien sostiene que esta categoría es, generalmente, descuidada.

[17]   *Klaus Adomeit*, Rechtstheorie für Studenten, 4ª ed., Heidelberg 1998, pp. 8 y 13. Sobre los problemas relacionados con la determinación del grado de certeza, *Roman Schnur*, Der Begriff der «herrschenden Meinung» in der Rechtsdogmatik, en: Karl Doehring (Ed.), Festgabe für Ernst Forsthoff zum 65. Geburtstag, München 1967, p. 43 y siguientes. Sobre la cuestión, también mencionada, de si la dogmá-tica admite grados, vid., *Behrends* (n. 13), p. 10 y siguientes y p. 143 y siguiente.

[18]   Vid., *Hassemer* (n. 4) p. 34, p. 146 y siguientes y p. 184, donde (en primer lugar) dice: «La dogmática jurídico-penal se produce principalmente por los jueces pena-les»; también, *Lange* (n. 7), p. 437; *Ekkehard Klausa*, Programm einer Wissenschaftssoziologie der Jurisprudez, Kölner Zeitschrift für Soziologie und Socialpsychologie, Sonderheft 18 (1975), p. 101 y p. 121.

[19]   Vid., al respecto, *Aulis Aarnio*, Das regulative Prinzip der Gesetzauslegung, Rechtstheorie 20 (1989), p. 409 y siguientes; *Volker Röhricht*, Von Rechtswissenschaft und Rechtsprechung, ZGR 1999, p. 445 y siguientes; *Eberhard Schmidhäuser*, Strafrecht, AT (Lehrbuch), 2ª ed., Tübingen 1975, p. 104; *Uwe H. Schneider*, Zur Verantwortung der Rechtswissenschaft, JZ 1987, p. 700 y siguientes; *Martin Kriele*, Theorie der Rechtsgewinnung, 2ª ed., Berlin 1976, p. 320 y siguien-tes; *Wolfgang Naucke*, Über das Verhältnis von Strafrechtswissenschaft und Strafrechtspraxis, ZStW 85 (1973), p. 399 y p. 404 y siguiente.

– La jurisprudencia forma parte del aparato social de aplicación del poder. Debe preocuparse de que la solución que ofrezca al caso concreto sea la justa y que simultáneamente se alcance el mayor grado de seguridad jurídica posible (esto es, una interpretación y aplicación unitaria del derecho vigente). Tiene en sus manos la facultad de aplicar las reglas dogmáticas como derecho vigente y, consecuentemente, tiene que asumir una responsabilidad. Por lo que se refiere a los presupuestos de actuación, la jurisprudencia no puede elegir los problemas que va a tratar. La jurisprudencia se rige por la prohibición de omisión de pronunciamiento, está obligada a decidir, debiendo decidir incluso, en ocasiones, asuntos insolubles en un escaso espacio de tiempo; y, además, tiene posibilidades muy limitadas de corrección, porque sólo puede ocuparse de los casos que se le presentan.

– Las cosas son bien distintas si nos fijamos en la doctrina jurídica orientada dogmáticamente. Ésta se rige por la idea de la libertad científica y su principio rector es la originalidad. Puede concentrarse en algunos aspectos concretos del Derecho Penal. Las propuestas de solución que presentan en sus trabajos, como fruto de su actividad, no son vinculantes. La doctrina no está obligada a decidir[20] y, según algunas opiniones, debe incluso formular proposiciones non-liquet. Tiene tiempo indefinido para discutir, y posibilidades de corrección ilimitadas. La doctrina «guiada por su ideal de integridad y por la presión científica de publicar, descubrirá nuevos defectos y lagunas en el derecho existente e insistirá en su eliminación y, con ello, en el perfeccionamiento del sistema jurídico»[21].

---

[20]   Vid., especialmente, sobre la obligación de decidir Ottmar Ballweg, Rechtswissenschaft und Jurisprudenz, Basel 1970, p. 108 y siguientes; Niklas Luhmann, Das Recht der Gesellschaft, Frankfurt a. M. 1993, p. 310 y siguientes, p. 503 y passim; Ekkerhard Schumann, Das Rechstverweigerungsverbot, ZZP 81 (1968), p. 79 y p. 95 y siguientes.

[21]   Röhricht (n. 19), p. 463. Especialmente crítico con la producción de opiniones dentro de la ciencia, Hans Joachim Mertens, Das Aktienrecht im Wissenschaftprozeß, ZGR 1998, p. 386 y siguientes, donde, entre otras cosas, dice: «No se ha extendido aún la idea de que la libertad científica permite solamente una dirección de la ciencia a través de la autodisciplina, de la presión de diferentes formas de intereses que se esconden bajo esta idea (carrera profesional, ventas, manipulación)». Sobre todo esto, también, Wolfgang Naucke (n. 19), p. 399 y p. 404 y siguientes.

2. Sobre la función de la dogmática jurídico-penal

La dogmática jurídica no sólo es «pluridimensional» sino también «multifuncional»[22]. Así, surge la cuestión acerca de las funciones que cumple la dogmática jurídico-penal (1), cómo se relacionan estas funciones entre sí (2) y si la dogmática jurídico-penal presenta particularidades específicas (en relación con la dogmática jurídico-civil o la dogmática del derecho público) (3).

1. El que me tenga que referir brevemente a las «funciones de la dogmática jurídico-penal» conlleva un riesgo, porque cualquier fallo en la determinación de las funciones va a afectar inevitablemente a la calificación de la dogmática como «afortunada» y «sin consecuencias»[23]. Mencionaré 7 funciones (prestaciones/tareas), que pueden ser atribuidas a la dogmática jurídica[24], sin tomar en consideración coincidencias y conexiones:

---

[22] *Podlech* (n. 6), p. 146; *Harenburg* (n. 4), p. 16 y p. 43; *Alexy* (n. 7), p. 308 y siguiente y p. 326 y siguientes.

[23] Un error de este tipo puede provenir de una sobrecarga de la dogmática, es decir, de atribuirle funciones (indiferenciadas) que no pueda cumplir. La ciencia jurídico-penal orientada dogmáticamente tiende, parcialmente, a esa auto-sobrecarga (y auto-sobrevaloración), para subrayar la importancia de su propia actuación; en este sentido, vid., *Krawietz* (n. 9), p. 66; *Bydlinski* (n. 6), p. 477 y p. 485 y siguientes.

[24] Según *Alexy* (n. 7), p. 326 y siguientes, se pueden diferenciar al menos 6 funciones que deben ser valoradas positivamente: (1) la estabilizadora, (2) la función de desarrollo, (3) la función de descarga, (4) la función técnica, (5) la función de control y (6) la función heurística». – Yo no he seguido este esquema, sino que me he limitado a enunciar las funciones a las que se alude por los autores, y que revisten interés en relación con el tema que trato. Lo que *Alexy* describe como función estabilizadora se encuentra en mi lista dentro de la función democrática y lo que él denomina función heurística se halla parcialmente contenida en lo que para mi es la prestación de adaptación. En la doctrina además de las funciones anteriores se mencionan también: la función de compromiso (*Dieter de Lazzer*, Rechtsdogmatik als Kompromissformular, en: Roland Dubischar y otros (Ed.), Dogmatik und Methoden. Josef Esser zum 65. Geburtstag, Kronberg 1975, p. 109 y siguientes), la labor de integración (*Behrends/Henckel* (n. 4), p. 85), la función crítica (profundización en el estado teórico del Derecho Penal, cfr. *Maiwald* (n. 4), p. 121 y siguiente). Las funciones se establecen desde distintos niveles y la terminología no es uniforme.

a) *La (también para el concepto de dogmática)* función constitutiva: *la producción de reglas y la fundamentación de las cuestiones jurídicas (incluida la elaboración de teorías y del sistema)*[25].

b) *La* función democrática: *«posibilitar una aplicación del derecho previsible (transparente) e igualitaria; ...medio para garantizar un aseguramiento democrático del poder punitivo del Estado»*[26].

---

[25]   *Vid, por ejemplo,* Roxin, Zur kriminalpolitischen Fundierung des Strafrechtssystems, *en:* Hans-Jörg Albrecht *y otros (Ed.),* Internationale Perspektiven in Kriminologie und Strafrecht. Festschrift für Günther Kaiser zum 70. Geburtstag, *Berlin 1998, p. 891: la dogmática como «determinación de aquello que es punible»;* Günther Jakobs, *Strafrecht. AT, 2ª ed., Berlin 1991, p. VII: la función de la dogmática jurídico-penal consiste en «desarrollar las proposiciones necesarias para contradecir el hecho punible como hecho lleno de significado (un hecho con contenido expresivo) mediante un acto lleno de significado»;* Horst Eidenmüller, *Rechtswissenschaft als Realwissenschaft, JZ 1999, p. 59: fundamento de la dogmática es la «obtención de un sistema de proposiciones del derecho vigente»;* Hans Martín Pawlowski, *Methodenlehre für Juristen, 3ª ed., Heidelberg 1999, p. 342 y siguiente: las teorías dogmático-jurídicas posibilitan «una diferenciación entre afirmaciones correctas y falsas sobre lo que es derecho y es justo en este mundo». Menos pretencioso,* Friedrich Müller, *Juristische Methodik, 7ª ed., Berlin 1997, p. 270 y siguientes (la función central de la dogmática es «ayudar a concretar las normas del derecho vigente»).*

[26]   Maurach/Zipf *(n. 1), p. 40. Esta función democrática se encuentra en la literatura científica a menudo en un primer plano. Para* Heinz Müller-Dietz, Die geistige Situation der deutschen Strafrechtswissenschaft nach 1945, *GA 1992, p. 1999, hablar de la función democrática de la dogmática jurídico-penal es hoy un axioma asegurado. Crf. También* Klaus Tiedemann, Stand und Tendenzen von Strafrechtswissenschaft und Kriminologie in der Bundesrepublik Deutschland, *JZ 1980, p. 490;* Enrique Gimbernat Ordeig, Hat die Strafrechtsdogmatik eine Zukunft?, *ZStW 87 (1970), p. 405 y siguientes.* Hassemer *(n. 4), p. 16 y siguientes y p. 177 y siguientes, diferencia en relación con la función democrática, por una parte, la función de recopilación, sistematización y estructuración, y por otra, la función de garantía de una práctica jurídica continuada.* Hans Welzel, Zur Dogmatik im Strafrecht, *en:* Friedrich-Christian Schroeder/Heinz Zipf *(Ed.),* Festschrift für Reinhart Maurach, *Karlsruhe 1972, p. 4, habla de la dogmática como bastión contra invasiones ideológicas, que demostró su eficacia, precisamente, en el Tercer Reich. Sobre la certeza de este diagnóstico cabe dudar (cfr., por ejemplo,* Gerhard Pauli, Die Rechtsprechung des Reichsgericht in Strafsachen zwischen 1933 und 1945 und ihre Fortwirkung in der Rechtsprechung des Bundesgerichtshof, *Berlin 1992, p. 116 y siguientes y p. 177 y siguientes y passim;* Gerd Roellecke, Stabilisierung

c) *La función de control*: ampliación de las bases generales prácticas de decisión, posibilitar un control de armonización (controles de consistencia y prueba sistemática) al servicio del principio de igualdad, a través de la elaboración de un sistema consistente y coherente de proposiciones[27].

d) *La función de descarga*: la aplicación del derecho se facilita cuando se dispone de un conjunto de criterios ya reconocidos, fórmulas didácticas, propuestas dogmáticas de interpretación, figuras jurídicas, de modo que la cuestión que deba ser valorada no sea afrontada como si fuera la primera vez[28].

e) *La función técnica o didáctica*: aumento de la capacidad de enseñar y aprender mediante una elaboración didáctica de la materia jurídica y suministrar información a través de la «elaboración metódica de los principios rectores básicos y de los conceptos del derecho vigente y la sistematización de estas opiniones»[29].

f) *La función de asesoramiento y mejora*: preparación de una legislación mejor mediante la elaboración de alternativas[30].

g) *La prestación de adaptación*: posibilitar una adaptación (permanente) del Derecho a las circunstancias sociales cambiantes, creando mayores

---

des Rechts in Zeiten des Umbruchs, en: Rolf Gröschner/martín Morlok (Ed.), Rechtsphilosophie und Rechtsdogmatik in Zeiten des Umbruchs, ARSP-Beiheft 71, Stuttgart 1997, p. 68 y siguientes, p. 75 y p. 79; sobre la actitud de la dogmática jurídico-penal, *Naucke* (n. 19), p. 404 y siguientes). Hellmuth Mayer, Das Strafrecht des Deutschen Volkes, Stuttgart 1936, p. VII (prólogo), está de acuerdo con la idea de las «tesis para un Derecho Penal nacionalsocialista».

[27] Más al respecto, *Alexy* (n. 7), p. 322 y siguientes y p. 331 y siguientes; *Pawlowski* (n. 25), p. 342 y siguiente, con referencias a otros autores.

[28] *Alexy* (n. 7), p. 329 con otras referencias. Vid., también, *Seiler* (n. 4), p. 111; *Hans-Joachim Koch/ Helmut Rübmann*, Juristische Begründungslehre, München 1982, p. 185 y siguiente; *Roxin* (n. 1), p. 159 y siguiente; *Josef Esser*, Möglichkeiten und Grenzen des dogmatischen Denken im modernen Zivilrecht, AcP 172 (1972), p. 101 y siguiente, p. 129 y siguiente, habla de la prestación de información, de la función de almacenamiento del sistema y del concepto de dogmática.

[29] Vid., *Krawietz* (n. 9), p. 52. También se refiere a la función didáctica, *F. Müller* (n. 25), p. 271 y p. 277; *Seiler* (n. 4), p. 118; *Alexy* (n. 7), p. 330 y siguiente con más referencias. Críticamente, *Struck* (n. 4), p. 85 y siguiente.

[30] Tratan sobre todo de este tema las conferencias contenidas en *Behrends/Henckel* (n. 4); Cfr., por ejemplo, p. 9, p. 104 y siguiente y p. 140.

posibilidades de elección (libertades) en relación con la experiencia y con los textos jurídicos[31].

2. Las funciones mencionadas se encuentran, en parte, delimitadas de forma precisa, pero, en parte, también son contradictorias, de modo que no se pueden hacer compatibles entre sí sin más[32]. Esto se pone claramente de relieve si nos fijamos en la *prestación de adaptación* y en la *función de descarga*: la «dogmática controvertida» (pluralidad de opiniones sobre un determinado ámbito de regulación) es disfuncional bajo el aspecto de la «descarga de reflexión»; sin embargo, amplía la posibilidad de tener en cuenta las exigencias de política-criminal (no dogmáticas), de tal manera que aumenta la prestación de adaptación («posibilita la reflexión», produce un distanciamiento crítico, mantiene la capacidad de aprendizaje). Al contrario, una dogmática «buena», con conceptos y sistemas muy perfeccionados, «hace demasiado costosa la elaboración de nuevas soluciones e impide la producción rápida orientada a las necesidades»[33]. La Sociología jurídica y la Teoría jurídica hablan por ello de

---

[31]   *Krawietz* (n. 9), p. 79, habla de un «efecto latente de la dogmática jurídica convencional». Más allá, *Niklas Luhmann*, Rechtssystem und Rechtsdogmatik, Stuttgart 1974, p. 16 y siguiente («La dogmática posibilita la reproducción de dudas, aumenta tolerablemente la inseguridad»); *Podlech* (n. 6), p. 152 («Conseguir que el ordenamiento jurídico sea aprehensible es una *función de la dogmática controvertida a la que no se puede renunciar socialmente*»); *Harenburg* (n. 4), p. 190 y siguientes. En la Ciencia jurídico-penal apenas se tiene en cuenta esta función de adaptación. *Hassemer* (n. 4), p. 17 y p. 182 y siguiente, la menciona. Este autor alude a dos aspectos del cambio social: la modificación de los supuestos de hecho que son relevantes jurídico-penalmente y la modificación de los criterios de valoración que son relevantes a efectos penales (p. 180). La función de la dogmática jurídica de hacer real la estructura del sistema jurídico se produce a través de la adaptación continua de los instrumentos jurídicos a los cambios sociales.

[32]   El mencionado conflicto se encuentra también presente en *Roxin* (n. 1), p. 158 y siguientes, p. 166 y siguiente, cuando contrapone el pensamiento sistemático al pensamiento problemático.

[33]   *Harenburg* (n. 4), p. 10, p. 12 y p. 170 y siguiente; cfr., también, *Hein Kötz*, Rechtsvergleichung und Rechtsdogmatik, en: Schmidt (n. 4), p. 84 y siguiente. También *Alexy* (n. 7), p. 329 y siguiente, apunta que la dogmática (sistema de proposiciones dogmáticas), por lo que se refiere a la actividad de decisión, no siempre se facilita o descarga, sino que en ocasiones puede incluso dificultarla, y

una dogmática «ambigua» (doppelsinnig), para referirse al hecho de que las funciones que cumple son «contradictorias»[34].

3. *La dogmática jurídico-penal presenta particularidades en relación con la dogmática jurídico-civil y con la dogmática del derecho público, principalmente, en un doble sentido*[35]:

– *La dogmática jurídico-penal se encuentra limitada, en primer lugar, por el principio nulla poena sine lege (Art. 103 pfo 2 de la Constitución). Una adaptación del Derecho a las circunstancias sociales cambiantes sólo es posible dentro de estos límites*[36]. *La función democrática de la dogmática jurídico-penal consiste, precisamente, en fijar estos límites para determinar el ámbito legítimo de la prestación de adaptación.*

– *La segunda especialidad se deriva del carácter subsidiario del Derecho Penal. Se encuentra en las funciones (específicas) del Derecho Penal*

---

considera que el problema central de la dogmática jurídica radica en que el valor de la función de descarga depende «por un lado, de la optimización de una serie de variables como la sencillez, la precisión, el alcance y la posibilidad de comprobación de sus proposiciones, y por otro, de la existencia de un consenso suficiente sobre las proposiciones» y que «estos valores juntos no son graduables discrecionalmente».

34   *Luhmann* (n. 31), p. 23; *Podlech* (n. 6), p. 147 y p. 151.

35   Otra especialidad puede verse, en mi opinión, en el *principio de subsidiariedad* y en el principio, derivado del anterior, «in dubio mitius», que es mayoritariamente rechazado (cfr., sin embargo, *Jürgen Baumann/Ulrich Weber/Wolgang Mitsch*, Strafrecht. AT, 10ª ed., Bielefeld 1995, p. 141; *Karl Marschall/ Adalbert Vlcek*, «In dubio mitius» als Auslegungsgrunsatz im neuen Strafrecht, ÖJZ 1974, p. 389 y siguientes y p. 425 y siguientes; *Karl Marschall*, Strafrechtsauslegung im wissenschaftlichen Meinungsstreit von Theorie und Praxis, ÖJZ 1977, p. 9 y siguientes; y, anteriormente, *Ludwig von Bar*, Gesetz und Schuld im Strafrecht, t. I (Das Strafgesetz), Berlin 1906, p. 17 y siguientes.

36   *Pawlowski* (n. 25), p. 276 y siguientes y p. 281 señala que «con el reconocimiento del principio nulla poena sine legem se adoptan decisiones sin considerar el principio de igualdad y con ello excluyendo la Ciencia jurídica en sentido amplio —es decir, se trata de una racionalidad formal y no material. Las diferencias que de ello se derivan en la jurisprudencia de la sala de revisión civil y penal son evidentes; vid., al respecto, *Gerd Pfeiffer*, Der BGH— nur ein Gericht für das Grundsätzliche?, NJW 1999, p. 2617 y p. 2621 y siguientes.

y en los fines de la pena[37]. Esta relación se pone de manifiesto, por ejemplo, en que actualmente nos encontramos ante «un sistema raciona-lista (funcional)»[38]. La pregunta que permanece sin contestar es si con ello se ha ganado una orientación normativa de la dogmática jurídico-penal o sin tan sólo se ha conseguido una racionalidad aparente y una diversidad de opiniones[39]. La controversia existente en torno a cuestio-nes teórico-penales básicas junto a la falta de claridad sobre los efectos de las sanciones penales en el comportamiento, no auguran nada bue-no[40].

---

[37]   Las normas penales son normas secundarias o normas de sanción, cuya fundamentación y justificación se derivan de normas primarias que aseguran su validez; vid., por ejemplo, *Ernst-Joachim Lampe*, Strafphilosophie, Köln y otras 1999, p. 50 y siguiente; *Wolfgang Frisch*, Tatbestandsmäbiges Verhalten und Zurechnung des Erfolgs, Heidelberg 1988, p. 112 y siguiente.

[38]   Vid., *Bernd Schünemann*, Einführung in das strafrechtliche Systemdenken, en: el mismo (Ed.), Grundfragen des modernen Strafrechtssystems, Berlin 1984, p. 45 y siguientes; el mismo (n. 6), p. 125 y siguientes; *Roxin* (n. 25); el mismo (n.1), p. 167 y siguientes; También, *Heiko H. Lesch*, Der Verbrechensbegriff, Köln y otras 1999, p. 166 y siguientes, p. 170 y p. 184 y siguientes, quien discute que «se pueda erigir un sistema funcional del hecho punible con fundamento en los fines preven-tivos de la pena» y quien exige una «nueva orientación funcional del Derecho Penal». El que los fines de la pena sean la última ratio de toda legislación penal» es una afirmación antigua; crf. *Franz Exner*, Sinnwandel in der neuesten Entwicklung der Strafe, en: Festschrift für Eduard Kohlrausch. Probleme der Strafrechserneuerung, Berlin 1944, p. 24; *Helmut Mittasch*, Die Auswirkungen des wertbeziehenden Denkens in der Strafrechtssystematik, Berlin 1939, p. 32 y siguiente.

[39]   *Rolf-Peter Calliess*, Strafzwecke und Strafrecht, NJW 1989, p. 1338, opina que la tendencia a anteponer las normas jurídico-penales a los fines generales de la pena como criterios de interpretación y determinadores de objetivos es una muestra de la gran crisis por la que atraviesa el Derecho Penal en la actualidad. Esta crisis se manifiesta en la falta de decisión y en el caos de la discusión sobre los fines de la pena. Vid., también, *Wolfgang Stratenwerth*, Die fortschreitende Verzauberung der Welt des Strafrechts, Zeitschrift für Rechtssoziologie 13 (1992) p. 44 y siguientes.

[40]   Sólo para mencionar algunas de las aportaciones más modernas: *Wilfried Bottke*, Assoziationsprävention. Zur heutigen Diskussion der Strafzwecke, Berlin 1995; *Günther Jakobs*, Zur gegenwärtigen Straftheorie, en: Kritisches Jahrbuch der Philosophie, Beiheft 1, Würzburg 1998, p. 29 y siguientes; *Walter Kargl*, Friede durch Vergeltung, GA 1998, p. 53 y siguientes; *Ernst-Joachim Lampe* (n. 37); *Heiko H. Lesch* (n. 38); *Ingeborg Puppe*, Strafrecht als Kommunikation, en: Erich Samson y otros (Ed.), Festschrift für Gerald Grünwald zum siebzigsten Geburtstag, Baden-

3. Sobre la calificación de la dogmática como «afortunada» y «sin consecuencias»

Las dificultades, que se han puesto de relieve en el momento de determinar el concepto y las funciones de la dogmática, aumentan en la cuestión de calificación. Lejos de poder presentar un sistema ordenado de criterios, me debo limitar a enunciar algunos aspectos que se encuentran en el centro de mis reflexiones:

1. Si una dogmática es «afortunada» y «sin consecuencias» puede decidirse desde distintas perspectivas y diferentes niveles. Las siguientes distinciones me parecen relevantes:

a) Nivel *individual*: (prestaciones/propuestas de solución de cada dogmático) versus nivel *colectivo* (la dogmática jurídico-penal como resultado global o, respectivamente, como elección final entre muchas propuestas de solución controvertidas): lo que en el plano individual puede ser considerado comportamiento racional o, desde un punto de vista aislado, como una jugada maestra y original, puede en el plano colectivo colaborar al deshilachamiento y aparecer como una utilización escasa de recursos intelectuales (y financieros)[41]. Todo indica que (también) en la

---

Baden 1999, p. 469 y siguientes; además, especialmente, *Heinz Müller-Dietz* und *Dieter Rössner*, en: *Jörg Martin Jehle* (Ed.), Kriminalprävention und Strafjustiz, Wiesbaden 1996, p. 203 y siguientes, p. 227 y siguientes. Acerca de «la polémica sobre el concepto de bien jurídico», recientemente de nuevo, *Heinz Koriath*, GA 1999, p. 561 y siguientes. Por lo que respecta a las teorías relativas sobre los fines de la pena, se habla actualmente de «un déficit en la investigación de los efectos» y de que el Derecho Penal (al contrario que el Derecho Civil) representa un instrumento de dirección especialmente débil. En relación con la «carrera victoriosa de la prevención general positiva, indirecta o integradora» (*Schünemann* (n. 6), p. 137), ésta no debería representar ninguna pauta de orientación para la dogmática, debido a la tan conocida dependencia de la estabilización de la norma de una sentencia «que se sienta como justa».

[41] El plano de juicio colectivo representa para *Günter Spendel*, Actio libera in causa und Verkehrsstraftaten, JR 1997, p. 123 «poner en duda puntos de vista consolidados y renunciar a posiciones eficaces, mediante simples juegos de palabras, en vez de dedicarse a los problemas urgentes y verdaderos»; *Günther Arzt*, Die deutsche Strafrechtswissenschaft zwischen Studentenberg und Publikationsflut, en: *Gerhard Dornseifer* y otros (Ed.), Gedächtnisschrift für Armin Kaufmann, Köln 1989, p.

ciencia jurídico-penal orientada dogmáticamente (no en la jurisprudencia) media un abismo profundo entre la racionalidad individual y la
colectiva[42]. A ello volveremos a continuación.

b) La cualidad *dogmática* (metódico-jurídica) (por ejemplo, economía
lingüística, adecuación al sustrato, mandato de coherencia intrasistemática,
diferenciación) versus la cualidad *extradogmática* (capacidad de solución
de problemas sociales/expectativas sociales de solución: eficiencia, orientación a los fines, aceptación, exigencias ético-jurídicas y político-jurídicas)[43]. Ambas no van de la mano. La dogmática jurídica limita las
posibilidades de decisión y de solución y puede dificultar la adopción de
decisiones adecuadas socialmente[44].

c) Consecuencias *intrasistemáticas* (consecuencias jurídicas que no
precisan de un pronóstico empírico, por ejemplo, los efectos —jurídi-

---

839 y p. 873, quien describe la «diversidad como daño primario» de la avalancha
de publicaciones.

[42] Es asombroso, que este abismo no recibe tratamiento (o sólo residual) en la
Ciencia jurídico-penal. Tampoco se ha ocupado de ella todavía la Sociología (de
habla alemana). *Ekkerhard Klausa* (n. 18) escribió «Programm einer
wissenschaftssoziologie der Jurisprudenz». Este programa no ha sido, sin embargo,
actualizado (según la información recibida de *Klausa* y de *Hubert Rottleuthner*).

[43] Vid., sobre esta contraposición, *Harenburg* (n. 4), p. 10 y siguientes, p. 17 y
siguientes y p. 147 y siguientes; quien considera que «la capacidad de juicio extra-
dogmático de su producto constituye el problema central de la dogmática jurídica».

[44] Esto se pone de relieve, por ejemplo, en relación con el problema de la causalidad
en las omisiones colectivas, cuando varios obligados a actuar omiten, pero la
ejecución de la acción evitadora del resultado dependía únicamente de la actuación de algunos de ellos. El BGH en la sentencia del caso Lederspray (BGHSt. 37,
p. 106 y p. 130 y siguientes) ha defendido la siguiente opinión: no falta la
causalidad de la cooperación omisiva para la evitación del resultado por el mero
hecho de que el cumplimiento de la obligación de actuar (debido a la omisión de
los demás) no hubiera podido conseguir la decisión mayoritaria necesaria. Esto se
corresponde con la *expectativa de solución social* (mejorar las protección de los
consumidores) y ha recibido una buena acogida (en tanto que «evidente» o
«intuitivamente» justa). Por el contrario, la calidad dogmática de la sentencia del
BGH ha sido muy criticada. La discusión acerca del camino de solución correcto
pone de relieve las grandes posibilidades que tiene la dogmática de dificultar la
decisión.

cos— inmediatos de una interpretación legal que condicionan las posibilidades de decisión jurídica) versus las consecuencias *extrasistemáticas* (consecuencias jurídicas en el ámbito social, que pueden ser analizadas siguiendo una metodología empírica)[45]. A primera vista, parece como si las consecuencias extrasistemáticas también tuvieran una importancia decisiva en la dogmática jurídico-penal. Cuando se trata de dirección de conductas, de producir cambios reales en el comportamiento, de las necesidades de una internalización de las normas en el mismo, de consideraciones acerca de la protección de fines y de una interpretación extensiva para cubrir las lagunas jurídicas (a fin de suprimir la correspondiente forma de comportamiento), las hipótesis empíricas van implícitas. La apariencia, sin embargo, engaña. Arzt ha puesto, con razón, de manifiesto que «nuestra dogmática jurídico-penal es primariamente un sistema consecuente y justo» (es decir, se trata de consecuencias intrasistemáticas), que las construcciones dogmáticas jurídico-penales en sentido amplio no tienen como fin influir en el comportamiento de potenciales delincuentes y que tampoco su influencia en la realidad es la regla general, sino la excepción[46].

d) Ciencia (cobertura científica, orientación científica del conocimiento, fundamentación teórica, etc.) versus *Praxis* (instrucción prácti-

---

[45]   Sobre esta distinción, Luhmann (n. 31), p. 40 y siguiente; *el mismo* (n. 20), p. 378 y siguientes; Winfried Hassemer, *Über die Berücksichtigung von Folgen bei der Auslegung der Strafgesetze*, en: Norbert Horn (Ed.), *Europäisches Rechtsdenken in Geschichte und Gegenwart*, Festschrift für Helmut Coing zum 70. Geburtstag, t. I, München 1982, p. 492, p. 512 y siguientes; Koch/Rübmann (n. 28), p. 227 y siguientes. La distinción se encuentra estrechamente relacionada con la contraposición entre cualidad dogmática y extra-dogmática, aunque no se identifican completamente.

[46]   Arzt (n. 41), p. 875 y siguiente; Knut Amelung, *Der Bundesgerichthof als «Gesetzgeber» im Bereich des materiellen Strafrechts*, en: Arbeitsgemeinschaft Strafrecht des Deutschen Anwaltsvereins (Eds.), *Rechstgestaltende Wirkung des Revisionsrecht*, Bonn 1993, p. 65 y siguientes y p. 84, ha estimado que las decisiones del BGH en el caso de los sprays para el cuero (BGHSt 37, p. 106) o en el caso de la multas (BGHSt 37, p. 226) «tendrán como consecuencia cambios de comportamiento reales». En muchas ocasiones no se mencionan expresamente estas consecuencias (hipótesis empíricas), y si se mencionan, se hace sin una fundamentación suficiente. Stangl (n, 39), p. 53 y siguientes y p. 59, habla de una irracionalización del Derecho Penal a través de un «pseudo-empirismo».

ca, utilización por la práctica, consideración de los presupuestos de actuación de la práctica, relevancia práctica). Esta relación ha sido suficientemente descrita con frecuencia. Podemos aludir a dos citas. Por un lado: «La obligación de decisión y de fundamentación y el apremio de tiempo que caracterizan a la práctica y sus presupuestos de actuación no son ignorados por la doctrina dominante, pero tampoco son tratados como verdaderos problemas»[47]. Por otro lado, y como colofón: «La separación entre la ciencia jurídico-penal y la práctica jurídico-penal se hace cada vez mayor (...). Ni siquiera la Sala de Casación del Tribunal Supremo, que es científicamente complaciente, tiene en cuenta las diferenciaciones actuales en el ámbito de la teoría de la imputación objetiva»[48]. Y esto se acentúa en relación con los Juzgados de Primera Instancia y las Audiencias Provinciales que son, en definitiva, los que llevan el peso de la Justicia.

e) Podríamos continuar con el listado de aspectos divergentes y concurrentes, mediante, por ejemplo, la comparación entre el «sentido instrumental» (orientación a los fines, efectividad) y el «sentido sustancial» (dimensión ético-jurídica, justicia)[49] o mediante la ya mencionada contraposición entre la función de descarga y la capacidad de adaptación. Con ello ya han sido, en mi opinión, mencionados todos los planos o perspectivas de valoración esenciales.

2. Parece acertado, entonces, describir la dogmática como afortunada cuando cumple con las funciones que de ella se esperan. Ahora bien, teniendo en cuenta la «pluridimensionalidad», la «multifuncionalidad» y la «ambigüedad» de la dogmática jurídica, con la propuesta anterior no hemos avanzado mucho. En un primer momento sólo podemos constatar que los criterios (indicadores) determinantes de la fortuna pueden ser tan diversos como las funciones y los niveles y perspectivas de valoración. Es obvio que la valoración de una propuesta de solución dogmática puede

---

[47]   *Harenburg* (n. 4), p. 151, p. 156 y p. 160 y siguientes.

[48]   *Wolfgang Naucke, Wissenschaftliches Strafrechtssystem und positives Strafrecht,* GA 1998, p. 264. Vid., también *supra* n. 19 y n. 21.

[49]   Vid., al respecto, *Ralf Dreier, Mißlungene Gesetze,* en: *Uwe Diederichsen/Ralf Dreier* (Ed.), *Das mibglückte Gesetz,* Göttingen 1997, p. 1 y siguientes y p. 9 y siguiente.

ser diferente según se dé preferencia a la cualidad metodológica y a la profundización teórica o a la manejabilidad práctica y a la capacidad de solucionar problemas sociales.

3. *Se puede también denominar* afortunada *a la dogmática cuando presente avances (cambios hacia mejor). En la literatura científica se habla, continuamente, de «evidentes avances del conocimiento»*[50], *a pesar de que muchas veces no puede apreciarse ningún progreso. Mediante una conexión entre la «dogmática afortunada» y los «avances dogmáticos» se abren más interrogantes de los que se contestan, pues:*

– *no existen teorías sobre los avances de la dogmática jurídica*[51];

– *debe diferenciarse entre avances dogmáticos en un sentido analítico, en un sentido innovador y en un sentido paradigmático;*

– *los avances suelen identificarse generalmente con la obtención de definiciones más precisas y con el refinamiento de la dogmática*[52];

---

[50] *Heinz Müller-Dietz (n. 26), p. 99 y p. 125. Müller-Dietz estima que «la dogmática jurídico-penal, gracias a sus avances en el conocimiento» ha dejado atrás la polémica en torno a las teorías sobre el concepto de acción. Ésta es una valoración problemática. Se puede afirmar que se ha producido una vuelta al concepto de acción que fue defendido en el siglo XIX por los Hegelianos; cfr. Günther Jakobs, Der strafrechtliche Handlungsbegriff, München 1992; Michel Kohler, Strafrecht. AT, München 1997, p. 9 y siguientes y p. 350 y siguientes; Wolfgang Schild, Strafrechtsdogmatik als Handlungslehre ohne Handlungsbegriff, GA 1995, p. 101. El debate se empieza a suscitar también en los países de habla inglesa; vid., Michael Moore, Act and Crime, Oxford 1993; Douglas Husack, Does Criminal Liability Require an Act?, en: Anthony Duff (Ed.), Philosophy and the Criminal Law, Cambridge 1998, p. 60 y siguientes. ¿Debe entenderse esto como un progreso o como un retroceso? («Fortschrift oder Rückschrift»?)*

[51] *Ralf Dreier, Das Fortschrittsproblem in rechtstheoretischer Sicht, en: Ulrich Immenga (n. 12), p. 1 y siguientes y p. 14 y siguiente. Este diagnóstico es tan válido como antes. Tampoco el artículo de Heinz Müller-Dietz, Gibt es Fortschritt im Strafrecht?, en: Heinke Jung (Ed.), Perspektiven der Strafrcehtsentwicklung. Ringvorlesung im Sommersemester 1994 an der Universität des Saarlandes, Baden-Baden 1996, p. 31 y siguientes, contiene una teoría de este tipo.*

[52] *Vid., por ejemplo, Müller-Dietz (n. 51), p. 43; Dirk Fabricius, Rechtsdogmatische Wandlungen als Entnennungen gesellschaftlicher Risikozuteilungen, en: Rolf Gröschner/Martín Morlok (Ed.), Rechtsphilosophie und Rechtsdogmatik in Zeiten des Umbruchs, ARSP-Beiheft 71, Stuttgart 1997, p. 119 y p. 131. Cuando Lothar*

– se ha puesto de relieve (con razón) que los avances en la dogmática jurídica son más difíciles de ser apreciados que en las ciencias empíricas. Los avances no dependen tan sólo de la acción de los científicos, sino en gran medida de la actuación del legislador y de los cambios en la representación de valores dentro de la propia sociedad[53].

A lo anterior hay que añadir, además, que en ocasiones no se puede afirmar si realmente nos encontramos ante un avance o si se trata de un retroceso. Por mencionar un solo ejemplo: cuando en la dogmática jurídico-penal se habla de un avance, se apunta generalmente a la distinción sistemática entre el injusto y la culpabilidad[54]. En la actualidad, sin embargo, esta distinción ha recibido también críticas. Así, por ejemplo, *Heiko H. Lesch* entiende que aquello que *Welzel* denominó «el avance dogmático más importante de las últimas dos o tres generaciones», esto es, la división del delito en las categorías de injusto y culpabilidad, desde un punto de vista de la dogmática jurídico-penal, debe ser calificada como amargo retroceso[55].

Kuhlen, Umweltstrafrecht – auf der Suche nach einer neuen Dogmatik, ZStW 105 (1993), p. 697 y p. 706 se refiere a «un indiscutible avance dogmático» de la discusión sobre la accesoriedad de la administración, tan sólo se puede referir con ello a un avance en sentido analítico. Vid., más allá, Roxin (n. 25), p. 889 (el punto de partida funcional, orientado a los fines, ha supuesto unas diferenciaciones sistemáticas y un «pormenorizar» [«Vergenauerung»] que ha dejado atrás otros esfuerzos por lo que se refiere a su productividad y a su capacidad de consenso). Roxin califica su «proyecto de sistema teológico-político-criminal» como un «giro copernicano» (p. 886). Se trata también de avance en un sentido paradigmático.- Permanece, generalmente, sin contestar el interrogante acerca de si existe un grado de elaboración a partir del cual sus avances analíticos no pueden llevarse a la práctica (Dreier (n. 51), p. 17). Arzt (n. 41), p. 874, critica, con razón, que el refinamiento del Derecho aparezca como una aportación científica, sin que se llegue a preguntar acerca del resultado y de su control.

[53] *Alexy* (n. 7), p. 328; *Adomeit* (n. 17), p. 11.
[54] Vid., por ejemplo, *Hruschka* (n. 6), p. 238 y siguiente; *Bernd Schünemann/Jorge de Figueiredo Dias* (Ed.), Bausteine des europäischen Strafrechts. Coimbra-Symposium für Claus Roxin, Köln y otras 1995, p. 149 y p. 361 y siguiente.
[55] *Lesch* (n. 38), p. 1 y siguientes, p. 198, p. 210 y p. 224; también, *Georg Freund*, Strafrecht. AT, Heidelberg 1998, p. 112 y siguiente y passim (quien, incluso, incentiva de lege lata a los estudiantes a que tengan en cuenta el comportamiento del incapaz de culpabilidad se tenga en cuenta «ya en la determinación de la

4. *Ralf Dreier*[56] *ha propuesto un catálogo provisional de criterios (catálogo de topoi) para obtener leyes perfectas. Este catálogo puede ser trasladado (cum grano salis) a la dogmática afortunada, siempre y cuando la dogmática actúe como (co)productora del derecho vigente*[57]. *Dreier parte de siete criterios con diferente origen: belleza, claridad, coherencia (incluido consistencia, esto es, armonización sistemática-conceptual, inexistencia de contradicciones, lógica, integridad, compatibilidad, metodología), justicia, generalidad, funcionalidad, eficacia.*

5. *La expresión «dogmática jurídica sin consecuencias» proviene de Schünemann*[58]. *Este autor menciona tres formas (o causas) de una dogmática sin consecuencias: el eclecticismo, el tradicionalismo y la política de intereses camuflada. Aunque dedicaré posteriormente mi atención a esta descripción que Schünemann hace del mundo dogmático (infra B), tengo que destacar que voy a utilizar la expresión «sin consecuencias» en otro sentido, como descripción de recogida, es decir que incluya las proposiciones jurídico-dogmáticas, teorías y sistemas y las controversias en torno a las mismas,*

a) que no son relevantes para la práctica (no demuestran una relación con la práctica)[59];

b) que no son aplicables mediante los medios de los que dispone la práctica ni bajo sus presupuestos de actuación[60];

---

tipicidad del comportamiento desvalorado».- ¿Avance o vuelta al siglo XIX?); igualmente, se muestra partidario de la eliminación de la categoría de la culpabilidad Andreas Hoyer, *Strafrechtsdogmatik nach Armin Kaufmann*, Berlin 1997, p. 83 y siguientes, p. 88 y p. 100 y siguientes.

[56] Dreier (n. 49), p. 1 y siguientes.

[57] Para evitar malentendidos: con la expresión «co-productora del Derecho vigente» sólo se quiere decir que las proposiciones normativas pueden llegar a tener la misma validez fáctica o efectividad que la ley.

[58] Bernd Schünemann, *Kritische Anmerkungen zur geistigen Situation der deutschen Strafrechtswissenschaft*, GA 1995, p. 201.

[59] En este momento no distingo entre las consecuencias internas y externas (vid., supra n. 45) y la correspondiente diferencia en el ámbito de la «Praxis» (al respecto, Hassemer (n. 4), p. 60 y siguiente y p. 195 y siguientes). Un ejemplo de la inexistencia de relación con la práctica es la discusión acerca de si es preferible la teoría de la acción causal-naturalista, la final o la social.

[60] Esto es, naturalmente, relativo: los presupuestos de actuación de la Sala de Revisión del Tribunal Supremo son diferentes que los de un Juez de Primera Instancia

c) que no tienen influencia sobre el pronunciamiento de culpabilidad ni sobre la exclusión de la pena[61];

d) cuya relevancia práctica aparece neutralizada o contraatacada, bien por la legislación, bien mediante la selección de mecanismos durante la fase de instrucción (sin acuerdos ni criterios de oportunidad), bien mediante acuerdos o criterios de oportunidad, bien mediante la libre valoración de la prueba, bien en el plano de la determinación de la pena, bien en la ejecución de la pena (suspensión de la pena)[62].

Falta por destacar que la dogmática (en un sentido bastante trivial) tampoco tiene consecuencias cuando no encuentra la resonancia adecuada[63]. Multitud de proposiciones jurídicas y de teorías han compartido este

---

y pueden ser, parcialmente, modificadas (vid., Harenburg (n. 4), p. 167 y siguientes). Sin embargo, puede sostenerse que existe un grado de elaboración que exige demasiado a los juristas en su trabajo práctico diario; vid., supra n. 48 y n. 52; también Loos (n. 12), p. 261 y siguientes; Peter Albrecht, Die Skepsis der Strafgerichte gegenüber der Rechstwissenschaft, ZStrR 102 (1985), p. 385 y siguientes. Entre las condiciones de actuación estables se encuentran: la obligación de adoptar una decisión, la limitación de tiempo, las limitadas posibilidades de corrección y la «unión dogmática» (al respecto, Pawlowski (n. 25), p. 230 y siguientes y p. 468 y siguientes).

61 *Con ello me refiero, esencialmente, a discusiones que tan sólo llegan a ser fundamentaciones (originales) mejores y más complicadas; vid., sobre esto, Arzt (n. 41), p. 874 y siguiente; Karl Lackner, Notizen eines «Kurzkommentators», en: Jürgen Wolter (Ed.), 140 Jahre Goltdammer´s Archiv für Strafrecht. Eine Würdigung zum 70. Geburtstag von Paul-Günter Pötz, Heidelberg 1993, p. 148 y siguientes.*

62 *Wolfgang Naucke, Das System der prozessualen Entkriminalisierung, en: Erich Samson y otros (Ed.), Festschrift für Gerald Grünwald zum siebzigsten Geburtstag, Baden-Baden 1999m p. 469 y siguientes, alude a una frontera apenás perceptible entre el derecho penal y la punición; el mismo, Schwerpunktverlangerungen im Strafrecht, KritV 1993, p. 135 y siguientes, p. 148. Vid., también, Wolfgang Ludwig-Mayerhofer, Das Strafrecht und seine administrative Rationalisierung, Frankfurt a.M. u otras 1998, p. 25 y siguientes; Franz Salditt, infra en este mismo libro; Kai-d. Bussmann, Konservative Anmerkungen zur Ausweitung des Strafrechts nach dem Sechsten Strafrechtsreformgesetz, StV 1999, p. 613 y siguiente, se cuestiona, con razón, si las distinciones a las que nos obliga la nueva redacción de los §§ 243 y 244 son acertadas, teniendo en cuenta que el marco penal es prácticamente idéntico.*

63 *Vid., al respecto, Niklas Luhmann, Ausdifferenzierung des Rechts, Frankfurt a. M. 1999, p. 175.*

destino. En algunas ocasiones, dichas proposiciones o teorías son descubiertas de nuevo una o dos generaciones más tarde y tienen éxito, como por ejemplo, el requisito de imputación de la «realización del peligro prohibido», que ya encontramos en una monografía del año 1912[64].

Si entendemos la «dogmática jurídica sin consecuencias» en este sentido, entonces no se trata de un antónimo de «dogmática afortunada», sino de una descripción más o menos difusa del hecho de que los esfuerzos dogmáticos, generalmente y por diversas causas, no conllevan un beneficio apreciable, es decir, que no tiene ninguna consecuencia apreciable ni por su cualidad ni por sus resultados en el proceso penal. El antónimo de la expresión «dogmática afortunada» sería «dogmática fracasada», y no toda «dogmática sin consecuencias» (en el sentido mencionado) es una «dogmática fracasada»[65].

6. Con el listado anterior de perspectivas y criterios de valoración no me doy, de ninguna manera, por satisfecho. El concepto de «dogmática sin consecuencias» aparece todavía difuso. Los requisitos de una dogmática afortunada son variables y graduables, es decir, aparecen con distinta intensidad, de modo que su importancia y su rango no puede determinarse a priori, dependiendo, por el contrario, de cada caso en concreto. Conforman, por tanto, una especie de «sistema movible». Esto significa también lo siguiente: lo que deba entenderse por una dogmática afortunada y sin consecuencias sólo ofrece una determinación insuficiente en el plano abstracto, debiendo concretarse y demostrarse mediante ejemplos. Aquí también será importante, el aspecto, hasta el momento no analizado, de los costes y beneficios, o, respectivamente, de la buena o mala relación entre el gasto y el beneficio.

---

[64] *Max Ludwig Müller, Die Bedeutung des Kausalszusammenhanges im Straf- und Schadensersatzrecht, Tübingen 1912, p. 57 y siguiente.*
[65] *También puede dar buenos resultados y hacer feliz en el sentido de que a sus productores obsequia con prestigio e ingresos.*

II. SOBRE EL ESTADO DE LA DOGMÁTICA JURÍDICO-PE- NAL ALEMANA ANTE EL CAMBIO DE SIGLO

Se trata de una situación de malestar. Objeto de este malestar son las quejas acerca de:

(1) la avalancha de publicaciones[66] y sus consecuencias[67];

(2) el ya (casi) irrealizable perfeccionamiento de la dogmática del delito.

(3) la excesiva complejidad: algunos ámbitos son «objetivamente hipercomplejos»;

(4) el deshilachamiento de la dogmática jurídica y la proliferación de problemas jurídicos;

(5) la relación dislocada entre costes y beneficios;

---

[66]   *Desde la toma de posición de Friedrich-Christian Schroeder, Die Last des Kommentators, en: Hans Heinrich Jescheck/Theo Vogler (Ed.), Festschrift für Herbert Tröndle zum 70. Geburtstag, Berlin 1989, p. 77 y siguientes, han apare- cido nuevos manuales: 7 sobre la Parte General, las obras de Claus Roxin, Kristian Kühl, Michael Köhler, Walter Gropp, Georg Gropp, Georg Freund y las exposiciones breves de Holger Matt, Claus-Jürgen Hauf y Andreas Hoyer; 7 sobre la Parte Especial, los manuales de Georg Küpper/Wolfgang Mitsch, Urs Kindhäuser, Wilfried Küper, Karl-Heinz Gössel, Rudolf Rengier, Ulrith Schroth, Olaf Hohmann/Günther M. Sander y Claus-Jürgen Hauf. Algunos de los «prólogos» de estos manuales son interesantes. Así, por ejemplo, Gropp aclara que, a pesar de que ya existen múltiples exposiciones magistrales de la Parte General, no ha encontrado ningún motivo convincente para no escribir otro manual. Y Mitsch alude a su experiencia como «profesor de universidad» y profetiza que tiene «buenas expectativas de obtener unas buenas notas en los exámenes» quien hace el esfuerzo de estudiar duramente con su manual y de aproximarse «de igual manera» al resto de material de estudio. Mi interés por los prólogos se ha despertado gracias a una brillante conferencia de D. Majid Enayat (tema: Strafrechtswissenschaft und juristische Ausbildung —Ciencia jurídico-penal y formación jurídica—). Esta conferencia formó parte de un Seminario que realizó Albin Eser en el semestre de verano de 1999 sobre «Die Deutsche Strafrechtswissenschaft im 20. Jahrhundert» (La Cien- cia del Derecho Penal en el siglo XX). Es muy interesante ver cómo a lo largo del siglo XX han ido cambiando los prólogos.*

[67]   *Actualmente se habla también de abuso de publicaciones (Schroeder, n. 66, p. 87). El término implica que se trata de publicaciones malas.*

(6) el desequilibrio en el tratamiento de los puntos importantes en los actuales trabajos científicos;

(7) el amplio distanciamiento entre el Derecho Penal en la dogmática tradicional y el Derecho Penal según el Derecho positivo; la dogmática jurídico-penal se desarrolla —en relación (entre otros) con los procesos reales que son punibles y con los que no lo son— hacia una marginalidad jurídico-penal extremadamente interesante.

(8) las posiciones defendibles son excesivamente amplias, lo que tiene como consecuencia una gran arbitrariedad: la dogmática parece haberse convertido en un instrumento de argumentación al servicio de la decisión de casos con el que, si es necesario, se puede fundamentar cualquier cosa; se puede apreciar también en el estado de la Parte Especial que no existe ya una frontera claramente delimitada entre lo punible y lo no punible.

(9) la disolución de la dogmática jurídico-penal en la política-criminal y la mezcla de argumentaciones de lege lata y de lege ferenda.

(10) el debilitamiento de los tradicionales criterios de imputación y la ampliación de las instituciones jurídicas y de las normas penales.

(11) la forma y el modo (el estilo) de la discusión, que dificulta la aceptación de los resultados de la investigación por la práctica jurídica.

(12) el alejamiento de la práctica jurídica y los daños del aislamiento que han sido sufridos por la dogmática interior alemana en su jaula de Faraday.

Estas quejas las he recopilado de los trabajos de algunos de los siguientes colegas: Arzt, Hassemer, Hirsch, Lackner, Müller-Dietz, Naucke, Schubarth, Schünemann, Schroeder y Spendel[68]. Se trata de una lista impo-

---

[68]   Vid., *Artz* (n. 41); *el mismo*, en: Diederichsen/Dreier (n. 49), p. 170; *Winfried Hassemer, Produktverantwortung im modernen Strafrecht, Heidelberg, 1994; Hans-Joachim Hirsch, Die Entwicklung der Strafrechtswissenschaft nach Wezel*, en: *Festschrift der Rechtswissenschaftlichen Fakultät zur 600-Jahr-Feier der Universität zu Köln, Köln y otras 1998, p. 399 y siguientes; el mismo, Zum Spannungsverhältnis von Theorie und Praxis im Strafrecht, en: Jescheck/Vogler (n. 66), p. 19 y siguientes; el mismo, 25 Jahre Entwicklung des Strafrechts, en: 25 Jahre*

nente de penalistas dogmáticos excelentes. El tono y la intensidad de sus críticas es diferente: *Schubarth* se muestra enojado e increpante, *Schünemann* toca todas las teclas de la polémica profesional, *Arzt* es bastante crítico pero se esfuerza por no molestar a nadie, *Lackner* casi se disculpa y advierte que no pretende enjuiciar el estado de la ciencia alemana, sino tan sólo expresar su opinión para dar lugar a la reflexión. Hay que destacar que algunos de los colegas mencionados no sólo se quejan de la avalancha de publicaciones, sino que también la promueven con sus aportaciones o colaboraciones, mediante la edición de colecciones o a través de varias publicaciones sobre un mismo tema en un corto espacio de tiempo. Un bonito ejemplo de estas autoreferencias se produce cuando tras las quejas sobre la «actio libera in causa sin fin», aparece un artículo con este título[69]. Se pone aquí de relieve la lentitud estructural de un ordenamiento jurídico dinámico. Éste se caracteriza porque se intenta solucionar un problema aludiendo de nuevo a ese mismo problema o a otro parecido[70]. Con otras palabras: *dogmatica se ipsam alet*[71].

Quejas como las mencionadas no son en esencia nuevas[72], aunque han adquirido una nueva dimensión y ya se ha planteado la pregunta de si la

---

Rechtsentwicklung im Deutschland – 25 Jahre Juristische Fakultät der Universität Regensburg, München 1993, p. 35 y siguientes; *Lackner* (n. 61), p. 148 y siguientes; *Müller-Dietz* (n. 26), p. 99 y siguientes; *Naucke*, Schwerpunktverlagerung (n. 62), p. 135; *el mismo*, (n. 48), p. 263 y siguientes; el *mismo*, Entkriminalisierung (n. 62), p. 403 y siguientes; *Schroeder* (n. 66); *Martín Schubarth*, Binnenstrafrechtsdogmatik und ihre Grenzen, ZStW 110 (1998), p. 827 y siguientes; *Spendel*, (n. 41). El listado precedente es, en cierto modo, arbitrario. Existen otras voces destacadas, que manifiestan su descontento, vid., por ejemplo, el prólogo en *Herbert/Tröndle/Thomas Fischer*, Strafgesetzbuch, 49ª ed., München 1999, y *Adolf Schönke/Horst Schröder*, Strafgesetzbuch, 25ª ed., München 1997.

69   Vid., *Günther Spendel*, Actio libera in causa und kein Ende, en: Thomas Weigend/ Georg Küpper (Ed.), Festschrift für Hans Joachim Hirsch zum 70. Geburtstag, Berlin 1999, p. 379.

70   Vid., *Podlech* (n. 6), p. 149 y p. 152; se eleva lentamente (mediante gatos).

71   Los mecanismos que entran en juego son esbozados por *Arzt* (n. 41), p. 852. Doy gracias a *Ingeborg Puppe* por la asociación entre «la guerra alimenta a la guerra y la dogmática alimenta a la dogmática».

72   Sobre la creciente elaboración y complejidad, vid., *Thomas Würtenberger*, Die geistige Situation der deutschen Strafrechtswissenschaft, Karlsruhe 1957. *Max Grünhut*, Strafrechtswissenschaft und Strafrechtspraxis, Bonn 1932, p. 12 y si-

dogmática penal tiene futuro a nivel europeo. A continuación dedicaré mi atención a la situación general de la dogmática jurídico-penal (I), para referirme después, ejemplificativamente, a las «sombras» de la dogmática jurídico-penal (II). Especial interés presenta el estudio de si ha habido cambios a lo largo del presente siglo en relación con las influencias de la ciencia en la práctica (III).

1. La situación general de la dogmática jurídico-penal y sus corrientes (los ismos)

El situación general de la dogmática jurídico-penal a finales del siglo XX se caracteriza, entre otras cosas, por una *disputa de direcciones (Richtungsstreit)*: —«modernización orientada político-criminalmente del Derecho Penal final» (también en dirección a un «Derecho Penal de clase alta» versus la «reproducción y conservación de un Derecho Penal nuclear reconstruido filosóficamente»[73]— y una controversia sobre el método correcto para la formación de conceptos y del sistema jurídico-penal. Por lo que respecta a este último aspecto, se habla de la «época del sistema funcional (racional-final)»[74] pero también de un «normativismo acentuado» como la posición dominante hoy en día en

---

guientes, protesta sobre el distanciamiento de la dogmática jurídico-penal de las necesidades y costumbres de la práctica jurídico-penal. Apunta, también, que la forma colectiva de la operación científica dificulta la cuestión de la responsabilidad penal individual (p. 24) –un problema que hoy en día todavía no se ha resuelto. Ernst Hafter, Wir Juristen, Zürich 1944, p. 145 y siguientes, en relación con la queja sobre la avalancha de publicaciones, considera que ha sido un hecho positivo el que en los últimos años, en los países en guerra, debido a la escasez de tiempo se haya limitado la producción científica.

[73] Éste es, naturalmente, un diagnóstico exagerado y extremo; vid., al respecto, *Müller-Dietz* (n. 51), p. 54; *el mismo*, (n. 26), p. 127 y siguientes; *el mismo*, Prävention durch Strafrecht: Generalpräventive Wirkungen, en: Jehle (n. 40), p. 233; *Claus Roxin*, Tagungsbericht: 3. Deutsch-japanisches Strafrechtssymposium, ZStW 110 (1998), p. 806 y siguientes; *Günther Stratenwerth*, Zukunftssicherung mit den Mitteln des Strafrechts, ZStW 105 (1993), p. 879 y siguientes.

[74] *Schünemann*, Einführung (n. 38), p. 18 y p. 45 y siguientes; *el mismo* (n. 6), p. 125 y siguientes.

Alemania[75], y de la confrontación entre la fundamentación ontológica, normativa, ontológica-real, normativa-funcional y ontológica-social[76], de un «normativismo puro» y de un «funcionalismo normativizado»[77].

Es difícil determinar, qué valor tiene esta controversia y si obtiene resultados diferentes en la solución de los problemas prácticos. Como sólo puedo referirme de forma limitada a esta pregunta, trataré, con intención polémica, solamente tres artículos recientes de colegas que tratan sobre el desarrollo y la situación intelectual de la dogmática jurídico-penal y que han sido valorados (con razón) de forma diferente. Se trata de los artículos de Wolter, Schünemann y Hassemer[78].

1. En un artículo del año 1993, Wolter[79] concluye diciendo que «tras los manuales de Roxin y de Jakobs, las aportaciones de Rudolphi y Burgstaller y las tesis de Frisch y Schünemann (...) tenemos una dogmática jurídico-penal muy moderna» en conexión con un sistema de Derecho Penal muy antiguo. Junto a estos autores, pertenecientes a la moderna dogmática jurídico-penal, se mencionan también la «impresionante vía intermedia de Hirsch» y las importantes opiniones de Welzel, Kaufmann y Struensee». No se mencionan las concepciones (neo-)clásicas de Baumann/Weber/ Mitsch, Naucke y Hassemer ni otros proyectos (como, por ejemplo, los de Schmidhäuser, Kindhäuser y Hruschka)[80]. No se dice que estas concepcio-

---

[75] Hans-Joachim Hirsch, Zur Lehre von der objektiven Zurechnung, en: Albin Eser y otros (Ed.), Festschrift für Theodor Lencker zum 70. Geburtstag, München 1998, p. 119 y p. 141.

[76] Ernst-Joachim Lampe, Zur ontologischen Struktur des strafbaren Unrechts, en: Weigend/Küpper (n. 69), p. 83 y siguientes.

[77] Schünemann (n. 58), p. 201; Roxin (n. 1), p. 181.

[78] Existen por supuesto otros colegas que en los últimos 25 años se han esforzado por evaluar la situación intelectual de la dogmática jurídico-penal alemana. Se debe nombrar aquí, por ejemplo, a Hirsch (n. 68) y a Müller-Dietz (n. 26). El cuadro que presentan del mundo del Derecho Penal no es menos interesante, pero está pintado con colores poco llamativos y contiene escaso valor para la discusión.

[79] Jürgen Wolter, Strafwürdigkeit und Strafbedürftigkeit in einem neuen Straftatsystem, en: el mismo (n. 61), p. 269 y siguientes y p. 278.

[80] Baumann/Weber/Mitsch (n. 35), p. 177; Wolfgang Naucke, Strafrecht, 8ª ed., Neuwied 1998, p. 258 y siguientes; Hassemer, Einführung (n. 6), p. 202 y siguientes; Schmidhäuser (n. 12), p. 57 y siguientes; Urs Kindhäuser, Gefährdung als Straftat,

nes no mencionadas se encuentren por debajo de las modernas «aportaciones». Se puede cuestionar si los autores pertenecientes a este grupo de dogmáticos modernos no son más que un grupo heterogéneo y qué es lo verdaderamente moderno en la moderna dogmática jurídico-penal. *Wolter* destaca una serie de características: la dogmática jurídico-penal moderna (1) se esfuerza en dar al Derecho Penal en su conjunto una visión constitucional, (2) se centra en las categorías de merecimiento y necesidad de pena, y (3) intenta una asimilación de las estructuras dolosas e imprudentes. Sobre esto podrían decirse muchas cosas[81], pero ello no es posible en el marco de esta conferencia. Dudo, sin embargo, que los autores calificados como dogmáticos modernos se contenten con estas características. De esta forma, no puede reconocerse en qué consiste lo moderno de la moderna dogmática penal.

2. Dos años más tarde, *Schünemann*[82] se refirió, polémicamente, a otro de los integrantes del grupo al que aludía *Wolter*, a *Jakobs*, y clasificó su posición como «funcionalismo normativo» y «decisionismo encubierto»: *Jakobs* ha creado las opiniones y perspectivas futurísticas que se contienen en su manual con una brillante intuición a pesar, y no desde, su sistema. También *Schünemann* hace alusión y ataca a *Hassemer* y a la «Escuela de Frankfurt», con el siguiente tenor: una teoría de Derecho Penal monista-individual con la que se inicia el retroceso al siglo XIX y XVIII. Además *Schünemman* alude a un grupo heterogéneo de la «dogmática jurídico-penal sin consecuencias», la cual se caracteriza —como ya hemos mencionado— por el eclecticismo, el tradicionalismo y la política de intereses camuflada:

Frankfurt a.M. 1989, p. 29 y siguientes; *Joachim Hruschka*, Strafrecht, 2ª ed., Berlin, 1988.

[81] Con la asimilación de las estructuras tan sólo se eliminan las deformaciones que se han causado mediante la teoría de la acción final. Al respecto los dogmáticos todavía no se han puesto de acuerdo. Por lo que respecta a la «fundamentación conforme a la Constitución», otros autores hablan de la «cruz de la pretendida validez ubicua del Derecho Constitucional» o de la «sociedad abierta de los intérpretes de la Constitución» y advierten de la «colonización del Derecho Penal por el Derecho Constitucional». Y la doctrina del merecimiento y de la necesidad de pena ha sido calificada de «Babel», porque en ella se puede plantear cualquier cuestión.

[82] *Schünemann* (n. 58).

– *La política de intereses camuflada se refiere a «la situación que utiliza los argumentos científicos no sólo en la búsqueda de la verdad y la justicia sino también en la consecución de fines ulteriores», es decir, los argumentos científicos no sólo se utilizan de forma instrumental, sino que como sucede, por ejemplo, en la obtención de un determinado informe en el marco del Derecho Penal tributario, del Derecho Penal del medio ambiente o del Derecho Penal económico son ya ideados instrumentalmente.*

– *El tradicionalismo aparece como una posición que afecta a las cuestiones básicas de la teoría penal. Como ejemplo se suele nombrar la defendida vinculación del Derecho Penal a la filosofía idealista, que según valora Schünemann no es una conexión obligatoria y, además, carece de consecuencias, y se cita a autores como Ersnt A. Wolf, Michael Köhler y Rainer Zaczyk. Permanece sin aclarar por qué no se cita también en este contexto de las conexiones no obligatorias y carentes de consecuencias a la teoría de la prevención general positiva*[83]. *¿Quizás por qué no casa bien con el concepto de tradicionalismo?*

– *El aspecto más interesante es (el que hace referencia al estado de la dogmática jurídico-penal) el eclecticismo, que según Schünemann «caracteriza, actualmente, a una gran parte de la doctrina penal alemana». Para la filosofía, el eclecticismo significa un modo de trabajar que no es original, improductivo intelectualmente, que acoge las ideas de otros o las recopila sistemáticamente. Para Schünemann*[84], *el eclecticismo es un mero conjunto de diferentes valoraciones y métodos, formas de argumentación y perspectivas de aproximación a los problemas. Así, el término eclecticismo se mueve entre dos percepciones. El concepto no sirve realmente para denunciar a los actores individuales, sino que más bien caracteriza a un grupo de la doctrina y de la jurisprudencia, es decir, a un colectivo. Es en este plano colectivo en el que se pone de relieve tanto la mencionada mezcla de diferentes puntos de vista y métodos como «la*

---

[83]   *La mayor parte de las diferentes teorías de la prevención general positiva utiliza argumentos empíricos (otra posición, por ejemplo, Jakobs (n. 40), p. 29 y siguientes y p. 39 y siguiente), siendo cuestionable el resultado final; vid., Müller-Dietz (n. 40), p. 242 y siguientes; Stangl (n. 39), p. 60 y siguientes.*

[84]   *Schünemann (n. 58), p. 221.*

tendencia a la arbitrariedad absoluta». El problema radica en que los actores individuales promueven este eclecticismo, ampliando la diversidad de opiniones mediante aportaciones originales, incluso cuando la aportación en concreto no es de calidad inferior a las anteriores.

Se puede apreciar aquí una diferencia con la clasificación que yo he hecho sobre las distintas perspectivas de valoración de una dogmática afortunada y sin consecuencias, aquélla que distinguía entre el plano individual (las aportaciones de cada uno de los dogmáticos) y el plano colectivo (las aportaciones de la dogmática en sí, como conjunto). Para ilustrar el problema quiero hacer referencia a la imagen del «hormiguero», que ha utilizado Douglas Hofstadter en su libro «Gödel, Escher, Bach», para aclarar su modelo por estratos sobre el funcionamiento de la actividad cerebral[85]. En el primer nivel de la colonia de hormigas (se corresponde con el nivel neuronal del cerebro) encontramos un grupo de hormigas. Son hormigas idiotas y no pueden pensar. Como individuos caminan sin rumbo de modo impredecible. Sólo cuando un número de hormigas se encuentra, se derivan del caos algunas tendencias y, únicamente, en el plano colectivo más alto se convierte el comportamiento de las hormigas en algo con conexión, el orden demuestra estructuras y unidades bien definidas y la colonia es capaz de construir enormes obras.

Naturalmente, puede el lector comprender que me he referido a esta imagen para afirmar que la situación en la dogmática jurídico-penal es justamente la contraria: las hormigas son individualmente inteligentes, aptas para la comunicación y capaces de desarrollar sistemas complicados. En el plano colectivo, sin embargo, domina el caos y la colonia deambula sin orientación. En el cuadro de Hofstadter hay al menos un oso hormiguero, de profesión cirujano de la colonia. Su misión es curar a la colonia cuando ésta sufre problemas nerviosos, comiéndose a algunas hormigas. No existe una institución parecida en la dogmática jurídico-penal.

Vuelvo a Schünemann. No se ha resuelto quién debe ser incluido en el grupo de la «dogmática sin consecuencias» y quién —además de

---

[85]   *Douglas R. Holfstadter, Gödel, Escher, Bach: ein endlos geflochtenes Band, Stuttgart 1985, p. 333 y siguientes.*

Schünemann— pertenece al «necesario punto de vista dual, tanto funcional como lógico-material». Aquí se plantea un verdadero problema para los actores individuales: se puede evitar ser un tradicionalista (existe una moderna prevención general positiva); también se puede escapar de la lucha de intereses; más difícil se plantea, en cambio, el eclecticismo, pues la simple diversidad de opiniones, la mera mezcla de métodos argumentativos y de perspectivas de acercamiento a los problemas junto con la tendencia hacia una arbitrariedad absoluta, se favorece cuando se amplía el espectro de opiniones mediante otra aportación original de igual valor. ¡Y a la originalidad estamos todos obligados! ¿Cómo se puede evitar entonces ser un ecléctico en el sentido que Schünemann le da? ¿No colabora también Schünemann al eclecticismo y a la dogmática sin consecuencias con su principio de la equivalencia (Gleichstellungsprinzip) del «dominio sobre la causa del resultado»?[86]. Esto suena como un Spot pero no tiene esta intención, pues se trata de un problema sin solución: es racional que todo autor se deje guiar por la máxima «publicar o perecer» y que se esfuerce en desarrollar nuevas y originales ideas y teorías. En el plano colectivo (en el global) tiene esto, sin embargo, consecuencias contradictorias –en el mejor de los casos aumenta la prestación de adaptación, cuyo revés es el eclecticismo, complejidad, pérdida en claridad y seguridad jurídica[87]. Schünemann ha mencionado (como antes Artz) algunas condiciones científico-sociológicas básicas de estas consecuencias, pero el verdadero problema, el abismo entre la racionalidad individual y la colectiva, lo ha descrito de forma insuficiente y no ha ofrecido ninguna solución.

3. *Hassemer*[88], por su parte, había criticado ya un año antes, otra vez, el «Derecho Penal funcionalista» al que hace responsable de la erosión

---

[86]   Al respecto, vid., por último, *Bernd Schünemann, Zum gegenwärtigen Stand der Dogmatik der Unterlassungsdelikte in Deutschland*, en: Gimbernat Ordeig/Bernd Schünemann/Jürgen Wolter (Ed.), *Internationale Dogmatik der objektiven Zurechnung und der Unterlassungsdelikte*, Heidelberg 1995, p. 49 y siguientes y p. 72 y siguientes.

[87]   Hay que recordar que *Artz* (n. 41), p. 867 y siguientes y p. 873, en este sentido habla de la «diversidad como daño primario».

[88]   *Hassemer*, Produktverantwortung (n. 68), p. 1 y siguientes, p. 25 y p. 57; *el mismo, Strafrechtswissenschaft in der Bundesrepublik Deutschland*, en: Dieter Simon

de los principios tradicionales del Derecho Penal. Él considera —en relación con la decisión del BGH en el caso de los sprays para cuero (BGHSt 37, p. 106 y siguientes)— que la modernización del Derecho Penal no es sólo un problema legislativo. La tendencia de la práctica judicial coincide también con la tendencia de la legislación moderna. Hassemer caracteriza esta tendencia mediante las siguientes palabras: ataque al principio de imputación individual, ampliación sistemática de elementos conceptuales y dogmáticos, flexibilización de las estructuras dogmáticas, desformalización de los presupuestos de imputación, creación de vínculos, funcionalización, adaptación funcional y dogmática anacrónica contraproductiva. Por lo que se refiere a este último aspecto, Hassemer habla de un «desacoplamiento de los intereses científicos de su entorno político-criminal», que refleja, «en sus resultados, el estado actual de la dogmática científica». Como aportaciones hacia un Derecho Penal funcionalista menciona —y con ello se cierra el círculo— las de Wolter y las de Frisch. Hassemer opina al respecto, con aversión encubierta: «Éste sería el tipo de respuesta adecuada de la Ciencia jurídico-penal a los cambios en la realidad relevante penalmente: elaboración de los instrumentos dogmáticos y aumento de la capacidad sistemática frente a la complejidad»[89]. También aquí están poco claras las alternativas dogmáticas[90].

(Ed.), Rechtswissenschaft in der Bonner Republik, Frankfurt a.M. 1994, p. 259 y p. 296 y siguientes y p. 302 y siguiente. El «funcionalismo» significa para Hassemer «la inmigración de los intereses políticos hacia los principios normativos de la determinación del merecimiento de pena y de su ejecución» (vid., el mismo, Grundlinien einer personalen Rechstgutlehre, en: Lothar Philipps/Heinrich Scholler (Ed.), Jenseits der Funktionalismus. Arthur Kaufmann zum 65. Geburtstag, Heidelberg 1989, p. 85). Esta «inmigración» también existía cuando el término «funcionalismo» todavía no se utilizaba en Derecho Penal. Así, en el «prólogo» de August Köhler, Deutsches Strafrecht. AT, Leipzig 1917, p. III: «El Derecho Penal es uno de los pilares básicos del ordenamiento social y tiene que adaptarse a sus respectivos fines». Esto se corresponde con la posición de Jakobs (n. 90), p. 845, y el prólogo de Köhler pone de relieve por qué esta posición puede considerarse «escandalosa». Según Köhler los fines pueden ser la «limpieza de la raza», el «cambio de las debilidades morales por un entorno mejor» y la «evitación de la reproducción de los discapacitados».

[89] Hassemer, en: Simon (n. 88), p. 303.

[90] Además: la dura crítica a la sentencia del caso de los sprays para cuero sólo es comprensible si se sigue la teoría de la «rana que se cuece sin darse cuenta». Esta

4. Conclusión provisional: *la distancia entre la dogmática jurídico-penal descrita y la dogmática jurídico-penal ejercida sin consecuencias me parece muy pequeña. No sólo porque, según lo expuesto, existe una mezcla de perspectivas y de valoraciones diferentes, sino también porque no existe ninguna conexión entre la calificación de algo como «dogmática jurídico-penal moderna», como «dogmática jurídico-penal anacrónica» o como «funcionalismo normativo» y la solución de los problemas dogmáticos materiales*[91].

2. Ejemplificativamente sobre las luces y las sombras de la Dogmática jurídico-penal

Aludiré a 5 ámbitos problemáticos, que de distinta forma son característicos de la situación intelectual actual de la dogmática jurídico-penal

---

teoría dice: «Si se puede hacer que una rana se quede quietecita en una cazuela con agua fría, de modo que se vaya elevando la temperatura del agua lenta y progresivamente, habrá un momento en el que la rana tendría que saltar y escapar, pero la rana no saltará. Entonces se cocerá». (Georg Bateson, Geist und Natur, Frankfurt a.M. 1982, p. 122). La pregunta, por consiguiente, es: ¿Se deterioran la jurisprudencia y parte de la ciencia del Derecho Penal orientada dogmáticamente mediante un lento proceso de descomposición en un recipiente de este tipo y es la sentencia del caso de los sprays para cuero un buen ejemplo de un proceso como el descrito? No hace falta mucha imaginación para predecir cómo hubiera reaccionado la ciencia jurídico-penal orientada dogmáticamente si el BGH hubiera decidido absolver a los principales acusados. Es al menos cuestionable si la sentencia del BGH en este caso es un ejemplo del desarrollo del Derecho Penal democrático o por el contrario un desarrollo inquietante en las materias jurídicas modernas. Vid., también, Günther Jakobs, Das Strafrecht zwischen Funktionalismus und «alteuropäischem» Prinzipiendenken, ZStW 107 (1995), p. 843 y p. 846 y siguiente.

[91] *Las observaciones de Schünemann sobre la situación intelectual de la dogmática jurídico-penal alemana también permanecen (hasta el momento) infructuosas en otro sentido. La «Escuela de Frankfurt» ha decidido ignorar la reprimenda. Y tampoco la calificación de la teoría de la culpabilidad orientada a las consecuencias como «engendro dogmático», como «doctrina aparente y enrevesada» y como «forma precaria de eclecticismo» ha tenido respuesta entre los partidarios de esta teoría (Johannes Wessels/Werner Beulke, Strafrecht. AT, 29ª ed., Heidelberg 1999, p. 147 y siguiente, ni siquiera mencionan a Schünemann).*

del siglo XX que ahora termina. La elección está condicionada por la propia investigación; es, por tanto, arbitraria. También se podría recurrir a otros aspectos. En cualquier caso, se trata de determinar en qué ámbitos se ha producido un cambio y en cuáles no, a qué se ha dedicado la dogmática y qué es lo que ha dejado a un lado. No me interesa el desarrollo en el ámbito de las corrientes (ismos) (naturalismo, neokantianismo, irracionalismo, finalismo o funcionalismo). Por otra parte, me resulta demasiado elevado el nivel del sistema del hecho penal, el gran orgullo de la dogmática jurídico-penal[92]. Dedicaré mi atención al ámbito en el que se producen las decisiones de los Tribunales.

Nos hemos aproximado a la cuestión acerca de cuáles han sido los ámbitos principales de investigación del conjunto de Ciencias jurídico-penales en el siglo XX. Para ello hemos intentado ordenar, (1) los artículos que han sido publicados en los Libros Homenajes durante el siglo XX y (2) los estudios penales monográficos de 45 colecciones de diferentes editoriales (en total 2.131 monografías) de los últimos 100 años, en los siguientes apartados: (a) Parte General, (b) Parte Especial del Derecho Penal material vigente en el momento de su publicación sobre Derecho Penal de adultos, (c) Derecho Procesal Penal (de adultos) vigente en el momento de su publicación, (d) Derecho Procesal y Derecho Penal de menores vigente en el momento de su publicación, (e) Historia y Política del Derecho Penal, (f) Teoría y Filosofía del Derecho Penal incluyendo la Teoría de los fines de la pena, (g) Derecho Penal comparado, (h) Criminología, Sociología Criminal y Psicología Criminal, (i) Derecho Penitenciario y (k) Varios. No sin esfuerzo hemos obtenido la siguiente distribución:

– El 48% de las monografías se refieren al Derecho Penal material, sólo el 18% al Derecho Procesal Penal, y del 34% restante, el 8% se dedican al Derecho Penal comparado, 8% a la Historia y la Política del Derecho Penal, 6% a la Criminología y 5% a la Teoría y Filosofía del

---

[92] Aunque este nivel no deja de ser interesante, porque dibuja claramente la vuelta al siglo XIX. Esto no sólamente es predicable del concepto de acción, sino también de la discusión en torno al concepto de injusto y la diferenciación entre el injusto y la culpabilidad. *Jakobs* (n. 90), p. 864, ha denunciado esta controversia «como discusión acerca de la didáctica de la construcción del delito o ni siquiera eso».

Derecho Penal. En los Libros Homenaje los porcentajes cambian: 35% al Derecho Penal material, 25% al Derecho Procesal Penal, 9% a la Historia y Política del Derecho Penal, 8% al Derecho comparado, 8% a la Criminología y 4% a la Teoría y Filosofía del Derecho Penal[93].

– Por lo que se refiere a la clasificación dentro del Derecho Penal material, se desprende la siguiente relación: De 100 Libros Homenajes, 56 se dedican a la Parte General y 44 a la Parte Especial. En las monografías la relación está bastante equilibrada: 52% sobre la Parte General y 48% sobre la Especial. Se puede observar también que de los artículos y monografías incluidos en el apartado referente a la Filosofía y Teoría del Derecho Penal la mayoría trata problemas de la Parte General del Derecho Penal, de lo que se deriva no sólo una posición predominante del Derecho Penal material, sino especialmente de su Parte General.

1. Si abrimos un manual de Derecho Penal de hace 80 ó 100 años, nos encontramos, en relación con la sentencia del Tribunal Imperial (Reichsgericht) RGSt. 22, p. 413 (y con un trabajo crítico de Katzenstein del año 1901), con la concisa afirmación de que la actio libera in causa «es punible según la interpretación de nuevo dominante a partir de 1871»[94]. Igualmente, Welzel[95] dedica en la última edición de su manual tan sólo 15 líneas (incluido un ejemplo) a este problema. Posteriormente cambiaron los vientos. Desde 1980 han aparecido no menos de 50 publicaciones sobre la actio libera in causa y los «vientos más fuertes»[96] han atrapado incluso a la Sala Cuarta del BGH (BGHSt. 42, p. 235) (según el comunicado previo de Salger, Presidente de la Sala[97]). En el

---

[93]   Existen, por supuesto, muchos problemas de catalogación. Muchas publicaciones no sólo tratan una de las materias. En esos casos, hemos decidido incluirla en uno sólo de los apartados, según cuál fuera el aspecto más importante. Es evidente que existe un ámbito de libertad en la decisión. Debo agradecer el apoyo de mis colaboradores, en especial a David Herbold por su ayuda.

[94]   Vid., por ejemplo, Max Ernst Mayer, Der Allgemeine Teil des deutschen Strafrechts, 2ª ed., Heidelberg 1923, p. 215 y siguiente; Franz v. Liszt, Lehrbuch des Deutschen Strafrechts, 20ª ed., Berlin 1914, p. 169 y siguiente.

[95]   Hans Welzel, Das Deutsche Strafrecht, 11ª ed., Berlin 1969, p. 156.

[96]   Vid., supra n. 70.

[97]   Hanskarl Salger/Norbert Mutzbauer, Die actio libera in causa –eine rechtswidrige Rechtsfigur, NStZ 1993, p. 561.

único ámbito verdaderamente relevante en la práctica —la conducción bajo los efectos del alcohol (vid., RGSt. 22, p. 143)— no serán aplicables desde ahora los «principios básicos de la actio libera in causa». Con ello la Sala Cuarta ha reconocido no sólo que ella misma, sino también que el Tribunal Superior de Baviera y los Tribunales de Celle, Düsseldorf, Hamm, Karlsruhe, Koblenz, Oldenburg y Zweibrücken, y a muchos Juzgados de Primera Instancia y Audiencias Provinciales, han estado decidiendo incorrectamente durante más de 50 años y que no han tenido en cuenta el principio de legalidad. Es dudoso que existieran motivos para romper con la tradición[98]. Los Jueces de Primera Instancia se ríen y muestran su respeto al principio de «vinculación dogmática»[99]. Mientras que antes castigaban por el § 316 StGB ahora recurren al § 323a StGB, lo que es mucho peor para los afectados. Pues, una acusación por intoxicación plena debido al consumo de bebidas alcohólicas (Vollrauchs)* hace que el sujeto caiga en la sospecha de ser un bebedor. Una acusación por conducir bajo los efectos de bebidas alcohólicas (aunque tenga la misma pena) no implica tanta discriminación. Lo que desde un punto de vista interno del sistema aparece como limitación del poder punitivo del Estado, tiene para los afectados consecuencias desventajosas fuera del sistema. ¿Han pensado en ello los que opinan que había que demostrar en el ámbito de la actio libera in causa la función democrática de la dogmática jurídico-penal?

---

[98]   La decisión ha contribuido a la inseguridad jurídica. Nadie sabe en estos momentos hacia donde se va. Los fundamentos de la decisión han ido más lejos de lo previsto, incluso para los que consideran que la actio libera in causa se encuentra excluida en los delitos de propia mano (así, expresamente, Roxin, (n. 1), p. 785).

[99]   Vid., sobre la «vinculación dogmática», que también tiene un gran valor en forma de auto-vinculación, Pawlowski (n. 25), p. 229 y siguientes y p. 468 y siguientes.

*   El § 323a StGB establece: «1. Será castigado con pena de prisión de hasta cinco años o con multa, quien por consumo de bebidas alcohólicas o de otros productos embriagantes se sitúe dolosa o imprudentemente en estado de embriaguez, si comete en ese estado un hecho antijurídico por el que no puede ser castigado debido a su incapacidad de culpabilidad o a que ésta no puede ser excluida. 2. La pena no puede ser más grave que la del delito que haya realizado en estado de embriaguez. 3. Cuando el delito que se haya cometido en estado de embriaguez sólo puede ser perseguido a instancia de parte, el delito de embriaguez plena sólo podrá ser perseguido igualmente a instancia de parte». No existe un tipo delictivo similar en el ordenamiento jurídico español (nota de la traductora).

Conclusión: ¿ha merecido la pena que éste sea el resultado de una discusión altamente dogmática —con 50 publicaciones en los últimos 20 años— que ha utilizado cuantiosos recursos económicos e intelectuales? A propósito de los recursos: nunca se habla del dinero y nadie (que yo sepa) ha calculado el coste de la avalancha de publicaciones. Calculo que el coste del tiempo invertido en la elaboración de las publicaciones sobre la actio libera in causa de los 20 últimos años ha sido al menos de 750.000 DM. Sin tener en cuenta el tiempo invertido por los que intervienen exclusivamente como consumidores[100].

2. Los problemas sobre desviaciones causales, en general, y, en especial, la denominada *aberratio ictus* han sido desde hace más de 100 años la piedra de afilar predilecta del ingenio dogmático. *Felix Bruck*[101] opina al respecto, en una publicación del año 1885, que esta constelación de casos «han sido ya tratados por escrito tan abundantemente que difícilmente puede decirse algo nuevo». Esto no ha impedido a las sucesivas generaciones de dogmáticos hasta el día de hoy escribir nuevos artículos y monografías sobre el tema. He contado 43 publicaciones (sólo) desde 1980, entre ellas 6 monografías. En la segunda mitad del siglo XIX, la problemática se ubicó por varios autores bajo la rúbrica de la «imputación del suceso al dolo (o a la culpa)». Así, en el manual de *Berner*[102] de 1886 se nos dice que el § 59 RStGB no se refiere directamente a la desviación de la acción, sino que más bien lo que se produce es una escisión entre la voluntad y el hecho, de modo que el causalismo del

---

[100] Imaginémonos que 34 dogmáticos (que es precisamente el número de autores que han escrito las 50 publicaciones), solicitasen a la Sociedad Alemana de Investigación (DFG) 750.000 DM para financiar un proyecto sobre la «punibilidad de la actio libera in causa». ¿Qué sucedería?

[101] Felix Bruck, Zur Lehre von der Fahrlässigkeit im heutigen deutschen Strafrecht, Breslau 1885, p. 98.

[102] Albert Friedrich Berner, Lehrbuch des Deutschen Strafrechts, 14ª ed., Leipzig 1886, p. 116; vid., además, Theodor Geßler, Über den Begriff und die Arten des Dolus, Tübingen 1860, p. 217 y siguientes y p. 225, quien distingue, claramente, entre la falta de voluntad delictiva (condicionada por el error) y la falta de realización de la voluntad delictiva: «La realización de la voluntad (es decir, la existencia de una acción completa) sólo se produce cuando la actuación del sujeto o las causas externas por él accionadas producen el resultado en la forma que él mismo había calculado».

mundo exterior actúa sin ser dominado por la voluntad, de lo que se deriva que las consecuencias producidas por la desviación no pueden ser imputadas al autor a título doloso. Al final del siglo XX, encontramos afirmaciones como la de Roxin[103], según la cual «la Ciencia no es todavía consciente de la necesidad de que la teoría del error se separe de la imputación objetiva al dolo», o como la de Wolter[104], para quien «la sistemática del Derecho Penal (...) se encuentra desvalida frente a las desviaciones causales como fenómeno obligado de la realidad». ¿Debemos entonces entender que no hemos avanzado nada en 100 años? Y ¿se puede justificar esta objeción si se tiene en cuenta que, en definitiva, se trata, simplemente, de determinar si se castiga por delito intentado o consumado, lo cual hoy en día no tiene obligatoriamente consecuencias en la pena, porque el § 23 párrafo 2 StGB (al contrario de lo que sucedía con el § 44 RStGB) prevé tan sólo la facultad de atenuarla?[105].

---

[103]   Roxin, (n. 1), p. 437.

[104]   Wolter (n. 79), p. 276.

[105]   No parece que el debate vaya a terminarse. Mientras que, por una parte, parece ganar terreno otra vez la opinión que defiende que se trata de una realización de dolo (Vorsatzverwirklichung) o de la imputabilidad (Zurechenbarkeit) del resultado producido por el suceso al dolo (vid., por ejemplo, Frisch (n. 37), p. 571 y siguientes y p. 581; Roxin (n. 1), p. 437); en Bochum se defiende que la solución correcta se encuentra en el § 16.1.1 StGB. Esta regulación es una «norma de congruencia» y se debe distinguir entre el «dolo congruente» (o «dolo de conocimiento») y el «dolo simple» (o «dolo de representación») (Horst Schlehofer, Vorsatz und Tatabweichung, Köln y otras 1996, p. 4 y siguientes, p. 19 y siguientes y passim; el mismo, Der error in persona des Haupttäters – eine aberratio ictus für den Teilnahmer?, GA 1992, p. 307 y siguientes; Rolf D. Herzberg, Mordauftrag und Mordversuch durch Schaffung einer Sprengfalle am falschen Auto –BGH NStZ 1998, p. 249, JuS 1999, p. 224). Con ello tan sólo se ha ganado, en el mejor de los casos, un cambio de terminología, con el que se aporta más confusión al debate. Porque el dolo congruente (dolo de conocimiento) no es más que el dolo realizado y éste es simplemente la acción dolosa. Se trata de determinar bajo qué condiciones el suceso objetivo y el dolo pueden ser integrado en una acción dolosa completa. La dudosa tesis del § 16.1.1 StGB como norma de congruencia no ayuda a solucionar este problema. Es patente que Schlehofer ha ignorado la tesis de los autores que defienden que las desviaciones sobre el curso causal irrelevantes y la aberratio ictus no son, formalmente, casos de error de tipo del § 16 StGB. Así, por ejemplo, no son mencionadas las opiniones de Donald Moojer, Die Diskrepanz

Originariamente era mi intención, abordar en este momento el estilo de la discusión dogmática, que se deja ejemplificar muy bien de la mano del debate sobre las desviaciones causales. Mas como, entre tanto, *Julius Kyriandros Ekklesiandros* en una carta abierta ha dicho todo lo importante[106], me limito a hacer unas menciones puntuales sobre las valoraciones que los intervinientes en el debate hacen de la situación y de sus respectivos contrincantes:

Ya hemos mencionado que ha sido *Roxin* quien ha puesto de relieve que la Ciencia «no es todavía consciente de que sea necesaria una imputación objetiva al dolo independiente de la teoría del error». *Ingeborg Puppe* comparte con *Roxin* la opinión según la cual del § 16 StGB no se puede derivar la relevancia de la aberratio ictus[107], pero opina que su propuesta de solución conforme al «criterio de la realización del plan del autor» ha fracasado y tiene que ser rechazado. Por lo demás, el debate es poco satisfactorio, por la «falta de teorías». La fundamentación de la teoría de la concretización del dolo no es nada más que un «compendio de clásicos errores de argumentación: contradicción, equivocación de conceptos, argumentación circular, doble cuenta, manipulación de ejemplos»[108]. Menos sólidas son las objeciones que *Friedrich Toepel*[109] hace a *Puppe*. Según este autor, la opinión de *Puppe* «debe ser rechazada no sólo desde consideraciones prácticas sino también desde el punto de vista de la lógica (!)». Deja a un lado la función del dolo como criterio para determinar la libertad de actuación y representa una «infracción del

---

zwischen Risikovorstellung und Risikoverwirklichung, Berlin 1985, especialmente, p. 29 y siguientes, y de *Justus Krümpelmann*, Die strafrechtliche Behandlung des Irrtums, en: Hans-Heinrich Jescheck (Ed.), Deutsche strafrechtliche Landesreferat zum X. Internationalen Kongreß für Rechtsvergleichung Budapest 1978, Berlin/New York 1978, p. 6 y siguientes, p. 22.

[106]   Vid., GA 1999, p. 409 y siguientes; también, *Lackner* (n. 61), p. 150 y siguientes.

[107]   *Ingeborg Puppe*, en: Nomos Kommentar zum Strafgesetzbuch, Baden-Baden 1995, § 16, nm. 117.

[108]   *Ingeborg Puppe*, Vorsatz und Zurechnung, Heidelberg 1992, p. VIII, 2 y siguiente y 20.

[109]   *Friedrich Toepel*, Error in persona vel objecto und aberratio ictus, Jahrbuch für Recht und Ethik 2 (1994), p. 413 y siguiente y p. 427; también *Heinz Koriath*, Einige Gedanken zur aberratio ictus, JuS 1997, p. 901 y siguientes, y la réplica de *Ingeborg Puppe*, Umgang mit Gegenmeinung, JuS 1998, p. 287.

sentido natural de los delitos de resultado (!) y, por tanto, una infracción de la prohibición de analogía (!)». También Jürgen Rath toca todas las teclas —incluso la de la libertad de voluntad y la de ella resultante «libre auto-determinación del sujeto»[110]. Para este autor, la aberratio ictus es (al contrario que para Puppe) «relevante, porque con base en una originaria y práctica relación espacio-temporal entre el objeto y la voluntad, creada en un acto de decisión libre y a la vez auto-impuesta, una consumación del dolo sólo puede aceptarse cuando el objeto que se pretendía lesionar y el que ha sido lesionado coinciden». Al respecto, señala Michael Pawlik[111], que el concepto central de sujeto autónomo no aparece en Ruth claramente definido, quien no ha conseguido, en las 333 páginas de su obra, abrir «una nueva brecha en la discusión». Esto puede también predicarse de Ulrich Schroth[112], quien (en tan sólo 25 páginas) contesta a Puppe. En su opinión, y sin mencionar las objeciones de Rath y de Toepel, la teoría de la concreción del dolo no tiene «ninguna legitimación». También se omite el que Puppe en una publicación del año 1992[113] cambiara de opinión y se acercara en los resultados a la doctrina dominante. La monografía de Schlehofer es en algunos aspectos interesante, pero Schroth no acepta, finalmente, su solución, i.e. la exigencia de congruencia derivada del §16 StGB.

Ya hemos mencionado como Schlehofer no discute seriamente los argumentos básicos defendidos por Puppe y por Roxin. Con ello cierro el círculo que podría llevarse aún más lejos. No parece posible que la práctica se oriente por esta forma de «investigación sobre los fundamentos»[114].

---

[110] *Jürgen Rath, Zur strafrechtlichen Behandlung der aberratio ictus und des erro in objecto des Täters, Frankfurt 1993, p. 241 y siguientes, p. 254, p. 263 y p. 265. En la p. 245 se llega a la conclusión de que todas las propuestas desarrolladas hasta el momento son deficitarias.*

[111] *Vid., GA 1994, p. 595 y siguientes.*

[112] *Ulrich Schroth, Vorsatz und Irrtum, München 1998, pp. 94-109.*

[113] *Vid., supra, n. 108.*

[114] *Es incomprensible que a raíz del debate planteado se me haya reprochado que he escogido incorrectamente los ejemplos —especialmente, por lo que respecta a la actio libera in causa y las desviaciones causales— (así, Jakobs en la discusión que siguió a la discusión de mi ponencia, cfr. infra). Si existe algo catastrófico no ha sido mi*

3. Otro campo que puede sernos útil como ejemplo es el de la imprudencia. Se diferencia de los ámbitos anteriormente mencionados por su gran importancia práctica. Tan sólo en los últimos 50 años se han publicado 1.000 sentencias al respecto[115]. Y, sin embargo, a finales del siglo XX nos encontramos con la siguiente conclusión: «Tanto el contenido exacto del concepto de imprudencia como su integración en la estructura del delito, continúan sin aclararse y es especialmente discutida en el ámbito de la participación delictiva»[116]. Me gustaría añadir: por lo que se refiere a la definición de la imprudencia, no se ha obtenido en los últimos 70 años ningún avance en sentido analítico que merezca ser mencionado (al contrario de lo ocurrido con la actio libera in causa)[117]. ¿Cómo puede explicarse esto? ¿Por qué no ha sido posible obtener un consenso acerca del concepto de imprudencia? Ésta es la cuestión a la que debo limitarme. Podría entenderse que la causa de la dificultad no radica en la dogmática jurídico-penal, sino en la propia complejidad de la materia. A esta causa parece hacer alusión Roxin cuando escribe que «no hay ningún legislador en el mundo que haya conseguido definir con éxito la imprudencia»[118]. Pero no encuentro, ni en Roxin ni en otros

elección, sino el propio debate que se ha suscitado en estos ámbitos. El que se trate de los fundamentos del Derecho Penal no soluciona nada. Resulta suntuoso decir que la problemática de las desviaciones es investigación dogmático-penal sobre los fundamentos (en vista de lo que, en el mejor de los casos, se puede derivar).

[115] Puedo disponer de esta cifra, porque mi colaborador Dirk Sauer ha tenido en cuenta para realizar su doctorado más de 1000 sentencias.

[116] Karl Lackner/Kristian Kühl, Strafgesetzbuch, 23ª ed., München 1999, § 15, nm. 35; vid., también, Fabricius (n. 52), p. 133 y siguiente: en algunos aspectos «sigue siendo cierto que la dogmática de la imprudencia se encuentra en un estado bastante nebuloso».

[117] Arzt (n. 41), p. 873, considera que no ha habido avance en los últimos 30 años. Yo hablo de 70 años, porque considero que no se ha producido ninguno desde el trabajo de Karl Engisch (Untersuchungen ubre Vorsatz und Fahlässigkeit im Strafrecht, Berlin 1930). Es cuestionable, sin embargo, si pueden considerarse una excepción las investigaciones de Joachim Hruschka, en: Arthur Kaufmann y otros (Ed.), Festschrift für Paul Bockelmann zum 70. Geburtstag, München 1979, p. 421 y siguientes, y de Urs Kindhäuser, Erlaubtes Risiko und Sorgfaltswidrigkeit. Zur Struktur strafrechtlicher Fahrlässigkeitshaftung, GA 1994, p. 197 y siguientes.

[118] Claus Roxin, Definitionen im Allgemeinen Teil –Vorläfige Vorschläge der Arbeitsgruppe für die allgemeinen Lehren, en: Raimo Lati/Kimmo Nuotio, Strafrechtstheorie im Umbruch, Helsinki 1992, p. 251.

autores, una fundamentación (convincente) de por qué es inadecuada o estéril la definición de la imprudencia inconsciente contenida en el § 6 párrafo 1 del StGB austriaco[119]. Según esta definición: «Actúa imprudentemente quien no observa el deber objetivo de cuidado requerido según las circunstancias y, siendo por su estado físico y psíquico capaz, se le puede exigir que, por no observar el mencionado deber, no reconoce que puede cometer un supuesto de hecho que se corresponde con un tipo penal».

Las raíces de esta definición se remontan al siglo XVIII[120]. También encontramos definiciones consensuadas en la jurisprudencia del RG, en los Proyectos de StGB desde 1919 a 1927, así como en el § 18 párrafo 1 del Proyecto de 1962, también en los manuales de finales del siglo XIX y principios del XX de *Merkel* y de *Welzel* y, por último, en la jurisprudencia del Tribunal Superior de Baviera y de las Audiencias de Dusseldorf y de Koblenz[121]. Resulta sorprendente que estas definiciones no hayan sido tenidas en cuenta, ni por el Tribunal Supremo ni por la doctrina científica[122]. En parte ya no se mencionan, en parte se han echado a

---

[119] Por lo que se refiere a la imprudencia consciente, es preferible el § 18 párrafo 2 del Proyecto de 1962 a la definición contenida en el § 6 párrafo 2 del StGB austriaco. En adelante, dejo a un lado los problemas especiales que plantea la imprudencia consciente.

[120] Vid., Allgemeines Landrecht für die Preubisches Staaten von 1974, 2ª Parte, Título 20, § 28; también § 30 del denominado StGB de Thüringen de 1848/49 y el § 101 del StGB de Baden. Los parágrafos mencionados pueden verse en *Ernst Immanuel Bekker*, Theorie des heutigen Deutschen Strafrechts, Leipzig 1859, p. 522 y siguiente.

[121] Vid., por ejemplo, RGSt. 56, p. 343, p. 349; RGSt. 61, p. 318, p. 320; RGSt. 67, p. 12 y p. 18; BayObLG NZV 1996, p. 462; OLG Koblenz ZLR 1992, p. 435; OLG Dusseldorf NStZ-RR 1996, p. 242, y *Ernst Beling*, Grunzüge des Strafrechts, Tübingen 1905, p. 63; *Adolf Merkel*, Lehrbuch des deutschen Strafrechts, Stuttgart 1889, p. 85 y siguientes.

[122] Una excepción constituyen el manual de *Baumann/Weber/Mitsch* (n. 35), p. 472 y los comentarios de *Friedrich-Christian Schroeder*, en: Burkhard Jähnke y otros (Ed.), Leipziger Kommentar zum StGB, 11ª ed., Berlin/New York 1994, § 16, nm. 122 y siguientes. La causa de que el § 18 del Proyecto de 1962 no se haya convertido en ley no sólo ha residido en que el legislador haya preferido proceder según la máxima «omnis definitio periculosa» (vid., al respecto, Maiwald (n. 4), p. 128 y siguientes). Más bien, se encuentra en la base la «teoría de la imprudencia

perder y en parte la dogmática las han desfigurado. Y el motivo no puede ser el que la definición sea muy compleja[123] o inadecuada. La utilidad de la definición está fuera de toda duda y la jurisprudencia podría trabajar con ella. Cabe preguntarse, entonces, ¿por qué no se ha podido llegar a un acuerdo en torno a la definición del § 6 párrafo 1 del StGB austriaco o la del § 18 párrafo 1 del Proyecto de 1962?

Hasta el momento he intentado evitar tomar postura sobre el contenido de determinadas propuestas dogmáticas, teorías o sistemas. Sin embargo, esta situación tiene que cambiar para poder contestar a la pregunta planteada. El que en 100 años no haya sido posible llegar a un acuerdo sobre la definición de la imprudencia y el que la necesidad de aclaración que existía a principios del siglo XX (a pesar de las investigaciones de Engisch) no haya desaparecido a finales del mismo, provienen, esencialmente, de la dominante «doctrina de la imprudencia objetiva» y la, íntimamente relacionada, «definición compleja de la imprudencia»[124]. Esta definición compleja de la imprudencia lleva aparejada dos defectos endémicos, a saber:

– En primer lugar, la confusión del concepto de imprudencia con la del hecho imprudente (más exactamente: con el concepto del delito imprudente de resultado).

---

objetiva» (al respecto, *Jakobs* (n. 25), p. 320 y siguientes). Sólo con este trasfondo se puede comprender que el § 18 del Proyecto Alternativo sea, claramente, una definición alternativa más débil.

[123] En especial, es posible sin más elaborar breves formulaciones equivalentes, como, por ejemplo, «imprudencia como valoración errónea que se basa en la falta del cuidado exigido y posible», o, simplemente, «imprudencia como reconocimiento individual de la comisión del tipo». Sobre la equivalencia conceptual de estas definiciones, vid., mi artículo en: Jürgen Wolter/Georg Freund (Ed.), Straftat, Strafzumessung und Strafprozeß im gesamten Strafrechtssystem, Heidelberg 1996, p. 114 y siguientes.

[124] La posición criticada es defendida, fundamentalmente, por *Jescheck/Weigend* (n. 1), p. 653 y siguientes, y *Manfred Burgstaller*, Das Fahrlässigkeitsdelikt im Strafrecht, Wien 1974, p. 16 y siguientes; el mismo, en: Egmont Foregger/Friedrich Nowakowski (Ed.), Wiener Kommentar zum Strafgesetzbuch, Wien 1979, nm. 22 y siguientes y 33 y siguientes. También la exposición de *Roxin* (n. 1), p. 916 y siguientes se ve afectada por esta crítica.

– En segundo lugar, la confusión del deber objetivo y subjetivo de cuidado con el cuidado externo e interno.

– Frecuentemente, puede también apreciarse un tercer defecto: la afirmación de que el «conocimiento individual» es un criterio naturalístico.

Los efectos secundarios de la teoría de la imprudencia objetiva (y los dos primeros defectos aludidos) se ponen de relieve también en un sector de la denominada «doctrina científica moderna»[125]. Así, según Burgstaller[126], «no existe ningún motivo razonable, para mantener que, en virtud del tenor del § 6 del StGB austriaco, la imprudencia deba ser entendida de forma puramente intra-psíquica (¿?)». Todo apunta «más bien, tal y como reconoce hoy en día la mayoría de la doctrina, a que la imprudencia es, principalmente, una infracción de un deber de cuidado externo (¿?)», y, aunque Burgstaller señala que no deben identificarse los términos cuidado «externo» e «interno» con la diferenciación, introducida por la contraposición entre la infracción objetiva y subjetiva del deber de cuidado, entre el deber de cuidado «objetivo» y «subjetivo», al final acaba confundiéndose la infracción del deber de cuidado externo con el comportamiento objetivo contrario al deber de cuidado[127]. Roxin[128] no alude a la importancia de la infracción del deber de cuidado externo, pero sí afirma (lo que resulta equivalente) que la imprudencia es un problema del tipo: cuando alude al tipo, se refiere al tipo objetivo, porque, según Roxin en la imprudencia inconsciente no existe tipo subjetivo. Por otra parte, no existen otros criterios para resolver la imprudencia como problema del tipo diferentes de los que aporta la teoría de la imputación objetiva. Esto significa, hablando claramente, que la imprudencia como problema del tipo no es ningún problema específico del

---

[125] Cfr. supra las nn. 79 y 80. Por ello he puesto en duda la homogeneidad de la «moderna dogmática jurídico-penal».

[126] Burgstaller, Fahrlässigkeitsdelikt (n. 124), p. 19 y siguiente; el mismo, Wiener Kommentar (n. 124), § 6, nm. 5, 23 y 33.

[127] Vid., mi artículo, en: Wolter/Freund (n. 123), p. 114 y siguientes y p. 126 y siguientes.

[128] Roxin (n. 1), p. 312, p. 920, p. 923 y siguiente y p. 943.

tipo o, como lo expresa *Hirsch*[129], que «el tipo del delito (de resultado) imprudente en su globalidad es idéntico al tipo objetivo del delito de resultado doloso». Desde estas premisas no es posible definir la imprudencia de forma satisfactoria. Como consecuencia de ello se añaden problemas a la imprudencia, que no son problemas específicos de la misma.

4. Otro ámbito de actuación de la actividad dogmática es el de los delitos impropios de omisión. No aludiría a este ámbito si no tuviera como testigo principal a *Gimbernat Ordeig*[130]. En un artículo, que se ha publicado este año, opina: «A pesar de que la discusión dura ya más de 100 años (...) no conocemos aún casi nada acerca del contenido y alcance de este instituto jurídico. Entre tanto disponemos de una bibliografía casi interminable (...). Pese a todo, los resultados de este trabajo inusualmente intenso de la ciencia jurídico-penal no podrían ser más pobres (...). Se puede afirmar, que lo único cierto que se puede decir de los delitos de omisión impropia es que no hay nada cierto». Si esto es correcto, la «conclusión lapidaria» de *Roxin*[131] adquiere otro sentido: a los problemas con los que se encuentran las nuevas generaciones de dogmáticos pertenecen las propuestas de solución de los antiguos. *Dogmatica se ipsam alet*[132].

5. El tipo contenido en el § 34 de la Ley de Economía Exterior (AWG) es el quinto y último ámbito problemático de mi programa. Aquí es todo bien distinto. Abundan los problemas (por ejemplo, precisar los requisitos de la puesta en peligro que tienen consecuencias drásticas en la pena). En los últimos 10 años se han dictado (al menos) 3 sentencias por el Tribunal Constitucional y 10 por el Tribunal Supremo relacionadas con este tipo. Por el contrario, en el ámbito de la doctrina

---

[129]   *Hirsch* (n. 75), p. 139.
[130]   *Enrique Gimbernat Ordeig, Das unechte Unterlassungsdelikt*, ZStW 111 (1999), p. 307 y siguientes.
[131]   Vid., *Roxin*, en este libro, *infra*.
[132]   Si he entendido bien la opinión de *Wolfgang Frisch* (contenida en este libro, p. 159 y siguientes, p. 173 y siguientes), él no comparte la valoración de *Gimbernat Ordeig*. Nos debemos, entonces, cuestionar cómo es que dos dogmáticos de tan elevado nivel llegan a conclusiones tan radicalmente opuestas.

científica en el mismo espacio de tiempo se han publicado (por lo que he podido comprobar) tan sólo 3 artículos. Uno de ellos puede ser catalogado dentro de la «política de intereses camuflada» y otro se dedica a analizar los aspectos históricos del § 34 AWG. De qué forma tan diferente elige la doctrina científica las materias que deben ser objeto de análisis. Está claro que la elección de las mismas no depende de las necesidades de investigación o de orientación de la práctica, porque las dificultades que el § 34 AWG plantea son enormes —indeterminación, problemas específicos del tipo relacionados con las exigencias de la puesta en peligro, la delimitación entre las formas de intervención delictiva y entre la fase preparatoria, la tentativa y la consumación delictiva—.

3. La traslación de la bibliografía formativa a la jurisprudencia penal

Mientras que en relación con el § 34 AWG, la jurisprudencia tiene que apañárselas sola sin contar con el apoyo de la doctrina científica, en otros ámbitos (por ejemplo, el de la actio libera in causa y otros pertenecientes al Derecho Penal nuclear), cualquier resultado imaginable encuentra apoyo en opiniones doctrinales. En los años pasados se había aludido al aumento de la tendencia del Tribunal Supremo a reflejar dichas opiniones doctrinales[133]. Lo que en el antiguo Tribunal Supremo Imperial (Reichsgericht) era la excepción (discutir con la doctrina), en el Tribunal Supremo Federal se ha convertido en la regla general[134]. Ahora bien, sería precipitado concluir diciendo que la influencia de la doctrina en la práctica se ha incrementado, porque la fundamentación (publicada) de una sentencia no explica cómo se ha adoptado la deci-

---

[133]   *Loos (n. 12), p. 263 estima que el Tribunal Supremo Federal, en la casación, discute excesivamente las opiniones doctrinales. Vid., también, Josef Esser, Juristisches Argumentieren im Wandel des Rechtsfindungskonzepts unseres Jahrhunderts, Heidelberg 1979, p. 10; Luhmann (n. 63), p. 186 y siguientes; Hirsch, Zum Spannungsverlhältnis (n. 68), p. 19 y siguientes.*

[134]   *Se pueden seguir diferenciando tres ámbitos, como ha hecho Wolfgang Naucke (n. 19), p. 411 y siguientes.*

BJÖRN BURKHARDT

sión[135]. *Debido a que no existen estudios de sociología jurídica sobre los cambios que a lo largo de este siglo se han producido en relación con el efecto que las opiniones doctrinales tienen en la práctica[136], me dedicaré exclusivamente a señalar el desarrollo más cercano. Lo denomino «publicacionismo educativo» (Ausbildungsliteraturismus), entendiendo por ello la publicación en las revistas formativas de la jurisprudencia en materia de casación[137]. Dentro de esta bibliografía de formación y en relación con los comentarios breves o prácticos del StGB existe un excesivo compañerismo: en el comentario del § 22 StGB de Lackner/Kühl existen no menos de 98 remisiones a artículos publicados en revistas formativas y en el comentario al § 259 StGB hay más de 60 de estas remisiones. Las cifras apenas varían en Tröndle/Fischer[138]. Entre tanto, las Jura-Kartei (JK) y el JuS-Lehrbogen (con el subtítulo «para la preparación de los ejercicios de principiantes») se han convertido en parte integrante de ambos comentarios.*

---

[135] *Sobre la distinción entre encontrar la decisión y fundamentar la decisión, vid., Esser (n. 133), p. 9; Pawlowski (n. 25), p. 72 y siguientes. Las influencias son difíciles de determinar si se tiene en cuenta que en la doctrina científica existe una gran diversidad de opiniones, de modo que para cualquier tipo de decisión se puede encontrar la fundamentación adecuada.*

[136] *Ya hace más de 20 años que Arzt (n. 41), p. 862 y Loos (n. 12), p. 263 pusieron de relieve el interés que presenta la investigación de esta cuestión. Aunque Loos añadía que la realización del correspondiente programa era cuestionable. Tenía razón.*

[137] *También se podría hablar de las «excursiones de la jurisprudencia de revisión a las revistas de formación». Con revistas de formación me refiero a las revistas Juristische Schulung (JuS), Juristische Arbeitsblätter (JA) y Juristische Ausbildung (Jura). Ejemplo del publicacionismo educativo son, entre otras, las siguientes sentencias: BGHSt. 28, p. 120, p. 295, p. 360 y p. 388, o BGHSt. 42, p. 135, p. 139, p. 196, p. 235 y p. 314. Estos ejemplos pueden multiplicarse fácilmente.*

[138] *Se cita todo sin tener en cuenta la categoría o el nombre, ni, desgraciadamente, la cualidad. El ejemplo más extremo es la remisión que hacen Lackner/Kühl (n. 116) § 15, nm. 12 a las observaciones de Lucht, JuS 1998, p. 768. En Tröndle/ Fischer (n. 68) se avisa, en ocasiones, a efectos «didácticos», entre paréntesis, de qué tipo de publicación se trata (vid., por ejemplo, § 22 nm. 1). No aparece muy claro con arreglo a qué criterios se atribuye la calificación (vid., por ejemplo, la referencia en el § 35 nm. 1 a Müller-Christmann).*

Es cuando menos dudoso que el publicacionismo educativo pueda entenderse como un acercamiento aceptable al ideal de la unidad entre la ciencia, la práctica y la doctrina. En esencia, existen tres posibles explicaciones por las que la jurisprudencia consulta las revistas formativas, que pueden, por supuesto, concurrir:

– La primera causa consiste en que el Tribunal Supremo en materia de casación quiere documentar al máximo la aceptación científica de una/su opinión. Con ello se abre paso a otra pregunta: hasta qué punto son las revistas formativas un buen medio para ello. Y esto nos lleva a una segunda causa:

– La avalancha de publicaciones implica una necesidad de obtener una visión general. Esta necesidad ya no puede ser satisfecha por los comentarios y manuales. Las revistas formativas llenan este hueco. Esta explicación tampoco es satisfactoria. Sirve para poner de relieve que estas revistas pueden ser importantes en el momento de tomar la decisión, pero no explica que importancia tienen en el momento de fundamentarla. Tan sólo queda una tercera explicación:

– Las revistas formativas no sólo cumplen una función didáctica, sino que contienen argumentos originarios y originales, profundos y refinados e innovaciones que resuelven problemas —en breve: en las revistas formativas también tiene lugar la Ciencia (o, al menos, lo que en la dogmática jurídico-penal se entiende por tal)—. De esta forma, la opinión de Arzt, según la cual nosotros no mostramos en la jurisprudencia los «resultados punteros de la investigación» es parcialmente incorrecta[139]. Con esto se plantea aquí una cuestión final: ¿quién recibe estos resultados y quién debería recibirlos? ¿Y por qué se desarrollan, profundizan, refinan y prosiguen las discusiones altamente dogmáticas en las revistas formativas? Más concretamente, ¿por qué se publica en la revista Juristische Schulung, bajo la confusa rúbrica «para iniciación y repetición» un artículo de 31 páginas sobre los delitos de falsedades?[140] ¿Por qué se

---

[139] *Arzt (n. 41), p. 858.*

[140] Vid., *Georg Freund, Grundfälle zu den Urkundendelikte, JuS 1993, p. 731 y siguientes y p. 1016 y siguientes; JuS 1994, p. 30 y siguientes, p. 125 y siguientes, p. 207 y siguientes, y p. 305 y siguientes. Según una valoración superficial es más*

publica en la revista Juristischen Ausbildung un artículo de 35 páginas sobre la teoría de la imputación objetiva?[141] Entiendo que sólo hay un motivo: no existe otro medio de publicación de estos artículos. En el ámbito de las revistas formativas se ha producido una alianza sacrílega entre los intereses de publicación y los intereses de venta. Se puede apreciar un uso impropio de las revistas formativas. Se han convertido en la palestra de una dogmática jurídico-penal desbordada. Al final ambas partes —editores y estudiantes— creen que todo lo que en ellas se publica es materia de examen y debe ser estudiado. Los perjudicados son los estudiantes.

4. Tesis finales

Al final de estas observaciones sobre el estado actual de la dogmática jurídico-penal llego a la pregunta que me planteaba al comienzo sobre su calificación como afortunada y sin consecuencias. ¿Cumple la dogmática jurídico-penal con sus funciones? ¿Existen avances, y, si es así, en qué sentido? ¿Qué ocurre con las distintas perspectivas de valoración? Aunque los fundamentos para llevar a cabo mi valoración son escasos y han sido elegidos de forma extremadamente subjetiva, me atrevería a formular las siguientes tesis:

---

de lo que se dedica a este tema en el manual de Reinhart Maurach/Friedrich-Christian Schroeder/Manfred Maiwald, Strafrecht, BT, t. 2, 8ª ed., Heidelberg 1999, pp. 161-185. En el año 1996 Freund publicó una nueva edición revisada de 120 páginas. En el prólogo del libro (Título: «los delitos de falsedades») señala que el objetivo de esta edición revisada consiste, entre otros, en lo siguiente: «En primer lugar, debe ofrecer a los estudiantes (!) de las Ciencias Jurídicas una panorámica (!) actualizada sobre una materia comparativamente complicada. La forma de manual compacto (...) se corresponde con estas necesidades didácticas». Tras esto, tan sólo me queda exclamar con Klaus Adomeit (de forma sarcástica en Jura 1999, p. 362) y Jürgen Schwabe (JZ 2000, p. 32): «¡Tened piedad de los estudiantes de Derecho!». También los delitos de falsedades hubieran sido un buen ejemplo para hablar del estado de la dogmática jurídico-penal.

[141]   *Ingeborg Puppe, Die Lehre von der objektiven Zurechnung, Jura 1997, p. 408 y siguientes, p. 513 y siguientes, p. 624 y siguientes; Jura 1998, p. 21 y siguientes. La extensión debería alcanzar la exposición de Roxin (n. 1), pp. 287-360.*

(1) *Sólo existe una función que la dogmática jurídico-penal cumple sin limitaciones. Esta función apenas se menciona por los dogmáticos del Derecho Penal y la teoría jurídica la define, en parte, como una función latente: me refiero a la prestación de adaptación, i.e., el aumento de la libertad en relación con la experiencia y con los textos, el aumento de la inseguridad aceptable y —me gustaría añadir— inaceptable.*

(2) *A primera vista, parece que la dogmática también cumple con su función constitutiva, consistente en la elaboración de reglas para la decisión de cuestiones jurídicas y aquí se encuentran además sus resultados. Sin embargo, por lo que se refiere a la doctrina científica (no a la jurisprudencia), hay que hacer precisiones importantes: algunos ámbitos debido a la libertad de la ciencia no han sido desarrollados, de modo que lo único que resulta al final es que siempre se puede decidir y fundamentar de otra forma, que la «teoría de la única decisión correcta» (en cualquiera de sus formas) es incorrecta y que no existe ningún método determinante[142].*

(3) *Esto afecta también (negativamente) a la función de descarga. Si tenemos en cuenta el plano colectivo, esto es la dogmática jurídico-penal como resultado global, no se puede hablar de una configuración óptima[143]. Si la diversidad de opiniones es tan grande que da lugar a la arbitrariedad, para proceder a la decisión del caso concreto es necesario establecer un filtro y fundamentar la elección entre las posibilidades dogmáticas alternativas. Y la creciente diferenciación eleva no sólo las necesidades de tiempo, sino también las posibilidades de cometer errores. Los Tribunales de Primera Instancia y las Audiencias recurren a otros mecanismos para superar la complejidad (§§ 153 y siguientes StPO, conformidad). Lo interesante es que la hiper-complejidad objetiva se vuelve funcional en otro sentido: el aumento de la inseguridad conlleva también un aumento del potencial de amenaza.*

---

[142] Vid., al respecto, *Görg Haverkarte*, *Gewissheitsverluste im juristischen Denken*, Berlin 1977, p. 183 y siguientes y p. 188; *Aarnio* (n. 19), p. 418 y siguientes; *Eidenmüller* (n. 25), p. 58 y siguiente. Con ello no se favorece la «confianza en el Derecho» de los afectados.

[143] Me refiero al «problema central de la dogmática jurídico-penal» (*Alexy*). Vid., *supra*, n. 33.

(4) Es evidente que la *función didáctica* se ve también afectada por la oferta excesiva de conceptos excluyentes entre sí. Aunque en el plano individual existan elaboraciones brillantes del material jurídico, en el plano colectivo se pierden entre la multitud de alternativas.

(5) ¿Qué ocurre con el —denominado— axioma asegurado de la *función democrática* de la dogmática? ¿Proporciona la Ciencia del Derecho Penal orientada dogmáticamente una aplicación (transparente) igualitaria y previsible del Derecho? ¿Son sus productos un medio adecuado para asegurar un ejercicio democrático del *ius puniendi*? La respuesta, referida a la dogmática como un todo, debe ser claramente negativa. La diversidad de propuestas de solución controvertidas, todas ellas igualmente científicas, genera una pérdida de certeza y de seguridad jurídica[144]. Sólo la jurisprudencia puede garantizar la aplicación igualitaria y previsible del Derecho.

(6) Sí que existen *avances en sentido analítico*. Pero como sucede en el ámbito de la imprudencia han sido desacreditados por otros dogmáticos. Hay que destacar: que los avances en sentido analítico no son equiparables con la dogmática afortunada, con un Derecho Penal mejor o con una práctica jurídica mejor.

(7) No pueden apreciarse avances en sentido innovador o paradigmático en los ámbitos a los que me he referido (a pesar de la existencia de una avalancha de publicaciones). No estoy seguro de que el «proyecto de sistema teológico-políticocriminal»[145] pueda incluirse en este apartado.

---

[144] Vid., *supra*, n. 87. En este contexto hay que recordar que una parte importante de la actividad dogmática jurídico-penal se dedica a la creación de hechos punibles. Esto puede sonar extraño, pero quiero decir lo que he dicho: parte de los académicos del Derecho Penal se esfuerzan, utilizando distintas argumentaciones, en extender el ámbito de lo punible a supuestos que la jurisprudencia considera que no lo son (como, por ejemplo, la utilización de fotocopias manipuladas o de tarjetas codificadas ajenas); vid., por ejemplo, BayObLG NJW 1992, p. 3311; OLG Köln NStZ 1991, p. 587. Si estos esfuerzos hubieran visto la luz, se hubieran incrementado (en las estadísticas) los delitos de falsedad documental y estafa informática, y los funcionarios encargados de la persecución de los delitos hubieran tenido más trabajo.

[145] Vid., *supra*, n. 52.

También en otros ámbitos es necesario utilizar una lupa para encontrar-los[146].

(8) La cuestión referente a la cualidad extradogmática de la dogmática jurídico-penal (es decir: capacidad de resolución de problemas sociales, eficiencia, funcionalidad, aceptabilidad, costes sociales) ni siquiera se plantea en la mayoría de los ámbitos. Para la existencia y configuración de la sociedad es completamente indiferente el que en un supuesto de aberratio ictus se castigue por delito intentado o por delito consumado. Ni siquiera desde puntos de vista de justicia material se puede decidir claramente por una u otra opción.

(9) Si se sigue el catálogo de criterios propuesto por Ralf Dreier la dogmática afortunada tan sólo existe en el plano de los proyectos dogmáticos individuales. En el plano colectivo, el proyecto individual se convierte en una propuesta más entre todas las existentes y permanece sin consecuencias. El consuelo y la tragedia están presentes en las propias comunicaciones escritas: «El jurista individual, con independencia de su puesto de trabajo, no puede alcanzar sus resultados de forma autónoma; se encuentra atado a la resonancia adecuada. Las construcciones jurídicas elegantes no sirven de nada si nadie las entiende o las aplica, y el sentido refinado para detectar las interpretaciones defendibles cae en saco roto, si la política contradice cada idea. La calidad sólo puede elevarse dentro del sistema y los resultados dependen de procesos de comunicación altamente cualificados»[147]. Ésta sería una buena conclusión, si no me hubiera propuesto investigar sobre las causas y los remedios.

---

[146] *Se puede pensar que la categoría de los delitos de infracción del deber (Pflichtdelikte) es un «descubrimiento» (vid., Roxin, Täterschaft und Tatherrschaft, 6ª ed., Hamburg 1994, p. 352 y siguientes). En su contra, hay que decir que en muchos manuales esta categoría tan sólo se menciona críticamente en una nota a pie de página (vid., Jescheck/Weigend, (n. 1), p. 652) o ni siquiera llega a mencionarse. No es, por tanto, necesaria para conseguir una solución satisfactoria.*

[147] *Luhmann (n. 63), p. 175 y siguiente.*

III. CAUSAS Y POSIBLES REMEDIOS

En la segunda parte de mi artículo he asumido «el cómodo papel del crítico». Es mucho más importante poder contestar a la cuestión sobre si es posible cambiar y mejorar algo (II)[148]. Ello exige conocer y analizar, previamente, las causas y las condiciones de la evolución criticada (I). Sobre ambos aspectos tan sólo puedo referirme a algunas frases programáticas. Lo cual también es, naturalmente, insatisfactorio para mí.

1. Algunas observaciones sobre las causas

Hace ya más de 10 años que *Gunther Arzt* anunció que la causa de todos los males era la montaña de profesores[149]. Es evidentemente correcto, en un sentido trivial, que sin profesores tanto la diversidad de opiniones como la proliferación de problemas jurídicos sería mucho menor. Sin embargo, la montaña de profesores es tan sólo —y esto también lo sabe *Arzt*— una de las condiciones necesarias[150]. A ello hay que añadir multitud de condiciones de carácter socio-científicas. Paso a mencionar algunas de ellas, las que me parecen más importantes:

– la debilidad de los criterios de justicia[151];

---

[148] Esto es sobre todo importante porque no existe ninguna alternativa a la dogmática jurídica. Inducido por la discusión que se originó tras mi ponencia quiero aclarar lo siguiente: ni en sueños se me ocurre dudar que la dogmática jurídico-penal es imprescindible, que existen publicaciones dogmáticas en Derecho Penal excelentes y que existen dogmáticos del Derecho Penal (nacionales e internacionales) meritorios.

[149] *Arzt* (n. 41).

[150] No sólo los profesores y los asistentes de universidad generan la avalancha de publicaciones. Abogados, fiscales y jueces también colaboran a ello (incluso en el ámbito formativo). Estos grupos profesionales parecen tener más libertad y no valorarla. *Schroeder* (n. 66), p. 84 y p. 88 espera que esto último cambie. –*Wolfgang Naucke*, Versuche über den aktuelle Stil des Rechts, KritV 1986, p. 203 y p. 205, opina que el derecho positivo se impone con medios que lo descomponen. Este fenómeno —un derecho positivo que se descompone a través de un derecho positivo construido— es, para el último autor mencionado, «la causa de la cantidad inabarcable de literatura científica y de jurisprudencia publicada».

[151] Esto ha sido especialmente destacado por *Schunemann* (n. 58), p. 221 y siguiente y p. 227.

– *el pluralismo teórico y ético, el pluralismo jurídico;*

– *la prohibición de denegación de derecho (obligación de decidir);*

– *la libertad científica;*

– *el sistema retributivo;*

– *la búsqueda de la originalidad y la separación entre racionalidad individual y colectiva*[152]*;*

– *la ampliación del mercado editorial y de las posibilidades de publicar y el papel de las editoriales.*

– *la inexistencia o supresión de los mecanismos de dirección del mercado (subvenciones).*

Tres o cuatro de los apartados anteriores precisan una corta explicación o aclaración:

1.- El aspecto de la prohibición de omisión de pronunciamiento por el Juez y su importancia ya fue destacado por *Niklas Luhmann*[153]: «Las debilidades del método, las "pérdidas de certeza", la destrucción de principios dogmáticos y su sustitución por fórmulas de ponderación, el incremento de la falta de nitidez en la distinción entre la legislación y la jurisprudencia y el guardar o sacar los problemas de regulación según puedan ser politizados —todos estos problemas son consecuencias tardías de la obligación de decidir, que, en una sociedad cada vez más compleja y en atención a la rapidez con la que se producen los cambios estructurales en casi todos los ámbitos sociales, tiene efectos cada vez más intensos».

2.- *Amelung*[154] ha señalado que: «En la Ciencia jurídico-penal recibe más atención y obtiene más prestigio quien se dedica a estudiar las normas centrales del StGB». Si esto es correcto, y no tengo ninguna duda de que así es, hay algo que no funciona bien en el sistema de

---

[152] Cfr. *supra*, nn. 86 y 87.
[153] *Luhmann* (n. 20), p. 299 y siguientes y p. 318.
[154] *Knut Amelung, Strafrechtswissenschaft und Strafgesetzgebung, ZStW 92 (1980), p. 41.*

retribución. Conclusiones más precisas sólo se podrían obtener mediante investigaciones sociológicas. Por lo que he podido ver, no hay investigaciones de este tipo en el Alemania[155].

3.- Desde distintos ámbitos se ha puesto también de relieve que parte de la responsabilidad corresponde a las *editoriales jurídicas* por su comportamiento a la hora de publicar[156]. Ahora bien, las editoriales no son asociaciones de interés general para la protección de la dogmática jurídico-penal como bien colectivo, sino empresas que se orientan a la consecución de beneficios. No es por tanto de extrañar que su comportamiento se guíe en función de los intereses comerciales. El problema reside más bien en que los *mecanismos usuales de dirección del mercado* no funcionan[157], porque la producción dogmática (incluidas las publicaciones) se financia (o se subvenciona) esencialmente a través de los contribuyentes. Y de esto se aprovechan mucho las editoriales (sin que dependa de la calidad o de la necesidad)[158].

2. Escasas perspectivas de mejora

La concisa lista de causas que motivan el penoso estado de la dogmática jurídico-penal hace desaparecer la esperanza de mejorar. Porque la mayor parte de los mencionados factores, como por ejemplo la prohibi-

---

[155]   Una *perspectiva del problema, que se encuentra relacionado con el «reward system» nos ofrece Harriet Zuckerman, The Sociology of Science, en: Neil J. Smelser (Ed.), Handbook of Sociology, Newbury Park y otras, 1988, p. 528 y siguientes.*

[156]   *Vid., Lackner (n. 61), p. 855, p. 863 y p. 865.*

[157]   *Schroeder (n. 66), p. 87, señala que teniendo en cuenta las leyes del mercado se hubiera producido una reducción de las publicaciones penales.*

[158]   *El contribuyente participa decisivamente en todos los niveles en la financiación de la avalancha de publicaciones: (1) alimenta a los científicos productores; (2) interviene en los gastos de impresión a través de las correspondientes subvenciones (p.e. la DFG) o mediante las posibilidades de desgravación fiscal; (3) carga con los costes de la creación de bibliotecas públicas (universidades, tribunales, etc.); (4) o participa en los costes de creación de entidades privadas (p.e. despachos de abogados) mediante las desgravaciones fiscales; y (5) alimenta a los científicos consumidores.*

ción de omisión de pronunciamiento, los débiles criterios de justicia y la libertad científica no pueden y no deben cambiar. Una modificación de la financiación y subvención pública de la avalancha de publicaciones sí sería recomendable y posible. Lo mismo cabe decir respecto de la retribución de los científicos. No puedo extenderme demasiado, tan sólo quisiera destacar que en los actuales intentos de reforma tanto nacional como regional (en cualquier caso, respecto a la ciencia jurídica) las señales se han identificado incorrectamente. Es contradictorio que en tiempos de la tan criticada avalancha de publicaciones, la valoración media sobre el progreso se haga depender del número de tesis doctorales (con independencia de su temática y calidad).

Al final queda un aviso y un llamamiento, los cuales no han tenido nunca un éxito especial[159]. *Arzt* recordó en su ponencia en el Congreso de Profesores de Derecho Penal en Halle que la unificación europea llegará y que una «perspectiva europea» exige una simplificación francamente emocionante de las controversias nacionales[160]. En este sentido y en interés del «bien jurídico colectivo dogmática jurídico-penal», sería importante reducir el mencionado abismo entre la racionalidad individual y la colectiva. En otro caso, puede que dentro de 30 años se diga que los dogmáticos jurídico-penales alemanes (con sus excesos de racionalidad individual infrenable) fueron demasiado hábiles respecto a la supervivencia de la dogmática jurídico-penal alemana (a nivel europeo).

---

[159] *Un ejemplo reciente demuestra el poco éxito que tienen los llamamientos: mientras que* Manfred Löwisch *en un comentario con el título «Ehret erst die Alten! – Wieder die Festschriftenflut» («¡Honrar a los mayores! de nuevo la avalancha de libros homenajes») (JZ 1998, p. 946) hace un llamamiento a los promotores de libros homenajes para que esperen a que los homenajeados tengan 70 años, un grupo de civilistas de 65 años ha decidido dedicar a sí mismos y a la comunidad jurídica un libro homenaje; vid.,* Walter Hadding *(Ed.), Festgabe Zivilrechtslehrer 1934/35, Berlin/New York 2000.*

[160] Gunther Arzt, *Wissenschaftsbedarf nach dem 6. StrRG, ZStW 111 (1999), p. 767 y p. 769.*

Dogmática jurídico-penal afortunada y Dogmática jurídico-penal sin consecuencias*
(Comentario)

WOLFGANG FRISCH
Freiburg

I

Cuando, hace más o menos un año, me pidieron que realizara un comentario sobre el tema «Dogmática jurídico-penal afortunada y Dogmática jurídico-penal sin consecuencias» creí encontrarme ante una tarea fácil. Solemos considerar determinadas opiniones, que estimamos correctas, como expresión de una Dogmática jurídico-penal acertada y hablamos de Dogmática jurídico-penal afortunada cuando dichas opiniones se han impuesto frente a otras interpretaciones discrepantes. Por otra parte, el término Dogmática jurídico-penal sin consecuencias parece referirse a los modelos dogmáticos que no tienen eficacia alguna, bien porque son rechazados desde el principio o a causa de las consecuencias a las que conducen, bien porque no permiten evitar desarrollos posteriores no deseados. Desde este punto de partida relativamente fácil, el tema parecía agotarse en mostrar las repercusiones y los ejemplos más importantes de tales Dogmáticas en el pasado, especialmente en el último siglo, de forma que este análisis sirviera, al mismo tiempo, para determinar las tareas que el Derecho penal ha de desempeñar en el futuro.

---

* Traducción de Carmen López Peregrín.

Sin embargo, enseguida entendí que las cosas no eran tan fáciles. Hablar de Dogmática jurídico-penal afortunada no sólo exige reflexionar sobre la tarea y la esencia de la Dogmática (y especialmente de la Dogmática jurídico-penal), sino que presupone también tener una idea muy clara respecto a cuándo puede considerarse realmente una Dogmática jurídico-penal como afortunada y cuándo no. Al margen de que, evidentemente, cualquier afirmación referente a la Dogmática jurídico-penal afortunada está sometida además a reservas teóricas[1]. Pero hablar de Dogmática jurídico-penal sin consecuencias plantea aún más problemas. En primer lugar, porque la propia existencia de una Dogmática sin consecuencias resulta ya dudosa, ya que incluso los modelos dogmáticos que no han conseguido imponerse tienen generalmente algún tipo de consecuencia. Por ello, sólo se puede hablar de Dogmática sin consecuencias si partimos de un concepto estricto de consecuencia y de ausencia de consecuencias (entendiendo, por ejemplo, que una Dogmática carece de consecuencias cuando no ha conseguido cambiar la jurisprudencia o la legislación). En segundo lugar, hay que tener en cuenta también que dicho concepto tiene una dimensión temporal que hace cuestionable la contraposición entre Dogmática «afortunada» y «sin consecuencias», pues un enunciado dogmático que hasta ahora no ha tenido consecuencias, en el sentido de que no ha suscitado aún ninguna respuesta en la jurisprudencia o en el legislador, puede conducir a modificaciones en el futuro. Y el pasado reciente nos ofrece ejemplos de ello: no hay más que pensar en los cambios producidos en la jurisprudencia respecto a la actio libera in causa[2] o al delito continuado[3]. ¿Habría que

---

[1]   *En este sentido, se afirma que un desarrollo dogmático sólo puede considerarse afortunado si los criterios utilizados para emitir ese juicio son, a su vez, acertados y decisivos, y establecer si lo son o no resulta ya discutible en muchos casos.*

[2]   *Cfr. BGHSt 42, 235; al respecto, v. Ambos, Der Anfang vom Ende der actio libera in causa?, NJW 1997, pp. 2296 ss. (en un comentario a la BGH NJW 1997, p. 138); Hruschka, Die actio libera in causa bei Vorsatztaten und Fahrlässigkeitstaten, JZ 1997, pp. 22 ss.; Neumann, Anmerkung zu BGHSt 42, 235, StV 1997, pp. 23 ss.; Spendel, Actio libera in causa und Verkehrsstraftaten, JR 1997, pp. 133 ss. En este caso, el BGH tuvo en cuenta las exigencias que una serie de autores venían formulando desde hacía algún tiempo; cfr. por ej. Horn, Actio libera in causa –eine notwendige, eine zulässige Rechtsfigur?, GA 1969, pp. 289 ss., 298, 303 ss.; ofrece*

considerar, entonces, que, en este tipo de casos, una Dogmática que hasta ahora carecía de consecuencias se convierte de pronto en afortunada, por el mero hecho de haber conseguido producir las consecuencias que perseguía? Por último, queda aún un tercer punto sobre el que reflexionar, precisamente el más importante desde mi punto de vista[4]. El concepto de ausencia de consecuencias es empírico: partiendo de un determinado concepto de consecuencia[5], la constatación de que un concreto modelo dogmático carece de consecuencias significa sólo y exclusivamente que dicho modelo dogmático no ha conseguido hasta ahora producir esas consecuencias (que son generalmente las que perseguía). Una afirmación de esa clase se encuadra en un plano distinto al de la calificación de una Dogmática jurídico-penal como afortunada, porque esta calificación contiene claramente (como en cualquier otro caso en el que se trate de establecer lo que es o no afortunado) un enunciado valorativo. Por eso mismo resulta problemático, por no decir totalmente erróneo, considerar la Dogmática sin consecuencias como la antítesis de la Dogmática afortunada. Una Dogmática que hasta ahora «carece de

---

un resumen, incluyendo también referencias a opiniones más antiguas, *Hettinger, Die «actio libera in causa»: Strafbarkeit wegen Begehungstat trotz Schuldunfähigkeit?*, 1988, v. especialmente pp. 249 ss.

[3]   Cfr. BGHSt 40, 138 ss.; al respecto, v. *Arzt, Die fortgesetzte Handlung geht –die Probleme bleiben, JZ* 1994, pp. 1000 ss.; *Geisler, Der Beschluß des Großen Strafsenats zum Fortsetzungszusammenhang, Jura* 1995, pp. 74 ss.; *Hamm, Das Ende der fortgesetzten Handlung, NJW* 1994, pp. 1636 s.; *Ruppert, Der Tag danach: Praktische Auswirkungen des Beschlusses zur fortgesetzten Handlung, MDR* 1994, pp. 973 ss. (comentario a la BGH GrS MDR 1994, p. 700); *Zschockelt, Die praktische Handhabung nach der Beschluß des Großen Senates für Strafsachen zur fortgesetzten Handlung, NStZ* 1994, pp. 361 ss.

[4]   Y el que, al mismo tiempo, responde a la pregunta formulada antes, explicando, con argumentos referidos a la pertenencia a categorías distintas, por qué la ausencia de consecuencias no dice nada o dice muy poco sobre lo que es o no afortunado y por qué la calificación de una Dogmática como afortunada no depende de su eventual aceptación en la práctica jurídica.

[5]   Aunque el propio concepto de consecuencia está necesitado en gran medida de concreción: ¿constituyen consecuencias relevantes sólo los cambios que conducen a nuevos resultados o también los que modifican una determinada fundamentación?, ¿es necesario que el modelo dogmático sea aceptado por la práctica jurídica o basta con que sea aceptado en la discusión científica en la materia (y en qué medida)?, etc.

consecuencias», en el sentido de no haber introducido cambios en la jurisprudencia, puede ser también una «Dogmática afortunada». Y no sólo a causa de la mencionada dimensión temporal del juicio acerca de la ausencia de consecuencias, en el sentido de que una Dogmática que hasta ahora no ha tenido consecuencias puede conducir a cambios en el futuro. Lo dicho sería también aplicable aunque el pronóstico al respecto fuera extraordinariamente desfavorable. El que una Dogmática sea o no afortunada no depende del hecho de que se haya impuesto o de que exista un pronóstico favorable en relación a sus posibilidades de imponerse en el futuro, sino sólo y exclusivamente de si cumple los criterios (normativos) que corresponden a una Dogmática afortunada (y, en este sentido, el que exista una postura dominante en contra de una Dogmática podrá ser, a lo sumo, un indicio de que no los cumple, aunque no tiene por qué ser así necesariamente[6]). En realidad, la antítesis de la Dogmática afortunada no es la Dogmática sin consecuencias, sino la que, según los criterios de la buena Dogmática, constituye un desarrollo incorrecto, así como la que resulta deficitaria por no cumplir satisfactoriamente sus tareas. Y respecto a este tipo de juicios sobre lo que se ha impuesto y lo que no, aumentan claramente las reservas teóricas mencionadas al principio.

II

Por todo ello, el paso siguiente debe consistir en el análisis de los criterios que permiten calificar una Dogmática jurídico-penal como afortunada. ¿Qué hay que entender exactamente por Dogmática jurídico-penal afortunada y en qué se diferencia de otros modelos dogmáticos que no calificamos como tal?

---

[6] Ya que puede tratarse también de un modelo dogmático acertado que no haya sido aceptado por otros motivos, por ejemplo, porque provoque un considerable derroche de trabajo adicional, porque, aceptando ciertas inexactitudes, se pueda llegar a los mismos (correctos) resultados de una manera más fácil, etc. V. al respecto *infra* IV.1.

Seguramente una Dogmática jurídico-penal afortunada debe satisfacer ciertas exigencias estrechamente relacionadas con las tareas esenciales, con las funciones fundamentales de una Dogmática jurídica[7]. Ello significa que una Dogmática orientada a la práctica jurídica debe ofrecer un sistema de enunciados que sea consistente y que garantice una aplicación del Derecho homogénea, previsible y que trate igual los casos iguales[8], un sistema de enunciados que, previendo soluciones generales para cada problema, facilite a los aplicadores del Derecho la decisión en el caso concreto, pero que, al mismo tiempo, posibilite también un control objetivo de dicha decisión[9]. Algunos de esos criterios son también aplicables a la Dogmática que se dirige al legislador ofreciéndole, a través de un sistema de enunciados, posibles soluciones legislativas (especialmente, en el marco constitucional). Los modelos dogmáticos que ni siquiera satisfacen estas exigencias generales (y por ello en gran parte formales) no pueden ser considerados (tampoco en Derecho penal) como una Dogmática afortunada.

El análisis dirigido a comprobar si se cumplen o no dichas exigencias no permite, desde luego, más que la emisión de un juicio parcial sobre lo afortunado o no de una Dogmática jurídica (penal), en concreto, un juicio negativo cuando esas condiciones no se cumplen. Pero el hecho de que una Dogmática cumpla dichas exigencias no permite ya, por sí solo, afirmar que se trata de una Dogmática afortunada. Ello dependerá en mayor medida de si los enunciados de la Dogmática a enjuiciar se ajustan debidamente al objeto material al que se refieren. Un enunciado dogmático claro, que posibilite homogeneidad, previsibilidad y control, sólo podrá considerarse afortunado si, además, se adecúa a los principios esenciales (establecidos como dogmas) vigentes en cada ámbito. Para la Dogmática jurídico-penal, ello significa ante todo que un enunciado

---

[7]   V., por todos, Alexy, *Theorie der juristischen Argumentation*, 2ª ed., 1991, pp. 326 ss.; Bydlinski, *Juristische Methodenlehre und Rechtsbegriff*, 1982, pp. 8 ss.; Larenz, *Methodenlehre der Rechtswissenschaft*, 6ª ed., 1991, pp. 224 ss., 229 ss.; Luhmann, *Rechtssystem und Rechtsdogmatik*, 1974; Pawlowski, *Methodenlehre für Juristen*, 3ª ed., 1999, pp. 342 ss., 388 ss.

[8]   V. al respecto, especialmente, Alexy (nota 7), pp. 326 ss.; Bydlinski (nota 7), pp. 9 s.; Pawlowski (nota 7), pp. 391 ss.

[9]   V. al respecto Alexy (nota 7), pp. 329 s., 331 s., con más información bibliográfica.

dogmático sólo puede considerarse afortunado si es compatible con ciertas nociones esenciales sobre el fundamento y los límites de la pena. En
este sentido, los enunciados dogmáticos sobre la existencia de un delito,
sobre su esencia y sus presupuestos, sólo pueden ser considerados como
Dogmática jurídico-penal afortunada (y lo son, por supuesto[10]) en la
medida en que las circunstancias abarcadas por ellos muestren de manera
razonable el fundamento de la punibilidad. Y no sólo cuando se trate de
enunciados referidos a la Parte General, que trascienden a los concretos
delitos, sino también respecto a los enunciados sobre delitos concretos y
a las delimitaciones de lo punible en el ámbito de la Parte Especial. Si
de lo que se trata es, como ocurre a menudo, de imponer penas más altas
cuando se dan determinadas circunstancias, debe ofrecerse para ello un
fundamento material que justifique, desde el punto de vista de los principios penales generales, que en ese supuesto el fundamento de la pena
se manifiesta con mayor fuerza[11]. En relación a los enunciados
cuantificadores de la pena[12], constituyen también criterios relevantes
para calificarlos como afortunados el que atiendan en el ámbito cuantitativo a razones de igualdad, valoren adecuadamente las distintas manifestaciones graduales del fundamento penal y tengan en cuenta los
aspectos relativos a la proporcionalidad entre la circunstancia que desen-
cadena la pena y la consiguiente pena.

No obstante, cuando de lo que se trata es de enjuiciar si son o no
afortunados determinados enunciados dogmáticos (incluidas las correspondientes propuestas para el legislador) en el ámbito del Derecho
procesal penal, los criterios a tener en cuenta son otros. En este ámbito
constituyen sobre todo el fundamento y la medida de dicho juicio, por

---

[10]   Independientemente, además, de que hayan tenido o no consecuencias en la
       práctica jurídica.
[11]   En el sentido, por ejemplo, de que los derechos o los bienes jurídicos resultan
       lesionados o puestos en peligro de una forma más intensa, la frustración de las
       expectativas jurídicas es más importante o (aún) menos comprensible, etc.
[12]   Como los que se requieren especialmente en el ámbito de la determinación de la
       pena para la ponderación del hecho y la asignación de la cuantía de la pena. Sobre
       enunciados comparativos y cuantificadores en la Dogmática de la determinación
       de la pena, v. más detalladamente Frisch, Straftatsystem und Strafzumessung, en
       Wolter (edit.), 140 Jahre Goltdammer's Archiv, 1993, pp. 1, 23 ss., 28 ss.

un lado, el interés en la averiguación de los delitos cometidos y en la imposición de las correspondientes penas y, por otro, los derechos de los intervinientes en el proceso, especialmente del inculpado. En ese sentido, pueden considerarse afortunados los enunciados y modelos dogmáticos que permitan la averiguación de los delitos cometidos y la aplicación de las penas a que den lugar sin perjuicio de los derechos de los intervinientes en el proceso. Desafortunados son, por el contrario, los modelos dogmáticos que lesionan esos derechos o que desatienden, sin que exista para ello una razón de peso, el interés en la averiguación de los hechos cometidos y en la imposición de las penas correspondientes.

Si se tienen en cuenta estos criterios (necesitados seguramente de perfeccionamiento), resulta evidente que el juicio sobre lo afortunado o no de determinados enunciados y modelos dogmáticos sólo es posible de forma relativa y bajo ciertas condiciones. Necesario es, ante todo, que exista uniformidad respecto a las premisas en las que se basa el enjuiciamiento, como, por ejemplo, sobre el fundamento legitimador de la pena y sobre los puntos de vista normativos que, al respecto, deben ser principalmente tenidos en cuenta (o que el desacuerdo existente en este tema no repercuta *in concreto*). En este contexto la Constitución, con sus valores infranqueables, puede cumplir una importante función unificadora[13]. Pero a ello hay que añadir que, entre los enunciados y modelos dogmáticos concurrentes, tiene una cierta importancia la superioridad de determinadas afirmaciones dogmáticas sobre las demás. Dicha superioridad puede deberse a diferentes motivos, desde la mayor compatibilidad de determinados enunciados dogmáticos con la imagen del hombre que se refleja en la Constitución o con el fundamento legitimador de la pena, pasando por la incapacidad de las Dogmáticas concurrentes para ofrecer soluciones generalizadoras o la diferente compatibilidad de los enunciados dogmáticos con el principio de igualdad[14], hasta la mayor garantía de

---

[13] Por ejemplo, la «imagen del hombre» que ofrece la Constitución, la dignidad humana, los derechos fundamentales y el principio de proporcionalidad.

[14] Como ejemplo de una mayor compatibilidad con la imagen constitucional del hombre véase, por ejemplo, *infra* III.1.a, relativo al concepto de injusto; como ejemplo de una mayor compatibilidad con el fundamento legitimador de la pena (el deber responder por un hecho del que se es responsable) puede mencionarse,

uniformidad en la aplicación del Derecho que ofrecen determinados enunciados dogmáticos o su supremacía desde el punto de vista de los criterios generales del Derecho[15]. En el ámbito de la Dogmática dirigida a la aplicación del Derecho juega un importante papel además (a menudo incluso de forma prioritaria) la compatibilidad o incompatibilidad de determinados enunciados dogmáticos con el tenor literal de la ley, con la sistemática legal o con el fin de la norma. Si ninguno de los enunciados dogmáticos ostenta una significativa primacía sobre los demás, o si no hay acuerdo sobre las propias premisas que deben establecerse como criterios de enjuiciamiento (por ejemplo, el fundamento de la pena o el alcance de los derechos de la persona[16]), decae normalmente también la posibilidad de considerar intersubjetivamente un determinado enunciado dogmático como Dogmática afortunada. Resulta discutible, entonces, cuál es la solución dogmáticamente correcta, incluso aunque esa polémica sea decidida en la práctica jurídica por la jurisprudencia o por el legislador: en estos casos, la jurisprudencia o la legislación son a menudo criticadas desde la ley más sencilla o desde la Constitución (o a veces,

---

entre otras, la teoría de la culpabilidad, que establece diferencias en el tratamiento del error de prohibición según el criterio de la vencibilidad (infra III.1.b). Los puntos de vista relativos al trato igual de lo valorativamente igual o a la evitación del trato igual de lo desigual (v., en general, Pawlowski —nota 7—, pp. 391 ss.) juegan un importante papel en el tratamiento del llamado error sobre el tipo permisivo; cfr., por ej., Stratenwerth, Strafrecht, AT I, 3ª ed., 1981, núm. marg. 501 ss.

[15]   Como, por ejemplo, los relativos a la unidad del Ordenamiento jurídico como ordenamiento del deber ser (causa de la primacía de la idea de la accesoriedad administrativa del Derecho penal en Derecho medioambiental), al aspecto de la justicia material en la delimitación de libertades y derechos contrapuestos (tácito trasfondo de la exclusión del ámbito del Derecho penal de ciertos menoscabos de bienes producidos causalmente; v. infra III.1.a, en lo relativo a la imputación objetiva), etc.

[16]   Basta pensar en la polémica sobre el ámbito de la libertad personal en casos límite de la vida humana (por ej., el derecho a acabar con la vida en supuestos de padecimientos insoportables; v. al respecto Frisch, Leben und Selbstbestimmungsrecht im Strafrecht, en Leipold/ Matsumoto, edit., Selbstbestimmung in der modernen Gesellschaft aus deutscher und japanischer Sicht, 1997, pp. 103 ss.) o en casos de embarazos no deseados, vividos como un obstáculo al libre desarrollo de la personalidad.

desde el Derecho suprapositivo)[17] y precisamente por eso no pueden reclamar, en opinión de sus críticos, la calificación de Dogmática afortunada. La Dogmática del Derecho procesal ofrece abundantes ejemplos de ello, y no sin motivo, porque en este ámbito existe en gran medida el mismo desacuerdo respecto a las premisas determinantes para el enjuiciamiento (interés en el castigo del hecho cometido, derechos de los intervinientes) y su importancia o su alcance, que respecto a la cuestión, de importancia directa e inmediata para el enjuiciamiento de un enunciado como afortunado, de la adecuada armonización de esos intereses contrapuestos.

III

Teniendo en cuenta lo dicho hasta ahora, y con las mencionadas reservas teóricas referentes a la relatividad de este tipo de juicios, creo que podemos encontrar en el pasado numerosas expresiones de una Dogmática jurídico-penal afortunada (mi valoración es, por tanto, más positiva que la realizada por *Burkhardt* en su ponencia). Pero para ello debe tomarse como referencia un periodo de tiempo más largo (por ejemplo, los últimos 100 ó 150 años). Porque los cambios más importantes, que introdujeron desarrollos dogmáticos afortunados, tuvieron lugar sobre todo en las primeras décadas del siglo XX o incluso antes. Es lo que ocurrió, por ejemplo, con la evolución desde una perspectiva naturalista a otra normativa, o con la adaptación del Derecho penal a una determinada imagen del hombre o a los derechos y libertades fundamentales.

1. Uno de los descubrimientos más importantes en el ámbito de la *Teoría General del Delito* fue la diferenciación entre antijuricidad (objetiva), es decir *injusto*, y *culpabilidad*. Aunque en realidad dicha diferencia-

---

[17]   Sirva a modo de ejemplo la crítica a la jurisprudencia o a las soluciones legales (por ej., a la decisión del legislador en contra de la teoría del dolo en el § 17 StGB) realizada con argumentos relativos a la injusticia de la respectiva solución o a la infracción del principio de igualdad y de la prohibición de arbitrariedad (v. por ej. *Schmidhäuser*, Der Verbotsirrtum und das Strafgesetz [§ 16 Abs. 1 S. 1 und § 17 StGB], JZ 1979, p. 361; al respecto, BVerfGE 41, 121).

ción no procede del Derecho penal, sino del Derecho civil[18], enseguida fue aceptada por el Derecho penal, constituyendo desde entonces el fundamento para la Teoría del Delito basada en el injusto y la culpabilidad (o en el tipo, la antijuricidad y la culpabilidad) y sustituyendo el modelo de imputación dominante hasta entonces[19]. Ciertamente, el establecimiento de los mencionados conceptos como categorías centrales del delito hizo necesaria una elaboración detallada de los mismos. Y a ello se dirigió una parte considerable de los esfuerzos de la Dogmática penal en lo sucesivo, obteniéndose así una serie de conocimientos importantes, vigentes todavía hoy.

a) En el ámbito del *injusto*, el interés por concretar y precisar el concepto de injusto penal se centró esencialmente (simplificando bastante) en tres puntos: el intento de comprender la esencia del injusto (penal) desde un punto de vista material; los esfuerzos dirigidos al aspecto categorial del injusto; y aquéllos que se destinaron de forma más o menos directa a la delimitación de su extensión.

Las investigaciones dirigidas al *esclarecimiento material del concepto de injusto* tuvieron como finalidad superar la relación de antijuricidad formal (como contradicción del comportamiento con el ordenamiento jurídico) y comprender lo específico del injusto penalmente relevante. Pero, al mismo tiempo, se trataba también de establecer las directrices materiales para determinar en qué casos una conducta, a pesar de ser típica, carecía sin embargo de antijuricidad e injusto, delimitando con ello qué causas de exclusión de la pena previstas legalmente eran reconducibles a una falta de antijuricidad y cuáles a la falta de culpabilidad o de algún otro presupuesto del delito. Entre finales del siglo XIX

---

[18] *Fundamental resulta R. v. Jhering, Das Schuldmoment im römischen Privatrecht, 1867, pp. 5 ss.; cfr. al respecto H. A. Fischer, Die Rechtswidrigkeit, 1911, pp. 120 ss.; Mezger, Die subjektiven Unrechtselemente, GS 89, pp. 207, 211 ss.*

[19] *Una sucinta exposición de su desarrollo en Derecho civil y penal, y especialmente de los autores que de forma más relevante (como v. Liszt, Beling y Radbruch) la apoyaron y fortalecieron, puede verse en Welzel, Die deutsche strafrechtliche Dogmatik der letzten 100 Jahre und die finale Handlungslehre, JuS 1966, pp. 421 s.; detalladamente Zielinski, Handlungs- und Erfolgsunwert im Unrechtsbegriff, 1973, pp. 18 ss.*

y principios del XX se llegó ya en ambos ámbitos a una serie de conclu-
siones que continúan teniendo influencia hoy y que siguen siendo con-
sideradas correctas. Lo específico del injusto penalmente relevante fue
enseguida identificado con la peligrosidad social o la nocividad social del
comportamiento, o con su carácter lesivo para el bien jurídico[20], criterios
que todavía hoy determinan el debate doctrinal[21] y que tuvieron una
gran relevancia en las discusiones sobre la reforma penal de los años
cincuenta y sesenta[22]. Pero casi más importantes y más productivas en la
práctica fueron las investigaciones destinadas a la determinación del
injusto desde la perspectiva contraria: la conclusión de que un compor-
tamiento típico no constituía ningún injusto cuando era el medio ade-
cuado para la consecución de un fin valorado positivamente o cuando
servía para salvaguardar un bien o interés más importante que el afecta-
do[23], no sólo permitió continuar el desarrollo de las causas de justifica-

---

[20]　*Pionero en la distinción entre antijuricidad formal y material fue, por ejemplo, v.*
Liszt, Lehrbuch des deutschen Strafrechts, 12/13ª ed., 1903, pp. 140 s. Una
perspectiva histórica detallada ofrece Heinitz, Das Problem der materiellen
Rechtswidrigkeit, 1926; el mismo, Zur Entwicklung der Lehre von der materiellen
Rechtswidrigkeit, en Festschrift für Eb. Schmidt, 1961, pp. 266 ss. Sobre el estado
actual de la cuestión, incluidas las opiniones que consideran superfluo dicho
concepto, v. Jescheck/ Weigend, Lehrbuch des Strafrechts, AT, 5ª ed., 1996, pp.
234 s.; Roxin, Strafrecht, AT I, 3ª ed., 1998, § 14, núm. marg. 4 ss.

[21]　*Cfr. por ej. Roxin (nota 20), § 7, núm. marg. 60 ss.; § 10, núm. marg. 21; § 14,*
núm. marg. 4 s., incluyendo más información bibliográfica.

[22]　*Especialmente en lo relativo a la supresión de una serie de delitos contra la*
honestidad que penalizaban conductas que, si bien contradecían una determinada
concepción de la moral o de la honestidad, no mostraban sin embargo un carácter
socialmente peligroso o lesivo. Véase al respecto Roxin (nota 20), § 3, núm. marg.
3, así como la famosa obra de H. Jäger, Strafgesetzgebung und Rechtsgüterschutz
bei den Sittlichkeitsdelikten, 1957, y la detallada reseña de ésta y de otras
aportaciones similares en Amelung, Rechtsgüterschutz und Schutz der Gesellschaft,
1972, pp. 300 ss., 308 ss., con exposición de su propia opinión en las pp. 314 ss.,
318 ss.

[23]　*Sobre esta teoría del fin, cfr. por ej. A. zu Dohna, Die Rechtswidrigkeit als*
allgemeingültiges Merkmal im Tatbestande strafbarer Handlungen, 1905, p. 48;
sobre la ausencia de injusto en los casos de salvaguarda de intereses preponderan-
tes, v. Mezger (nota 18), GS 89, p. 270. Una perspectiva histórica puede verse en
Lenckner, Der rechtfertigende Notstand, 1965, pp. 50 ss.

ción en relación al llamado estado de necesidad supralegal[24], sino que
condujo al mismo tiempo a la diferenciación entre estado de necesidad
justificante y exculpante[25].

No menos significativo fue el desarrollo del injusto *desde un punto de
vista categorial*. En este ámbito, a finales del siglo XIX dominaba todavía
de forma absoluta una concepción del injusto claramente objetiva. La
esencia del injusto (y del injusto penalmente relevante) se identificaba
con un menoscabo de bienes ajenos causado por un comportamiento
humano voluntario y contrario al Derecho[26]. Este concepto de injusto,
que en el fondo no consiguió distinguir el injusto penal de otros injustos,
ha sido en gran medida abandonado. Lo que despertó las primeras dudas
sobre su corrección fue el descubrimiento (que en aquel momento se
fundamentó desde un punto de vista positivista) en determinados tipos
delictivos de la Parte Especial de los llamados elementos subjetivos del
injusto[27]. Pero más importante fue la crítica realizada desde el finalismo,
que concibió el injusto penal como una determinada forma de acción
humana y se apoyó, para entender la acción humana, en aportaciones de
la filosofía y de las ciencias experimentales sobre la esencia del actuar
humano (especialmente en el entendimiento de la acción como realización de una determinada finalidad), identificando sobre esa base el
núcleo del injusto penal con la realización de una voluntad de contenido

---

[24]   Pionera en este sentido fue la sentencia RGSt 61, 242, 254, basada en los
       exhaustivos trabajos previos de la Dogmática; véase también la sentencia RGSt 62,
       35, 46 s. (empleando el concepto de estado de necesidad supralegal).
[25]   Fundamental resulta Oetker, Vergleichende Darstellung des Allgemeinen Teils,
       Tomo 2, 1908, p. 332; Goldschmidt, Der Notstand, ein Schuldproblem, Österr.
       Zeitschrift f. Strafrecht 1913, pp. 129 ss.; una exposición sobre la discusión de
       entonces puede verse en v. Weber, Das Notstandsproblem und seine Lösung in den
       deutschen Strafgesetzentwürfen von 1919 und 1925, 1925, pp. 1 ss.; Henkel, Der
       Notstand nach gegenwärtigem und zukünftigem Recht, 1932, pp. 4 ss., 16 ss. Una
       detallada información sobre la llamada teoría de la diferenciación y sobre opinio-
       nes discrepantes ofrecen Jescheck/ Weigend (nota 20), p. 354.
[26]   Cfr. por ej. v. Liszt, Lehrbuch. Das deutsche Reichsstrafrecht, 1881, p. 83.
[27]   Cfr. especialmente Mezger (nota 18); el mismo, Vom Sinn der strafrechtlichen
       Tatbestände, en Festschrift für Traeger, 1926, pp. 187 ss.; un resumen de la
       discusión sobre el tema puede verse en Sieverts, Beiträge zur Lehre von den
       subjektiven Unrechtselementen im Strafrecht, 1934.

contrario al Derecho[28]. Esta «nueva imagen» del injusto penal fue también objeto de una crítica considerable[29], entre otras razones porque, desde el punto de vista de sus críticos, tenía enormes dificultades para explicar determinadas formas del injusto penal (delitos imprudentes, delitos de omisión) y sobrevaloraba su propia capacidad para solucionar cuestiones normativas concretas[30]. Pero, a pesar de ello, algunas de las más importantes aportaciones del finalismo acabaron imponiéndose, algo modificadas, como teoría del injusto personal[31]. De acuerdo con ello, el injusto se define precisamente como decisión (actuada) contraria a Derecho, como insuficiente orientación al Derecho de la decisión o de su ejecución; en pocas palabras, como comportamiento personal en ese sentido deficiente.

Por último, el injusto experimentó también precisiones en lo referente a su extensión. Los esfuerzos en este ámbito se dirigieron principalmente,

---

[28]   *Fundamental resulta Welzel, Studien zum System des Strafrechts, ZStW 58 (1939), pp. 491 ss., concretando el injusto de los delitos dolosos en pp. 504 s., 519 (actividad final dirigida a la realización del tipo), y el de los delitos imprudentes en pp. 553 ss., 559 (acción cuyas consecuencias hubiera podido evitar el autor realizando el comportamiento final esperado). Véase complementariamente Welzel, Das Deutsche Strafrecht, 11ª ed., 1969, pp. 32 ss., 37 s.*

[29]   *Cfr. por ej. Mezger, Moderne Wege der Strafrechtsdogmatik, 1950, especialmente pp. 12 ss., 15 ss.; Roxin, Über die Leistungsfähigkeit des strafrechtlichen Handlungsbegriffs, ZStW 74 (1962), pp. 515 ss.; un resumen de estas críticas y de las contracríticas puede verse en Welzel, Das neue Bild des Strafrechtssystems, 4ª ed., 1961, pp. 10 ss., 28 s.; el mismo, Das Deutsche Strafrecht, pp. 39 ss.*

[30]   *Como, por ejemplo, la decisiva importancia de las nociones ontológicas en relación a la cuestión normativa del injusto contenido en el tipo o para la solución de determinadas cuestiones relativas al error, especialmente el tratamiento del llamado error sobre el tipo permisivo; véase al respecto, de un lado, Welzel, Das Deutsche Strafrecht, pp. 168 ss., y, de otro, Engisch, Tatbestandsirrtum und Verbotsirrtum bei Rechtfertigungsgründen, ZStW 70 (1958), pp. 566 ss.; Schaffstein, Soziale Adäquanz und Tatbestandslehre, ZStW 72 (1960), pp. 369 ss.; y Stratenwerth, Strafrecht, AT I, 1971, núm. marg. 516 ss., 520.*

[31]   *Sobre sus enunciados más importantes, aceptados actualmente en gran parte (concepción del delito no sólo como desvalor de resultado, sino también como desvalor de acción), así como sobre las cuestiones todavía polémicas, véase el resumen de Lenckner en Schönke/ Schröder, StGB, 25ª ed., 1997, comentarios previos a los §§ 13 ss., núm. marg. 52 ss., con más información bibliográfica.*

y se dirigen todavía, a limitar la desmesurada extensión del injusto objetivo a la que se había llegado aplicando el criterio de la realización *causal* de un cambio en el mundo exterior y constatando el requisito de la causalidad a través de la teoría de la equivalencia. En esa dirección dieron pronto pasos importantes las teorías individualizadoras o materializadoras de la causalidad, así como la llamada prohibición del regreso[32], las (siempre presentes) adhesiones a la llamada teoría de la adecuación y la afirmación, seguramente correcta pero vacía de contenido, de que sólo deben tenerse en cuenta los cursos causales que sean relevantes. Prometedor tendría que haber resultado el intento de *Larenz* y *Honig*, que al principio apenas fue tenido en cuenta, de limitar el injusto a cursos objetivamente imputables[33]. En los años cincuenta y sesenta se retomó este planteamiento[34], aunque añadiéndose al criterio de la no imputación del resultado por falta de dirigibilidad objetiva, que en *Honig* se encontraba en primer plano, otros muchos elementos, como la no imputación del resultado cuando éste se produce por la propia responsabilidad de la víctima o por un tercero, o en casos de cursos que quedan fuera del ámbito de protección de la norma[35]. Fortalecida por las

---

[32] Sobre las teorías causales individualizadoras y sobre la crítica a las mismas v. Traeger, Der Kausalbegriff in Straf- und Zivilrecht, 1904, pp. 80 ss.; sobre la teoría de la prohibición del regreso, cfr. especialmente Frank, StGB-Kommentar, 18ª ed., 1931, § 1, III.2.a.

[33] Cfr. Larenz, Hegels Zurechnungslehre, 1927, pp. 60 ss.; Honig, Kausalität und objektive Zurechnung, en Festgabe für Frank, Tomo I, 1930, pp. 174 ss.

[34] V. por ejemplo Hardwig, Die Zurechnung –ein Zentralproblem des Strafrechts, 1957; Roxin, Pflichtwidrigkeit und Erfolg bei fahrlässigen Delikten, ZStW 74 (1962), pp. 411 ss.; el mismo, Gedanken zur Problematik der Zurechnung im Strafrecht, en Festschrift für Honig, 1970, pp. 133 ss.; Rudolphi, Vorhersehbarkeit und Schutzzweck der Norm in der strafrechtlichen Fahrlässigkeitslehre, JuS 1969, pp. 549 ss.; Schaffstein, Die Risikoerhöhung als objektives Zurechnungsprinzip im Strafrecht, insbesondere bei der Beihilfe, en Festschrift für Honig, 1970, pp. 169 ss.

[35] Cfr. por ejemplo Roxin (nota 34), en Festschrift für Honig, pp. 135 ss., 141 ss.; el mismo, Zum Schutzzweck der Norm bei fahrlässigen Delikten, en Festschrift für Gallas, 1973, pp. 243 ss., 248 ss.; Rudolphi (nota 34). Contrario a esa ampliación de la concepción de Honig (no imputación en casos de ausencia de dirigibilidad objetiva del resultado), por ejemplo Maiwald, Zur strafrechtssystematischen Funktion des Begriffs der objektiven Zurechnung, en Festschrift für Miyazawa, 1995, pp. 465 ss., 476 ss.

discusiones relativas a distintas cuestiones concretas y por las producidas en otros ámbitos científicos (como, por ejemplo, la relativa a los planteamientos victimológicos o victimodogmáticos[36]), surgió finalmente una amplia teoría de la imputación objetiva que abarca una serie de enunciados dogmáticos respecto a ciertos elementos fundamentadores del injusto de los delitos de resultado y ciertas circunstancias excluyentes del injusto[37], y que, en ciertas materias, ha encontrado también acogida en la jurisprudencia[38].

A primera vista puede parecer que los dos últimos ámbitos (la acentuación del aspecto subjetivo del injusto y la limitación del aspecto objetivo) tienen poco en común y, desde luego, cada uno de ellos centra su interés en cuestiones muy diferentes. Esta primera impresión puede encontrar apoyo, además, en ciertas críticas de los defensores ortodoxos de la teoría del injusto personal contra la teoría de la imputación objetiva[39]. Pero, en realidad, las dos teorías se están refiriendo simplemente a diferentes aspectos de una misma teoría del injusto personal entendida de forma amplia: una aporta al concepto de injusto estructuras ontológicas del actuar humano que son irrenunciables para la descripción del injusto;

---

[36] Entre los que destaca sobre todo (como ocurre también en la teoría de la imputación objetiva) la idea de la propia responsabilidad de la víctima y la consiguiente ausencia de merecimiento de protección o de necesidad de protección de la misma; véase al respecto el resumen y la información bibliográfica que ofrece *Lenckner* (nota 31), comentarios previos a los §§ 13 ss., núm. marg. 70b; extensamente, *Hillenkamp*, Vorsatztat und Opferverhalten, 1981.

[37] Al respecto, más detalladamente, *Roxin* (nota 20), § 11, núm. marg. 39 ss.; *Rudolphi*, SK-StGB, 7ª ed., 1999, comentarios previos al § 1, núm. marg. 38 ss., así como —en parte críticamente— *Frisch*, Tatbestandsmäßiges Verhalten und Zurechnung des Erfolgs, 1988, pp. 10 ss., 23 ss., 33 ss.

[38] Por ejemplo, en lo relativo al requisito de la infracción del deber o de la relación de imputación (v. BGHSt 11, 1) o en relación a la ausencia de responsabilidad cuando la producción del resultado se debe a la conducta de una víctima que actúa de forma responsable (BGHSt 32, 262).

[39] V. por ejemplo *Armin Kaufmann*, Objektive Zurechnung beim Vorsatzdelikt?, en Festschrift für Jescheck, 1985, pp. 251 ss.; *Hirsch*, Die Entwicklung der Strafrechtsdogmatik nach Welzel, en Festschrift der Rechtswissenschaftlichen Fakultät der Universität zu Köln, 1988, pp. 399 ss.; *Küpper*, Grenzen der normativierenden Strafrechtsdogmatik, 1990, pp. 83 ss.

la otra aclara que el ser humano que vive en comunidad no es compe-
tente, en el desarrollo de su libertad, para evitar todos los cursos causales
imaginables, porque a menudo lo son otros (como la propia víctima
potencial o un tercero), de manera que la mera provocación de tales
cursos causales no constituye un injusto. Ambas teorías son además
expresión de una Dogmática jurídico-penal afortunada: las dos conside-
ran que lo que se imputa como injusto a una persona no es simplemente
la provocación causal de cursos no deseados (que no tiene en cuenta en
absoluto a la persona como individuo libre y responsable ni lo que se
espera de ella), sino sólo aquello que puede ser imputado a una persona
como injusto penalmente relevante después de considerar cómo se ha
originado el comportamiento personal y cuáles son en ese ámbito las
expectativas jurídicas (limitadas por las esferas de responsabilidad). Con
ello están teniendo en cuenta ya en el concepto penal de injusto a la
persona, considerando al autor, la víctima y los terceros involucrados en
el hecho como individuos responsables, armonizando de esa forma con la
imagen constitucional del hombre[40] mucho más que un concepto de
injusto que ignore dichos elementos.

b) También en relación a la segunda categoría central del delito, la
culpabilidad, pueden encontrarse desarrollos dogmáticos importantes. En
este ámbito, la concepción psicológica de la culpabilidad, como relación
intelectual o psíquica entre el autor y su acto[41], totalmente dominante a
finales del XIX, fue sustituida ya en las primeras décadas del siglo XX
(principalmente a causa de las aportaciones de Frank[42]) por una concep-
ción de la culpabilidad claramente normativa. Ciertamente, la interpre-
tación que se ofreció en un primer momento del substrato de la culpa-
bilidad como «reprochabilidad del hecho» fue enseguida sepultada y

---

[40]   *Que presupone que el que actúa es un individuo libre, con capacidad de voluntad,*
pero aceptando también ese punto de partida respecto del tercero y de la víctima.

[41]   *Cfr. por ejemplo v. Liszt, Lehrbuch des deutschen Strafrechts, 1881, p. 151:*
relación subjetiva entre el autor y el resultado producido de la que depende la
responsabilidad jurídica.

[42]   *Frank, Über den Aufbau des Schuldbegriffs, 1907, especialmente p. 12; desde una*
perspectiva histórica, más detalladamente Achenbach, Historische und dogmatische
Grundlagen der strafrechtssystematischen Schuldlehre, 1974, pp. 19 ss.; Koriath,
Grundlagen strafrechtlicher Zurechnung, 1994, pp. 538 ss.

desdibujada por figuras problemáticas, como por ejemplo la idea de la llamada culpabilidad por la conducción de vida[43]; y en realidad la interpretación de la culpabilidad como reprochabilidad del hecho ha sido discutida hasta el día de hoy, últimamente quizá incluso más que nunca (basta pensar en las diferentes interpretaciones de la culpabilidad orientadas a la prevención[44]). Pero a pesar de todas estas críticas y de haber sufrido algunas modificaciones, esa originaria concepción normativa impulsó, tras una cierta consolidación, fructíferos desarrollos dogmáticos posteriores en importantes cuestiones relativas a la culpabilidad. Sobre la base de un concepto normativo de culpabilidad pudo discutirse después de 1945 sobre la posibilidad de exculpar al autor, a pesar de la ausencia de los presupuestos legales de exculpación, en ciertos casos en los que se da una trágica situación de conflicto, no prevista legalmente, aplicando las llamadas causas de exculpación supralegales, en la medida en que no se le podría hacer ningún reproche jurídico por una decisión adoptada en una situación excepcional[45]. Pocos años después se desarrolló, también sobre la base de este concepto de culpabilidad, el tratamiento del error de prohibición orientado a la culpabilidad que parte de la doctrina venía exigiendo desde hacía tiempo como desarrollo consecuente de una concepción normativa de la culpabilidad, de forma que el autor que actúa con un error invencible queda impune por falta de culpabilidad[46]. También supuso un desarrollo consecuente de la idea de la reprochabilidad del hecho el que, en los delitos cualificados por el resultado, se exigiera la existencia de reprochabilidad individual también respecto a ese resul-

---

[43]   Cfr. por ejemplo Bockelmann, Studien zum Täterstrafrecht, Tomo I, 1939; Tomo II, 1940, y el panorama ofrecido por Lenckner (nota 31), comentarios previos a los §§ 13 ss., núm. marg. 106.

[44]   Cfr. por ejemplo Roxin (nota 20), § 19, núm. marg. 1; Jakobs, Strafrecht AT, 2ª ed., 1991, pp. 480 ss.; más información (incluyendo las críticas a esta postura) en Lenckner (nota 31), comentarios previos a los §§ 13 ss., núm. marg., 107, y en Frisch, Schwächen und berechtigte Aspekte der Theorien der positiven Generalprävention, en Schünemann y otros (edit.), Positive Generalprävention, 1998, pp. 125 ss., 133 ss.

[45]   Cfr. al respecto la visión general ofrecida por Lenckner (nota 31), comentarios previos a los §§ 32 ss., núm. marg. 115 ss.

[46]   Fundamental la BGHSt 2, 194 ss., 208; recogido legalmente, en lo esencial, en el § 17 StGB.

tado y el que finalmente ello se estableciera expresamente en la ley[47]. Modificaciones no menos importantes experimentaron las reglas de la capacidad de culpabilidad: la noción empírica (elaborada ya antes por la jurisprudencia) de que, más allá de las enfermedades mentales y de los profundos trastornos de la conciencia, existen otras circunstancias en las que la anormal estructura de la personalidad del autor le hace prácticamente imposible cumplir determinadas normas, condujo aquí, a la vista de la ausencia en estos casos de reprochabilidad del hecho, a dejar también a estos autores (*expressis verbis*) fuera del ámbito de la punibilidad[48]. A la lógica de la conexión entre la punibilidad y la reprochabilidad del hecho respondía también, por último, el trasladar esa idea central a la medida de la pena, vinculando así la pena a la dimensión de la reprochabilidad del hecho e imputando al autor sólo aquellas consecuencias del hecho de las que es culpable[49].

En mi opinión, estos desarrollos dogmáticos, descritos aquí sólo a grandes rasgos, merecen también el calificativo de «afortunados», y no sólo porque valore positivamente las limitaciones a la pena descritas. Responsabilizar a una persona de un hecho sólo y en la medida en que éste fuera evitable mediante una orientación al Derecho y no hacerla responsable de lo que (sobre la base de lo que cabía razonablemente esperar de ella) no podía evitar, supone tratar a la persona como un

---

[47]   Así el antiguo § 56 StGB, introducido por la 3ª Ley de Modificación del Código Penal, de 1953, actual § 18 StGB; véase también, al respecto, la fundamentación del Proyecto de la mencionada Ley (BT-Drs. I/3713, pp. 31 s.): exigencia de justicia material.

[48]   Cfr. al respecto el Segundo informe escrito de la Comisión Especial para Derecho penal, BT-Drs. V/4095, p. 10; v. complementariamente Streng, Strafrechtliche Sanktionen, 1991, pp. 259 s., con más información bibliográfica; crítico con la norma por ejemplo Rasch, Angst vor der Abartigkeit, NStZ 1982, pp. 177 ss.

[49]   Sobre esto último, v. § 46,2 StGB; la vinculación de la pena a la medida de la culpabilidad se expresaría sobre todo en el § 46,1 StGB («La culpabilidad del autor es la base para la determinación de la pena»); para más detalles, por ejemplo respecto a una cierta relativización de la pena adecuada a la culpabilidad, especialmente sobre la base de la idea de la pena exacta o puntual [Punktstrafe], cfr. la Fundamentación del Proyecto de 1962, p. 180, y el Primer informe escrito de la Comisión Especial para Derecho penal, BT-Drs. V/4094, p. 5.

sujeto de derecho y, en consecuencia, tener en cuenta los límites de la capacidad humana. Y no es óbice para esta valoración positiva el que ese fundamental cambio de orientación planteara muchas nuevas cuestiones, difíciles de resolver en la práctica jurídica, y el que algunas de dichas cuestiones, como por ejemplo la evitabilidad de un error de prohibición, no hayan sido todavía satisfactoriamente resueltas. Como tampoco resultan cuestionados los méritos del concepto normativo tradicional de culpabilidad por el hecho de que las exclusiones y las limitaciones de la pena desarrolladas o modificadas por él puedan posiblemente explicarse también por otras vías (por ejemplo por la ausencia de necesidades preventivas[50]) y de que la concepción normativa tradicional de la culpabilidad se vea por ello cada vez más expuesta a la crítica y a las objeciones de otros conceptos normativos de culpabilidad (por ejemplo, los orientados a la prevención). El esclarecimiento de estas cuestiones es una tarea que ha de desempeñar en el futuro el Derecho penal, lo que posiblemente nos deparará nuevos ejemplos de Dogmática penal afortunada.

2. Pero supuestos de Dogmática jurídico-penal afortunada no sólo se encuentran en el ámbito de las categorías principales del delito, sino también en la Dogmática de *las formas de aparición del delito*. Por razones de tiempo me limitaré en este tema a unos pocos ejemplos, muy representativos.

Uno de estos ejemplos nos lo ofrece la Dogmática del *delito de omisión*. En la segunda mitad del siglo XIX se puede encontrar muy poco sobre esta clase de delitos, incluso en los más importantes manuales de la época[51]. De forma correlativa, también la jurisprudencia del Reichsgericht, e incluso la del Bundesgerichtshof de los años cincuenta y sesenta, resultan en este ámbito especialmente inseguras y vacilantes. Una y otra

---

[50]	V. al respecto las referencias contenidas *supra*, en la nota 44, así como *Roxin, Schuld und Verantwortlichkeit als strafrechtliche Systemkategorien*, en *Festschrift für Henkel*, 1974, pp. 171 ss.; y *Jakobs, Schuld und Prävention*, 1976, especialmente pp. 13, 17 ss.

[51]	V. *Liszt* (nota 41), pp. 126 ss., por ejemplo, dedica a la omisión tres páginas y media, de las cuales más de la mitad se ocupan de reproducir la enmarañada cuestión de la causalidad de la omisión.

vez se confunden Derecho y Moral[52], fundamentándose el castigo de ciertas omisiones (a veces, incluso expresamente) en la lesión de deberes morales[53]. La paulatina sustitución de esta confusa situación por una concepción de los delitos de omisión que restringe el injusto de la omisión, formalmente y en la práctica, a los supuestos en que se lesionan específicos deberes jurídicos, constituye el primer fruto importante de una Dogmática del delito omisivo que irá siendo elaborada cada vez más intensivamente a lo largo del siglo XX. Un segundo enunciado dogmático en este tema, no menos importante, estuvo ligado a la idea de que, para castigar por el resultado producido en comisión por omisión no bastaría con que al autor le alcance un deber jurídico general, sino que debe existir un deber especial, ya que el autor debería ser en cierto modo garante de que no se produzcan determinadas consecuencias[54], una idea que se ha plasmado también en la regulación legal que la Dogmática del delito de omisión consiguió más tarde obtener del legislador[55]. Con el tiempo, esta teoría de la posición de garante, concretada primero mediante el recurso a determinadas fuentes jurídicas, se completó y refinó

---

[52] Cfr. la crítica de *Mezger, Strafrecht. Lehrbuch*, 2ª ed., 1932, p. 139, a la jurisprudencia del Reichsgericht (pese a que el tribunal, formalmente, se pronuncia en contra de esta confusión, por ej. RGSt 22, 332, 333; 64, 273, 275); sobre análogos excesos en la jurisprudencia del BGH, véanse, por ejemplo, BGHSt 13, 162, *Gallas, Studien zum Unterlassungsdelikt*, 1989, pp. 67 ss., 93 s., y *Schünemann, Grund und Grenzen der unechten Unterlassungsdelikte*, 1971, pp. 337 s., en relación a la p. 358.

[53] Cfr., por ejemplo, RGSt 30, 125: la omisión es «punible cuando existe un deber jurídico o moral de evitar». Más frecuentes son, sin embargo, las sentencias que exigen la lesión de un deber jurídico, pero en las que se da por probado dicho deber jurídico simplemente afirmando como deber jurídico lo que sólo es un deber moral; cfr., por ejemplo, RGSt 22, 332, 333; 66, 71, 73, o incluso la BGHSt 19, 167, 168 s.

[54] Orientador resulta, especialmente, *Nagler, Die Problematik der Begehung durch Unterlassung*, GS 111, pp. 59 ss.; v. además *Schaffstein, Die unechten Unterlassungsdelikte im System des neuen Strafrechts*, en Festschrift für Gleispach, 1936, pp. 70, 73 s.; y compárese con la caracterización, poco nítida todavía, que ofrece, por ej., *Mezger, Lehrbuch*, pp. 140 s. Más información sobre el tema en *Freund, Erfolgsdelikt und Unterlassen*, 1992, pp. 39 ss.

[55] Que dice así: «...el que tiene que responder jurídicamente de que el resultado (producido o que amenaza producirse) no se produzca» (§ 13 StGB).

a través de distinciones materiales, como la diferenciación entre garante de protección o custodia (responsable de la protección de determinados bienes jurídicos frente a determinadas lesiones o puestas en peligro) y garante de vigilancia o aseguramiento (que tiene un deber de vigilancia respecto a determinadas fuentes de peligro)[56]*, diferenciación que evidenció lo equivocado de algunas interpretaciones de la antigua jurisprudencia (que actualmente parecen superadas)*[57]*. Por último, existen nuevas líneas de investigación (y sentencias*[58]*) que no sólo se ocupan de las posibles fundamentaciones de la posición de garante, sino también, cada vez más, de la cuestión de la extensión y el contenido concreto del deber de garantía, no resuelta todavía con la mera afirmación de que se da una posición de garante*[59]*. Puede que con ello no se hayan resuelto, ni mucho menos, todos los interrogantes en el ámbito de los delitos de omisión y que nuevos problemas vuelvan a desafiar a la Dogmática*[60]*. Aún así, en los últimos cien años la Dogmática se ha desarrollado en este ámbito del Derecho penal de manera impresionante y, en sus esfuerzos por incluir en los delitos de omisión impropia sólo la omisión que sea equivalente a la acción y que, por ello, justifique materialmente la imposición de la pena*

---

[56]　*Fundamental resulta* Arm. Kaufmann, Die Dogmatik der Unterlassungsdelikte, *1959, pp. 283 ss.; hoy doctrina dominante, cfr. por ej.* Rudolphi *(nota 37), § 13, núm. marg. 24 s., con más información bibliográfica.*

[57]　*Por ejemplo, la afirmación de que es responsable de un delito de omisión quien no impide a su cónyuge la comisión de un delito (por ej., aborto, receptación, etc.); en otro sentido todavía, RGSt 22, 332; 72, 19; 74, 285; BGHSt 6, 322; BGH NJW 1953, 591; deja abierta la cuestión la BGHSt 19, 297.*

[58]　*Cfr., por ejemplo, el caso* Wittig *(BGHSt 32, 367), en el que se discutió precisamente de forma detallada la cuestión del contenido y la extensión del deber de garantía (aunque el contenido de algunas de las consideraciones que se realizan en la sentencia sea muy problemático; v. la amplia discusión sobre esa sentencia, por ej., en* Lackner/ Kühl, StGB, 23ª ed., *1999, comentarios previos al § 211, núm. marg. 15).*

[59]　*Claramente en este sentido, por ejemplo,* Freund *(nota 54), pp. 159 ss.; entre los comentarios al Código penal, v., por ej.,* Rudolphi *(nota 37), § 13, núm. marg. 53, 63.*

[60]　*Respecto a una serie de cuestiones que todavía no han sido resueltas de manera satisfactoria (omisión de autoridades y funcionarios, responsabilidad del titular de un negocio, etc.), cfr. por ejemplo* Lackner/ Kühl *(nota 58), § 13, núm. marg. 14, con más información bibliográfica.*

*prevista para los delitos de comisión activa, merece totalmente el cali-
ficativo de Dogmática afortunada.*

Algo similar ocurre en el ámbito de otras formas de aparición del
delito. Respecto a la *autoría y participación*, por ejemplo, las teorías
subjetivas extremas, que favorecían en gran medida la arbitrariedad y la
desigualdad jurídica[61], fueron desplazadas por teorías objetivas, especialmente por la teoría del dominio del hecho[62]. Que quien ejecuta el hecho
de propia mano y de manera responsable es autor, es algo que el legislador (un éxito para esta teoría) ha recogido expresamente en la ley (§
25,1, inc. 1° StGB). En el ámbito de la autoría mediata, la jurisprudencia
ha evolucionado también hacia la teoría del dominio del hecho y ha
utilizado sus criterios para el enjuiciamiento del caso concreto[63]. La
influencia de esta teoría puede verse incluso en el ámbito de la coautoría,
aunque aquí el dominio del hecho se utilice sólo como un criterio más
y sigan existiendo algunas sentencias que, bajo la presión del caso concreto, ofrezcan una fundamentación poco sólida[64]. También puede apreciarse una influencia similar de la Dogmática, tras largos años de trabajo,
en la introducción de tendencias restrictivas en el ámbito de las formas
de participación, como por ejemplo respecto a la complicidad psíquica[65].

En el ámbito de la *tentativa*, la Dogmática científica se esforzó durante
mucho tiempo en demostrar lo inadecuado que resultaba el excesivo
adelantamiento de la punibilidad de la tentativa (no siempre por razones
estrictamente penales) a un momento muy anterior al de la ejecución de

---

[61] Por ejemplo, RGSt 74, 84; BGHSt 18, 87.

[62] *Sobre esta teoría, ampliamente,* Roxin, *Täterschaft und Tatherrschaft, 7ª ed., 1999;
cfr. también, especialmente, el resumen sobre el origen y el desarrollo de esta
teoría en las pp. 60 ss., así como sobre su acogida, en pp. 643 ss.*

[63] *Cfr. por ejemplo BGHSt 32, 38 (caso en el que el BGH no basó la fundamentación
en una teoría subjetiva, a pesar de que ello hubiera resultado muy fácil); véanse,
además, BGHSt 32, 165, 178; 35, 347, 353 s.; 40, 218, 236 s.*

[64] *Como por ejemplo la sentencia BGHSt 37, 289, comentada por* Stein, *StV 1993,
p. 410 y* Roxin, *JR 1991, p. 205.*

[65] *Cfr., por ej. (tras la clara crítica a la BGH StV 1982, p. 517), BGH NStZ 1993,
233, 385; y 1998, 517, 622, donde se aprecia claramente el peligro que supone
calificar omisiones impunes como complicidad psíquica y, en consecuencia, se
establecen específicos requisitos para la complicidad psíquica.*

la acción típica[66]. Tampoco estos esfuerzos carecieron de efectos. Condujeron finalmente a excluir en todo caso la punibilidad de la tentativa respecto de las acciones que no suponen todavía dar comienzo inmediato a la realización del tipo[67]. Aunque probablemente esta breve fórmula legal no solucione ni mucho menos todos los problemas, porque a su vez está necesitada en gran medida de concreción, en general ha conducido sin embargo, comparando la jurisprudencia actual con la del Reichsgericht o con la de los primeros años del Bundesgerichtshof, a una limitación de la punibilidad. También aquí nos encontramos ante una Dogmática afortunada, porque la constatación de que un determinado comportamiento está prohibido y es punible se refiere, en principio, sólo al propio comportamiento descrito en el tipo y no puede por ello extenderse, sin más, a conductas muy anteriores, vinculadas al comportamiento típico sólo a través de un factor subjetivo y de una serie de vagas consideraciones basadas en él[68].

*En el ámbito de los **delitos imprudentes**, por último, constituye en mi opinión una importante conclusión dogmática la afirmación de que en ellos lo decisivo ante todo, más que la previsibilidad de determinados cursos causales, es lo que el ordenamiento jurídico espera de cada uno en relación a la evitación de esos cursos y lo que legítimamente (es decir, teniendo en cuenta una serie de puntos de vista y de principios normativos) puede esperar. Aunque este tipo de planteamientos pueden encon-*

---

[66] *Este adelantamiento puede encontrarse sobre todo en la jurisprudencia del RG (por ej., RGSt 52, 185; 59, 158; 72, 67; 77, 2 y 173), pero también en la jurisprudencia del BGH (sobre todo en la más antigua); cfr. por ej. BGHSt 6, 302; 9, 64.*

[67] *Sobre el afán del legislador por impedir ciertas ampliaciones jurisprudenciales de la punibilidad de la tentativa mediante la exigencia del «inmediato comienzo de la realización típica», cfr. ya la Fundamentación del Proyecto de 1962, p. 144; sobre la influencia de la Dogmática científica en esta concepción, cfr. Niederschriften über die Sitzungen der Großen Strafrechtskommission, Tomo 2, pp. 189 ss. (especialmente p. 197 —Welzel—).*

[68] *Esta idea constituye el núcleo, que todavía hoy puede considerarse correcto, de la teoría objetivo-formal (teoría que, por ello, sólo puede ser ligeramente relativizada); acertadamente, Rudolphi (nota 37), § 22, núm. marg. 9; Stratenwerth, Strafrecht, AT I, 3ª ed., 1981, núm. marg. 666 s.; Welzel (nota 28), Strafrecht, p. 190.*

trarse ya en la jurisprudencia más temprana del Reichsgericht[69]*, esta idea fundamental, correcta, se ha visto ensombrecida una y otra vez por consideraciones jurisprudenciales superficiales sobre la previsibilidad o imprevisibilidad de determinadas consecuencias*[70]*. Más satisfactorio re-sulta, por el contrario, el que este importante* topos *haya ido obteniendo una creciente atención en la jurisprudencia de las últimas décadas (en gran medida por la influencia de la teoría de la imputación objetiva y sus tesis relativas a las esferas de responsabilidad y las exigencias de compor-tamiento)*[71]*. Sin él no puede responderse adecuadamente a modernos retos del Derecho penal como lo son las cuestiones relativas a la afecta-ción de bienes jurídicos consecuencia de procedimientos de división del trabajo, a la responsabilidad por la actuación de subordinados o a la responsabilidad por el producto.*

3. Con mucha menos intensidad que respecto a las cuestiones relati-vas a los presupuestos de la punibilidad ha sido seguida en Alemania en las pasadas décadas la discusión sobre las consecuencias del delito. *Y sin embargo existen también en este campo significativas aportaciones de la Dogmática jurídico-penal.*

En el ámbito de la principal consecuencia del delito, la pena, *la cuestión del fin de la pena (o de los fines de la pena y de las relaciones*

---

[69] *Por ejemplo, en el conocido caso del* Leinenfänger *[«caballo que sujeta las riendas con la cola»], RGSt 30, 25, 27 s. (aunque, ciertamente, en este caso dichos planteamientos estaban relacionados con una serie de consideraciones que no son relevantes para determinar los comportamientos evitadores que el Derecho puede esperar legítimamente —sino, a lo sumo, para la cuestión de la culpabilidad—).*

[70] *La jurisprudencia ha tendido durante mucho tiempo, especialmente, a calificar simplemente de imprevisible la producción de consecuencias de las que no puede responsabilizarse a una determinada persona por razones específicamente normati-vas (entremezclando con la previsibilidad otro tipo de consideraciones normativas formuladas de manera poco precisa); casos típicos de ello, por ejemplo, BGHSt 3, 62, ó OLG Karlsruhe NJW 1976, 1853, con más referencias jurisprudenciales.*

[71] *Cfr. por ejemplo la jurisprudencia que niega la imprudencia en casos de favorecimiento de la autopuesta en peligro de una víctima que actúa con plena responsabilidad (BGHSt 32, 262; confirmada reiteradamente) o la que limita la responsabilidad por las lesiones o puestas en peligro provocadas delictivamente por un tercero (OLG Stuttgart NStZ 1997, 190).*

de éstos entre sí) sigue siendo en parte una cuestión abierta[72]. Sin embargo, se ha impuesto la idea de que, independientemente del punto de vista que se adopte, la pena está vinculada a la medida de la culpabilidad, en el sentido, en todo caso, de que no se puede sobrepasar la medida de la pena adecuada a la culpabilidad por razones preventivas[73]. Al respecto, se sostiene hoy unánimemente que por culpabilidad hay que entender la culpabilidad por el hecho; las construcciones relativas a la culpabilidad de autor, por la conducción de vida o por el carácter[74], sostenidas durante largo tiempo, han sido convincentemente refutadas en exhaustivas discusiones dogmáticas, favorecidas por la percepción de los peligros vinculados a ese tipo de concepciones (y esa concepción de la culpabilidad tampoco puede encontrar ya probablemente ningún respaldo en la jurisprudencia[75]). La función de ultima ratio del Derecho penal y de la sanción penal, resaltada de forma creciente en la Dogmática científica[76], ha

---

[72]   Ya el Proyecto de 1962, que se basaba en la teoría de la unión (Fundamento, p. 96), renunciaba (a diferencia del § 2,1 del Proyecto Alternativo) a una declaración explícita sobre el fin, limitándose a la fijación de las reglas de determinación de la pena. Detalladamente sobre ello, y también sobre proyectos anteriores, Bruns, Strafzumessungsrecht. Gesamtdarstellung, 2ª ed., 1974, pp. 285 ss.

[73]   Así también lo ha entendido la jurisprudencia, especialmente en el sentido de rechazar excesos preventivo-generales; cfr. por ejemplo los comentarios a las sentencias del BGH de Mösl, Zum Strafzumessungsrecht, NStZ 1982, p. 149; 1983, p. 162; 1984, p. 161; en relación a la prevención especial, por ejemplo, los comentarios a las sentencias del BGH de Holtz, Aus der Rechtsprechung des BGH in Strafsachen, MDR 1990, p. 489; 1991, p. 294; 1992, p. 216. Por el contrario, la Fundamentación del Proyecto de 1962 no excluía totalmente la posibilidad de sobrepasar la pena adecuada a la culpabilidad; cfr. la Fundamentación, pp. 180, 182.

[74]   Un panorama general ofrece Bruns (nota 72), pp. 540 ss.; v. también Achenbach (nota 42), pp. 7, 123 ss.

[75]   El que la mera conducción de vida como tal no debe ser tomada en consideración en el ámbito de la determinación de la pena ha sido una y otra vez puesto de relieve por el BGH; cfr. BGHSt 5, 132; NJW 1961, 1875; Mösl, Zum Strafzumessungsrecht, NStZ 1982, p. 149; 1983, p. 494; 1984, p. 492; en el mejor de los casos, sólo podría ser relevante una eventual relación con el hecho. V. complementariamente Bruns (nota 72), pp. 482 ss., 538 ss.

[76]   V. especialmente el § 2 del Proyecto Alternativo, y la Fundamentación del mismo, pp. 29 s.

aportado también grandes beneficios en el ámbito de las consecuencias jurídicas: ha conducido a una serie de normas que prevén la renuncia a la pena adecuada a la culpabilidad o a su ejecución cuando no son necesarias para el fin de protección de bienes jurídicos porque para el cumplimiento de esa tarea esencial del Derecho penal son suficientes sanciones menos graves[77].

Las aportaciones de la Dogmática jurídico-penal no se limitan, desde luego, a esa armonización de las líneas generales de las consecuencias jurídicas con los principios básicos de la legitimación de la pena. También constituye un importante logro de la Dogmática jurídico-penal, en concreto de la llamada teoría de la determinación de la pena[78], haber convencido de lo insostenible que resultaba la tesis, totalmente dominante todavía a principios del siglo XX, del total arbitrio judicial en la determinación de la pena y haber demostrado que también la determinación de la pena es aplicación del Derecho y que debe llevarse a cabo según determinados principios que el juez debe tener en cuenta[79]. Lo fructífero de esos esfuerzos puede verse no sólo en las prescripciones legales sobre la determinación de la pena que, controladas por los tribunales de casación, garantizan uniformidad en la elección de las circunstancias relevantes para determinar la pena. De acuerdo con la idea puesta de relieve por la teoría de la determinación de la pena, de que también la determinación de la cantidad de pena es aplicación del

---

[77]　Cfr. por ejemplo el § 47 StGB *(pena de multa, cuando la pena de privación de libertad no es absolutamente necesaria por razones preventivas)*, § 56 StGB *(suspensión, cuando la ejecución no es irrefutablemente necesaria)*, § 59 StGB *(renuncia a la imposición de la pena cuando resulta suficiente la amonestación con reserva de pena)*, etc.

[78]　*Fundamental al respecto, con una exposición detallada de los principios y de las circunstancias de la determinación de la pena,* Bruns *(nota 72), así como el mismo, Das Recht der Strafzumessung, 2ª ed., 1985. La polifacética influencia de esos y de otros trabajos en la jurisprudencia no puede ser aquí descrita en detalle, pero se puede ver muy claramente, por ejemplo, en la exposición de la «Praxis der Strafzumessung» de Schäfer (2ª ed., 1997).*

[79]　*Véase al respecto, por ejemplo,* Bruns *(nota 72), pp. 21, 81 ss., 87 ss., 647 ss.;* Frisch, *Revisionsrechtliche Probleme der Strafzumessung, 1971, en especial pp. 67 ss., 111 ss.*

Derecho[80], los tribunales de casación intervienen cada vez más en la determinación de la *cantidad* de pena (por ejemplo, planteando objeciones cuando en casos similares existen divergencias notables respecto a la determinación habitual de la pena[81] y realizando con ello también en este ámbito los valores jurídicos de uniformidad, igualdad y previsibilidad).

No menos importantes son una serie de resultados de la Dogmática científica en el ámbito de la segunda vía del Derecho penal, la de las *medidas de seguridad y corrección*. En este ámbito se puso claramente de manifiesto, en la segunda fase de dedicación científica a este instituto[82], que el originario diseño de este tipo de consecuencias jurídicas, puramente racional-final y que en 1933 se convirtió finalmente en ley, se quedó corto y que las medidas requieren, más allá de la demostración de su utilidad, una legitimación ético-jurídica[83]. La comprensión de que una tal justificación sólo parece posible mediante consideraciones similares al estado de necesidad[84] condujo finalmente, mediante la aplicación de los

---

[80] Sobre las cuestiones comparativas y cuantitativas planteadas por la determinación de la pena y sobre las posibles posturas al respecto, véase más detalladamente *Frisch* (nota 12), pp. 23 ss., 28 ss.

[81] Cfr., por ejemplo, la jurisprudencia del BGH en *Holtz* (nota 73), MDR 1996, pp. 552, 879; y en *Mösl* (nota 75), NStZ 1984, p. 160. Similar, respecto a la insuficiente fundamentación de la pena máxima o mínima, *Mösl* (nota 75), NStZ 1984, p. 160, o respecto a un posible entendimiento erróneo de la escala de valores del marco penal, BGHSt 27, 2 ss.

[82] Esta segunda fase tuvo lugar tras la entrada en vigor de la Constitución. Sobre la primera fase, que, en gran parte sobre la base de consideraciones de utilidad político-criminal, condujo a la regulación legal de las medidas, son fundamentales sobre todo los trabajos de *Exner*, Theorie der Sicherungsmittel, 1914, y de *Flandrak*, Die persönlichen Sicherungsmittel im Strafrecht und im Strafverfahren, 1932. Un breve resumen sobre la evolución de las medidas puede verse en *Frisch*, Die Maßregeln der Besserung und Sicherung im strafrechtlichen Rechtsfolgensystem, ZStW 102 (1990), pp. 343, 345 ss., con más información bibliográfica.

[83] V. al respecto, sobre todo, *H. Mayer*, Strafrecht. Allgemeiner Teil, 1953, pp. 37 ss.; *Welzel*, Lehrbuch des Strafrechts, 3ª ed., 1954, pp. 175 s.; véase también, con más información bibliográfica, *Frisch* (nota 82), pp. 364 ss.

[84] Fundamental en este sentido resulta especialmente *Nowakowski*, Zur Rechtsstaatlichkeit der vorbeugenden Maßnahmen, en Festschrift für v. Weber, 1963, pp. 98, 110 ss.; aunque puede que esta afirmación sobre el fundamento esté todavía necesitada de cierta complementación (más detalladamente, *Frisch* –nota 82-, pp. 367 ss., con más información bibliográfica).

decisivos *principios de la necesariedad y de la salvaguardia del interés preponderante ligados a él y con apoyo en consideraciones constitucionales sobre la proporcionalidad, a una notable restricción del Derecho de medidas. Dicha restricción se refleja no sólo en un claro incremento de los requisitos necesarios para la aplicación de una medida y en la introducción del principio de proporcionalidad en el Derecho de medidas[85], sino incluso en las cifras, por ejemplo en el importante descenso del internamiento o custodia de seguridad[86].*

4. *Hablar sobre Dogmática afortunada en el ámbito de la Parte Especial es particularmente difícil. Y no porque no haya nada que decir, al contrario: las correcciones y modificaciones propuestas por la Dogmática del Derecho penal son aquí tan numerosas, que citarlas superaría con mucho el marco de este trabajo. Por eso, en este contexto sólo parece posible dedicarse a la que probablemente es la cuestión central: determinar si los esfuerzos de la Dogmática por considerar el Derecho penal como medio de protección de los bienes jurídicos y constituirlo en esa medida en* ultima ratio *(necesaria, desde luego, en ciertas circunstancias) han sido también eficaces en este ámbito.*

En mi opinión, y a pesar del escepticismo que tan extendido está precisamente en este ámbito, difícilmente puede darse a esa cuestión una respuesta negativa. Pruebas de ello se encuentran sobre todo en la época de la gran reforma penal, es decir en los años sesenta y setenta. En esos años, la continua afirmación de la Dogmática de que el Derecho penal debía limitarse a proteger bienes jurídicos especialmente importantes, sobre todo aquellos que garantizan las condiciones de existencia y desarrollo, y de que el castigo de meras inmoralidades no era una de sus tareas[87], condujo a claros hitos, especialmente en el ámbito de los delitos

---

[85]   § 62 StGB; *v. al respecto más detalladamente* Frisch *(nota 82), pp. 382 ss.;* Streng, Strafrechtliche Sanktionen, *pp. 120 s., 137; así como el amplio comentario del Derecho de medidas que realiza* Hanack *en el* Leipziger Kommentar.

[86]   *Cfr. al respecto los datos estadísticos en* Streng, Strafrechtliche Sanktionen, *p. 148.; v. también* Kaiser, Befinden sich die kriminalrechtlichen Maßregeln in der Krise?, *1990, especialmente pp. 54 ss.*

[87]   *La expresión más representativa de ello: el resumen de los resultados de las exhaustivas discusiones doctrinales en el § 2,1 del Proyecto Alternativo; en contra*

sexuales[88]. Otros efectos del principio de *ultima ratio* se tradujeron en el intento de contener el ámbito del Derecho penal señalando instrumentos alternativos de protección (aunque dichos intentos tuvieran éxito sólo en parte, como ocurrió por ejemplo en el ámbito de la despenalización del aborto). En esa época resulta también evidente la rebaja de ciertas penas, debidas en parte a una valoración diferente de los bienes jurídicos y de su importancia, pero también, en parte, al reconocimiento de que ciertas circunstancias jurídico-penalmente relevantes se caracterizan por contener especiales situaciones de conflicto, que deben ser tenidas en consideración al menos mediante una atenuación de la pena[89]. En la actualidad soplan vientos diferentes: las últimas reformas penales[90] no sólo han creado nuevos tipos, sino que además han agravado considerablemente una serie de penas.

Dichas tipificaciones o aumentos de la punibilidad no pueden, sin embargo, ser juzgados *a limine*. Si la tarea fundamental del Derecho penal, subrayada una y otra vez por la Dogmática, consiste en la protección de bienes jurídicos en el marco de lo necesario y adecuado, en último término mediante una pena, entonces, a la inversa, debe admitirse como consecuencia de ello que en determinados ámbitos se produzcan nuevas tipificaciones o incrementos de pena como reacción a nuevas situaciones o a nuevas valoraciones o que parezca aconsejable contrarres-

---

de la penalización de meras inmoralidades, v. por ejemplo la obra de *Jäger* (nota 22), así como las posturas críticas respecto al Proyecto de 1962, como por ejemplo la de *Baumann*, Kleine Streitschriften zur Strafrechtsreform, 1965, pp. 15, 29 ss.

[88] V. al respecto el Primer informe escrito de la Comisión Especial para la reforma del Derecho penal, BT-Drs. V/4094, pp. 3, 30 s., 33.

[89] El § 218 StGB representa un ejemplo típico de ello, en la medida en que trata de la punibilidad de la propia embarazada; véase al respecto el Primer informe escrito (nota 49), p. 34; v. además la reducción de la pena en el antiguo § 237 StGB (v. el informe, p. 35) y los actuales §§ 240 (p. 36) y 243 (p. 36) StGB; se aumentan además las posibilidades de atenuación de la pena, se derogan ciertas penas y consecuencias accesorias, etc.

[90] Especialmente la 6ª Ley de Reforma del Derecho Penal, que contiene extensas modificaciones, cfr. al respecto, por ejemplo, el resumen de *Freund*, Der Entwurf eines 6. Gesetzes zur Reform des Strafrechts, ZStW 109 (1997), pp. 458 ss., que incluye la crítica de un grupo de trabajo de profesores de Derecho penal en las pp. 470 ss.

tar ciertos déficits de ejecución del Derecho penal. Desde este punto de vista, merecen una valoración claramente positiva no sólo los reforzados esfuerzos por comprender la llamada criminalidad de empresa (que pertenecen más bien a la Parte General[91]), sino también la creación de una serie de nuevos tipos penales. Ejemplos de ello son la actualización de la protección de las grabaciones para incluir los modernos soportes informáticos y su protección frente a la falsificación o el deterioro, así como la creación de un título independiente de delitos contra el medioambiente. Lo único que esta clase de tipos está haciendo en realidad es tener en cuenta de manera consecuente las nuevas necesidades de protección frente a puestas en peligro de las condiciones de desarrollo del ser humano, para cuya prevención debe ser empleado también el Derecho penal, como último recurso[92]. En ese sentido, en el ejemplo del Derecho penal medioambiental puede constatarse la eficacia de la Dogmática, y no sólo en la medida en que, de acuerdo con la tarea fundamental del Derecho penal, se ha producido en este ámbito la tipificación de intolerables lesiones o puestas en peligro del medio ambiente. En un tiempo relativamente corto, la Dogmática del Derecho penal medioambiental ha conseguido desarrollar, respecto a una serie de cuestiones concretas controvertidas, conceptos y soluciones aceptables,

---

[91]   Fundamental resulta Schünemann, Unternehmenskriminalität und Strafrecht, 1979; v. además Bottke, Haftung aus Nichtverhütung von Straftaten Untergebener in Wirtschaftsunternehmen de lege lata, 1994; Busch, Unternehmen und Umweltstrafrecht, 1997; Heine, Die strafrechtliche Verantwortlichkeit von Unternehmen, 1995; Ransiek, Unternehmensstrafrecht, 1996; Rogall, Dogmatische und kriminalpolitische Probleme der Aufsichtspflichtverletzung in Betrieben und Unternehmen (§ 130 OWiG), ZStW 98 (1986), pp. 573, 611 ss.; Rotsch, Individuelle Haftung in Großunternehmen, 1998.

[92]   Sobre la protección de grabaciones y soportes informáticos, véase por ejemplo el Primer informe escrito de la Comisión Especial de Derecho penal, BT-Drs. V/ 4094, pp. 37 s., así como la fundamentación del § 306 del Proyecto de 1962 (BT-Drs. IV/650, pp. 481 ss.); sobre la protección penal del medio ambiente, cfr. la fundamentación del proyecto de una ley para la lucha contra la criminalidad medioambiental (18.StrÄndG), Allgemeine Vorbemerkung 4, BT-Drs. 8/2982; Tiedemann, Die Neuordnung des Umweltstrafrechts, 1980, pp. 18 s.; Heine/Meinberg, Das Umweltstrafrecht –Grundlagen und Perspektiven einer erneuten Reform, GA 1990, pp. 1, 10 s.

puestas en práctica inmediatamente por la jurisprudencia[93], y conducir al legislador a la realización de enmiendas allí donde la práctica jurídica lo exigía[94], lo que demuestra cómo un trabajo científico bien encauzado puede influir en la práctica jurídica y en la legislación. Y aunque en este ámbito del Derecho penal, relativamente joven, queden todavía cuestiones no resueltas y necesitadas de mejora, y aunque seguramente es cierto que el Derecho penal sólo puede realizar una (pequeña) contribución a una protección eficaz del medio ambiente[95], se trata en mi opinión de un ejemplo de influencia de las investigaciones dogmáticas en la Parte Especial del Derecho penal que debe ser valorado muy positivamente. Y este diagnóstico parcialmente positivo no se ve modificado por el hecho de que existan otras tipificaciones, llevadas a cabo la mayoría de las veces bajo la presión de la política del momento, que parezcan dudosas y que prueben la impotencia de la Dogmática en un clima políticamente desfavorable.

5. Después de estas breves consideraciones sobre la Dogmática de la Parte Especial, me gustaría dedicar ahora algunas palabras a la eficacia de la Dogmática en Derecho procesal penal. Aunque el tema merecería ser

---

[93] *Véanse al respecto, por ejemplo, los exhaustivos trabajos realizados sobre el problema de la accesoriedad administrativa del Derecho penal medioambiental, especialmente lo relativo a la cuestión de la relevancia de autorizaciones ilegales, hasta diseñar la solución del abuso del derecho (asumida por la legislación en el § 330,d,5 StGB; sobre este tema, v. por ej. Frisch, Tatbestandsverständnis und Verwaltungsakzessorietät im Umweltstrafrecht, 1993; Rogall, Die Verwaltungsakzessorietät des Umweltstrafrechts –Alte Streitfragen, neues Recht, GA 1995, pp. 299 ss.; Schwertfeger, Die Reform des Umweltstrafrechts nach dem 2.Gesetz zur Bekämpfung der Umweltkriminalität, 1998, pp. 125 ss., 358 ss.); y las investigaciones, clarificadoras al menos en parte, sobre la relevancia penal de ciertas actuaciones administrativas «flexibles», como la tolerancia; información al respecto en Lackner/Kühl (nota 58), § 324, núm. marg. 12; Kuhlen, Zum Umweltstrafrecht in der Bundesrepublik Deutschland (2ª parte), WiVerw 1992, pp. 215, 266; y Frisch, Grundlinien und Kernprobleme des deutschen Umweltstrafrecht, en Leipold (edit.), Umweltschutz und Recht in Deutschland und Japan, 2000, pp. 392 s.*

[94] *Véase al respecto la amplia exposición de Schwertfeger (nota 93), passim.*

[95] *Cfr. por ejemplo Kuhlen, Umweltstrafrecht –auf der Suche nach der neuen Dogmatik, ZStW 105 (1993), pp. 697, 708 s.; Frisch (nota 93), Grundlinien, pp. 386 s., 400.*

objeto de una exposición aparte, en el marco de este comentario sólo cabe realizar unas pocas referencias generales al tema.

Emplearlas en lamentaciones sería quizás comprensible teniendo en cuenta lo ocurrido en el pasado reciente, pero con ello no se estaría valorando correctamente el desarrollo global en los últimos cien años. Porque en ese amplio periodo sí pueden encontrarse expresiones de Dogmática afortunada en Derecho procesal penal, especialmente, en mi opinión, a finales del XIX y en las tres primeras décadas del siglo XX y de nuevo, más tarde, en los años cincuenta y sesenta. En la primera fase, en parte en colaboración con la Dogmática del Derecho procesal civil o en el marco de la llamada Teoría general del Derecho procesal, se elaboraron cuestiones fundamentales del Derecho procesal, como la relación jurídico-procesal, los principios procesales, algunos presupuestos procesales y los institutos procesales más importantes (cosa juzgada, concepto de hecho, cuestiones de hecho y cuestiones jurídicas), de una manera que en gran parte ha mantenido validez hasta hoy[96]. La interacción entre la ciencia del Derecho procesal y la judicatura, con la colaboración de la abogacía, tuvo como resultado, por ejemplo, una sutil elaboración del derecho de petición de recibimiento a prueba[97] o del recurso de casación[98] que constituye todavía hoy el fundamento de la práctica

---

[96] Un impresionante resumen de los conocimientos y enunciados esenciales de los principios e institutos procesales, elaborados sobre todo por *Beling, Graf zu Dohna, Goldschmidt, Kriegsmann, Hegler, Sauer* y *Niese*, entre otros, puede verse por ejemplo en el Tomo I del Lehrkommentar zur Strafprozeßordnung und zum Gerichtsverfassungsgesetz de *Eb. Schmidt*, 1951 (2ª ed., 1964), así como en el manual de *Peters*, Strafprozeß, 1952 (4ª ed., 1985); la influencia que tuvieron en la práctica esos esfuerzos de la ciencia del Derecho procesal aparece documentada en la introducción al Großkommentar de *Löwe-Rosenberg* (23ª ed., 1975), escrita por el práctico del Derecho *K. Schäfer* y publicada en 1976 como edición especial con el título de «Strafprozeßrecht».

[97] Fundamental en este sentido resulta *Alsberg*, Der Beweisantrag im Strafprozeß, 1930 (cuya 5ª ed., aparecida en 1983, ha sido revisada por *Nüse* y *Mayer*).

[98] Cfr., por ejemplo, el trabajo de *Peters*, Tat-, Rechts- und Ermessensfragen in der Revisionsinstanz, ZStW 57 (1938), pp. 53 ss., tan importante hoy como entonces (como puede verse en el amplio comentario de *Hanack*, en Löwe-Rosenberg, 25ª ed., 1999); *Pohle*, Revision und neues Strafrecht, 1939; y *Schwinge*, Grundlagen des Revisionsrechts, 1930 (2ª ed., 1960).

jurídica. Estos intensos esfuerzos, dirigidos a comprender de la forma más clara posible las cuestiones procesales fundamentales y a elaborar, en base a ello, una Dogmática de las cuestiones concretas, experimentaron después de 1945 una continuación impresionante en los trabajos de grandes procesalistas como Eb. Schmidt o Karl Peters[99], que tuvieron también una gran influencia en la jurisprudencia. Al mismo tiempo, el Derecho procesal penal recibió en esa fase valiosos impulsos del Derecho constitucional que se tradujeron, sobre todo en la 2ª Ley de Modificación del Proceso Penal, de 1964, en una decidida vinculación de la prisión preventiva al principio de proporcionalidad y en la intensificación del derecho a la audiencia judicial o de otros derechos de los intervinientes en el proceso, especialmente de los del inculpado[100], y que acabaron también, por ejemplo, con la práctica jurisprudencial referente al establecimiento de supuestos de exclusión del abogado de la defensa, por considerarla incompatible con la reserva de ley[101]. El fortalecimiento de los derechos de la víctima en el proceso constituyó, por ejemplo, otra de las importantes aportaciones de la investigación científica[102]. La influencia que puede llegar a tener la Dogmática científica en el Derecho procesal penal puede verse también, por último, en la teoría de las prohibiciones de prueba[103], que, aunque para los dogmáticos sigue presentando probablemente una serie de aspectos insatisfactorios, ha ido incorporando sin embargo algunas modificaciones exigidas por la doctrina en

---

[99]	*Véanse sobre todo los tres tomos del Lehrkommentar de Eb. Schmidt (nota 96); v. también el mismo, Von Sinn und Notwendigkeit wissenschaftlicher Behandlung des Strafprozeßrechts, ZStW 65 (1953), pp. 161 ss.; Peters (nota 96).*

[100]	*V. al respecto por ejemplo Kleinknecht, Gesetz zur Änderung der Strafprozeßordnung und des Gerichtsverfassungsgesetzes (StrÄG), JZ 1965, pp. 112 ss.; Schäfer (nota 96), Cap. 3, núm. marg. 61 ss., con más información bibliográfica.*

[101]	*Cfr. BVerfGE 34, pp. 293 ss.; detalladamente Remagen-Kemmerling, Der Ausschluß des Verteidigers in Theorie und Praxis, 1992.*

[102]	*Cfr. las facultades que otorgan al ofendido los §§ 406,d al 406,h StPO, introducidos por la Ley de protección a la víctima, de 1986; y la ampliación de las posibilidades de reclamar la indemnización de daños y perjuicios en el proceso de adhesión [proceso civil acumulado al penal] a través de los §§ 403 ss. StPO.*

[103]	*Véase al respecto, por todos, el resumen de Roxin, Strafverfahrensrecht, 25ª ed., 1998, § 24, núm. marg. 13 ss., con informaciones más amplias y completas sobre doctrina y jurisprudencia.*

muchas cuestiones fundamentales o de detalle. El hecho de que, en determinados ámbitos, se vaya cediendo frente a las críticas, aunque sea de forma vacilante y paso a paso[104], constituye precisamente una prueba clara de la influencia que pueden tener los trabajos dogmáticos.

Estos supuestos (y otros muchos) constituyen una Dogmática afortunada, en la medida en que tienen en cuenta determinados principios procesales o valores constitucionales. Y no dejan de serlo por el hecho de que la evolución de las últimas décadas haya sido en parte en sentido contrario, en cuanto ha tendido al debilitamiento de los derechos de los intervinientes en el proceso, a la descongestión de la Administración de Justicia y al reforzamiento de las competencias de los órganos de persecución penal (véase infra V). Ello sólo demuestra que hoy ya no se dan las bases que, en el pasado, permitieron a la Dogmática desarrollarse e influir en la jurisprudencia y la legislación, y que en la actualidad el proceso está menos determinado por los principios dogmáticos que por las exigencias políticas del momento, para las que los principios dogmáticos son más bien un incómodo obstáculo. En pocas palabras, no se da una importante condición colateral, necesaria para que la Dogmática pueda tener eficacia.

6. Si se observan detenidamente todas estas expresiones de Dogmática afortunada, hay que admitir, desde luego, que los resultados obtenidos por la Dogmática parecen disminuir en las últimas décadas, pues una parte considerable de sus mayores éxitos tuvo lugar en las primeras décadas del siglo XX. Ello puede conducir al pesimismo, sobre todo teniendo en cuenta el gran volumen de la actual discusión dogmática, puesto de manifiesto por Burkhardt. Sin embargo, hay algo que se debería tener en cuenta en el enjuiciamiento de la Dogmática de las últimas décadas: los grandes éxitos de las primeras décadas del siglo XX se debieron sobre todo al hecho de que existiera un nuevo sistema al que había que dotar de contenido, a la evolución desde una perspectiva

---

[104] Sirva de ejemplo la paulatina adaptación de la jurisprudencia (claramente insuficiente todavía en cuanto a los resultados, cfr. Roxin —nota 103—, § 24, núm. marg. 25) a las exigencias de la doctrina respecto a la imposibilidad de utilizar declaraciones del inculpado obtenidas vulnerando los §§ 136 y 243,4 StPO (BGHSt 22, 120; 25, 325; 31, 395; 38, 214).

naturalista a otra más normativa y a la necesidad de adaptarse a un determinado concepto del ser humano y a los derechos y libertades fundamentales. Procesos de esa clase requieren un cierto tiempo, tras el cual sin embargo acaban concluyendo. Cuando ha llegado ese momento y se ha producido, por ello, un cierto grado de saturación en un concreto ámbito, una Dogmática que se sigue ocupando de ese ámbito intensivamente, incluso con más personal, se encuentra en una difícil situación. Sobre todo cuando los resultados esenciales de la Dogmática anterior han encontrado una buena acogida. En esa situación, a la Dogmática sólo le quedan dos posibilidades: o intentar buscar una explicación diferente para esos mismos resultados (algo muy presente hoy en día[105]), o contentarse con un relativo perfeccionamiento de lo existente y con su adaptación a nuevas circunstancias. En este contexto, resulta casi inevitable la ausencia de grandes y nuevos éxitos que repercutan también claramente en los resultados. Y creo que ello constituye, precisamente, una de las razones fundamentales en las que se basa la pesimista imagen que *Burkhardt* ofrece de la actual Dogmática del Derecho penal. Sin embargo, lo dicho sólo debería conducir en mi opinión a que nos preguntemos si resulta correcto seguir ocupándonos de las mismas cuestiones o si, por el contrario, no sería necesario hoy concentrarse con más fuerza en otros ámbitos menos elaborados dogmáticamente. Pero no cuestiona desde mi punto de vista la existencia de abundantes desarrollos dogmáticos afortunados en el siglo XX. Incluso aunque algunas de estas aportaciones de la Dogmática jurídico-material repercutan sólo limitadamente en la práctica jurídica a causa de la generosa aplicación de filtros procesales[106].

---

[105] Constituyen un ejemplo típico de ello los intentos de encontrar una explicación para ciertas causas de exclusión de la culpabilidad (§§ 20, 17 y 35 StGB) que no sea la de la falta (o la disminución) de reprochabilidad, por ejemplo mediante consideraciones preventivas; v. al respecto *supra*, notas 44 y 50.

[106] Es lo que ocurre, por ejemplo, con ciertas matizaciones introducidas por la Dogmática de la imprudencia o la teoría de la imputación del resultado, porque los casos afectados por ellas son a menudo resueltos en la práctica jurídica a través de las reglas del sobreseimiento (v. por ej. las indicaciones de *Salditt* en este mismo volumen).

IV

Mucho más difícil que los comentarios sobre la Dogmática jurídico-penal afortunada me resulta tratar la segunda parte del tema, la Dogmática sin consecuencias. Dicha dificultad está relacionada, por una parte, con la polarización entre Dogmática afortunada y Dogmática sin consecuencias establecida en este ámbito. Pero por otra parte, y sobre todo, tiene su origen en mis propias dudas acerca de que exista realmente una Dogmática sin consecuencias que sea digna de mención (siempre y cuando el objeto a enjuiciar constituya una verdadera Dogmática, es decir, que se trate de enunciados que cumplan unas exigencias científicas mínimas). En este tema parto de un concepto de Dogmática sin consecuencias como la Dogmática que no logra ninguna modificación, y no como una Dogmática que no formule ninguna consecuencia de su desarrollo. Porque resulta esencial en un enunciado dogmático el que, partiendo de ciertos dogmas y principios, describa (y exija) las consecuencias a las que conduce.

1. La propia contraposición entre Dogmática afortunada y Dogmática sin consecuencias (es decir, aquella que no ha conseguido modificaciones), relacionada con este tema, me parece ya cuestionable.

Cuestionable, sobre todo, en cuanto puede conducir a la descalificación de enunciados dogmáticos que no pretenden modificar resultados, sino tan sólo revisar su fundamentación, y que se limitan a suministrar fundamentaciones sólidas, (supuesta o realmente) mejores dogmáticamente, o a ubicar dichos resultados en el ámbito de otro fundamento sistemático. Aportaciones de esta clase pueden encontrarse de forma significativa en la doctrina penal de las últimas décadas (lo que, en un ámbito jurídico relativamente limitado como el del Derecho penal, no resulta sorprendente, a la vista del gran número de personas que se ocupan de la Dogmática)[107]. Pero también pueden encontrarse con fre-

---

[107] Cfr., por ejemplo, los intentos de encontrar una fundamentación distinta para las causas de exclusión de la culpabilidad; los esfuerzos de la teoría de la imputación objetiva por fundamentar ciertas absoluciones, fundadas hasta ahora por ejemplo en una falta de previsibilidad (o de dominabilidad) de la producción del resultado, en reflexiones específicamente normativas como la existencia de esferas limitadas

cuencia críticas, realizadas sobre todo por comentaristas que se quejan de la existencia de este tipo de aportaciones. Y tienen seguramente razón en una cosa: leyendo sobre ciertos temas se plantea cada vez más a menudo la cuestión de si en ellos queda realmente algo por decir, de si ese tema no está ya tratado de forma convincente tanto en lo que se refiere a los resultados como en lo relativo a su fundamentación. Pero por muy comprensible que resulte el plantearse tales cuestiones (sobre todo teniendo en cuenta lo poco tratados que están numerosos problemas en el ámbito del Derecho sancionador, las leyes especiales y el Derecho procesal), debe admitirse que el mero hecho de que un enunciado dogmático no pretenda modificar los resultados no justifica de por sí un juicio negativo sobre el mismo. En realidad, una de las más importantes tareas de la Dogmática consiste no sólo en presentar resultados, sino en fundamentarlos convincentemente. Aunque lo único que aporte un enunciado dogmático sea una mejor fundamentación (más profunda o más consistente) de resultados aceptados de forma generalizada, no se tratará ya de una Dogmática sin consecuencias, sino afortunada. Y, en cualquier caso, hay que tener en cuenta que con frecuencia aquello que hasta un determinado momento parece no tener consecuencias en cuanto a los resultados, resulta tener en un momento posterior (por ejemplo bajo nuevas circunstancias) ciertas consecuencias que no se habían visto al principio[108]. Por todo ello, sólo cabe enjuiciar negativamente los desarrollos dogmáticos relativos a un tema que ya ha sido ampliamente tratado, cuando al final se constata que tampoco ofrecen una mejor fundamentación.

---

de responsabilidad; o los variados esfuerzos por encontrar la fundamentación real de posiciones de garante entendidas en sentido amplio. Instructivo al respecto, *Lackner*, Notizen eines «Kurzkommentators», en Goltdammer's Archiv für Strafrecht 1993, pp. 149, 151 s.

[108] Así, cuando se empezó a discutir sobre la imputación objetiva propuesta por *Larenz* y *Honig*, seguramente no se pensó todavía en las posibilidades que abría este planteamiento para la admisión de la idea de las esferas de responsabilidad. Probablemente tampoco se era consciente de las posibilidades que ofrecía el concepto normativo de culpabilidad y de las consecuencias que tendría en cuestiones que se plantearían en un momento posterior (como la de las causas de exculpación supralegales respecto a los médicos de los campos de concentración).

Pero tampoco en el caso de enunciados dogmáticos que pretendan modificar resultados y no lo consigan, justifica la constatación de la ausencia de consecuencias que se les contraponga a los desarrollos dogmáticos afortunados. Y no sólo porque los enunciados dogmáticos correctos necesiten generalmente un largo periodo de tiempo para imponerse[109] (por lo que el hecho de que hasta ahora haya carecido de consecuencias no constituye ni siquiera un indicio de que el correspondiente enunciado dogmático no sea afortunado). Aunque ese periodo de tiempo pase y el enunciado dogmático siga careciendo de consecuencias, ello no tiene por qué hablar en contra de su bondad, pues puede deberse a varios motivos: puede que el enunciado dogmático implique una manera menos cómoda de trabajar o que resulte innecesario porque lo que ofrece pueda conseguirse por otra vía (más fácil o que exija menos esfuerzo para su fundamentación)[110] o puede que simplemente el clima político le sea desfavorable durante un largo tiempo. Pero, sobre todo, hay que tener en cuenta que a menudo los enunciados dogmáticos sólo carecen de consecuencias en apariencia, en la medida en que, a pesar de que la correspondiente teoría no ha sido adoptada en bloque, las exigencias dogmáticas que se contenían en ella han sido presentadas después de mejor forma por otra teoría, que sí ha obtenido aceptación. Ocurre así que, con el tiempo, sólo se habla de la nueva teoría y de los horizontes que abre, y la antigua pasa a la historia como algo superado y carente de eficacia cuando, en realidad, lo que aparentemente ha carecido de consecuencias, ha constituido un importante y valioso estímulo para la reflexión.

---

[109]   Conclusión ésta que no sólo puede fundamentarse psicológicamente, sino también demostrarse mediante numerosos ejemplos. Basta pensar en el largo tiempo que necesitaron para imponerse la idea del aspecto subjetivo del injusto, la teoría de las esferas de responsabilidad o la impunidad del error de prohibición invencible, por no mencionar la idea de lo dudoso del tratamiento de ciertas situaciones de la llamada *actio libera in causa*.

[110]   Razones de este tipo favorecieron seguramente el mantenimiento durante largo tiempo de la figura del delito continuado, pero también fomentaron que se siguiera recurriendo preferentemente a una resolución del proceso por razones estrictamente procesales (a través de las normas de sobreseimiento) en los casos en que la impunidad podía fundamentarse tanto en razones jurídico-materiales como procesales; cfr. al respecto *Frisch*, Straftat und Strafzumessung, en Wolter/ Freund (edit.), *Straftat, Strafzumessung und Strafprozeß im gesamten Strafrechtssystem*, 1996, pp. 200 ss.

Por todo ello, el fenómeno de la Dogmática sin consecuencias ha de analizarse al margen de su relación y sobre todo de su contraposición con la Dogmática afortunada. Se trata de un tema independiente, cuya única (y débil) conexión con la Dogmática afortunada consiste en que un posible motivo para no asumir un determinado enunciado dogmático puede ser el que éste no sea acertado o que no sea considerado como tal.

2. Y no es sólo que sea un tema independiente, sino que debe ser tratado además de forma totalmente diferente al de la Dogmática jurídico-penal afortunada. Aquí ya no se trata de medir y valorar determinados desarrollos dogmáticos con el baremo de la Dogmática afortunada o correcta. Por el contrario, y dado el carácter empírico del concepto, aquí sólo puede tener sentido plantear determinadas cuestiones empíricas.

a) Entre tales cuestiones se encontrarían, por ejemplo, la de la extensión de los desarrollos dogmáticos sin consecuencias o la de las razones de la ausencia de consecuencias de determinados enunciados dogmáticos: si la ausencia de consecuencias está relacionada por ejemplo con el excesivo refinamiento de algunos diseños dogmáticos o con el hecho de que cada vez más enunciados dogmáticos suministren sólo nuevas fundamentaciones y de que interese poco a la práctica si es o no importante y en qué medida la mayor o menor cantidad de trabajo, etc. No menos interesante sería la cuestión del papel de la política en la aceptación o en la ausencia de consecuencias de los diseños dogmáticos; su estudio podría llevar a la conclusión de que la reiterada afirmación de la impotencia de la Dogmática frente a la política describe de manera inexacta la realidad, al menos en determinados ámbitos, y de que a menudo la política se limita a decidir entre las distintas Dogmáticas concurrentes (y según la decisión tomada, la Dogmática tendría o no consecuencias). Es evidente que una respuesta a tales cuestiones que no contenga sólo especulaciones requiere la investigación de un amplio material, por lo que no puede ofrecerse aquí. Lo único que me parece posible en este contexto es realizar algunas reflexiones sobre un problema previo a las cuestiones específicas esbozadas hace un momento: el de si existe realmente la Dogmática sin consecuencias como un fenómeno digno de mención (partiendo de la base de que los correspondientes enunciados satisfacen las exigencias dogmáticas mínimas). Tengo dudas al respecto.

En realidad los desarrollos dogmáticos tienen consecuencias no sólo cuando consiguen imponer su contenido, total o parcialmente, en la ciencia y la práctica, es decir, en tanto en cuanto son aceptados y determinan en lo sucesivo los fundamentos de la aplicación práctica del Derecho o incluso de la legislación. Existen otras muchas formas de eficacia más sutiles. Es posible, por ejemplo, que una teoría haya sido rechazada como tal y que, sin embargo, una parte de ella, tal vez modificada (en mayor o menor medida), surja de nuevo en el marco de otros desarrollos dogmáticos totalmente diferentes, bien como producto de una integración consciente, bien como efecto de la influencia de un enunciado que se tomó en cuenta en algún momento anterior, sin que en ninguno de los dos casos se rindan después cuentas. También es posible que lo que continúe teniendo eficacia sea sólo la fundada exigencia que sirve de base a determinados enunciados dogmáticos, que ésta se constituya en cierto sentido en el motor de búsquedas y reflexiones más amplias y que en un momento muy posterior, después de que se hayan olvidado las antiguas soluciones dogmáticas, conduzca en el marco de otra teoría hacia una respuesta satisfactoria, considerada afortunada. Hablar aquí de Dogmática sin consecuencias como algo opuesto a una Dogmática afortunada sería absolutamente injusto. Se trata de un caso de influencia tardía de un diseño dogmático, cosa que se da con relativa frecuencia. De esta forma, ocurre a menudo que antiguos enunciados dogmáticos, hace tiempo olvidados, han prestado en realidad una aportación valiosa al desarrollo dogmático. Pero incluso cuando no se pueden constatar tales efectos a largo plazo, en el sentido de haber dado lugar a teorías adecuadas, porque no se hayan considerado fundadas las exigencias que subyacen en un determinado desarrollo dogmático, el hablar de Dogmática sin consecuencias sigue siendo emitir un juicio superficial problemático y orientado a la eficiencia. Porque cuando se considera útil o necesario discutir sobre ese desarrollo dogmático, cuando no puede ser simplemente obviado por estar evidentemente fuera de lugar, ello contribuye también al perfeccionamiento de la Dogmática: de ahí en adelante habrá quedado claro que determinados caminos no deben seguirse y la Dogmática estará a salvo de la crítica proviniente de esa corriente. En pocas palabras, tales enunciados tienen también consecuencias en la medida en que la Dogmática que los supera a través de un serio análisis se fortalece con ello y se consolida. En realidad sólo carecen de consecuencias aquellas tesis que no parece necesario rebatir con argumentos dogmáticos por estar evidentemente fuera de lugar. Y generalmente los enunciados de esta clase ni siquiera satisfacen las exigencias mínimas que requiere un enunciado científico-dogmático.

b) Todo esto puede sonar muy abstracto y quizás algunos piensen que se basa sospechosamente en una determinada filosofía. Por eso quiero aclararlo con algunos ejemplos, para concretar estas ideas y hacerlas más convincentes.

Tomemos como ejemplo, dentro del ámbito de los *enunciados dogmáticos sobre la pena*, su esencia y su contenido, el llamado Programa de Marburgo de *Franz v. Liszt*[111]. La orientación puramente preventivo-especial de la pena que se exigía en él con gran énfasis no sólo no ha sido nunca llevada a la práctica, sino que tampoco ha conseguido imponerse en la discusión científica. ¿Se trata, por ello, de una Dogmática sin consecuencias? ¿Se puede afirmar realmente que la teoría del fin de la pena de *Franz v. Liszt* no consiguió nada que pueda calificarse de afortunado? En absoluto. En primer lugar, tras la intensiva Lucha de Escuelas[112] y el consiguiente intercambio de argumentos a favor y en contra, abundantes cuestiones quedaron mucho más claras que antes, con lo que

---

[111] Es posible que se cuestione el carácter dogmático de los enunciados de v. Liszt sobre la (correcta) naturaleza y el fin de la pena, por considerarlos sólo enunciados político-criminales. Pero el hecho de que v. Liszt quisiera que su concepción se llevara a la práctica y el que dicha concepción estuviera dirigida a la consecución de determinadas metas no impide que él estuviera plenamente convencido de estar realizando una argumentación orientada a la justicia (v. Strafrechtliche Aufsätze und Vorträge, Tomo 1, 1905, p. 161) al exigir la imposición de una pena sólo cuando estuviera justificada tanto desde el punto de vista de la justicia material como desde el científico (ob. cit., pp. 145 ss.). Y en esa medida estaba introduciendo también un enunciado dogmático.

[112] V. al respecto, por ejemplo, *Kohler*, Die sog. klassische und die sog. neue Strafrechtsschule, GA 1907, pp. 1 ss.; *v. Hippel*, Vorentwurf, Schulenstreit und Strafzwecke, ZStW 30 (1910), pp. 905 ss., y *Lucas*, Einzelne Betrachtungen zur Reform des Strafprozesses, ZStW 35 (1915), pp. 159 ss.; ofrece un resumen *Henkel*, Das Sicherungsverfahren gegen Gemeingefährliche, ZStW 57 (1938), pp. 702, 738 ss.; más información sobre el tema puede encontrarse en *Frisch*, Das Marburger Programm und die Maßregeln der Besserung und Sicherung, ZStW 94 (1982), pp. 566 ss. y en *Eb. Schmidt*, Einführung in die Geschichte der deutschen Strafrechtspflege, 3ª ed., 1965, pp. 386 ss.

*fue seguro que en el futuro ya no sería necesario volver a repetir esa
discusión. Y, en segundo lugar, las tesis de v. Liszt tuvieron también
consecuencias prácticas en la medida en que, en el marco de esa polémica, se discutieron y aclararon las posibilidades de tener limitadamente
en cuenta la idea de la prevención especial en el ámbito de la pena y de
su ejecución. De esta forma, establecieron el fundamento (en el sentido de
los efectos a largo plazo a los que antes me refería) tanto para ciertas líneas
jurisprudenciales[113], como para posteriores proyectos legislativos y declaraciones legales sobre la pena[114]. Pero no sólo eso: el punto de vista preventivo-
especial de v. Liszt fue considerado totalmente fundado por muchos autores
de la Escuela clásica, aunque no creyeran correcto establecerlo como principio fundamentador de la pena. Y, en esa medida, las tesis de v. Liszt
impulsaron una búsqueda de vías adecuadas para la realización de finalidades puramente preventivo-especiales que dio lugar finalmente a la
creación de medidas preventivas independientes, distintas de la pena[115].*

---

[113] *Por ejemplo, para la idea, sostenida por el RG (cfr. por ej. RGSt 58, 109; 61, 417;
RG HRR 1929, Nr. 452), y precisada después por el BGH en la teoría del margen
de libertad o del espacio de juego [Spielraumtheorie] (BGHSt 20, 267; v. también
BGHSt 7, 28, 31 y 89), de que la prevención especial no debe quedar totalmente
excluida como fin y como medida de la pena, pero tampoco puede constituir su fin
principal ni el criterio prioritario en la determinación de la misma, sino que su
ámbito de aplicación quedaría reducido a la introducción de una cierta modificación de la pena adecuada a la culpabilidad (según la Spielraumtheorie, en el marco
de los límites establecidos por la culpabilidad). Detalladamente sobre la jurisprudencia del RG, Bruns, Strafzumessungsrecht, 1967, pp. 158 ss.; sobre la jurisprudencia del BGH, Bruns, Strafzumessungsrecht, 2ª ed., 1974, pp. 231 ss.*

[114] *Por ejemplo, para las propuestas de la Gran Comisión de Derecho Penal, del
Proyecto Alternativo y de la Comisión Especial para la reforma del Derecho penal,
que, aunque conceden importancia a la prevención especial (tanto en el ámbito
de la determinación de la pena como especialmente en relación a ciertas decisiones posteriores), vinculan sin embargo la pena principalmente a la medida de la
culpabilidad (cfr., por ej., § 60 del Proyecto de 1962, §§ 2,2 y 59 del Proyecto
Alternativo y § 46,1 StGB) y consideran que sobrepasar claramente el límite
máximo de la pena adecuada a la culpabilidad es algo incompatible con la
naturaleza de la pena y con consideraciones de justicia. Ampliamente al respecto,
Bruns, Strafzumessungsrecht, 1974, pp. 285 ss.*

[115] *Sobre esta evolución, y especialmente sobre la influencia de una línea intermedia que
vuelve a los planteamientos de Stooss, v. más detalladamente Henkel (nota 112), pp.
702 ss., 739 ss., 768 ss., y Frisch (nota 112); el mismo (nota 82), pp. 345 ss.*

Al margen de la opinión que se tenga sobre este tipo de medidas[116], hay que reconocer que tampoco en este sentido careció de consecuencias el Programa de Franz v. Liszt. Evidentemente, tampoco se puede calificar de afortunado sólo por el hecho de que consiguiera finalmente producir los cambios que pretendía (aunque de forma modificada). Calificarlo o no de afortunado depende más bien de si las consecuencias a las que dio lugar reúnen los requisitos que estimamos necesarios para considerarlas adecuadas jurídicamente (un tema complejo que comprensiblemente no puedo tratar aquí con más profundidad[117]).

Como segundo ejemplo, puede servir el intento del concepto final de acción de extraer de una determinada forma de entender la acción consecuencias para la decisión sobre determinadas cuestiones jurídico-penales concretas. Desde la perspectiva actual, se podría decir que este planteamiento no consiguió imponerse, como tampoco lo hicieron otras exageraciones (de la importancia del concepto de acción)[118]. Pero, ¿ha carecido por ello de consecuencias, constituyendo incluso algo así como lo contrario a una Dogmática afortunada? Está claro que no. El finalismo ha aportado a la Dogmática jurídico-penal conocimientos esenciales sobre la estructura de la acción humana; y en la discusión acerca del concepto final de acción se hizo patente que ciertas estructuras ontológicas deben ser tenidas en cuenta por el ordenamiento jurídico. Al mismo tiempo, la discusión sobre el finalismo contribuyó ejemplarmente y de manera esencial a aclarar la relación en la que se encuentran, en la decisión de cuestiones concretas, los hechos prejurídicos y las argumen-

---

[116]   *Sobre la discusión (también en la doctrina internacional) relativa al instituto de las medidas, v. Frisch (nota 82), pp. 351 s., 355 ss.; Kaiser, Befinden sich die kriminalrechtlichen Maßregeln in der Krise?, 1990.*

[117]   *Sobre mi postura al respecto, v. Frisch (nota 82), pp. 355 ss.*

[118]   *El que el injusto del delito doloso tiene también un lado subjetivo no se fundamenta la mayoría de las veces en la naturaleza de la acción, sino normativamente, sobre todo en base a la naturaleza del injusto de determinados delitos; de la misma forma, tampoco se fundamenta el distinto tratamiento del error de prohibición respecto del error de tipo en la diferenciación categorial entre error sobre el objeto de la valoración (la acción) y error sobre su valoración, sino en argumentos específicamente normativos (incluido el de lo insostenible de los resultados a los que conduce un tratamiento homogéneo de ambas clases de error).*

taciones específicamente normativas. Y aunque en el marco de esta discusión se haya impuesto cada vez más la idea de que las estructuras ontológicas prejuzgan menos y aportan menos información de lo que quería hacer creer la originaria concepción finalista, y aunque lo verdaderamente importante sean las argumentaciones específicamente normativas, hay que admitir que el finalismo contribuyó de forma esencial a posteriores desarrollos de la Dogmática jurídico-penal. Tanto más, cuanto que una serie de enunciados del finalismo (como la normatividad de lo subjetivo en el injusto o la diferenciación entre error de tipo y error de prohibición) han demostrado la corrección de sus resultados y forman parte hoy, con otro ropaje (un ropaje normativo), del firme bagaje de la Dogmática jurídico-penal y de la práctica del Derecho penal.

También la discusión sobre la *correcta definición de la causalidad* parece ofrecer abundantes pruebas de ser una Dogmática sin consecuencias. Los esfuerzos por reducir el ámbito de la causalidad mediante reflexiones individualizadoras o materializadoras han pasado hoy a la historia, igual que la prohibición de regreso, demasiado tosca, o la teoría de la adecuación[119]; y los obstinados intentos de demostrar una supuesta causalidad de la omisión provocan hoy sonrisas y son explicados en todo caso como ejemplo de un camino incorrecto[120]. ¿Deben calificarse por ello de Dogmática sin consecuencias, por oposición a Dogmática afortunada? ¡En absoluto! Tanto las viejas teorías de la causalidad como la teoría de la prohibición de regreso perviven en los nuevos planteamientos normativos que describen la exigible relación entre acción y resultado. Su núcleo central, que desde nuestra perspectiva actual se considera correcto[121], se encuentra, precisado y modificado, en el ámbito de la imputación objetiva: la teoría de la adecuación, por ejemplo, se encuentra en el requisito de la creación de un determinado riesgo; las teorías individualizadoras de

---

[119] V., *supra*, la nota 32 y su contexto.
[120] V. por ejemplo *Welzel* (nota 28), Strafrecht, pp. 210 s., 212 s.; pero también ya v. *Liszt* (nota 41), pp. 128 s.
[121] Por ejemplo, la idea que late tras las teorías individualizadoras (o la prohibición de regreso) de que no todo comportamiento cocausal en el sentido de la teoría de la equivalencia puede ser considerado como injusto típico, sin que se trate todavía de una cuestión de justificación o de exclusión de la culpabilidad.

la causalidad y la prohibición de regreso, en la correcta idea de las esferas limitadas de responsabilidad. En realidad, esas viejas teorías y la idea que les servía de base, de que la entonces dominante teoría de la equivalencia de las condiciones no podía describir correctamente (por sí sola) la relación entre acción y resultado, constituyeron el motor de una interminable búsqueda que, sobre todo a través de la teoría de la imputación objetiva, ha conducido a un resultado que, desde nuestra perspectiva actual, puede considerarse aceptable[122]. Ni siquiera los intentos de demostrar una verdadera causalidad en la omisión (u otro factor de la acción que sea inherente a la omisión), que hoy calificaríamos como una vía errónea, han carecido de consecuencias, sino que han sido muy productivos: fue precisamente el convencimiento de que no se podía avanzar por ese camino lo que obligó a abandonar esos planteamientos, a buscar soluciones en otro plano y, por último, a comprender con toda claridad que el factor decisivo, lo que justifica la equiparación entre acción y omisión, reside en el plano de una responsabilidad específicamente normativa respecto a la producción o no de determinadas consecuencias. Sin ese convencimiento sobre la escasa solidez de los enunciados orientados a la causalidad, probablemente no hubiera sido posible el consenso necesario para dar paso a fundamentaciones alejadas del plano causal en una época (muy vinculada al naturalismo) en la que el factor causal era considerado el fundamento determinante de la responsabilidad por el resultado producido. De esta forma, Dogmáticas manifiestamente carentes de consecuencias no lo son tanto, sino que son a menudo irrenunciables para alcanzar los desarrollos dogmáticos que consideramos afortunados.

Lo mismo ocurre también, por último, en un ámbito al que en la actualidad parece igualmente aplicable el apelativo de Dogmática sin consecuencias, en el sentido de valoración negativa de unos determinados enunciados[123]: los esfuerzos realizados por un extenso sector de la

---

[122] *Aunque evidentemente este juicio se halle sometido también a las reservas teóricas anunciadas ya al principio, en la nota 1; v. por ejemplo* Hirsch *(nota 39) y* Küpper, *Grenzen der normativierenden Strafrechtsdogmatik, 1990, pp. 83 ss.*

[123] *La calificación procede de* Schünemann, *Kritische Anmerkungen zur geistigen Situation der deutschen Strafrechtswissenschaft, GA 1995, pp. 201, 221 ss.*

doctrina, probablemente todavía dominante, por limitar razonablemente el Derecho penal recurriendo al *concepto de bien jurídico*. Este concepto no constituye ciertamente (sobre todo en la situación actual), ni con mucho, el obstáculo insalvable frente a nuevas tipificaciones que algunos creyeron ver en él hasta hace poco[124]. Y sin embargo no sería correcto afirmar que se trata de una Dogmática sin consecuencias. La idea de que el Derecho penal está limitado a la protección de bienes jurídicos, entendidos sobre todo como las condiciones necesarias para la existencia y el desarrollo, tuvo gran influencia en un determinado momento histórico. Contribuyó decisivamente en los años sesenta y setenta a desterrar del Derecho penal ciertas infracciones de la moral y la mera lesión de concepciones morales ajenas[125]. Y ha ejercido además una sana presión sobre el legislador, en la medida en que éste se ha ido viendo cada vez más obligado a indicar en los nuevos tipos (o en los que se propone introducir) un bien jurídico a cuya protección se dirige la norma penal y a demostrar que ese bien se ve lesionado o puesto en peligro a través de las conductas tipificadas y en qué medida lo hace. Estos logros no se ven disminuidos por el hecho de que la idea del bien jurídico ejerza hoy en la discusión político-criminal una influencia relativamente poco importante, fenómeno que, por otro lado, tiene lugar por unas concretas razones: se debe, sencillamente, a que en este tiempo también el legislador, o los círculos interesados en la tipificación de que se trate, se han adaptado a la idea del bien jurídico y a argumentar con ella (y en ni un solo caso les ha resultado especialmente difícil). Porque en una sociedad compleja, que considera correcta la conservación de los más variados estados, funciones y expectativas, no plantea una especial dificultad el formular, como fundamento de la tipificación que se pretenda realizar, un bien jurídico que resulte lesionado o puesto en peligro por las correspondientes conductas. En esta situación, la idea del bien jurídico se vuelve cada vez más inadecuada para proteger *por sí sola* frente a tipificaciones excesivamente amplias. Lo que deberíamos cuestionarnos en este momento es si realmente todo lo que puede formularse como

---

[124]   V. al respecto *Frisch, An den Grenzen des Strafrechts*, en *Festschrift für Stree und Wessels*, 1993, pp. 69, 71 ss.
[125]   V. al respecto *supra* notas 22, 87 y 88.

bien jurídico puede reclamar protección jurídica, y en concreto protección jurídico-penal, o si, por el contrario, no sería preciso para que intervenga el Derecho penal que el bien cumpliera determinadas condiciones y, además, que la amenaza a la que está sometida el bien fuera de una cierta importancia o de una cierta concreción, etc. Una protección eficiente frente a ampliaciones de lo punible que se consideren problemáticas o excesivas sólo podría ser ofrecida (a lo sumo) por una Dogmática que se sitúe en ese punto y formule de forma muy decidida y suficientemente concreta tales condiciones con una fuerza de convicción tal, que el legislador no pueda dejar de admitirlas. Un canon tal de condiciones no existe actualmente y probablemente tampoco lo tengamos en un futuro próximo. Pero este déficit no está ya relacionado con la doctrina del bien jurídico, ni disminuye tampoco los logros de ésta. Significa sólo que parece necesario complementar mediante enunciados adicionales limitadores de la pena una doctrina que ha realizado su aportación a la delimitación de los delitos (en tanto en cuanto dichos enunciados puedan formularse de forma clara y fundamentarse convincentemente).

V

Permítanme, tras esta exposición sobre la Dogmática jurídico-penal afortunada y la Dogmática jurídico-penal sin consecuencias, decir algunas palabras respecto a lo que verdaderamente se opone a una Dogmática afortunada: los desarrollos dogmáticos incorrectos. Ejemplos de este tipo de desarrollos pueden encontrarse también cuando se analiza la evolución del Derecho penal de los últimos cien años: desarrollos incorrectos de la propia Dogmática o desarrollos incorrectos en el ámbito del Derecho penal a los que la Dogmática se ha opuesto de forma insuficiente. Aunque los desarrollos de esta clase no se incluían expresamente en el tema que se me ha propuesto, creo que deberíamos analizarlos también, aunque sea de pasada, si, en el umbral de este nuevo milenio, tratamos de hacernos una idea de las aportaciones que ha realizado la Dogmática en la última etapa del milenio que ahora termina.

Ejemplos de este tipo de desarrollos se encuentran, sobre todo, en la evolución del Derecho penal entre 1933 y 1945[126]. Se plasman tanto en la distorsión de los conceptos de injusto y culpabilidad[127], como en la sustitución de unos conceptos definidos de forma rigurosa por vagas cláusulas generales o por puntos de vista fácticos que posibilitaban juicios altamente ideológicos, en la derogación del principio *nullum crimen, sine lege*, en la introducción de sanciones dudosas[128] y, finalmente, en la acentuación cada vez más insoportable de la intimidación, presentada como «protección del pueblo». Sin embargo, no todos esos desarrollos fueron desarrollos dogmáticos incorrectos en sentido estricto, es decir, desarrollos en el ámbito de la legislación penal o de la jurisprudencia realizados o dirigidos por una Dogmática basada en una argumentación científica[129]. Algunas de las innovaciones fueron producto de la política (y llevadas a la práctica sin fundamentación dogmática alguna) o de una justicia (especial) que argumentaba mucho más política, que dogmáticamente. En cualquier caso, debemos cuestionarnos si la Dogmática de esa época (dejando ahora al margen aquélla que directamente preparó el terreno) no facilitó demasiado que estas corrientes políticas se impusieran por haber renunciado a la oposición que como Dogmática, basándose en su experiencia, debería haber presentado, o por haber aportado enunciados dogmáticos complacientes y que podían por ello ser utilizados políticamente.

Todo esto está relacionado con la actual situación, que también se ha caracterizado progresivamente en las dos últimas décadas por una serie de desarrollos problemáticos en el ámbito del Derecho penal. En este con-

---

[126]   V. al respecto especialmente *Eb. Schmidt*, Einführung in die Geschichte der deutschen Strafrechtspflege, 3ª ed., pp. 425 ss., con más información bibliográfica.

[127]   Por ejemplo, la desvinculación del injusto respecto del menoscabo del bien jurídico y la acentuación de la idea de la infracción del deber (frente a la comunidad); la teoría del tipo de autor; el giro hacia formas problemáticas de la culpabilidad de autor o culpabilidad por la conducción de vida, con las que se fundamentaron agravaciones de la pena igualmente problemáticas (antiguo § 20,a StGB), etc.

[128]   Como por ejemplo, en el ámbito de las medidas, la de castración.

[129]   Y ciertamente hubo un número relevante de tales desarrollos, especialmente en el ámbito de la teoría del injusto y de la culpabilidad. Más detalladamente, *Eb. Schmidt* (nota 126).

texto, la Parte General ha resultado menos afectada, al contener principios abstractos que están todavía profundamente internalizados: en este
ámbito sólo se da una cierta predisposición a este tipo de desarrollos en
el Derecho sancionador, en el que se ha acogido una (problemática)
nueva sanción, la pena de privación del patrimonio, y en el que, bajo la
presión de los medios, se ha retrocedido en algunos aspectos en los que
se había avanzado en la legislación penal de los años setenta[130]. La
presencia de desarrollos cuestionables es, sin embargo, más visible en la
Parte Especial, en la que la política, de nuevo bajo la presión de los
medios, reacciona al aumento de la criminalidad en determinados ámbitos con una (más punitiva) legislación simbólica[131] y utiliza cada vez más
el Derecho penal para luchar contra determinadas formas de aparición de la
criminalidad, lo que da lugar no sólo a la creación de múltiples nuevos tipos
que suponen un claro adelantamiento de la intervención penal (paralela al
retroceso en materia de internamiento o custodia de seguridad[132]), sino
también a un incremento de los marcos penales para determinados delitos,
entendido visiblemente como un método eficaz de lucha[133].

---

[130] Especialmente, y a través de la Ley para la lucha contra los delitos sexuales y otros
delitos graves de 26.1.1998 (v. al respecto Schöch, Das Gesetz zur Bekämpfung von
Sexualdelikten und anderen gefährlichen Straftaten vom 26.1.1998, NJW 1998,
pp. 1257 ss.), en materia de suspensión de la pena, libertad condicional y medidas
de internamiento o custodia de seguridad; véase la síntesis de Lackner/Kühl (nota
58), comentarios previos al § 38, núm. marg. 6-15.

[131] Sobre legislación simbólica, v. por ejemplo Hassemer, Symbolisches Strafrecht und
Rechtsgüterschutz, NStZ 1989, pp. 553 ss.; Voß, Symbolische Gesetzgebung, 1989.

[132] V. supra las indicaciones de la nota 86.

[133] Ejemplos típicos de ello representan los cambios introducidos por la Ley para la
lucha contra la criminalidad organizada de 15.7.1992 (que introduce los §§ 244,a,
260,a y 261 StGB), la Ley para la lucha contra el delito de 28.10.1994 (aumento
de los marcos penales de los §§ 223-225 StGB; cobertura de lagunas de punibilidad
en el ámbito de la criminalidad organizada mediante la modificación de los §§ 253,
256, 261 y 275-276,a StGB), la Ley para la lucha contra la corrupción de 13.8.1997
(que agrava las normas sobre cohecho activo y pasivo) y, por último, la 6ª Ley de
reforma del Derecho penal, con el incremento de una serie de marcos penales, la
introducción de nuevos tipos cualificados y de «casos especialmente graves» y la
ampliación de los supuestos de punibilidad de la tentativa (v. al respecto Freund
—nota 90—, pp. 455 ss.; Stächelin, Das 6. Strafrechtsreformgesetz –Vom Streben
nach Harmonie, großen Reformen und höheren Strafen, StV 1997, pp. 98 ss.).

Pero el más afectado ha sido el Derecho procesal. En este ámbito, y tras una época de restauración del proceso de acuerdo a los principios del Estado de Derecho y tras las tendencias liberalizadoras de los años sesenta, ha tenido lugar, bajo la presión de nuevas formas de aparición de la criminalidad, especialmente del terrorismo y de la criminalidad organizada, una continua agravación y ampliación del instrumental de medidas coercitivas[134] y una agudización del carácter policial del sumario[135], y se han restringido derechos y debilitado garantías en otros sectores del proceso[136]. Aunque estos desarrollos resultan extraños en

---

[134]   A finales de los sesenta, con la Ley para la restricción del secreto postal y de las telecomunicaciones de 13.8.1968 (que introdujo el control de las llamadas telefónicas, §§ 100,a y b StPO), a la que le siguieron, especialmente, la 1ª Ley de reforma del proceso penal de 9.12.1974, con una ampliación de las facultades del Fiscal en el sumario (especialmente a través de la modificación de los §§ 100 y 110 StPO); la Ley para la lucha contra el terrorismo de 18.8.1976, con posibilidades adicionales de detención y la admisibilidad del control judicial de la correspondencia en procesos de terrorismo (§ 148,2 StPO); la llamada Ley antiterrorista, de 14.4.1978, con ampliación de las posibilidades de registro domiciliario y la regulación de la instalación de puestos callejeros de control policial (§ 111 StPO); la Ley para la lucha contra la criminalidad organizada de 15.7.1992 (que introduce, entre otras cosas, el control informatizado de ciertos datos personales en amplios grupos de personas, las bases jurídicas para el uso de medios técnicos —§§ 110,c y d StPO— y la utilización de agentes encubiertos —§§ 100,a-c StPO—) y la Ley para la mejora de la lucha contra la criminalidad organizada de 4.5.1998 (con la introducción de la «vigilancia secreta a gran escala», § 100,c,1 nº 3 StPO).

[135]   V. al respecto la ponencia de Lilie en las Jornadas de Profesores de Derecho Penal de 1999 en Halle, Verwicklungen im Ermittlungsverfahren, ZStW 111 (1999), pp. 807 ss., así como la discusión en ob. cit., pp. 898 ss.

[136]   Así, por ejemplo, la abolición de la instrucción previa judicial (1ª Ley de reforma del proceso penal, de 1974) así como de la última audiencia del Fiscal y de la audiencia final del inculpado, la restricción de las comunicaciones entre el abogado defensor y el acusado en procesos de terrorismo (1976), las limitaciones en el ámbito del derecho de recibimiento a prueba, la ampliación del elenco de penas imponibles en el proceso por orden penal [este proceso es un proceso sumario en el que se resuelven de forma rápida y con menores garantías supuestos de pequeña y mediana criminalidad; por ello mismo están limitadas las penas que pueden imponerse a través de él. Nota del traductor], la restricción de la apelación mediante la introducción del requisito de admisión previa en casos de poca importancia, etc.

relación al Derecho de los años sesenta y sospechosos a causa de su parcialidad, seguramente no son rechazables en todos los casos: la crítica que los rechaza todos está quizás realizando un análisis demasiado simplista. En el marco de una valoración del papel de la Dogmática científica debe además tenerse en cuenta que algunos de esos desarrollos no son propiamente desarrollos dogmáticos, sino que proceden del ámbito político, y que la intervención de la burocracia ministerial a menudo se limita, y debe limitarse, a controlar que tales proyectos, motivados políticamente, utilizan una técnica legal adecuada y son compatibles con los principios constitucionales. También es cierto que probablemente tampoco habría conseguido mucho un veto dogmático más decidido frente a ciertos proyectos que políticamente eran considerados de especial importancia. Pero, en cualquier caso, debe analizarse la cuestión de si la Dogmática empleó entonces realmente todos sus recursos frente a los desarrollos que hoy critica, y que ya se perfilaban a principios de los años setenta, o si por el contrario no han contribuido también los propios déficits dogmáticos (junto a las dificultades de comunicación entre la Dogmática científica y la legislación[137]) al origen de la situación actual. La elaboración de criterios claros para la delimitación de la punibilidad y la consecución de una teoría del proceso que consiga contraponer un potencial crítico a desarrollos procesales *ad hoc* constituyen, en mi opinión, precisamente (además de la solución de otros muchos nuevos problemas) algunas de las más importantes tareas de futuro del Derecho penal.

---

[137] Dificultades que se han mostrado de forma especialmente clara en el proceso de creación de la 6ª Ley de reforma del Derecho penal; cfr. por ejemplo *Lackner/ Kühl* (nota 58), comentarios previos al § 38, núm. marg. 16, y la toma de postura de *Meyer y Hirsch*, entre otros, y la contestación del representante del Ministerio de Justicia alemán (*Wilkitzki*) en las Jornadas de Profesores de Derecho penal de 1999, en Halle, ZStW 111 (1999), pp. 889 ss.

Dogmática penal afortunada y sin consecuencias[*]
(Comentario)

FRANCISCO MUÑOZ CONDE
Sevilla

La cuestión que se plantea en el título que sirve de denominador común a esta ponencia, debe exponerse, a mi juicio, en los siguientes términos:

¿Puede una Dogmática jurídico-penal «sin consecuencias» ser califica-da de «afortunada», o debe ser considerada siempre como una Dogmática «fracasada»? A esta pregunta sólo se puede responder a partir de las expectativas que se dirijan a la Dogmática jurídico-penal. Veamos cuáles son éstas:

I. LA DOGMÁTICA JURÍDICO-PENAL COMO «GRAMÁTICA INTERNACIONAL»

Si se considera que la misión de la Dogmática jurídico-penal es la creación de una «gramática internacional»[1] de la imputación penal no

---

[*]   Traducción del autor.
[1]   Expresión de Roxin recogida en Muñoz Conde, *Rechtsvergleichende Gesamtbetrachtung*, en: *Eser/Perron (Edit.), Rechtfertigung und Entschuldigung, III, Deutsch-italienisch-portugiesisch-spanisches Strafrechtskollokium, Freiburg im Breisgau 1991, S. 381.*

cabe duda de que la Dogmática jurídico-penal alemana es hasta cierto punto «afortunada». La estructura categorial secuencial del concepto de delito en los elementos básicos de acción, tipicidad, antijuricidad y culpabilidad, que desde Beling se puede considerar como la piedra angular de la Dogmática jurídico-penal alemana, está fuera de discusión desde comienzos del siglo XX no sólo en Alemania, sino también en otros muchos países, cuya Dogmática ha sido fuertemente influenciada por la alemana. También la clasificación de las eximentes de la responsabilidad penal en causas de justificación y causas de exculpación, que desde Ihering y von Liszt constituye una idea básica de la Dogmática jurídico-penal alemana, ha sido aceptada no sólo en los países influenciados por ella, sino también, aunque sólo en parte y con muchas reservas, en la teoría angloamericana del Derecho penal[2].

Pero de ello no se puede deducir que no haya una Dogmática jurídico-penal nacional «italiana, portuguesa, española o alemana, sino sólo una total o parcialmente correcta, o una falsa»[3], pues, como enseña la experiencia, hay otras muchas Dogmáticas jurídico-penales, es decir, técnicas de interpretación y sistematización del Derecho penal vigente en cada país que no han evolucionado conforme al modelo de la Dogmática jurídico-penal alemana y que a pesar de ello pueden ser conforme a sus

---

[2]   *Cfr. Eser/Fletcher, Rechtfertigung und Entschuldigung –Justification and Excuse, Bd.I 1987, Bd.II 1988, también Fletcher, Rethinking criminal law, 1978; el mismo, Basic Concepts of criminal law, 1998 (versión española: Conceptos básicos de Derecho penal, traducción y notas de Muñoz Conde, Valencia 1997); contra esta distinción expresamente Smith/Hogan, Criminal Law, 8ª ed., elaborada por John Smith, London 1996, p. 193; también J.C. Smith, Justification and Excuse in the criminal law, 1989; sobre ello, Jefferson, Criminal Law, 3ª ed., 1997, p. 209 ss.; sobre la propuesta de Fletcher de introducir la distinción en el sistema de Derecho penal del Common Law dicen Lacey/Wells, Reconstructing criminal law, Text and Materials, 2. Ed.,1998, p. 53: „Thus, the neat conceptual frame may be useful as a model, but on close inspection we find that its elements shade into one another in a way that ultimately defies the analytical clarity to wich doctrine aspires».*

[3]   *Así Hirsch, en Eser/Perron, ob. cit., p. 54; de la misma opinión, Schünemann, Coimbra-Symposium, ob. cit., p. 161 (hay traducción española de esta obra a cargo de Silva Sánchez, Fundamentos de un sistema europeo del Derecho penal, Barcelona 1995, p. 219*

propias premisas tan correctas como puede serlo la Dogmática jurídico-penal alemana. De ello ha extraído Winfried Hassemer la consecuencia de que la distinción jurídico-penal entre justificación y exculpación no es tampoco obligatoria en otros Ordenamientos jurídicos contemporáneos porque no es «un fenómeno intemporal de fundamentación iusnaturalista, sino más bien algo históricamente cambiable que puede depender de presupuestos culturales diferentes»[4]. Aceptar lo contrario significaría a mi juicio que sólo la Dogmática jurídico-penal alemana (y entonces, ¿cuál?: ¿la de un sistema ontológico, causal o final, o la de un sistema funcionalista?) sería la única Dogmática jurídico-penal correcta; es decir, un sistema de dominación, al que los otros sistemas no tan evolucionados tendrían que adaptarse incondicionalmente y lo antes posible. Pero cualquiera que tenga experiencia en el Derecho penal de otros países de la Comunidad Europea sabe lo difícil que es para muchos juristas de estos países no influenciados por la Dogmática jurídico-penal alemana entender, por ejemplo, las diferencias entre error de tipo y error de prohibición, una de las distinciones básicas de la Dogmática jurídico-penal alemana[5].

La Dogmática jurídico-penal alemana puede ser seguramente «una Dogmática jurídico-penal igualmente válida para los Ordenamientos jurídicos de otros países y aplicable en ellos, pero no la única y, desde luego, no la que mejores consecuencias tiene en la legislación y en la jurisprudencia; y ello no, en última instancia, porque la mayoría de las veces esté alejada de la praxis y orientada al interior del sistema. Existen además muchos penalistas europeos que no conocen muy bien la Dogmática jurídico-penal alemana, y que a pesar de ello no son unos malos penalistas, y para los que todavía conservan su vigencia las duras palabras

---

[4]   *Hassemer, en Eser/Fletcher, I, p. 175.*
[5]   *Cfr. Tiedemann, Zum Stand der Irrtumslehre, insbesondere im Wirtschafts-und Nebenstrafrecht, en: Festschrift für Friedrich Geerds, que en la página 110 propone: «Coincidiendo con la jurisprudencia del Tribunal de la Unión Europea especialmente las diferentes clases de error pueden ser unificadas, es decir, ser tratadas como punto de partida de igual forma, separadas por la evitabilidad y completadas con una mayor concreción de este criterio» (también en Estratto da: Rivista trimestrale di Diritto Penale dell´economia, 1995, p. 88.*

de Enrico Ferri cuando decía que la Dogmática jurídico-penal vive «sólo todavía de nuevas ediciones de los antiguos Tratados, discusiones bizantinas e infructuosas regurgitaciones»[6].

En todo caso, si lo que se pretende es concebir la Dogmática jurídico-penal (la alemana o cualquier otra más universal formada tras un proceso de asimilación cultural) como una lingua franca del Derecho penal, tenemos que ponernos de acuerdo sobre las funciones y consecuencias que esa Dogmática jurídico-penal tiene o debe tener en la formación de un Derecho penal mejor, más justo y racional. Pues si la Dogmática jurídico-penal desde el principio o por principio no ejerce ninguna influencia en su objeto, el Derecho penal, y sólo se lleva a cabo l'art pour l'art, se puede con razón y con cierta legitimación preguntar si una Dogmática jurídico-penal que no aspira más que a ser una lengua técnica común para interpretar sistemáticamente el Derecho penal vigente se puede calificar como una Dogmática jurídico-penal «afortunada».

II. LA DOGMÁTICA JURÍDICO-PENAL COMO «CIENCIA SISTEMÁTICA»

También si se entiende la Dogmática jurídico-penal al modo en que Welzel la concebía programáticamente en el subtítulo de su Tratado[7], como una «exposición sistemática» del Derecho penal vigente, produce un cierto malestar que una materia tan conflictiva como el Derecho penal sólo se estudie y se investigue desde un punto de vista sistemático y que «sólo el conocimiento de las relaciones internas del Derecho eleve su aplicación por encima del caso y la arbitrariedad»[8]. Esta autocomprensión puramente sistemática de la Dogmática jurídico-penal

---

[6]   Enrico Ferri, Verbrechen als soziale Erscheinung, citado por Hassemer, Strafrechtsdogmatik und Kriminalpolitik, 1974, p. 11.

[7]   Welzel, Das Deutsche Strafrecht, eine systematische Darstellung, 11ª ed., 1969 (hay traducción al español de Sergio Yáñez y Juan Bustos, publicada en Santiago de Chile, 1970)

[8]   Así Welzel, ob. cit., p. 1.

conduce paradójicamente a una relativización de la misma, pues como decía Helmuth Mayer: «Como enseña la historia dogmática, la materia se puede comprender en diversos sistemas de referencia. Todos son útiles con tal de que se apliquen consecuentemente»[9].

Si se recuerda la polémica entre los partidarios de la teoría causal y la teoría final de la acción en los años 50 y 60 del siglo XX en Alemania, se tiene inmediatamente la impresión de que fue sólo una guerra civil entre, por y para juristas, cuyo resultado práctico quedó en el ámbito dogmático, es decir, intrasistemático. No diría que esta polémica no tuvo consecuencias para la Dogmática jurídico-penal, pero se debe admitir al mismo tiempo que sólo han sido consecuencias internas que ciertamente condujeron a un refinamiento y diferenciación de los conceptos jurídico-penales, especialmente en el ámbito de la teoría del delito, pero que apenas ha tenido importancia práctica en la legislación y la jurisprudencia.

III. LA DOGMÁTICA JURÍDICO-PENAL Y LA ORIENTACIÓN A LAS CONSECUENCIAS

Si se calificara la Dogmática jurídico-penal como «ciencia»[10], sería en todo caso una «ciencia práctica» que se debe orientar a las consecuencias externas al sistema. En relación con esto, dice Winfried Hassemer:

«La orientación de las decisiones jurídicas a las consecuencias es una cualidad de los modernos sistemas jurídicos [...]. Y también caracteriza entretanto el Derecho penal [...]. Con ello se expresa que la legislación y la jurisprudencia están interesadas en las consecuencias de su acción

---

[9] H. Mayer, Strafrecht, Allg. Teil, Studienbuch, 1967, p. 58.

[10] *En contra, expresamente, Vives Antón, Fundamentos del Derecho penal, Valencia 1996, p. 488, con el argumento de que en la Dogmática jurídico-penal no se trata de cómo hemos de concebir el mundo, sino de cómo hemos de actuar en él. En mi Introducción al Derecho penal, Barcelona 1975, p. 116 ss, he sostenido el carácter de Ciencia de la Ciencia del Derecho penal y de la Dogmática, porque entre otras cosas también sirve como medio para descubrir la verdad.*

que al mismo tiempo se justifica produciendo consecuencias deseadas y evitando las indeseadas. Orientación a las consecuencias supone que las consecuencias de legislación, jurisprudencia y ejecución de las penas son conocidas realmente y que por lo menos se pueden valorar (como deseadas o indeseadas). Orientar el sistema del Derecho penal a las consecuencias puede significar que el legislador, la justicia penal y el sistema de ejecución penal no (sólo) se ven ante la tarea de perseguir el ilícito penal y retribuir la culpabilidad de su autor, sino de alcanzar la meta de mejorar al delincuente y reducir en general la criminalidad»[11].

¿Hay en la actual Dogmática jurídico-penal alemana un modelo que se corresponde o puede corresponderse con esta descripción de la orientación a las consecuencias? En relación con ello, me gustaría mencionar sólo dos modelos, que actualmente están muy extendidos tanto en Alemania, como en España y que más o menos están orientados a las consecuencias.

1. El sistema del Derecho penal de Claus Roxin

Las consecuencias puramente intrasistemáticas de la discusión dogmática jurídico-penal entre la teoría causal y final de la acción fueron duramente criticadas a comienzos de los años 70 por Claus Roxin, cuando confrontó el sistema del Derecho penal con la Política criminal: «¿De qué sirve la solución de un problema jurídico que, con hermosa claridad e igualdad, es errónea desde el punto de vista político-criminal? ¿Debe ser preferible a una decisión singular satisfactoria aunque no sea integrable sistemáticamente?»[12]. Bajo el lema «vinculación jurídica y finalidad político-criminal no deben oponerse entre sí, sino que deben

---

[11]   Hassemer, Einführung in die Grundlagen des Strafrechts, 2ª ed., 1990, p. 22 (hay traducción española de la 1ª edición de esta obra realizada por Arroyo Zapatero y Muñoz Conde, con el título: Fundamentos del Derecho penal, Barcelona 1985, la cita corresponde a la p. 34 y s.)

[12]   Roxin, Kriminalpolitik und Strafrechtssystem, 1ª ed. 1970, 2ª ed., 1973, p. 4 (hay traducción española de Muñoz Conde, Política criminal y sistema del Derecho penal, Barcelona 1972, p. 19).

ser traídas a una síntesis»[13], quería Roxin incluir las consecuencias externas del sistema (para él, las político-criminales) en el sistema del Derecho penal y proponer como misión de la Dogmática jurídico-penal que las categorías singulares del delito «se miren, se desarrollen y se sistematicen desde el prisma de su función político-criminal[14].

Desde entonces no se puede decir ya que la Dogmática jurídico-penal alemana es una Dogmática sin consecuencias, al contrario, pues, como dice Schünemann[15], la propuesta de Roxin: «articula, en todo caso en mi [su] opinión, un progreso del pensamiento sistemático general de la Ciencia del Derecho que no puede ser soslayado, y que no se puede agotar ya en la simple descripción de datos y relaciones naturales o adoptarlos como punto de partida, sino que, por su relación con un orden prescriptivo, es decir, el orden jurídico, debe partir en la determinación conceptual de la referencia al fin (función)».

2. El sistema del Derecho penal de Günther Jakobs

En los años 80 Günther Jakobs ha visto, desde la base de un planteamiento funcionalista, la misión de la Dogmática jurídico-penal en «desarrollar los principios que se utilizan para oponer al delito como hecho significativo (de contenido expresivo) un acto también significativo... Con ello no se afirma que con la misión del Derecho penal se haya encontrado ahora un punto con cuyo auxilio se puedan fijar de una vez para siempre los principios dogmáticos. Al contrario, todo principio dogmático jurídico-penal adolece de las mismas inseguridades de las que adolece la comprensión de la misión del Derecho penal. La dependencia no es, sin embargo, unilateral: de la comprensión de los principios dogmáticos pueden sacarse conclusiones sobre la misión del Derecho penal»[16].

---

[13]   Ob. cit., p. 10 (p. 33 de la traducción española).
[14]   Ob. cit., p. 15, (p. 40 de la traducción española).
[15]   Coimbra-Symposium, p. 149 s (p. 205 ss. de la traducción española).
[16]   Jakobs, Prólogo a la 1ª edición Tratado, Strafrecht, Allg.Teil. Die Grundlagen und die Zurechnungslehre, 1983 (hay traducción española de la 2ª edición de esta obra realizada por Cuello Contreras y Serrano González de Murillo, Madrid 1997).

Con estos modelos se introduce en la Dogmática del Derecho penal más la idea de fin que la de consecuencia, pero lo que se entiende por «fin» no es más que una consecuencia que el Derecho penal debe producir. Para Roxin, se trata de consecuencias político-criminales, es decir, de fines de prevención general y especial[17]. Para Jakobs, la prevención general positiva, es decir, la declaración de frustración de expectativas establecidas en la norma penal, estabilización normativa, ejercitación en la confianza normativa[18]. Aunque ambos modelos han sido calificados como muestras de una «época de un sistema racional final (funcional)»[19], hay diferencias entre ellos y tampoco se les puede calificar exactamente como Dogmáticas del Derecho penal orientado a las consecuencias. Tomemos como ejemplo de ello el concepto más importante de la Dogmática jurídico-penal tradicional, el concepto de «culpabilidad». Para Roxin, la culpabilidad viene acuñada desde el punto de vista político-criminal por la teoría de los fines de la pena»[20]. Para Jakobs, la culpabilidad «corresponde en toda su extensión a la prevención»[21]. Ambos aceptan la prevención como una consecuencia de la sanción penal, que acuña el concepto de culpabilidad, pero mientras Roxin atribuye a la culpabilidad una función limitadora del poder punitivo y de las consecuencias político-criminales[22], Jakobs no acepta que la culpabilidad tenga

---

[17] Cfr., por ej., Política criminal, p. 67.

[18] Cfr. Jakobs, Strafrecht, núm. marg. 4 ss.. Sobre la prevención general positiva, Hassemer, Einige Bemerkungen über «positive Generalpävention, en: Problemy Odpowiedzialnosci Karnej, Festschrift für Buchala, Universytet Jagiellonski, Kraków 1994. En la bibliografía española, cfr. Pérez Manzano, Culpabilidad y prevención, 1986; Silva Sánchez, Aproximación al Derecho penal contemporáneo, Barcelona 1992, p. 226 ff.; Vives Antón, ob. cit., p. 444 ss.

[19] Así Schünemann, Einführung in das strafrechtliche Systemdenken, in: Schünemann (Hrsg.), Grundfragen des modernen Strafrechtssystems, 1984 (hay traducción española de esta obra a cargo de Silva Sánchez, El sistema moderno del derecho penal: cuestiones fundamentales, Madrid 1991).

[20] Roxin, Kriminal politik, p. 33 (Política criminal, p. 67).

[21] Jakobs, Schuld und Prävention, Tübingen 1976, p. 6 (hay traducción española de esta obra recogida en Jkobs, Estudios de Derecho penal, Madrid 1997, traducción de Peñaranda Ramos, Suárez González y Cancio Meliá, la citas corresponde a la p. 75).

[22] Así desde su artículo Kriminalpolitische Überlegungen zum Schuldprinzp, MschrKrim 56 (1973), p. 316 s. (hay traducción española recogida en Roxin,

una función limitadora, pues «si el Derecho penal actúa en función de la prevención, la culpabilidad (limitadora) debe corresponder en toda su extensión a la prevención, pues de lo contrario devaluaría la prevención hasta hacerla ineficaz, y una pena preventiva que no es eficaz ya no sirve para nada»[23].

En el sistema de Roxin, la Dogmática jurídico-penal (en este caso, el concepto jurídico-penal de culpabilidad) sigue siendo la infranqueable barrera de la Política criminal, como ya propuso von Liszt; para Jakobs es simplemente un sistema cerrado en sí mismo (circular), que sólo es acuñado por la tarea preventivo-general del Derecho penal. Para Roxin, el sistema del Derecho penal y la Política criminal deben ser traídas a una unidad, de tal manera que las consecuencias político-criminales deben también ser consideradas en la elaboración del sistema del Derecho penal; para Jakobs, las consecuencias político-criminales se entienden por sí mismas, son simplemente las consecuencias del respectivo Derecho penal vigente.

Pero desde el punto de vista de la orientación a las consecuencias ambos modelos están expuestos a los «déficits masivos de fundamentación de la teoría de los fines de la pena»[24], que en parte se deben a la «incapacidad para verificar» empíricamente las consecuencias del Derecho penal. Con una orientación a las consecuencias de este tipo, la Dogmática jurídico-penal puede ser más que una Dogmática «sin consecuencias», una Dogmática «ciega», que ciertamente está interesada en las consecuencias empíricas, pero que dispone de conocimientos insuficientes de la realidad de esas consecuencias, basándose, por tanto, en un pseudoempirismo. Por lo demás, la orientación a las consecuencias ha sido objeto de severas críticas[25], así que tampoco es una garantía de una Dogmática jurídico-penal «afortunada».

Culpabilidad y prevención en Derecho penal, traducción y notas de Muñoz Conde, Madrid 1981, p. 41 ss.); cfr. también su Strafrecht, Allg Teil, Band 1, 3ª ed. parágrafo. 3 num. marg. 4 (hay traducción española de la 2ª edición realizada por Luzón Peña, Díaz y García y De Vicente Remesal, Madrid 1996).

[23]   *Jakobs, lug. cit. en nota 22.*

[24]   *Expresión de Stratenwerth, Was leistet die Lehre von den Strafzwecken? Schriften der Juristischen Gesselschaft zu Berlin Heft 135, 1995.*

[25]   *Cfr. Hassemer, ob. cit. en nota 12.*

IV. DOGMÁTICA JURÍDICO-PENAL Y «MODERNO» DERE- CHO PENAL

En los últimos años, las reformas del Derecho penal se han caracte- rizado sobre todo por la utilización que hace el legislador del instrumento jurídico-penal para luchar contra los grandes riesgos modernos: econo- mía, medio ambiente, utilización de datos informáticos, salud pública, responsabilidad por el producto, corrupción, impuestos, criminalidad organizada. El desarrollo técnico y social también ha enfrentado a la jurisprudencia con nuevos problemas, como el caso del spray de cuero o el del abrillantador de maderas en Alemania, el del aceite de colza en España o el de la sangre contagiada de SIDA en Francia.

Evidentemente, el Derecho penal clásico no puede reaccionar correc- tamente ante estos retos. Carece de información suficiente sobre el efecto preventivo de sus disposiciones, exige una imputación del injusto a personas físicas individuales y requiere una prueba precisa de la rela- ción causal entre la acción y los daños. Por eso, se ha desencadenado tanto en España[26], como en Alemania[27], una amplia discusión tanto entre los científicos, como entre los prácticos, sobre si el Derecho penal debe adaptarse en sus instrumentos y garantías al moderno desarrollo técnico o se deben buscar otros instrumentos jurídicos que puedan res- ponder mejor a ese desarrollo que el Derecho penal.

Esta discusión afecta a las bases de la Dogmática jurídico-penal y es afectada por las necesidades político-criminales que la han desencadena- do. En el centro de la misma están los conceptos de bien jurídico, principio de culpabilidad, imputación individual, causalidad, error, impu- tación a varias personas. En realidad, no hay una categoría jurídico-penal básica que no sea afectada por esta discusión. La opción que se adopte en este ámbito puede tener importantes consecuencias también para la Dogmática jurídico-penal. Por un lado, se trata de un Derecho penal

---

[26]   *Cfr., por ej., Muñoz Conde, en: Hassemer/Muñoz Conde, La responsabilidad por el producto en Derecho penal, Valencia 1995; también Paredes Castañón/Martínez Montañés, El caso de la colza: Responsabilidad penal por productos adulterados o defectuosos, Valencia 1995.*

[27]   *Cfr., por ej., Hassemer, Produktverantwortung im modernen Strafrecht, 1994.*

prudente, respetuoso con las garantías tradicionales, y, por otro lado, de un Derecho penal que responde eficazmente a las exigencias modernas. ¿Qué se puede considerar en esta disyuntiva como Dogmática jurídico-penal «afortunada»? ¿Una Dogmática que ve con alegría esta expansión del Derecho penal y está dispuesta a modificar los conceptos tradicionales o a introducir nuevos conceptos como el de bienes jurídicos universales, delitos de peligro abstracto, etc., para adaptarse al moderno Derecho penal; o una Dogmática que critique estas tendencias y quiera seguir utilizando los conceptos tradicionales de causalidad, delitos de lesión, culpabilidad, etc., como barreras infranqueables de estas tendencias? La discusión está en marcha y en todo caso cabe esperar que también conduzca a una reformulación de los límites y consecuencias de la Dogmática jurídico-penal, aunque no se sepa exactamente qué es lo que aquí se puede considerar como una Dogmática afortunada o como una Dogmática sin consecuencias. Lo que en ningún caso puede significar la adaptación a los «retos del tiempo» es que produzca la pérdida de identidad de la Dogmática jurídico-penal como instrumento garantista de los principios fundamentales del Derecho penal del Estado de Derecho, pues con esas malas consecuencias la Dogmática jurídico-penal debería ser calificada como una Dogmática «fracasada».

V. EL RESULTADO PRÁCTICO DE LA DOGMÁTICA JURÍDI-CO-PENAL

En el plano abstracto, es difícil saber cuándo la Dogmática jurídico-penal es afortunada y cuándo carece de consecuencias. Pero a la Dogmática jurídico-penal, entendida como «ciencia práctica», se le atribuyen también unas expectativas que debe cumplir tanto en el ámbito de la enseñanza jurídica, como en el de la jurisprudencia y la legislación. Por razones de tiempo, sólo puedo dar algunas referencias de hasta qué punto es la Dogmática jurídico-penal afortunada o carece, por el contrario, de consecuencias en estos sectores.

1. La formación del jurista

El aprendizaje de la materia jurídica se transmite al estudiante de Derecho a través de la Dogmática, que constituye una especie de aparato gimnástico con el que el estudiante aprende a descubrir la relevancia estructural del problema de la punibilidad y a presentar la coincidencia entre los elementos del supuesto de hecho y los del tipo de un delito por lo general como una «solución»[28]. En tanto sé, todos los profesores alemanes utilizan en la enseñanza del Derecho penal material el método de la Dogmática jurídico-penal; también sus tesis doctorales, sus investigaciones, sus escritos de habilitación, sus monografías y artículos son de naturaleza dogmática. Lo mismo sucede en España, donde la Dogmática jurídico-penal alemana está prácticamente en su casa entre muchos jóvenes docentes españoles que pretenden abrirse camino como profesores de Derecho penal[29].

---

[28] Cfr. Hassemer, Einführung, p. 201, 280 (=Fundamentos, p. 343).

[29] Las relaciones entre las Dogmática jurídico-penal alemana y la alemana son ya antiguas. Ya a comienzos de l siglo XX se tradujeron los tratados de Merkel y Von Liszt; pero dicha relación se hizo más patente a partir de la traducción realizada en 1935 por José Arturo Rodríguez Muñoz de la 2ª edición alemana (1933) del Tratado de Derecho penal de Edmund Mezger, con lo que se introdujo y se hizo dominante entre nosotros el sistema mezgeriano y la teoría causal de la acción que fundamentaba su teoría del delito. Ya en los años 60 se introdujo la teoría final de la acción a través de las traducciones de las obras de Welzel (por Cerezo, Bustos) y Maurach, cuyo Tratado tradujo Córdoba Roda en 1962. Conjuntamente con Mir Puig, traduje en 1982 el Tratado de Jeschek, y junto con Luis Arroyo Zapatero los Fundamentos del Derecho penal de Hassemer (1985), del que además he traducido otras obras que han sido publicadas bien con reelaboraciones por mi parte (cfr- por ej., Introducción a la Criminología y al derecho penal, Valencia 1992; La responsabilidad por el producto, Vaelcnai 1995), y juntamente con Díaz Pita una serie de artículos publicados bajo el título: Persona, mundo y responsabilidad. De Roxin, cuyo Tratado en su primer volumen fue traducido por Luzón, Díaz y García y De Vicente en 1997, he traducido Política criminal y sistema del Derecho penal (1972), y una serie de artículos publicados con una Introducción bajo el título Culpabilidad y prevención en Derecho penal (1981). Quizás uno de los autores más traducidos actualmente sea Jaboks, no sólo su Tratado (1997), sino también la práctica totalidad de sus trabajos monográficos bajo el título Estudios de Derecho penal (1997); personalmente he traducido de él, juntamente con García Álvarez, una monografía sobre Eutanasia, Suicidio y Derecho penal, Valencia

Ello ha provocado tanto en Alemania, como en España, un gran número de profesores que a su vez producen innumerables publicaciones de diferente nivel científico[30]. Aquí sí que se puede decir que la Dogmá-

---

1999. Prácticamente, existe en estos momentos un paralelismo casi total entre la Dogmática alemana y la española, si bien hay que reconocer que la influencia alemana entre nosotros es grande, pero que la mayoría de los penalistas españoles y su producción científica es desconocida cuando no ignorada en Alemania. Hecha esta observación, la recepción de las grandes teorías dogmáticas alemanas de los últimos 50 años ha sido bastante grande. En los años 50 y 60 se siguió la polémica entre causalismo y finalismo, con sus implicaciones en materia de error, autoría y participación, etc; en los años 70 y 80 se introdujeron los planteamientos de Roxin sobre imputación objetiva y culpabilidad, autorías y participación, y las relaciones entre dogmática jurídico-penal y Política criminal. Entre algunos penalistas jóvenes es notoria la influencia del pensamiento funcionalista de Jakobs, y en el ámbito del Derecho penal económico la obra de Klaus Tiedemann. De todos estos autores, así como de otros penalistas alemanes (Stratenwerth, Armin Kaufmann, Hirsch, Naucke, Gössel, Lampe, Eser, Burkhardt, Frisch, Hruschka, Schünemann, Kindhäuser, Frommel, etc) se han traducido importantes obras y monografías, no sólo en España, sino también en países latinoamericanos como Perú, Chile, Colombia, Argentina. La clasificación de las categorías del delito en tipicidad, antijuricidad y culpabilidad es acogida en todos estos países y en España de forma casi unánime. No obstante, hay que reconocer algunas desviaciones de este sin duda excesivo mimetismo del patrón de la Dogmática alemana, sobre todo cuando la propia legislación penal tiene algunas particularidades que la distinguen de la alemana, o cuando coherentemente con otras premisas o concepciones del Derecho penal se desarrollan otros conceptos o formas distintas de entender la Dogmática. En todo caso, se hace difícil hablar de una Dogmática jurídico-penal española sin mencionar el correspondiente referente alemán.

[30] Cfr. Artz, Die deutsche Strafrechtswissenschaft zwischen Studentenberg und Publikationsflut, en: Gedächtnisschrift für Armin Kaufmann, 1989, p. 839 ss. En España, la situación es bastante parecida; baste citar, como ejemplo, que en la 12ª edición de mi Parte Especial, aparecida en septiembre de 1999, he tenido que tener en cuenta más bibliografía aparecida en los tres últimos años sobre el Código penal de 1995 que la habida durante toda la vigencia de más de un siglo del Código penal anterior (Cgt. Muñoz Conde, Derecho penal, parte especial, 12ª ed., Valencia 1999). De todos modos, hay que advertir que esta profusión bibliográfica afecta sobre todo a la Parte Especial, y no tanto a la Parte General que, sobre todo en la Teoría del delito es absolutamente tributaria de la alemana, careciendo, sin embargo, del empuje y de la importancia de ésta. En este sentido la Dogmática de la Parte General del Derecho penal sigue siendo en España una parte necesitada de mayor investigación teórica.

tica jurídico-penal resplandece y en este sentido puede considerarse afortunada. Pero si la consideramos como algo más que una empresa académica, su importancia práctica fuera de este ámbito es escasa.

2. Jurisprudencia

A la marea de publicaciones ha seguido también en España un aumento de la actividad jurisprudencial. El número de sentencias del Tribunal Supremo ha crecido y frecuentemente se puede ver en ellas la influencia de la discusión dogmática. Pero no hay una imagen unitaria de la jurisprudencia y muchas veces se pueden considerar sus decisiones, al menos desde el punto de vista de los más estrictos criterios de la Dogmática, incluso contradictorias y arbitrarias. Se tiene también la impresión de que «la fundamentación que se da expressis verbis muchas veces no es más que la muleta que se utiliza para dar a la sentencia que se considera justa el requerido apoyo dogmático»[31]. Una causa de ello puede ser, al menos como explicación de este fenómeno en la jurisprudencia española, que la Dogmática jurídico-penal se ha ocupado sólo de problemas de Derecho penal material, abandonando siempre las cuestiones jurídico-procesales, debido sobre todo, por lo menos en España, a que el Derecho procesal penal es enseñado por los procesalistas y no por los penalistas. De un modo general, tiene razón Artz cuando dice que «una Ciencia del Derecho penal evolucionada transforma las cuestiones de hecho en cuestiones de Derecho»[32]; pero también tiene que ver con ese estado insatisfactorio de las relaciones entre jurisprudencia y Dogmática jurídico-penal el abandono científico de la valoración de la prueba y de la praxis de la medición de la pena[33].

---

[31] Maurach/Zipf/Gössel, Strafrecht, Allg.Teil, Teilband 2, 6ª ed. 1984, Prgf. 44 III, Rdn.28 (hay traducción de la 2ª edición alemana realizada por Córdoba Roda en 1962, y otra argentina de la última edición alemana).

[32] Arzt, lug. cit., p. 856.

[33] Cfr. Hassemer, Einführung, S.100 (= Fundamentos), quien le da a estos sectores especial importancia.

3. Legislación

Cuando se habla de una reforma de la legislación penal, en primer plano aparecen los problemas político-criminales, no los dogmáticos. Cuando se redacta, por ejemplo, un nuevo Código penal, como sucedió en España en 1995, se discutió cómo castigar nuevos delitos en el ámbito de la economía, salud pública, política de subvenciones, Seguridad Social, Hacienda Pública, Ordenación del territorio, abuso de información privilegiada, o, en su caso, de la descriminalización de otros, como el aborto, de la eficacia y cantidad de la pena de prisión y de sus alternativas y sustitutos, etc.; de problemas, pues, que apenas pueden ser resueltos por la Dogmática. La importancia de la Dogmática jurídico-penal en la creación, por ejemplo, de un nuevo Código penal es muy limitada, por lo menos en la medida en que se la conciba como una Dogmática esotérica, puramente sistemática. Aunque también en esto se ha producido recientemente un cambio debido a que, como ya señalé supra 4, la Dogmática jurídico-penal está cada vez más interesada en la Política, asesora a los políticos y coopera productivamente en una expansión del Derecho penal, desarrollando nuevos conceptos para adaptarse al «moderno» Derecho penal. Es dudoso hasta qué punto se puede considerar esta tendencia como afortunada, pero con esto no quiero decir que el mantenimiento de los modelos tradicionales de una Dogmática jurídico-penal sin consecuencias, encerrada en sí misma, sea una solución mejor. La misión de la Dogmática jurídico-penal podría consistir en el futuro en abrir la puerta a la reforma de la legislación penal, en tanto que también critique el Derecho penal vigente y el sistema social. De este modo puede convertirse en una Dogmática crítica del Derecho penal apoyada en puntos de vista político-criminales[34]. Si con ello, es decir, con una actitud crítica

---

[34] Cfr. Muñoz Conde, Funktion der Strafnorm und Strafrechtsreform, en: Strafrecht und Strafrechtsreform, Köln 1975, p. 310 (hay versión española de esta obra publicada en Argentina en Revista Penal, 1973); el mismo, Introducción al Derecho penal, Barcelona 1975, p. 187; el mismo, Hacia una ciencia crítica del Derecho Penal, Doctrina Penal, 1978, (Buenos Aires); el mismo, Para una Ciencia crítica do Direito Penal, Revista de Direito Penal, Rio de Janeiro, vol. 24, 1977; el mismo, Pour une Science critique du Droit Pénal, en Quaderni del Instituto Superiore Internationale di Scienze criminali, mayo 1976. Sobre la dogmática

frente al Derecho penal vigente y a las injusticias del sistema social, se consigue una Dogmática jurídico-penal más afortunada o una estéril, sin consecuencias, es algo que queda abierto. Ciertamente, la Dogmática jurídico-penal no puede cumplir como tal esta función crítica, ya que los términos Dogmática y crítica son términos opuestos, difícilmente reconducibles a una unidad, pero ello sí es posible si se la concibe como parte de una Ciencia totalizadora del Derecho penal que se remite a su entorno y tematiza las expectativas que desde su entorno se le dirigen[35].

---

crítica, cfr Paul, Wolf, *Kritische Rechtsdogmatik und Dogmatikkritik,* en: Rechtstheorie (ed. Arthur Kaufmann), Karlsruhe, 1971, p. 62 ss; Nahamowitz, *Wirtschaftsrecht im «Organisierten Kapitalismus»,* Kritische Justiz, 14, I, 1968, p. 55 ss.

[35] Cfr. Hassemer, *en este mismo volumen.*

Dogmática afortunada y dogmática sin consecuencias*
(Comentario)

FRANZ SALDITT
Neuwied

La dogmática es afortunada cuando impulsa con éxito a la aplicación correcta de las normas en la práctica y cuando protege las decisiones judiciales frente a influencias irracionales. Sin resultados se vuelve la dogmática cuando no logra esto. Fortuna y fracaso son a veces difíciles de discernir la una del otro.

I. LA GRAN COALICIÓN DE TEORÍAS

Desde el entendimiento de un abogado, el fruto más importante del árbol de la teoría, qué función cumplen las penas y cuándo están justificadas, reside en el principio de resocialización[1]. ¿Se trata de una dogmática afortunada? Al menos la teoría ha ejercido influencia tanto sobre el legislador[2] como sobre la jurisprudencia constitucional[3], e incluso ha penetrado en el lenguaje cotidiano.

---

[*]   Traducción de Teresa Manso Porto.

[1]   Sentencia del Tribunal Constitucional alemán (en adelante, BVerfGE) núm. 35, 202 s. (Lebach); Sentencia del Tribunal Supremo alemán, Sala Penal (en adelante, BGHSt) núm. 24, 40, 42.

[2]   Parágrafo 46. 1. II. del Código penal alemán.

[3]   BVerfG NJW 1998, 3337; según BVerfG NJW 1998, 2202, la privación de libertad y la oportunidad de resocialización «siempre» van unidas la una a la otra, incluso en el caso de pena de privación de libertad perpetua.

Lo cierto es que nadie sabe exactamente si la teoría generó efectos o si ella fue sólo un efecto. Probablemente, también sin dogmática habríamos llegado, debido a la escasez de recursos, a la prohibición de las penas cortas de privación de libertad, a soluciones de pena condicional y al predominio de las sanciones pecuniarias[4]. Hoy pesa sobre nosotros la experiencia de que, allí donde las penas privativas de libertad todavía se cumplen, la idea de resocialización perece en la práctica, porque la práctica no es capaz de llevar a cabo su cometido[5].

La teoría de la resocialización es capaz de sobrevivir a su propio fracaso porque se ha mantenido abierta frente a las teorías con las que compite. Aquí los conceptos se han unificado en lugar de combatirse mutuamente con el objetivo de suplantarse. Al término provisional del proceso de unificación, que el presente denominaría merger of equals, coexisten todas ellas dentro de un frágil modelo de pensamiento[6]. Es el resultado de una nivelación de contrastes, como la que se produce también en muchos otros ámbitos. En quien ejerce la práctica jurídica, esos resultados generan sensación de inestabilidad, como si a cada golpe de viento se modificase la posición de las piezas. Si se reduce a un denominador común el programa contrapesado de la gran coalición de teorías, la pena habría de mantener la confianza de la población en el ordenamiento jurídico[7].

---

[4]   Acerca del desarrollo legislativo del principio de resocialización, v. Hans-Heinrich Jescheck, Strafrecht AT, 4ª ed., Berlín, 1998, p. 679, 681 y 687.

[5]   Acerca de la situación (relación de discrepancia entre las tareas de tratamiento y aseguramiento) la 68ª Conferencia de Ministros de Justicia del 11 al 12 de junio de 1997, en Saarbrücken; Franz Salditt, Gesetzesgehorsam, StraFo 1998, 181. El Ministro de Justicia de Renania del Norte-Westfalia ha comunicado que cada vez resulta más difícil compaginar la meta de la resocialización con las exigencias de seguridad (Frankfurter Allgemeine Zeitung de 3 de mayo de 1999). Según Claus Roxin, Strafrecht AT 1, 3ª ed., Múnich, 1997, p. 47, desde 1975 se puede percibir una vuelta a la idea de resocialización.

[6]   BVerfGE 45, 187, 253 s.; BVerfGE 39, 1, 57; acerca de la teorías de la unión, diferenciadamente, Roxin (n. 5), p. 53 ss.; allí se detalla una suma de defectos (p. 54).

[7]   Acerca de la prevención general positiva como «efecto de confianza que resulta cuando el ciudadano ve que el Derecho se impone» y acerca del «efecto de satisfacción que se produce cuando la conciencia jurídica general se tranquiliza con

De ahí se extrae la primera tesis: Los programas de centro tienen, como aquí se ve, su precio. La confianza de los ciudadanos —con fórmulas seductoras de esta clase, la pena se aproxima a lo que una generalidad veleidosa y fácil de decepcionar espera de ella—. Y de la mano de esta aproximación, la dogmática se marcha por un camino que lleva a lo incierto y que ella misma ha trazado. Afortunada ya no se la puede llamar. En el vacío generado se infiltra un «sentimiento jurídico conceptualmente no articulable» que Roxin ha caracterizado como la «más turbia fuente de conocimiento»[8], como es el eco de las expectativas generales.

II. EL DESVANECIMIENTO DE LAS IMÁGENES

La prevención general positiva pretende generar confianza mediante la pena. La confianza presupone comprender y comprender presupone que algo sea comprensible. El Derecho penal resulta comprensible en tanto que castiga la lesión de los bienes jurídicos clásicos tales como la vida, la integridad corporal, la propiedad y el patrimonio. De ahí que el dogma del bien jurídico fomentaba los fines que el Derecho penal debía cumplir. La via antiqua resultaba afortunada porque oponía solidez y estructuras al sentimiento jurídico circundante[9].

A través de la via moderna las imágenes concretas de los bienes jurídicos se han desvanecido convirtiéndose en valoraciones abstractas («wellbeing of the nation»). Al mismo tiempo se tuvo que abandonar la aparente certeza que se asociaba a las viejas fórmulas de la causalidad. Eso nos conduce a la segunda tesis: El legislador y los tribunales pueden manejar valoraciones más fácilmente que imágenes. Si las penas han de evitar la defraudación de expectativas sociales y si estas expectativas se ponen en las penas, el círculo se cierra.

---

motivo de la sanción a la lesión jurídica» Roxin (n. 5), p. 51. Jescheck (n. 4) habla del efecto de la pena justa sobre la generalidad como fuerza moralizadora.

[8]   *Roxin (n. 5), p. 158, acerca de las virtudes del pensamiento sistemático.*

[9]   *Acerca del significado actual del dogma del bien jurídico, Roxin (n. 5), p. 11 ss., acerca del concepto de bien jurídico como patrón de enjuiciamiento p. 17 ss.*

III. LA CULPABILIDAD COMO RESPONSABILIDAD SOCIAL

Para que el Derecho penal a pesar de todo no se convierta en un *management of dangerousness*[10] de carácter policial, todas las esperanzas están puestas en la culpabilidad. ¿Culpabilidad como límite previamente dado y el Derecho penal a ella vinculado como *guilt orientation*?[11].

La esperanza se vuelve desasosiego. Entendemos la culpabilidad como imputación según las necesidades preventivas[12] y hablamos de culpabilidad en sentido de responsabilidad social[13]. Eso al parecer no es ninguna particularidad alemana. En inglés esto se denomina traslación «*from moral responsibility to social responsibility*» y se sustituye *guilt* (culpabilidad) por *harm* (daño)[14]. Con ello —y ésta es la tercera tesis— también la doctrina de la culpabilidad se abre de manera expresa a las expectativas de la sociedad. El dominio sobre dichas expectativas reside a su vez en el sentimiento jurídico.

IV. LAS ATADURAS DEL RECONOCIMIENTO LEGISLATIVO

La mayor fortuna de cualquier dogmática está en convencer al legislador. En el error de prohibición lo consiguió la teoría de la culpabilidad que derrotó brillantemente a la teoría del dolo con la temprana ayuda del Tribunal Supremo Federal Alemán (BGHSt 2, 194; parágrafo 17 StGB). Por eso la culpabilidad no presupone la conciencia de la antijuricidad.

---

[10]　*Klaus Tipke*, Innere Sicherheit und Gewaltkriminalität, Munich, 1998, p. 17.

[11]　Acerca del *management of dangerousness* en el sentido de un *shifting away from guilt*: Tipke (n. 10); *Ezzat Fattah*, From a Guilt Orientation to a Consequence Orientation, en: Wilfred Küper/Jürgen Welp (eds.), Festschrift Stree/Wessels, Heidelberg, 1993, p. 771 ss.

[12]　Sobre culpabilidad y necesidad preventiva como requisitos de la responsabilidad penal *Roxin* (n. 5) p. 724 ss., acerca del tratamiento de la culpabilidad como imputación según las necesidades preventivas, p. 738.

[13]　Sobre la «culpabilidad más en el sentido de una responsabilidad social» *Roxin* (n. 5) p. 737.

[14]　Fattah (n. 11), p. 782 y 784.

Desde entonces ya no existe ese seguro margen de maniobra que se había procurado el *Reichsgericht* con el error jurídico extrapenal, que se veía privilegiado. Todo depende de la evitabilidad de la representación errónea[15]. Los tribunales, por ejemplo, se pueden equivocar; en cambio los autores no pueden confiar en los tribunales que se equivocan, al menos cuando se trata de las instancias inferiores[16].

La dogmática que se ha convertido en ley está atada de por vida. No puede escapar de las ataduras a pesar de que muchas de las normas penales que proliferan apenas son deducibles a partir de un carácter evidentemente dañino del comportamiento para la sociedad[17]. Con el desarrollo fulminante del Derecho penal legal, la fortuna legislativa de la teoría de la culpabilidad se convierte en infortunio. ¿Es la consecuencia de ello que la dogmática —ello como cuarta tesis— debería no aspirar, dentro de lo posible, al reconocimiento parlamentario? Y la verdadera fortuna de la dogmática, ¿consiste en evitar las ataduras legislativas?

Aquí la dogmática tuvo su ocasión histórica. Podía reflexionar y discutir acerca de cuándo falta la culpabilidad debido a que se ha errado. Si el error era evitable, esta otra cuestión ahora sólo la analizan e imputan los tribunales. La valoración que para ello es determinante no se reviste de una teoría sino, también aquí, «de la sociedad». Si la sociedad espera del Derecho penal el restablecimiento de la seguridad general, entonces son sobre todo esas expectativas las que se vierten en la valoración. No es de extrañar que el error de prohibición que excluye la culpabilidad esté casi olvidado.

---

[15]   *Gerhard Pauli*, Die Rechtsprechung des Reichsgerichts in Strafsachen zwischen 1933 und 1945 und ihre Fortwirkung in der Rechtsprechung des Bundesgerichtshofes, Berlín, 1992, p. 69 ss., expone el desarrollo y lo caracteriza como «espacios abiertos a la libre valoración en el ejemplo de la doctrina del error del Tribunal Supremo del Imperio en comparación a la jurisprudencia sobre error del Tribunal Supremo Federal.»

[16]   Sobre esto *Roxin* (n. 5), p. 820.

[17]   Acerca de la creciente plausibilidad de la teoría del dolo cuando la dañosidad social de un comportamiento ya no se puede deducir sin más a partir del conocimiento de las circunstancias que determinan el injusto penal, *Roxin* (n. 5), p. 796 s.

V. LA NECESIDAD DE PREVENCIÓN

Es un síntoma el hecho de que la teoría busque nuevas soluciones para limitar la punibilidad. La búsqueda se acaba en el nivel superior. Allí la culpabilidad y la prevención se reconocen como requisitos comunes de la culpabilidad penal y con el mismo rango: si falta la necesidad de castigo, entonces no se daría la responsabilidad[18]. *Con ello hay sujeción a la culpabilidad sólo en parte, pues si no, el sí y el cómo de la pena no dependen de «lo que uno ha hecho con una actitud, sino de lo que al juez le parece necesario para el restablecimiento de la confianza en el ordenamiento» (Roxin*[19]). *Desde otra perspectiva, de nuevo el merecimiento y la necesidad de pena no aparecen como criterios sino en una cuarta categoría del delito*[20]. *Constituyen el corolario del juicio extraído de las tres primeras categorías acerca de una mera «posibilidad de castigo*[21]».

Según esto, el Derecho material no conoce una obligación incondicional de perseguir; no puede prever una consecuencia jurídica que por falta de necesidad nunca se podría legitimar[22]. *Graduaciones de precisión que se han perdido en otros niveles se recuperan por esta vía con una radical franqueza. Pero, ¿con qué patrón de medida se ha de decidir acerca de la necesidad del castigo?*

Si la responsabilidad jurídico-penal presupone una necesidad de prevención, cabe pensar que haya casos en los que la responsabilidad podría tanto afirmarse como negarse. Y es que la necesidad de prevención depende muy esencialmente de circunstancias que aparecen por primera vez después del hecho: dilaciones del procedimiento, reparación, el peso

---

[18]   *Roxin* (n. 5), p. 726 s.

[19]   Crítico con la culpabilidad como imputación de acuerdo a necesidades preventivas *Roxin* (n. 5), p. 738 s.

[20]   Crítico con el merecimiento y la necesidad de pena como criterios de una «cuarta» categoría del delito *Roxin* (n. 5), p. 906 ss.

[21]   Esto lo rechaza *Roxin* (n. 5), p. 905 ss.

[22]   *Georg Freund, Zur Legitimationsfunktion des Zweckgedankens im gesamten Strafrechtssystem*, en: Jürgen Wolter/Georg Freund (eds.), *Straftat, Strafzumessung und Strafprozeß im gesamten Strafrechssystem*, Heidelberg, 1996, p. 46.

de la desgracia sufrida y la madurez. En suma, depende del —incierto— momento en que tenga lugar cada juicio.

Si falta la responsabilidad porque no cabe constatar ninguna necesidad de prevención, entonces ha de decaer el derecho a la pena. Procesalmente, ello desembocaría en una declaración de inocencia. La dogmática entorno a la responsabilidad y las reglas de Derecho procesal sobre sobreseimiento según criterios de oportunidad (parágrafos 153 y 153a del Ordenamiento procesal penal alemán: StPO) generan un interrogante en cuanto a su relación de concurrencia.

En la sistemática de la teoría del delito es evidente que la discusión acerca de las necesidades de prevención acaba de comenzar. Las limitaciones que eran en sentido clásico función del bien jurídico, del tipo penal, de la culpabilidad, ¿deben buscarse al margen de estructuras calculables? Y, en la práctica, ¿sólo servirá de ayuda un difuso sentimiento jurídico con dificultades para mantenerse firme frente a las expectativas de la población que se vierten en las necesidades preventivas? Y al mismo tiempo se plantea la pregunta de si el intento de buscar soluciones nuevas no constituye el reflejo de una dogmática que en los niveles anteriores está perdiendo relevancia. Posiblemente está aquí la venganza por la pérdida de confianza en la lógica incontestable de un sistema que le es dado al Derecho penal de manera previa.

En esto se basa la cuarta tesis: Con la superación de los sistemas de carácter obligatorio sólo queda el caso concreto. Si no fuese porque son palabras tan mayores, podría hablarse de la dialéctica del racionalismo dogmático o de cómo los modernos consumen sus propios fundamentos.

VI. LAS CONSECUENCIAS

En el año 1996 las fiscalías concluyeron 4,33 millones de procedimientos. De ellos casi tres cuartas partes (3,16 millones) resultaron ser casos perseguibles[23]. De aquí se sobreseyeron un total de 923.000 de

---

[23]   Statistisches Bundesamt (eds.), *Justiz im Spiegel der Rechtspflegestatistik*, Wiesbaden, 1988, p. 14 ss., 51.

acuerdo al parágrafo 153 StPO y otros 247.000 provisionalmente, de acuerdo al parágrafo 153 a. Eso supone un 27% de los procedimientos. Esta cifra es casi idéntica al 28% de la totalidad de casos que llegaron a los tribunales a través de denuncia de la fiscalía o de particulares. Por cierto que en 1996 los tribunales sobreseyeron otro 16% de los procesos pendientes, lo que arroja una cifra cercana a los 100.000.

Los sobreseimientos referidos afectan a infracciones menores (Vergehen) en las que la culpabilidad podría considerarse de poca entidad y en los que falta un interés general en la persecución (parágrafo 153 StPO). Además, se trata de infracciones en las que el interés general se satisface mediante la imposición de condiciones o el dictado de instrucciones, mientras que la gravedad de la culpabilidad no constituye un impedimento (parágrafo 153 a StPO). Aquí los criterios definitorios son tan indeterminados que no se puede hablar de una aplicación previsible.

La práctica jurídica se orienta según el sentimiento jurídico que flota en el ambiente y a menudo llega a soluciones, sobre todo por la vía del parágrafo 153 a StPO que pueden ser legitimadas mediante el acuerdo entre las diferentes partes implicadas en el procedimiento. Probablemente, aquí constituya un factor importante si el sospechoso se corresponde con el «tipo de autor»[24], tal y como podría subyacer a la ley positiva, o si el hecho investigado se queda por debajo de lo que se considera el supuesto general del «tipo de hecho» que se recoja en el tipo penal correspondiente. Las orientaciones globales de la práctica no son controlables porque los preceptos procesales no hacen posible un control.

Se puede suponer que muchos de los problemas de delimitación que ocupan el centro de las discusiones dogmáticas se cuelan con la masa de sobreseimientos. Las estadísticas conducen —como sexta tesis— a una triste conclusión: En mucho más de un tercio de todos los casos

---

[24]   Sobre la doctrina del «tipo de autor»: Jan Telp, Ausmerzung und Verrat, Frankfurt del Main, 1999, p. 79 ss. Roxin (n. 5), p. 136 s., caracteriza esta teoría como «en el ámbito de la limitación de la punibilidad... aún no del todo obsoleta... En el ámbito de la finalidad de la ley, un pensamiento tipológico de esta clase puede ser un medio legítimo de interpretación restrictiva... Este pensamiento todavía resulta, por tanto, de (limitado) provecho como recurso interpretativo».

perseguibles la teoría no ejerce ninguna influencia concreta en la aplicación del Derecho. Posiblemente tales cifras muestran que la dogmática, en el extenso ámbito de las infracciones menores, está marginalizada en sentido técnico. La falta de repercusión en el ámbito extenso de las infracciones menores produce arbitrariedad, pues según el Estado Federal de que se trate, los sobreseimientos oscilan considerablemente. En algunos Estados suponen el doble de casos que en otros[25]. También entre unas fiscalías y otras existen grandes diferencias.

VII. EL RETO

A partir de estas consideraciones, cabe plantearse cuál es el camino a seguir. Cuanto más se reduzca la delimitación a una difusa necesidad de prevención, más fuertemente dependerá de las voces de la opinión pública, de los fiscales y jueces competentes, así como de la habilidad del *abogado* defensor. También las soluciones consensuadas pueden ser arbitrarias; por ejemplo, cuando el peso de las «partes contratantes» es desigual.

En el límite inferior de los tipos penales y mucho más allá de ahí, ya no existe, por las razones mencionadas, ninguna influencia de la dogmática en las infracciones menores. En el extremo superior también desaparecen, por cierto, las fronteras, lo que tiene que ver con la predilección del legislador por las agravaciones y los ejemplos reglados (*Gössel* achaca esto a la ligereza del ente legislativo alemán[26]). La teoría jurídico-penal se enfrenta a una tarea que constituye un verdadero reto. Sólo si acepta este reto podrá decir de sí misma que es afortunada.

---

[25] *Statistisches Bundesamt* (n. 23), p. 17.

[26] *Karl Heinz Gössel, Über die sog. Regelbeispielstechnik und die Abgrenzung zwischen Straftat und Strafzumessung,* en: Thomas Weigend/Georg Küpper (eds.), Festschrift Hirsch, Berlín, 1999, p. 183 ss.; *Wilhelm Degener, Strafgesetzliche Regelbeispiele und deliktisches Versuchen,* en: Wilfred Küper/Jürgen Welp (eds.), Festschrift Stree/Wessels, Heidelberg, 1993, p. 305 ss.; *Roxin* (n. 5), p. 284 s. y sobre la problemática de los marcos penales extensos, p. 129 s.

Probablemente la ciencia deberá más que antes alternar la mirada entre el Derecho penal material y el Derecho procesal. Esta es, finalmente, la séptima tesis: Si los sistemas ya no nos ofrecen ninguna certeza, es el proceso el que debe ocupar su lugar. Que las fórmulas de consenso, cuya necesidad se fundamenta en el desarrollo del Derecho penal material, sean o no herramientas al servicio de la justicia, al final sólo depende de una cosa: de la opción por un procedimiento contradictorio y, lo que es lo mismo, de la posición que ocupe como sujeto el acusado.

La Dogmática jurídico-penal alemana vista desde fuera*

GEORGE P. FLETCHER
Nueva York

I

Cuando contemplamos las grandes conquistas intelectuales del siglo veinte no podemos pasar por alto, en cualquier caso en determinados círculos científicos, a la Ciencia jurídico-penal alemana. La profundidad de los análisis, la intensidad de sus exposiciones, la amplitud de su ámbito de influencia, son los elementos de un esfuerzo cuidado y desarrollado en este país, en lengua alemana, para desarrollar el Derecho penal como objeto de la Ciencia del espíritu. De ello ha resultado una copiosa literatura que caracteriza a una Ciencia que demostrará su eficacia en el futuro. El núcleo fundamental de esta Ciencia es la Dogmática jurídico-penal, que yo entiendo, en un sentido amplio, como una investigación filosófica sobre la estructura y el alcance de la imputación de un hecho inmoral o lesivo socialmente. Formulado gráficamente, el objeto de esta Dogmática es la obra del hombre como manifestación e indicio persistente de su personalidad creativa en el mundo exterior. Para nosotros, penalistas, esta obra humana es entendida mayoritariamente de forma negativa y reprochable, a pesar de que tras el hecho punible se encuentra también el espíritu humano, cuya capacidad para causar lo malo y asumir la responsabilidad por ello, le confiere a la persona su dignidad. El verificar y aclarar a otros cómo y por qué el hombre siempre

---

* Traducción de Pastora García Álvarez.

es capaz de crear un injusto como su obra, sigue siendo uno de los grandes misterios de nuestra profesión.

En mi opinión, hay que conceder un gran significado a estas preguntas de la Ciencia jurídico-penal. Son parte importante de mi obra más significativa. Mi primer encuentro con la Ciencia jurídico-penal alemana lo tuve como joven estudiante en la ciudad de Friburgo. Tras mis estudios de matemáticas y filosofía en la Universidad Cornell y mis estudios de Common Law en la Universidad de Chicago, me fui sintiendo en las nuevas ideas, desde mis primeros pasos en tierras extranjeras, como en casa. Por fin había encontrado, así pensé, un sistema jurídico fundado en una estrecha conexión entre el Derecho y la Filosofía, y que construía sus conceptos y orden de valores sobre ello. El tema principal de mis reflexiones será precisamente exponer hasta qué punto estaban fundadas esta visión y esta esperanza.

Sea cual sea el resultado de mi reflexión actual, me siento siempre muy agradecido de que mi obra tomara este camino. En el estudio del Derecho comparado he encontrado un jardín intelectual en el que mi espíritu de arraigado ciudadano del mundo, puede florecer con facilidad. La posibilidad de hacer amigos de todo el mundo, de conversar con colegas de diferentes lenguas y diferentes concepciones del mundo, son experiencias que han enriquecido inmensamente mi vida y pensamiento.

Mis investigaciones, cada vez más profundas en el estudio del Derecho penal comparado, durante la temporada de estudios en Friburgo, pretendían sobre todo entender y aclarar por qué algunos sistemas jurídicos mostraban una inclinación hacia el pensamiento filosófico, sistemático y otros, por el contrario, no. Si son las grandes personalidades como Beccaria, Bentham, Kant o v. Liszt las que han dado el impulso necesario al desarrollo científico o si de lo que se trata es de la cultura jurídica como tal, son cuestiones de principio que se presentan en diferentes niveles y de manera bastante impenetrable.

Lo que es seguro es que el mundo de la Dogmática jurídico-penal se presenta completamente diferente según se contemple desde el punto de vista del círculo jurídico americano o desde el alemán. Desde la perspectiva americana, el mundo está dividido en dos grandes sistemas de pensamiento jurídico, el Common Law y el llamado Civil Law. Cuando los juristas americanos tienen en cuenta el círculo jurídico continental, piensan abstractamente o de forma general en el proceso inquisitorio y en la Codificación. Siempre que mis colegas entran con más profundidad en la comparación jurídica, reconocen también la influencia de la jurisprudencia en el círculo jurídico continental. Por desgracia, en este cuadro simplificado queda fuera de toda consideración el papel de la Dogmática como tercera fuente jurídica.

Como juristas formados en una concepción democrática moderna no nos es fácil fundamentar la Dogmática como fuente jurídica en su función de creadora del Derecho. Modelos para ello son, quizás, los rabinos en el judaísmo o la clase sacerdotal elevada en la Iglesia, que instruyen al pueblo sobre las normas de la vida y de la fe. El concepto de Dogmática es, por tanto, algo normal en una comunidad de fieles, pero permanece como algo extraño en la moderna democracia secular. Por eso no estoy especialmente sorprendido de que los americanos y los penalistas de otros muchos países se enfrenten escépticamente a la idea de una Dogmática jurídico-penal como fuente jurídica. Filosofía y Derecho no son fáciles de relacionar.

Desde el punto de vista alemán, el mapamundi del sistema jurídico se presenta de forma diferente. Especialmente en Derecho penal no puede hablarse tan superficialmente del Common Law y del Civil Law. Los alemanes sólo tienen que echar un vistazo al otro lado del Rin para percibir que algunas culturas europeas de alto nivel atribuyen valores más elevados a su cocina que a su Ciencia jurídico-penal. Y quizás con razón y buen gusto.

El mapa alemán de la Ciencia jurídico-penal abarca, evidentemente, en primer lugar, toda la zona de habla alemana. Alrededor de este centro se encuentran los otros países que se ordenan, conforme a diversos criterios, en círculos intelectuales delimitados más o menos próximos. En el primer círculo intelectual, en torno al centro, encontramos a los países católicos romanos, frecuentemente con un fondo antidemocrático, autoritario, que se han tomado a pecho la Dogmática jurídico-penal alemana. A ellos pertenecen España, Portugal, Italia y toda Latinoamérica. En estos países son perfectamente conocidos los autores alemanes de primer orden, cuyos libros son frecuentemente traducidos, y de cuyo núcleo doctrinal se han apropiado. Siempre que un investigador alemán del Derecho penal se encuentra con un jurista en Buenos Aires, Lisboa o

Palermo, ambos pueden sostener fácilmente, en alemán o en la lengua del país —partiendo de que comparten una conceptuación común—, una discusión sobre la última doctrina desarrollada en la ciencia alemana.

En el segundo círculo en torno al centro nos encontramos un grupo similar de países, que del mismo modo están influenciados fuertemente por la Ciencia jurídico-penal alemana, pero cuyas lenguas no son tan fáciles de dominar. Dentro de este contexto pensamos, especialmente, en Japón, Corea, Grecia, Finlandia y quizás, Turquía y, no en último lugar, Polonia. Aquí se consagran los conceptos científicos alemanes en traducciones y, en la medida en que sea posible, existe, como en el primer círculo, una gran demanda para doctorarse en una universidad alemana. Nosotros podemos designar a los países del sector de habla alemana y a los de los dos círculos adyacentes como la zona nuclear de la Dogmática jurídico-penal de origen alemán.

En esta zona nuclear se lleva a cabo una discusión, plurilingüe y multicultural, sobre los presupuestos de la pena. Lo que la discusión facilita no es sólo el vocabulario traducido del alemán, sino también la adhesión a un extendido mundo conceptual. En esta cosmovisión jurídico-penal tiene especial interés la distinción principal entre injusto y culpabilidad y la con ella asociada teoría normativa de la culpabilidad. A este mundo conceptual pertenece también la tendencia a considerar materialmente el delito como un conjunto, como una totalidad, si hubiera lugar a ello, en dos o tres niveles, con la consecuencia de que figuras jurídicas, consagradas por el uso en Derecho privado, como las objeciones o réplicas del acusado, las llamadas «defenses» del Derecho penal anglo-americano, desaparecen aquí del idioma jurídico-penal.

Al contenido material del mundo conceptual común pertenecen también dos instituciones que guardan estrecho parentesco con las ideas fundamentales del injusto y la culpabilidad normativa. La primera es el sistema vicarial que reúne conjuntamente, en el ámbito del Derecho sancionador, la pena aplicable a un hecho injusto culpable y las medidas que se aplican cuando el hecho injusto ha sido realizado por un sujeto peligroso aun cuando no culpable. Ambas constituyen la reacción estatal contra las acciones típicas antijurídicas.

La segunda institución que no concuerda completamente con la doble vía de punibilidad destacada es el principio de culpabilidad: nadie puede ser castigado sin culpabilidad, es decir, para aplicar una pena hay que haber cometido un hecho antijurídico de forma culpable. No se trata aquí de la construcción de un tipo penal, sino de un principio de Justicia, que también está reconocido constitucionalmente en muchos países de la zona nuclear. Este reconocimiento conduce a que tenga que ser consolidado, como ocurrió hace once años en Italia, el error de prohibición como pilar fundamental de la teoría normativa constitucional de la culpabilidad.

Hay que subrayar que todos estos puntos dogmáticos de partida —la diferencia entre injusto y culpabilidad, la teoría normativa de la culpabilidad, el delito como concepto unificado, el sistema vicarial y la culpabilidad como condición imprescindible de la pena— forman un mundo dogmático jurídico-penal común. Por supuesto que esta generalización puede fracasar, en un punto determinado, en uno u otro país, especialmente de los del segundo círculo. Pero en esta zona nuclear existe, en general, una fuerte tendencia a resaltar y desarrollar los rasgos fundamentales de una Dogmática común de origen alemán.

Resumiendo, el que se pueda verificar la existencia de esta zona nuclear supone un gran progreso cultural. Ahora bien, obliga a preguntar de quién es el mérito de haber creado un importante mundo conceptual sobre diferentes culturas. Es de suponer que el honor corresponde a los dogmáticos alemanes, porque ellos han dado lugar a los fundamentos que pudieron desarrollar las otras culturas jurídicas en sus propias lenguas. Además, las universidades y fundaciones alemanas han ofrecido a numerosos doctorandos extranjeros la posibilidad de profundizar sobre el terreno sus conocimientos de la lengua alemana y la mentalidad de la Dogmática alemana, así como tener a disposición un marco en muchas instituciones, especialmente en el Max-Planck-Institut, donde desarrollar el mundo conceptual común a través de los conocimientos personales y las relaciones con otros compañeros.

Pero no menos valor hay que atribuirle, en mi opinión, a los miembros de los primeros dos círculos, por haber estado dispuestos a mirar más allá de sus fronteras y de su idioma y a buscar y hacer suyas ideas valiosas en la cultura jurídica extranjera. De ahí que los verdaderos cosmopolitas

*sean aquellos que han encontrado en la fuente de la Dogmática alemana
un enriquecimiento de la cultura jurídica de su país, más que el anfitrión,
ya que, desgraciadamente, los propios alemanes hasta ahora han demostrado muy poco interés por la cultura jurídica de sus visitantes. Aquí
tengo, por desgracia, que apartarme un poco de mi bosquejo del círculo
jurídico del mundo, para sacar a la luz el aspecto negativo del papel
alemán en la Ciencia jurídico-penal.*

*Sorprende en la literatura jurídico-penal alemana la falta de una
adecuada referencia a las ideas, figuras dogmáticas, autores, jurisprudencia y escuelas filosóficas del círculo jurídico de otros países. Por supuesto
que se encuentran, sin duda, la llamada parte extranjera (Auslands-Teil)
de la Zeitschrift für die gesamte Strafrechtswissenschaft y algunas escasas
referencias al Derecho extranjero en los apéndices de cada capítulo en el
Tratado de Jescheck/Weigend. Además se ha convertido en un hábito, en
la cooperación del legislador alemán con el Max-Planck-Institut, que los
nuevos proyectos legislativos se apoyen sobre la base de una copiosa
comparación jurídica. A pesar de eso falta en la literatura alemana una
introducción sistemática general a la comparación jurídico-penal, un
libro que responda algo al trabajo realizado por Zweigert/Kötz[1] sobre
comparación jurídica en Derecho privado. Tampoco conozco ningún
libro que asuma seriamente una resolución judicial o una creación mental extranjera como la mejor alternativa a la doctrina alemana. Por lo
visto, la comparación jurídico-penal en Alemania es considerada como
un tema idóneo para un trabajo doctoral, pero un catedrático, según el
uso científico, no debe apartarse mucho de lo que se dice en casa.*

*El rechazo que hace la literatura alemana es especialmente notable en
relación a los países del primer círculo, cuyos legisladores, jueces y
científicos escriben en lenguas románicas fáciles de dominar. Los alemanes podrían leer y citar el español e italiano exactamente igual de fácil
que sus interlocutores en estos países, leer y valorar los manuales y
tratados alemanes. Por eso la disculpa no puede ser la falta del necesario*

---

[1]   *Konrad Zweigert/Hein Kötz, Einführung in die Rechtsvergleichung auf dem Gebiete
des Privatsrechts, 3. Aufl., Tübingen 1996 (inglés: Introduction to Comparative
Law, 3rd edition, Oxford 1998).*

conocimiento de la lengua. La razón de este consciente provincialismo de la literatura alemana tiene que ser vista, más bien, desde una determinada mentalidad.

Para hacer evidente la peculiaridad de esta mentalidad, tratemos de imaginarnos cómo sería si la literatura escrita sobre Criminología, en el ámbito de habla alemana, citara y valorara únicamente fuentes alemanas. Esto sería ya por ello risible, porque una Ciencia que tiende, con seriedad, al esclarecimiento de la verdad, tiene que romper las fronteras nacionales. Las Ciencias naturales no conocen frontera alguna, porque la naturaleza es única para todos. Tampoco la Ciencia del Espíritu conoce fronteras, porque el ser humano es homogéneo. Únicamente la Teología se desarrolla dentro de una comunidad de fieles culturalmente delimitada. Si la Dogmática jurídico-penal, de hecho, sigue o tiene que seguir el modelo de la Dogmática teológica es la difícil pregunta sobre la que volveré una vez más al final de esta conferencia.

En esta situación es una lástima que el intercambio de ideas científicas en la zona nuclear de la Dogmática jurídico-penal de origen alemán transcurra, principalmente, en una única dirección. En cierto sentido Alemania y los países de esta zona nuclear comparten un destino histórico común. Ellos tienen casi todos que entenderse por tener un origen totalitario. Para vencer el Derecho penal totalitario, los penalistas alemanes han acuñado algunos conceptos muy valiosos y han establecido principios de valor, como, por ejemplo, la contraposición entre Derecho penal de hecho y Derecho penal de autor, la prohibición del Derecho penal de intenciones o pensamientos y la superación del pasado. Estas ideas con tendencia hacia un Derecho penal liberal también han encontrado en la zona nuclear una gran influencia. De los movimientos jurídico-penales de reforma que se han impuesto en las últimas décadas, en primer lugar, en Italia y España, podrían también los alemanes obtener mucho provecho, por ejemplo, cómo liberalizar el Derecho procesal, cómo hacer que el pueblo tome parte en el proceso, cómo aplicar la prohibición de la prueba y cómo hay que desarrollar el principio acusatorio en un sistema jurídico-continental.

Pero, quizás, es inevitable un cierto provincialismo en el pensamiento jurídico, especialmente en un sistema jurídico muy influyente como es el de este país o también el de los Estados Unidos de América. Como americano no puedo vanagloriarme de una especial apertura de miras al mundo por parte de mis compatriotas. En los diferentes Estados tenemos en Baseball las llamadas *World Series*, donde la palabra «World» significa que el mejor equipo de una liga americana juega contra el mejor equipo de otra liga americana. Y hay que confesar que los científicos americanos muestran tan poco interés por los interesantes desarrollos en la vecina Canadá, como los alemanes por España o Italia.

Antes de concluir mi mapamundi del sistema jurídico desde la perspectiva alemana, tienen que ser correctamente ordenados la totalidad de países que quedan fuera de la zona nuclear. Para repasar brevemente: el primer círculo alrededor del centro de habla alemana está compuesto por los países católicos de lengua románica. El segundo círculo comprende países como Japón, Corea, Grecia, Finlandia, Turquía y Polonia, en los que la Dogmática alemana goza de una profunda influencia, pero cuya cultura jurídica no es fácil de comprender. Fuera de este círculo los países deben ser clasificados conforme a dos criterios, a saber, según el interés en la Dogmática alemana y según la compenetración o capacidad de comprensión que tengan para ello. Así hay muchos países que, a decir verdad, muestran toda la capacidad necesaria para comprender la Dogmática alemana, pero que demuestran en sus actividades científicas muy poco interés por ella. Éste parece ser el caso de los países liberales del norte de Europa. La lengua alemana está ampliamente extendida en Bélgica, Holanda y en los países escandinavos. Los científicos tienen mucho contacto con sus colegas alemanes y toman nota de los desarrollos en Alemania. A pesar de eso sus intereses científicos —con algunas excepciones como es el caso del Profesor *Jareborg* en Suecia— se encuentran en otras esferas. Para ellos no se trata de si la adecuación social se interpreta como elemento del tipo, como justificación o como regla de interpretación. Probablemente las cuestiones político-jurídicas se consideran mucho más importantes.

Por mi origen comprendo mejor este interés por las cuestiones político-jurídicas, ya que mis colegas en los Estados Unidos piensan mayoritariamente en términos pragmáticos y político-jurídicos. Esto no quiere decir que no comprendan la distinción entre injusto y culpabilidad o la teoría normativa de la culpabilidad o que no la comprendieran tras una breve aclaración, sino únicamente que, conforme a sus pautas de

valores, anteponen otras cuestiones². A ello se añade un cierto escepticismo de si pueden ser resueltos los problemas de la realidad a través de
un pensamiento puro.

Sin duda que un creciente grupo de penalistas americanos e ingleses
se ocupan también de los fundamentos filosóficos del Derecho penal.
Pero son precisamente los especialistas en Política jurídica, que ocupan
la mayoría de las cátedras de Derecho penal, los que muestran menos
interés por la Dogmática. En un sistema tan grande como los Estados
Unidos es difícil contar con una doctrina dominante o con un método
de pensamiento dominante. Por eso mismo, me inclino a decir que en
determinados círculos, en los que como Inglaterra, Canadá e Israel
existe, bajo todo punto de vista, muchísima comprensión para una Dogmática de estilo alemán, falta, sin embargo, el sentido de necesidad de un
pensamiento filosófico en Derecho penal.

En el otro lado del mapamundi encontramos países que querrían
gustosamente identificarse con la zona nuclear del Derecho penal, pero
en los que hasta ahora falta la compenetración necesaria. Esta observación afecta, sobre todo, a los antiguos países comunistas, que de corazón
ansían unirse a los países del segundo círculo para regresar al hipotético
hogar europeo del Estado de Derecho, estando, sin duda alguna, en el
camino. Polonia es presumiblemente la que ha llegado más lejos ya que
siempre ha enviado muchos jóvenes investigadores especialmente a
Friburgo, aunque también a otras universidades alemanas.

El problema en los antiguos países comunistas es doble. En primer
lugar, faltan aún Manuales, y los que hay con apenas unas gotas de
retórica democrática, siguen anclados en la estructura comunista del
delito. Los científicos pensaban entonces que todas las preguntas de la
responsabilidad jurídico-penal estaban clasificadas en cuatro órdenes, en
concreto, un lado objetivo, un lado subjetivo, el sujeto del delito y el

---

²   Un buen ejemplo para comprender su ausencia de interés es el *Model Penal Code*
    (American Law Institute, Official Draft 1962; vgl. *Richard M. Honig, Entwurf eines
    amerikanischen Mutterstrafgesetzbuches*, Berlin 1965), que más o menos se apoya
    en la diferencia entre injusto y culpabilidad, pero sin que ello conlleve las conse-
    cuencias de esta diferencia fundamental.

objeto del mismo. Desde esta forma de pensar a la diferencia fundamental entre injusto y culpabilidad hay, en efecto, un largo camino.

Más grave es todavía la ausencia de un vocabulario similar al de la Dogmática alemana. Los conceptos de justificación (Rechtfertigung) y exculpación (Entschuldigung), hoy por hoy, no existen en lengua rusa. El término *opravdanie*, que probablemente podría expresar la idea de la justificación, significa también sentencia absolutoria (Freispruch). Y siempre que un científico ruso contemporáneo quiere referirse a la exculpación (Entschuldigung) tiende, del mismo modo, a servirse de la expresión *opravdanie*. El concepto de exculpación es especialmente difícil de formular en el lenguaje jurídico ruso, porque la teoría normativa de la culpabilidad estuvo prohibida completamente bajo el comunismo. Pasará mucho tiempo hasta que se acuñen nuevas expresiones en el lenguaje ruso y se abra el camino a la nueva mentalidad dogmática[3]. La situación del lenguaje jurídico húngaro no es mejor[4], pero tengo confianza en que en todos estos antiguos países comunistas crezca la tendencia de unirse a la mentalidad jurídica centro-europea.

Para perfilar la ordenación de los países ajenos al núcleo central, se puede decir que un grupo acusa compenetración o mayor capacidad para la Dogmática, pero menos interés; y, el otro, más interés, pero hasta ahora poca compenetración o capacidad, en su literatura, para una Dogmática de estilo alemán. Por motivos de cortesía no enumeraré los países que no cultivan especialmente ni la compenetración filosófica ni los intereses dogmáticos.

Con esto termino mi descripción general del mundo jurídico-penal desde la perspectiva de la Dogmática jurídico-penal alemana. Espero no haber herido a nadie en su sensibilidad nacional, pero si fuera así, alego

---

[3]   Numerosos ejemplos se pueden encontrar en la traducción rusa de mi obra «Basic Concepts of Criminal Law», Nueva York 1998: *George P. Fletcher/Anatoli V. Naumov, Osnovnye konzepeii sovremennogo ugolovnogo prava, Moskau 1998.* N.T.: hay también versión española «Conceptos básicos del Derecho penal», traducida por Francisco Muñoz Conde, Valencia 1997.

[4]   Sé, por experiencia personal, qué difícil es traducir conceptos como injusto y culpabilidad al húngaro.

en mi defensa que no he obrado con mala voluntad, sino con sinceridad, aunque, quizás, con dolo eventual.

II

1. Sobre el concepto de pena

En la segunda parte de mi exposición me ocuparé específicamente de dos problemas dogmáticos abordándolos desde distintas formas de pensamiento jurídico, cada una con sus ventajas e inconvenientes. Trataré, en primer lugar, del concepto de pena; y, en segundo lugar, de una figura dogmática específica, el error sobre los presupuestos fácticos de una causa de justificación, cuya solución provoca en muchos países especiales dificultades.

Para comprender el importante papel de la pena, pensemos en la imagen ideal de una Dogmática transnacional, una Dogmática que no se apoya en ninguna ley concreta, sino únicamente sobre conceptos que se asientan en la naturaleza del delito y en la respuesta social. Siempre que un penalista alemán intenta desarrollar los principios universales del Derecho penal, llega probablemente a la idea, ya mantenida en Alemania, por ejemplo, por Hirsch[5], de que la teoría de la acción es la cuestión central de la responsabilidad penal. Pero cuando es un penalista inglés o americano, filosóficamente orientado, el que acomete la misma investigación, elegiría probablemente otro punto de partida de la universalización. Mucho más profundamente arraigada en su concepto del Derecho penal está la teoría de la pena, no sólo el fin de la pena, sino, fundamentalmente, la naturaleza de la misma. Para un penalista anglosajón, cuando se habla de una conducta relevante para el Derecho penal, de lo que se está hablando previamente es de si existe una amenaza de pena. Por consiguiente, sin pena no hay Derecho penal. Y sin haber aclarado el

---

[5]   Hans Joachim Hirsch, Gibt es eine national unabhängige Strafrechtswissenschaft?, en: Manfred Seebode (Hrsg.), Festschrift für Günter Spendel, Berlin/New York 1992, pp. 43-58, especialmente, pp. 47 y ss.

concepto de pena, en primer lugar, no tiene sentido discutir los conceptos utilizados en el ámbito del Derecho penal, como acción, resultado, injusto y culpabilidad, como partes esenciales de un Derecho penal universal. Delimitar la pena abstractamente parece ser el único camino para considerar el Derecho penal como tal, separándola de otras medidas coercitivas estatales cercanas, como son la extradición, el internamiento, las indemnizaciones en el Derecho privado y las sanciones disciplinarias en el Derecho administrativo. El punto de partida para los penalistas anglosajones es la comprensión de que, el que a la pena le corresponda un significado especialmente moral y sociológico, da una indicación abstracta para entender la pena como una figura jurídica universal. De estas preguntas ha nacido una rica bibliografía filosófica que trata de elaborar analíticamente los contornos de la pena. A ello han contribuido eminentes personalidades de la filosofía jurídica-analítica, como H.L.A. Hart[6], John Rawls[7], Joel Feinberg[8] y Herbert Morris[9]. Las cuestiones filosóficas en torno a la pena gozan del prestigio que corresponde a la teoría de la acción en la historia de la Dogmática alemana. Personalmente considero que la pena es una buena candidata como institución fundamental del Derecho penal reconocida en todas partes.

Como consecuencia del sistema de la doble vía de punibilidad, el penalista alemán tiende, al menos hoy por hoy, a apartar su vista de la pena como tal y a concentrar sus esfuerzos por conseguir un Derecho penal supranacional en conceptos generales, comunes a las penas y medidas, como son los conceptos de acción e injusto. De ahí que sea difícil iniciar una discusión general alemana-inglesa sobre el concepto de pena desde un plano filosófico. Los americanos ven en la pena un distintivo del sistema jurídico-penal general. Los alemanes ven en la

---

[6]   Herbert L.A. Hart, Punishment and Responsibility, Oxford 1968.

[7]   John Rawls, A Theory of Justice, Cambridge (Mass.) 1971 (versión alemana de Hermann Vetter, Eine Theorie der Gerechtigkeit, Frankfurt a.M. 1979).

[8]   Su obra principal la constituye los cuatro volúmenes de su obra, Joel Feinberg, The Moral Limits of the Criminal Law, New York 1984-88.

[9]   Herbert Morris ha fomentado la teoría de la retribución en su conocido artículo «Persons and Punishment», en: el mismo, On Guilt and Innocence, Berkeley 1976, pp. 31-87.

pena, únicamente, una medida que, entre otras, debe ser impuesta al autor de un hecho injusto. Por ello no sorprende que la fecunda literatura inglesa sobre el concepto de pena[10] no haya sido tenida en cuenta en la cercana Ciencia alemana.

Pero ya desde el nivel constitucional tropezamos con un abismo difícil de superar entre la regulación americana y alemana acerca del papel de la pena en el pensamiento jurídico. Y ello aunque tanto una como otra Constitución se basan en el concepto de pena. Para los americanos la confianza en el concepto de pena resulta de la jurisprudencia, precisamente como medida constitucional para garantizar las normas de protección, como el derecho a un *juicio* justo, el derecho a negarse a declarar y la aplicación del principio *ne bis in idem*. Las normas protectoras contenidas en la Quinta y la Sexta Enmienda a la Constitución americana se aplican sólo en caso de que se trate de un proceso penal.

En la Constitución alemana se le da al concepto de pena una importancia similar. Hay al menos cuatro preceptos de la Constitución que se refieren a este concepto. Depende de la pena, conforme al art. 103 GG, la prohibición de la retroactividad, en primer lugar; y de la doble incriminación, en segundo lugar. El concepto de pena juega también un papel en la interpretación del art. 26 GG, que obliga al legislador a «amenazar con una pena» determinadas conductas perturbadoras «de la pacífica convivencia de los pueblos». Y una cuarta referencia constitucional a la pena se encuentra en el art. 74 GG que regula la correspondiente competencia legislativa sobre materia penal.

Se puede encontrar, por tanto, una estructura constitucional similar, construida sobre la pena, en ambos sistemas jurídicos, en el americano y en el alemán. Y de forma general se puede decir que emerge la misma cuestión en cada uno de los Ordenamientos jurídicos que tratan de atribuir especiales medidas de protección al proceso penal. Al acusado le corresponden especiales medidas de protección porque está expuesto al riesgo de una pena. O, dicho de otro modo, siempre que alguien está

---

[10] Vid. *Hart* (ob. cit. nota 6); *Morris* (ob. cit. nota 9); *John Rawls, Two Concepts of Rules*, Philosophical Review 64 (1955), pp. 3-32; *Walter Moberly, The Ethics of Punishment*, London 1968, pp. 121-150.

sometido a un proceso, que puede conducir a la pena, este proceso tiene que ser desarrollado, como proceso penal, con todos los derechos constitucionalmente garantizados.

La problemática jurídico-constitucional no se puede eludir, por ello, tan sólo porque, ocasionalmente, el legislador dicte determinadas sanciones sin dotar de los derechos correspondientes al ciudadano afectado. Un buen ejemplo es la posibilidad prevista legislativamente (parágrafo 2, apartado 6 StGB) de crear nuevas medidas de corrección y seguridad y poderlas aplicar, retroactivamente, a un hecho ya cometido. Si a estas medidas se les atribuyera la cualidad constitucional de una pena, habría que declarar esta regla inconstitucional, como infractora de la prohibición de retroactividad contenida en el parágrafo 103, apartado II de la norma fundamental alemana.

Entre los autores alemanes no falta una crítica filosófico-jurídica de este precepto del StGB. Un comentario típico al respecto es el de *Hassemer*: «La distinción categorial entre penas y medidas (pasado *versus* futuro) no es cierta ni en la teoría ni en la práctica»[11]. Con ello se cuestiona la distinción habitual entre la pena como retribución y el fin preventivo de las medidas de seguridad. Para muchos autores, como, por ejemplo, *Roxin*, esta pretendida distinción basta para salvar la constitucionalidad de la retroactividad de las medidas de seguridad[12]. No obstante, *Hassemer* llega a la conclusión de que el «§ 2 Abs. 6 (debería) ser suprimido»[13]. Como propuesta filosófico-jurídica esta afirmación puede ser ya convincente, pero como argumento constitucional ha de ser todavía fundamentada.

En la experiencia americana sobre el tema «¿Qué es la pena, qué procesos tendrían que ser tratados como procesos penales?» la jurisprudencia oscila permanentemente entre dos polos. Por un lado, se ve como

---

[11]   *Winfried Hassemer*, en: Rudolf Wassermann (Hrsg.), Alternativ-Kommentar zum StGB, Neuwied 1990, § 2 Rn. 61.

[12]   *Claus Roxin*, Strafrecht. Allgemeiner Teil, Band 1, 3 Aufl., München 1997, p. 120. N.T.: hay versión española: Derecho penal. Parte General. Tomo I. Fundamentos. La estructura de la Teoría del delito. Traducción y notas: Diego Manuel Luzón Peña, Miguel Díaz y García Conlledo, Javier de Vicente Remesal. Madrid 1997.

[13]   *Hassemer* (ob. cit. nota 11).

decisivo el motivo del Estado. Siempre que el Estado intenta proteger a la sociedad y prestar únicamente ayuda al afectado y no gira en torno a la retribución del hecho, la sanción debería ser vista más bien como una medida administrativa no punitiva. Por otro lado, se admite también como punto de referencia el efecto de la sanción sobre el afectado. Esta tensión entre motivo y efecto se exterioriza continuamente en la jurisprudencia y en las exposiciones teóricas[14]. En relación al internamiento y la extradición, es la teoría del motivo la dominante[15]. Los fines de ayuda y protección del Estado son suficientes para clasificar estas medidas coercitivas como no penales, simplemente como invasiones jurídico-administrativas en la libertad del ciudadano.

A pesar de eso la teoría opuesta, la del efecto, es la que aparece como dominante en las fundamentaciones de las resoluciones. Un ejemplo dramático es el proceso que tuvo lugar en los años sesenta sobre la naturaleza constitucional de los Tribunales de menores. Desde la creación de un Tribunal especial para jóvenes delincuentes en los comienzos del siglo veinte, el legislador había intentado siempre preservar la función de este Tribunal del peligro de la formalización. La función de la Jurisdicción de menores se satisface únicamente entonces cuando el proceso se desarrolla sencilla y amistosamente, e incluso tiene efectos pedagógicos. La formalidad procesal se veía únicamente como un estorbo para el ambiente necesariamente terapéutico. Más tarde, la Corte Suprema adoptó en 1965 una resolución que echó por tierra la configuración informal del Tribunal de menores[16]. El efecto de pérdida de libertad para un joven internado en una institución no podía negarse. En la resolución encontramos una brillante parte retórica: «Under our Constitution, the condition of being a boy does not justify a kangaroo court»[17]. El motivo curativo del Estado no puede, en opinión del Tribunal Constitucional, salvar la contradicción con la Constitución. El proceso contra jóvenes tenía, por tanto, que ser configurado de nuevo y el efecto de una

---

[14]   Con todo detalle, *Fletcher* (ob. cit. nota 3), pp. 25-42.

[15]   Vid. sobre extradición el caso *Harisiades v. Shaughnessy*, 342 U.S. 580, pp. 593-95, 96 L.Ed. 586 (1952).

[16]   En el caso *Gault*, 387 U.S. 1, 87 S.Ct. 1428 (1967).

[17]   Caso *Gault* (citado nota 16).

privación de libertad impuesta a un joven ser considerado como una pena en sentido constitucional.

Estos dos puntos de referencia —el motivo del Estado y el efecto de la medida— podrían servir igualmente para ordenar la discusión alemana sobre la constitucionalidad del § 2 Abs. 6 StGB en dos campos distintos. La teoría tradicional se apoya sobre la teoría del motivo. El fundamento protector del Estado es suficiente para tratar las medidas de seguridad administrativamente, pero no penalmente, al menos no como una sanción penal. Pero esta teoría choca con la opinión de muchos autores que consideran que el efecto funcional de la pena es más importante que el motivo del Estado. La privación de libertad tiene el mismo peso proceda de buenas o de malas razones. El efecto vence al motivo. El desvalor del efecto es más importante que el desvalor del motivo —por lo menos en relación a la pena.

En apoyo de la teoría del efecto hay que añadir reflexiones sobre la corrección del tradicional fundamento punitivo del Estado. Por esta razón parece atendible la opinión de quienes consideran que la pena no debe ser entendida más como instrumento de la Justicia retributiva y que el Estado tendría que intentar, en todos los casos, ser útil al autor y a la víctima y solucionar sus conflictos. En lo que se refiere al motivo del Estado, no se da desde ese lado ninguna diferencia fundamental entre pena y medida y, como Hassemer sostiene, el parágrafo 2, apartado 6 StGB, debería ser declarado inconstitucional.

Desde el punto de vista alemán, esta opinión se puede fundamentar bastante fácilmente. En el art. 74 de la Constitución alemana se usa el término Derecho penal en un sentido amplio, englobador de las medidas de seguridad. Sería únicamente un pequeño paso trasladar este sentido amplio al concepto de pena del art. 103 GG. Pero la teoría del efecto que con ello se exterioriza no debe hacer tan extensivo el desvalor del resultado de la privación de libertad[18]. De lo contrario, habría que inclinarse a tratar la extradición, el internamiento de emigrantes ilegales, las inhabilitaciones y cualquier otra medida apoyada principalmente en

---

[18]   En este sentido *Heike Jung, Rückwirkungsverbot und Massregel,* en: *Christian Broda (Hrsg.), Festschrift für Rudolpf Wassermann, Darmstadt 1985, pp. 875-887.*

un fin de protección, como pena en sentido constitucional. El problema constitucional no puede ser resuelto definitivamente en esta ocasión. Yo sólo puedo abogar, en primer lugar, porque se precise el marco constitucional del Derecho penal en base al concepto de pena; y defender, en segundo lugar, que el principio correcto para la delimitación del concepto de pena es su efecto sobre los ciudadanos y no la finalidad terapéutica o protectora de la sociedad, por parte del Estado[19].

2. El error de tipo permisivo

No puedo dejar pasar la oportunidad única de hacer uso de la palabra delante de los respetados compañeros alemanes aquí reunidos, sin tener en cuenta una típica cuestión dogmática y expresar en este contexto una crítica al estilo dogmático alemán. Mi tesis no es ninguna sorpresa, dice simplemente: una buena Dogmática tiene que ser consecuente y, al mismo tiempo, prestar atención a que sus rígidos principios no conduzcan a resultados injustos. Siempre que leo las obras alemanas escritas sobre la problemática de la admisión del error de tipo permisivo, tengo que llegar desgraciadamente a la conclusión de que ni es consecuente ni justa. Por supuesto que esta opinión es un poco severa. Me atrevo a formularla porque tomo parte en el conflicto paralelo que se sostiene en el Derecho anglo-americano, especialmente en los casos de error sobre el consentimiento de la víctima en el delito de violación. Yo había confiado en que podría encontrar en la Dogmática alemana un punto de partida para una solución justa. Pero, desgraciadamente, no es el caso.

Sobre el problema del error de tipo permisivo hay un enfrentamiento entre dos posiciones fundamentales: o todos los errores deben tener trascendencia o únicamente los errores no culpables, es decir, o la teoría limitada de la culpabilidad o la teoría estricta de la culpabilidad. Las etiquetas americanas correspondientes están igualmente descaminadas pero son, quizás, mejores. Conforme a una teoría «subjetiva» todos los errores son relevantes. Conforme a la teoría «objetiva», el autor única-

---

[19] *Es obvio que la jurisprudencia sobre el concepto de pena debe ser también tomada en consideración conforme el artículo 6 EMRK.*

mente puede ser exculpado si la atención que presta frente a los riesgos de un error y el cuidado que frente a ellos despliega satisface una medida objetiva generalmente válida en la sociedad. Vale. Pero, ¿por cuál de las teorías debemos abogar?

En el Derecho alemán de los últimos diez años se ha desarrollado una teoría dominante manifiestamente a favor de la teoría limitada de la culpabilidad. Se recomienda siempre la aplicación analógica del parágrafo 16 StGB, pero yo no encuentro, por desgracia, ningún argumento decisivo para ello en la literatura alemana. Sin ser rebatida de forma definitiva, la teoría estricta de la culpabilidad ha desaparecido, por lo visto, del campo de juego. En comparación con el estilo que domina en la discusión alemana, la problemática en el círculo jurídico de habla inglesa se ha vuelto, en los últimos decenios, bastante espinosa. Pero como sucede siempre en la Dogmática anglosajona, el caso es que el conflicto se ha resuelto en la decisión adoptada en una sentencia concreta.

En el caso *Morgan*, que fue resuelto por la *Cámara de los Lores* en el año 1976[20], se acusaba a cuatro soldados de la *Fuerza Aérea Británica* de una presunta violación. Los tres más jóvenes habían pasado la noche en un local con su amigo *Morgan*, el marido de la víctima. Mientras bebían, *Morgan* les dijo a los jóvenes que su esposa tenía unas tendencias sexuales anómalas, que le gustaba ser forzada sexualmente con violencia. Los tres jóvenes fueron con *Morgan* a su casa para satisfacer a la mujer de ese modo. Los tres realizaron el hecho y, a pesar de los gritos y resistencia de la mujer, los tres, además del propio *Morgan*, forzaron sexualmente a la mujer con violencia, ya que obviamente su supuesto deseo de ser satisfecha de esa manera no fue más que una superchería de su marido. *Morgan* fue acusado únicamente por complicidad, ya que en aquel momento regía aún en el delito de violación la excepción en beneficio del marido. Los tres jóvenes hicieron valer, frente a la acusación de violación, su error sobre el consentimiento. El caso es únicamente interesante si partimos de que los tres habían creído realmente que la víctima consentía.

---

[20]   *Regina v. Morgan*, (1975) 2 All E.R. 347.

En el proceso el Juez dio a los miembros del Jurado la instrucción, que no se encontraba en la Ley, pero sí resultaba de la interpretación legítima del principio de culpabilidad, de que los miembros del Jurado debían condenar siempre que apreciaran que la confianza en el consentimiento de la mujer no fue razonable, es decir, que fue evitable o culpable. Dicha instrucción se corresponde con la teoría alemana estricta de la culpabilidad. El Jurado condenó a los cuatro soldados. En su recurso ante la *Cámara de los Lores* los sentenciados hicieron valer, como no debe sorprender a ningún penalista alemán, que habían actuado sin dolo de violar: un verdadero error sobre el consentimiento excluye el dolo, sea evitable o inevitable. Con otras palabras, hicieron valer la teoría limitada de la culpabilidad como regulación implícita del Derecho inglés. La *Cámara de los Lores* llegó a la conclusión de que la instrucción dada por el Juez era incorrecta y que los cuatro, por principio, tendrían que ser absueltos. Pero la instancia de revisión hizo uso de una disposición procesal especial conforme a la cual pudo ratificarse la condena sobre la base de la irrelevancia del error judicial en la primera instancia. Un jurado razonable tampoco habría absuelto entonces si las instrucciones dadas por el Juez se hubieran atenido a la teoría subjetiva, es decir, a la teoría limitada de la culpabilidad.

Aunque los cuatro acusados, en último extremo, fueron condenados, el principio establecido para instrucciones futuras no puede ser admitido. Si los cuatro soldados fueron tan insensibles como para no plantearse siquiera que la palabra del marido no era para tomarla en serio, no debió negarse su culpabilidad. No hay que negar tampoco que la mujer fue violada y que aquél que contribuyó a sus sufrimientos tendría que cargar con la responsabilidad por ello siempre que no hubiera actuado de modo no culpable, inocentemente. La Justicia para la víctima y el principio de culpabilidad no exigen menos.

Paradójicamente, los penalistas académicos ingleses más relevantes, especialmente *Glanville Willians*, han aplaudido la sentencia del caso *Morgan* como un paso hacia adelante hacia el reconocimiento del «mens rea» como un legítimo elemento subjetivo de la punibilidad[21]. Algunas

---

[21]　*John C. Smith*, en: The London Times del 7-5-1975; *Granville Williams*, en: The London Times del 8-5-1975.

antiguas colonias, como Canadá e Israel, que aún valoran la jurisprudencia inglesa, han seguido la sentencia[22]. Los americanos han ido afortuna-
damente en otra dirección. Normalmente en los casos americanos de
error de tipo permisivo se sustenta la teoría estricta de la culpabilidad.
Ésta es la conclusión del conocido caso Goetz, del autor del crimen del
metro, que creyó que iba a ser agredido, en el metro de Nueva York, por
cuatro adolescentes y que, por esa razón, les disparó e hirió. Conforme a
la resolución de la Corte de Apelación de Nueva York, sólo pudo hacer
valer la legítima defensa por haber creído, razonablemente, que era
atacado y que su reacción era necesaria e imprescindible. En conclusión:
teoría estricta de la culpabilidad[23].

El peligro en los Tribunales americanos es más bien lo contrario. En
los casos de violación, en los que el acusado invoca el consentimiento o,
mejor dicho, el error sobre el consentimiento, los Tribunales tienden a
objetivar la responsabilidad, imponiéndola sin prestar atención a un
error evitable. Este injusto criterio de la «strict liability» (responsabilidad
objetiva) se aplicó en el caso del boxeador Mike Tyson, quien, supuestamente, había incurrido en error respecto al consentimiento de una mujer
a la que había besado en público y que, a las dos de la mañana, había
subido con él voluntariamente a la habitación de su hotel, pero el error
evitable no fue tomado en cuenta. Los miembros del Jurado no habían
recibido ninguna instrucción sobre error y culpabilidad[24].

Ambas soluciones extremas —Morgan y Tyson— son injustas. Morgan
y la teoría limitada de la culpabilidad favorecen demasiado al acusado,
Tyson y la «strict liability» van demasiado en la dirección de los intereses

---

[22] La siguiente resolución canadiense es la del caso Regina v. Pappajohn, (1980) 2
      S.C.R. 120, 1 C.R. (3d) 243.
[23] People v. Goetz, 497 N.E. 2d 41 (N.Y. 1986); sobre ello George P. Fletcher, A
      Crime of Self-defense, New York 1988 (traducción alemana por Cornelius Nestler-
      Tremmel, Notwehr als Verbrechen, Frankfurt a.M. 1993). N.T.: hay traducción al
      español de Francisco Muñoz Conde, En defensa propia, Valencia 1993.
[24] Con más detalle mi trabajo: George P. Fletcher, With Justice for Some: Victims'
      Rights in Criminal Trials, Reading 1995, pp. 114-131. N.T.: hay versión española,
      Las víctimas ante el Jurado, traducida por Medina Ariza y Muñoz Aunión, Valen-
      cia 1996.

*de la víctima. La llamada teoría estricta de la culpabilidad se perfila con
ello como un compromiso moderado, adecuado al principio de culpabilidad, entre dos polos radicalmente opuestos. Me gustaría poder decir que
los resultados extremos como los de los casos Morgan y Tyson, únicamente pueden surgir en un sistema jurídico como el de Inglaterra o el de los
Estados Unidos, que no han desarrollado completamente el principio de
culpabilidad. Pero desgraciadamente tengo que cuestionar también el
modelo alemán. Los alemanes se encuentran, para gran decepción mía,
en el lado de la solución extrema del caso Morgan²⁵.*

*En primer lugar, los teóricos alemanes no están dispuestos a hacer
extensiva la teoría limitada de la culpabilidad a todos los casos de
justificación. El dogma se elude, por ejemplo, en relación al estado de
necesidad, especialmente siempre que se piensa en ella en casos de
aborto. ¿Y por qué no ha de ser absuelto el médico, como dice la teoría
limitada de la culpabilidad, siempre que haya pensado, de buena fe, pero
imprudentemente, que la interrupción del embarazo era necesaria? Hay
que condenar porque, de lo contrario, se producirían insoportables lagunas de punibilidad, como concluyen Jescheck/Weigend²⁶. Yo coincido en
este resultado. Esta denominada «laguna de punibilidad» es insostenible.
Pero la falta de responsabilidad y de pena también sería insostenible en
los casos Morgan y Goetz. En todos los casos de error evitable o imprudente sobre los presupuestos fácticos de una causa de justificación, en los
que el tipo no puede cometerse imprudentemente —como ocurre en la
violación, en la tentativa y en el aborto— la teoría limitada de la
culpabilidad conduce a una absolución injusta. La proporcionalidad de la
teoría limitada de la culpabilidad se reduce a un estrecho campo de*

---

25   *La opinión dominante sostiene la teoría limitada de la culpabilidad. Vid. BGHSt
3, 105, 106; 194, 196; 357, 359; BGH JR 1996, 69, 71; Peter Cramer, en: Adolf
Schönke/Horst Schröder, Strafgesetzbuch, 25. Aufl., München 1997, § 16 Rn. 18;
Albin Eser/Björn Burkhardt, Strafrecht I, 4. Aufl., München 1992, p. 187; Kristian
Kühl, Strafrecht, Allgemeiner Teil, 2. Aufl., München 1997, p. 453; Karl Lackner,
en: Karl Lackner/Kristian Kühl, Strafrecht, 23. Aufl., München 1999, § 17 Rn. 10;
Roxin (ob. cit., nota 12), p. 527, con sus correspondientes referencias.*

26   *Hans-Heinrich Jescheck/Thomas Weigend, Lehrbuch des Strafrechts. Allgemeiner
Teil, 5. Aufl., Berlin 1996, p. 466.*

aplicación, concretamente, a la legítima defensa putativa en caso de homicidio y lesiones corporales. Hay que confesar que en este ámbito un error imprudente sobre un presupuesto fáctico de una causa de justificación puede conducir a una condena por imprudencia. Pero de ahí no resulta ninguna teoría general que encuentre aplicación proporcional y justificada también en casos que no están previstos imprudentemente, como es el del aborto o el de la tentativa. El paradigma de la legítima defensa putativa en casos de homicidio no proporciona una teoría para el Derecho penal general. Y el intento de desarrollar y fundamentar a partir de ahí el dogma extremo de la teoría limitada de la culpabilidad, únicamente puede quedar como inconsecuente.

Inconsecuente es también el análisis del injusto conforme a la teoría limitada de la culpabilidad. No hay que dudar del correspondiente derecho a la legítima defensa de la víctima del caso Morgan si ésta hubiera matado a los violadores. De ello se deriva que la agresión tiene que ser vista como antijurídica. Igual de poco resiste, conforme a la teoría alemana y la de la Cámara de los Lores, la duda sobre la punibilidad del marido embaucador. ¿Pero cómo se puede sostener que este ataque es antijurídico si el error elimina el dolo? Gran cantidad de posibles hipótesis salvan esta incongruencia dogmática, pero, en última instancia, ponen en un apuro a la Dogmática. ¿Cómo podría enseñar el profesor al estudiante escéptico que para esta finalidad la conducta es antijurídica, pero para la otra no? Hay ya suficientes contradicciones en la Dogmática alemana, pero, a pesar de ello, ésta sigue creyendo en la unidad del Ordenamiento jurídico.

Esta disociación del concepto de injusto puede ser evitada en gran medida. La ventaja de la solución dogmática de tratar los errores sobre los presupuestos fácticos de una causa de justificación como causas de exculpación no necesito aclararla a mis colegas alemanes. He aprendido la solución de ellos. Pero, a veces, un extraño tiene que recordar a los fundadores de una tradición que deben descubrir nuevamente un importante dogma del pasado. Esto es lo que sucede con la teoría de la culpabilidad. Lo correcto sería tratar los errores de tipo permisivos como causas de exculpación, que en casos como los de Morgan, Goetz y Tyson, sólo deben aplicarse cuando el error no es culpable.

La gran ventaja del método de casos anglo-americano es que el resultado de una decisión como la del caso *Morgan* cumple una función de alarma. Cuando algo así sucede, la Dogmática no puede, simplemente, estar de acuerdo. En las circunstancias inhumanas de la violación y del sufrimiento de la víctima, encontramos el estímulo para reflexionar nuevamente sobre las figuras dogmáticas. Este intuitivo método de investigación, ligado a los hechos, puede resultarle extraño a un teórico alemán. Por ello he entrado tan detalladamente en la cuestión. Sólo podemos llevar continuamente hacia adelante nuestra ciencia común si estamos dispuestos a emplear nuevos métodos. Los alemanes pueden aprender del método ligado al caso de los americanos y, en correspondencia, los americanos pueden servirse del pensamiento sistemático de los alemanes.

En el siglo veinte los penalistas hemos parecido más sacerdotes de una comunidad de fieles, tratando de preservarnos de las influencias de otras creencias, o de otros sistemas jurídicos. En el próximo siglo veintiuno emprenderemos pasos seguros en la dirección de una Dogmática común, reflexionada por encima de todos nuestros prejuicios nacionales.

La Ciencia del Derecho penal alemana desde el punto de vista de la española*
(Comentario)

JOSÉ CEREZO MIR
Madrid

La influencia de la Ciencia del Derecho penal alemana sobre la española es ya antigua, se remonta a finales del siglo pasado, es muy intensa e independiente de las circunstancias políticas. En realidad empezó con la difusión en nuestro país de la filosofía de Krause y de la teoría correccionalista de su discípulo Röder. Las doctrinas de Krause ejercieron una gran influencia en España. El krausismo, cuyo representante principal fue Francisco Giner de los Ríos, con su pensamiento idealista, ético y liberal halló un gran eco social, cultural y político en nuestro país. La acogida de la teoría correccionalista de Röder en España fue muy favorable, pues la idea de la corrección del delincuente estaba fuertemente enraizada en nuestra tradición senequista y cristiana. Los representantes de la escuela correccionalista española (Concepción Arenal, Silvela, Aramburu y Zuloaga) no atribuyeron, sin embargo, a la pena como único fin la corrección del delincuente, sino que, de acuerdo con la tradición en nuestra Ciencia del Derecho penal, en la que siempre predominaron las teorías unitarias o eclécticas, asignaron a la pena también otros fines, especialmente los de la expiación y la intimidación.

La influencia de la dogmática del Derecho penal alemana sobre la española empezó algo más tarde, ya en el siglo XX. Jiménez de Asúa

---

* Traducción del autor.

recibió las enseñanzas de von Liszt en la Universidad de Berlín y trabajó luego también con Stoos y Hafter, en Suiza y con Thyren en Suecia. La influencia de la escuela sociológica o políticocriminal de von Liszt en España fue, por ello, muy grande. Jiménez de Asúa tradujo (parcialmente) el Tratado de von Liszt al español y dio a conocer los conceptos fundamentales de la dogmática penal alemana en su «Teoría jurídica del delito», en 1931. La metodología de la dogmática penal alemana fue especialmente dominada por Rodríguez Muñoz, que la aplicó en la interpretación del Derecho penal español.

Bajo la influencia de la escuela de Jiménez de Asúa se tradujeron en los años treinta los tratados de Max Ernesto Mayer y Mezger. Toda una generación de penalistas españoles se formó en las ideas de Mezger, por lo que la influencia de la teoría jurídica del delito basada en el concepto causal de la acción y en los principios metodológicos de la filosofía neokantiana de los valores, de la escuela sudoccidental alemana fue muy duradera.

La escuela de Kiel apenas halló eco en nuestro país. Solo en la fuerte acentuación de la prevención general y en la inspiración política de la nueva configuración de los delitos contra la seguridad interior del Estado, en la reforma parcial de nuestro Código penal, en 1944, durante el régimen de Franco, se advierte la influencia del nacionalsocialismo.

Antes de la guerra civil (1936-1939) la influencia de la Ciencia del Derecho penal alemana estaba aún equilibrada por la de la Ciencia del Derecho penal italiana. Después de la segunda guerra mundial la influencia de la Ciencia del Derecho penal alemana se vio considerablemente robustecida por la difusión en nuestro país de la doctrina de la acción finalista.

La parte general del Derecho penal, de Welzel, fue traducida dos veces en Hispanoamérica: la tercera edición por Fontán Balestra en Argentina y la undécima y última por Sergio Yáñez y Juan Bustos, en Chile. Por mi parte, después de mi largo período de formación en la Universidad de Bonn, junto al profesor Welzel, traduje al español la última edición de «El nuevo sistema del Derecho Penal», de Welzel y «El problema de la «naturaleza de las cosas» en la teoría jurídica», de Stratenwerth. Al mismo tiempo apareció la traducción de Córdoba Roda del Tratado de la parte general, de Maurach. La tesis doctoral de Armin Kaufmann «Lo *vivo y lo muerto en la teoría de las normas de Binding» y la «Teoría del delito», de Stratenwerth fueron traducidas en Argentina por Enrique Bacigalupo y Gladys Romero. En España y en Hispanoamérica surgió una escuela finalista que aún se mantiene pujante.*

En la polémica entre causalistas y finalistas halló una gran acogida el tratado de la parte general de Jescheck (que ha sido traducido dos veces al español). El manual de Mezger y el tratado de Baumann fueron también traducidos al español en Hispanoamérica.

El pensamiento de Roxin, su idea básica de la consideración de las exigencias político-criminales en la interpretación de los preceptos jurídicos, en la configuración de los elementos del delito, en la elaboración del sistema del Derecho penal, así como su teoría del delito orientada teleológica y politicocriminalmente, han hallado una amplia difusión en la Ciencia del Derecho penal española. Sus principales monografías y artículos, así como el primer tomo de su tratado de la parte general del Derecho penal han sido traducidos al español.

En los últimos tiempos han sido traducidos al español el manual de Eser-Burkhardt e importantes trabajos de Hassemer y se ha producido una considerable difusión de la concepción normativista extrema del Derecho penal, de Jakobs. Su tratado, así como muchas de sus monografías o artículos han sido traducidos al español.

En la segunda parte de mi ponencia quisiera hacer referencia a tres cuestiones, en las que se advierte claramente la influencia de la Ciencia del Derecho penal alemana, pero en las que en nuestro país se ha adoptado una solución diferente.

I. LA REGULACIÓN DEL ERROR DE PROHIBICIÓN

El artículo 6º bis a) de nuestro anterior Código penal —introducido por la Ley Orgánica de 25 de junio de 1983— contenía una regulación del error de prohibición basada en la teoría de la culpabilidad. De acuerdo con dicha regulación —que ha hallado acogida en el apartado tercero del art. 14 del nuevo Código penal— el error de prohibición invencible exime de responsabilidad. Para el error de prohibición venci-

ble se prevé una atenuación obligatoria de la pena. La pena tiene que ser disminuida en uno o dos grados. Esto supone una atenuación considerable. Por ejemplo, la pena prevista para el homicidio doloso es una pena de prisión de diez a quince años. La pena inferior en un grado es la de prisión de cinco a diez años y la inferior en dos grados la de prisión de dos años y seis meses a cinco años.

La regulación del error de prohibición en el Código penal español representa una variante de la teoría de la culpabilidad tal como fue formulada por Welzel y ha hallado acogida en los modernos códigos penales. No solo el Código penal alemán (art. 17), sino también, por ejemplo, el suizo (art. 20), el austriaco (arts. 9, 34 y 41) y el portugués (art. 17) prevén para el error de prohibición vencible una atenuación meramente facultativa de la pena.

La regulación del error de prohibición en el Código penal español me parece preferible a la adoptada en otros códigos penales con base en la teoría de la culpabilidad. Cabe objetar contra ella, desde luego, que aunque el error de prohibición sea muy fácilmente vencible la pena tiene que ser atenuada. En favor de la atenuación obligatoria cabe invocar, sin embargo, un importante argumento dogmático. Aunque el error fuera muy fácilmente vencible, el autor creía que su conducta era lícita. Como consecuencia de ello su capacidad de obrar de otro modo, conforme a las exigencias del ordenamiento jurídico, estaba disminuida. La culpabilidad, la reprochabilidad, es siempre menor en el error de prohibición vencible. La atenuación obligatoria de la pena en el error de prohibición vencible es, por ello, más conforme con el principio de culpabilidad. Desde el punto de vista político-criminal es también aconsejable establecer una atenuación obligatoria de la pena para el error de prohibición vencible, para prevenir el peligro de que los tribunales consideren casi siempre que los errores de prohibición son vencibles y apenas hagan uso de la posibilidad de atenuación de la pena. En nuestro país existía el peligro de una vuelta al viejo principio del error iuris nocet que había sido mantenido por nuestro Tribunal Supremo hasta los años sesenta.

El error sobre las circunstancias que sirven de base a las causas de justificación no está regulado en nuestro Código penal, como tampoco lo está en el Código penal Alemán. En ambos códigos se regula el error sobre un elemento del tipo y el error de prohibición, pero no se indica si el error sobre las circunstancias que sirven de base a las causas de justificación es un error sobre un elemento del tipo o un error de prohibición, o debe ser tratado como si lo fuera. En la Ciencia del Derecho penal española había una gran polémica sobre esta cuestión (pues existen representantes muy destacados de la teoría de los elementos negativos del tipo y de la teoría de la culpabilidad restringida) y la jurisprudencia del Tribunal Supremo osciló, aunque al final se ha impuesto la teoría de la culpabilidad pura. La teoría de la culpabilidad pura es mantenida por nuestro Tribunal Supremo en jurisprudencia constante. A ello han contribuido, a mi juicio, la influencia de la escuela finalista española, la atenuación considerable y obligatoria de la pena en el error de prohibición vencible y la regulación en nuestro Código de las causas de justificación incompletas como atenuantes (en el nº 1º del art. 21).

II. LA ABOLICIÓN DE LAS PENAS CORTAS DE PRIVACIÓN DE LIBERTAD

La tendencia a la supresión de las penas cortas de privación de libertad, que tiene su origen en el Programa de Marburgo, de v. Liszt, ha tenido una gran repercusión en el nuevo Código penal español de 1995. Han contribuido a ello decisivamente el pensamiento de Roxin y el Proyecto Alternativo de nuevo Código penal alemán. En nuestro nuevo Código se han suprimido por completo las penas privativas de libertad de duración inferior a seis meses. No se ha incluido en él precepto alguno como el artículo 47 del Código penal alemán para tener en cuenta las exigencias de la prevención especial y sobre todo las de la prevención general. En su lugar se ha incluido entre la pena de multa (regulada con carácter general de acuerdo con el llamado sistema escandinavo de los días-multa) y la pena de prisión, el arresto de fin de semana para la sanción de aquellos delitos menos graves y faltas para los que una pena de multa resultaría insuficiente desde el punto de vista de la prevención general. La aplicación de esta nueva pena que se cumple en establecimientos penitenciarios —a veces, aunque no siempre en establecimientos penitenciarios especiales— o en dependencias municipales plantea, sin duda, algunas dificultades en la practica. Estas dificultades pueden ser *superadas, sin embargo, a mi juicio, si se restringe el campo de aplicación de esta pena. Según el artículo 88 del nuevo Código penal español las penas de prisión de hasta un año de duración, e incluso, cuando se dan ciertas circunstancias, de hasta dos años pueden ser sustituidas por arresto de fin de semana, aunque esta pena no esté prevista para el delito correspondiente.*

III. LA REGULACIÓN DEL PRINCIPIO DE PROPORCIONALIDAD

La aproximación de las penas y las medidas de seguridad, en diversos aspectos, que propugna un sector de la moderna Ciencia del Derecho penal alemana, ha dado lugar a una nueva formulación del principio de proporcionalidad en relación con las medidas de seguridad en el Código penal español de 1995.

Según el apartado segundo del art. 6º: «Las medidas de seguridad no pueden resultar ni más gravosas ni de mayor duración que la pena abstractamente aplicable al hecho cometido, ni exceder el límite de lo necesario para prevenir la peligrosidad del autor». Como consecuencia de ello, solo se pueden aplicar medidas de seguridad privativas de libertad cuando el delito esté sancionado con una pena privativa de libertad y la duración de la medida no puede exceder de la de la pena que le sería impuesta al autor si hubiera obrado culpablemente (cuando se trate de inimputables), o de la de la pena prevista por la ley para el correspondiente delito (cuando se trate de semiimputables) (arts. 95 apartado 2º, 101 apartado 1º, 102 apartado 1º, 103 apartado 1º y 104).

Con esta regulación se trata de extender las garantías del Estado de Derecho existentes en la aplicación de las penas a las medidas de seguridad. El fin es laudable, pero no los medios elegidos para ello. Las medidas de seguridad, a diferencia de las penas no *tienen* que ser proporcionales a la gravedad del delito, sino a la peligrosidad del delincuente. La referencia a la gravedad del delito cometido, en la formulación usual del principio de proporcionalidad, solo puede tener el sentido de que se trata de un síntoma, entre otros, a tener en cuenta en el enjuiciamiento de la peligrosidad del delincuente; un síntoma que puede ser confirmado *o neutralizado por otros. El delito cometido puede no ser grave, pero poner de manifiesto una elevada probabilidad de que el sujeto cometa en el futuro delitos de considerable gravedad. Pare evitar estos malentendidos me parece preferible la formulación del principio de proporcionalidad en el artículo 133 del Proyecto de 1980 de nuevo Código penal español, donde se exige únicamente que las medidas de seguridad guarden proporción «con la peligrosidad revelada por el hecho cometido y la gravedad de los que resulte probable que el sujeto pueda cometer».*

Para atender a las garantías del Estado de Derecho, especialmente a las exigencias de la seguridad jurídica, hay que limitar, en general, la duración de la aplicación de las medidas de seguridad, pero no en función de la gravedad del delito cometido. El límite mínimo y el límite máximo de duración de la aplicación de una medida debe estar en función del tiempo que, según la experiencia, sea necesario para eliminar la peligrosidad del sujeto en esos supuestos. Solo en el internamiento en un sanatorio psiquiátrico resulta difícil establecer una limitación de este tipo. Por ello, debería renunciarse aquí a establecer un límite máximo, pero teniendo siempre en cuenta que el fin de la medida no es la curación, sino únicamente la eliminación de la peligrosidad. La seguridad jurídica tiene que ser garantizada en estos casos mediante el control judicial (por medio de los jueces de vigilancia) de la aplicación de las medidas de seguridad. Un límite fijo tendría como consecuencia negativa que un enfermo mental tendría que ser puesto en libertad si se había rebasado el límite máximo de duración de la medida, aunque fuera aún peligroso. La solución prevista para estos casos en nuestro nuevo Código no me parece convincente desde el punto de vista político-criminal. El Ministerio Fiscal puede solicitar, ante la jurisdicción civil, la declaración de incapacidad y el internamiento del sujeto, de acuerdo con las disposiciones del Derecho civil. Solo la jurisdicción criminal debe ser competente, a mi juicio, para la aplicación de medidas de seguridad con el fin de eliminar la peligrosidad del sujeto, pues no se trata solo de curar, sino principalmente de atender a las exigencias de la prevención de los delitos.

Una mirada hacia los puntos centrales de la evolución de la dogmática jurídico-penal alemana ante el cambio de siglo desde la perspectiva de un miembro de la ciencia jurídico-penal griega* (Comentario)

MARIA KAIAFA-GBANDI
Tesalónica

El derecho penal griego y la ciencia del derecho penal griega están muy estrechamente unidas a las correspondientes ramas del derecho y de la ciencia en Alemania. Esto se debe ante todo a razones históricas. Bajo el reinado del monarca *Otto*, después de la liberación de los turcos, entró en vigor en el resurgido Estado griego un Código penal, además de otras leyes, que había sido elaborado por *Georg Ludwig v. Maurar* y que había estado inspirado en el Código penal del Reino de Baviera de 1813[1]. A partir de entonces hubo por parte de la ciencia del derecho penal griega una gran dependencia de la alemana. Muchos juristas griegos se formaron en Alema-

---

* Traducción de Teresa Manso Porto.
La ponencia es en parte idéntica a una conferencia presentada por la autora en junio de 1999 en un simposio griego-alemán sobre «Derecho penal en el umbral del cambio de siglo» celebrado en Rostock.

[1] Véase sobre esto la fundamental exposición histórica de *Philippides*, Der Einfluß der deutschen Strafrechtswissenschaft, ZStW 70 (1958), p. 56 y ss., así como también *Manoledakis*, Ideologische Orientierung des griegischen Strafrechts in seiner historischen Entwicklung, en: Libro en Memoria de Chorafas/Gafos/Gardikas, Atenas, 1986, Tomo 1, p. 132.

nia. La situación que de ahí resultó también tenía, naturalmente, aspectos negativos. Las relaciones entre la ciencia del derecho penal alemana y la griega en aquel tiempo estaban muy lejos de constituir una influencia recíproca[2]. Es en 1951, con la entrada en vigor del actual Código penal griego, cuando comienza a desarrollarse en Grecia una ciencia del derecho penal autóctona[3], sin perderse, a pesar de ello, el contacto y el intercambio con la ciencia jurídico-penal alemana. En los últimos años, la evolución hacia una Europa unida —también en el ámbito del derecho penal[4]— comenzó a hacer de las relaciones existentes un factor determinante. Yo creo que esta evolución hace necesario —si me permiten la tautología— un diálogo[5] entre dos partes; ello a pesar de la existente barrera lingüística[6].

A la vista de este marco histórico y social, resulta comprensible que la ciencia jurídico-penal alemana haya ejercido una influencia determinada sobre la griega. El mismo caso se dio en mayor o menor medida en otros ordenamientos jurídicos[7]. Es precisamente este hecho lo que, contemplado objetivamente, fundamenta una mayor responsabilidad para la ciencia jurídico-penal alemana[8], especialmente en cuanto al mantenimiento de aquellos principios que nosotros hemos aprendido a considerar muy significativos por afectar a su esencia[9]. En un acontecimiento como el presente coloquio en el que se reflexiona acerca de la ciencia jurídico-penal alemana poco antes del cambio de siglo con una mirada que, sin perder de vista el pasado, está orientada hacia el futuro, quiero aprovechar la oportunidad y, como miembro de la ciencia jurídico-penal griega, expresar mis reflexiones en relación

---

2   *Véase especialmente la valoración crítica de Manoledakis (nota 1), p. 135 y ss.*

3   *Así Manoledakis (nota 1), p. 138-139.*

4   *Véase, por ejemplo, la publicación de Sieber (eds.), Europäische Einigung und europäisches Strafrecht, Colonia, 1993, así como el proyecto Delmas-Marty (eds.), Corpues Iuris der strafrechtlichen Regelungen zum Schutz der finanziellen Interessen der Europäischen Union, Colonia, 1998.*

5   *Cfr. las reflexiones de Weigend, Strafrecht durch internationale Vereinbarungen - Verlust an nationaler Strafrechtsstruktur?, ZStW 109 (1997), p. 788 y ss. y 793.*

6   *Cfr. sobre esto Kühl, Europäisierung der Strafrechtswissenschaft, ZStW 109 (1997), p. 788 y ss. y 793.*

7   *Cfr. Roxin, Strafrecht AT, Tomo I, 3. Ed., Múnich, 1997, § 7 núm. marg. 1.*

8   *Cfr. las reflexiones de Kühl (nota 6), p. 791 y s.*

9   *Véase, por ejemplo, Jescheck, Möglichkeiten und Grenzen eines Strafrechts für den Schutz der Europäischen Union, Poin.Chr. 1997, 483-484.*

a los puntos centrales de la evolución del pensamiento jurídico-penal ale-mán, los cuales tienen en común tres factores:

1. Son *importantes para la futura evolución* del derecho penal.

2. Están en relación con los *principios que de manera fundamental aseguran la función garantizadora del derecho penal y que,* como muestra la jurisprudencia del Tribunal Europeo de Derechos Humanos, en la Europa actual se lesionan permanentemente, sin que sean puestos en duda de forma abierta[10].

3. También han influido en el pensamiento de la ciencia jurídico-penal griega.

Como tales puntos centrales, a los que atribuyo una significación central para el derecho penal material y que he elegido como estaciones de mi conferencia de hoy, considero los siguientes:

1. *La discusión sobre el concepto de bien jurídico y sobre lo que éste puede aportar al concepto material de delito.*

2. *La evolución de las tesis acerca de la puesta en peligro abstracta.*

3. *La creciente disposición al reconocimiento de la responsabilidad penal de las personas jurídicas.*

Por cierto que estas tres estaciones no se dan sin una relación recíproca, sino que constituyen —en mi opinión— puntos de una misma línea que conduce a una discusión en torno a un derecho penal liberal o no liberal. En otras palabras: cuanto más imperceptible y vagamente se determine el contenido del bien jurídico, más fácil resultará también el adelantamiento de la punibilidad mediante delitos de peligro abstracto, en los que la causalidad de un resultado que menoscaba el bien jurídico pierde su significado[11]. Y cuanto menos juegue este resultado un papel importante: ¿porqué no también responsabilidad penal de entidades que a priori no pueden causar ningún resultado que menoscabe el bien jurídico?[12]

---

[10]   Sobre esto *Spinellis*, Schlußfolgerungen aus der Rechtsprechung des Europäischen Gerichtshofes für Menschenrechte, Poin. Chr. 1998, 16.

[11]   Cfr. al respecto *Hassemer, Kennzeichen und Krisen des modernen Strafrechts,* ZRP 1992, 381.

[12]   Cfr. sobre esto las reflexiones de *Hamm,* Auch das noch: Strafrecht für Verbände?, NJW 1998, 662.

Paso entonces a la primera estación de mis reflexiones:

I. LA DISCUSIÓN ACERCA DEL BIEN JURÍDICO Y DEL CONCEPTO MATERIAL DE DELITO

La teoría de la ciencia jurídico-penal alemana sobre el bien jurídico como elemento esencial que no sólo fundamenta sino que, principalmente, limita la punibilidad[13] *constituye, desde mi punto de vista, uno de sus mayores legados para la cultura jurídica europea. Sin duda ya desde la obra de Amelung*[14] *se manifestaron dudas acerca de si el concepto de bien jurídico en la época de su aparición (en el siglo XIX) tuvo un contenido liberal limitador de la punibilidad. Sin embargo, casi todos estamos de acuerdo en que el concepto de bien jurídico al menos en la nueva discusión ha asumido esta función*[15]. *El reconocimiento de la necesidad de un control crítico de la legislación jurídico-penal naturalmente que no nos conduce como consecuencia necesaria a que este control haya de ser aportado por el concepto de bien jurídico*[16]. *Se han presentado propuestas alternativas —por ejemplo, la búsqueda de las fronteras éticas del derecho penal, las teorías de la pena, etc*[17]—. *Otros ordenamientos*

---

[13]　Véase por ejemplo *Hassemer, Interkulturelles Strafrecht,* en: Zaczyk y otros (eds.), *Libro-Homenaje a Wolff,* Berlín/Heidelberg 1998, p. 110. Cfr. también *Manoledakis, Das Rechtsgut als Grundbegriff des Strafrechts,* Tesalónica 1998, p. 67-68.

[14]　Véase *Amelung, Rechtsgüterschutz und Schutz der Gesellschaft,* Frankfurt del Main 1972, p. 10 y ss., en donde éste critica a *Sina, Die Dogmengeschichte des strafrechtlichen Begriffs «Rechtsgut»,* Basilea 1962.

[15]　Así *Roxin,* (nota 7), p. 15, y *Dimitratos, Das Rechtsgut und die Verbrechenslehre im Strafrecht,* Poinika 53, 300.

[16]　En favor del bien jurídico como pauta del concepto material de delito se inclinan entre otros *Manoledakis* (nota 13), p. 72 y ss.; *Spyrakos, Die kritische Funktion des Rechtsgutsbegriffs,* Atenas 1996, p. 105 y ss. y 130 y ss.; así como también *Roxin* (nota 7), p. 10 y ss.

[17]　Para una exposición de tales propuestas alternativas, véase *Spyrakos* (nota 16), p. 108 y ss.

jurídicos incluso desconocen completamente el concepto de bien jurídi-co, cuyo origen está vinculado a la tradición alemana[18].

Yo opino, sin embargo, que no se debe subestimar el hecho de que el concepto de bien jurídico —incluso en la forma imprecisa en que lo describimos, sin ponernos de acuerdo sobre su contenido[19]— constituye el resultado de una discusión acerca de los objetos jurídico-penalmente protegibles, que ha surgido de la experiencia de alcance mundial adqui-rida tras una larga historia de abusos de la represión penal. Si se quiere poner en duda el concepto de bien jurídico afirmando, sin embargo, la necesidad de un control crítico del legislador[20], entonces hay que buscar otros *equivalentes funcionales*. Sin excluir esta posibilidad, al menos me parece evidente que el desarrollo de nuevos equivalentes funcionales conduciría a una reforma más general, también de otras categorías del derecho penal, la cual para una tradición jurídico-penal liberal —que ha pretendido llegar a una limitación del legislador penal orientándose más fuertemente hacia el resultado de la conducta prohibida[21]— posiblemen-te sería difícil de soportar. En cualquier caso, mientras el bien jurídico se muestre como el medio más idóneo para una perspectiva que limita de manera crítica la represión penal, se debería agotar la discusión en relación a esto antes de que sea rechazada. Que la discusión esté agotada es algo que, al menos en el momento actual, no se puede sostener[22].

---

[18] No se encuentra el término en los sistemas anglosajones. Sobre la evolución histórica del concepto de bien jurídico en la ciencia del derecho penal, véase especialmente *Sina* (nota 14).

[19] Véase, por ejemplo, la constatación de *Roxin* (nota 7), p. 30, de que el concepto material de delito y la teoría de los bienes jurídicos aún hoy pertenecen a los problemas fundamentales del derecho penal que con menor exactitud se han explicado».

[20] Este no es el caso, por ejemplo, de *Stratenwerth*, Zum Begriff des Rechtsgutes, en: Eser/Schittenhelm/Schumann (eds.), Libro-Homenaje a Lenckner, Múnich, 1998, p. 377, 391, y *el mismo*, Zukunftssicherung mit den Mitteln des Strafrechts, ZStW 105 (1993), p. 692 y s., quien acepta en general la protección penal no sólo para bienes jurídicos sino también *para normas sociales*.

[21] Así también *Spyrakos* (nota 16), p. 133. Cfr. sobre esto también *Hirsch*, Strafrecht als Mittel zur Bekämpfung neuer Kriminalitätsformen, en: Kühne/Miyazawa (eds.), Neue Strafrechtsentwicklungen im deutsch-japanischen Vergleich, Colonia, 1995, p. 17.

[22] Véase *supra* nota 19 y *Hirsch* (nota 21).

Partiendo de esta postura se entiende porqué la lógica del acercamiento que se realizará aquí en relación a la teoría de los bienes jurídicos toma como patrón la efectividad de la opiniones expresadas en relación a una función crítica de limitación de la punibilidad. Desde esta perspectiva, las únicas posturas que prometen una función de limitación de la punibilidad resultan[23], en mi opinión, aquellas que han buscado el contenido del bien jurídico exclusivamente en bienes (vitales) fundamentales de la realidad social empírica, es decir, en relación a elementos que son previos al Derecho. Es decir, ofrecen una base de entendimiento vinculante, controlable de forma intersubjetiva, en relación a aquellos elementos que el derecho puede defender con los medios de intimidación más duros, es decir, con la represión penal[24]. Esta dirección de acercamiento al bien jurídico se ha visto reflejada, con diferentes concretizaciones, en los correspondientes trabajos de Jäger[25], Amelung[26], Rudolphi[27], Marx[28],

---

[23] De una función limitadora de la punibilidad carecen aquellas posiciones que contemplan como único bien jurídico-penal la validez de las normas jurídicas, como lo hace, por ejemplo, Jakobs, AT, 2. ed., Berlín, 1991, p. 13 y ss., 37 y s., 41 y ss. También algunos defensores de un papel especial del bien jurídico en derecho penal llegan al mismo resultado que Jakobs cuando consideran los bienes jurídicos protegidos como más o menos idénticos con las intenciones protectoras del legislador (véase sobre esto Jescheck, Lehrbuch des Strafrechts. AT, 4. ed., Berlín, 1988, p. 232.; cfr. también Schmiedhäuser, Strafrecht AT, Tubinga 1982, p. 81 y ss.; Welzel, Das Deutsche Strafrecht, 11. ed., Berlín, 1969, p. 3 y s.; Lenckner, en: Schönke/Schröder, Strafgesetzbuch, 25. ed., Múnich, 1997, Vor §§ 13 y ss., núm. marg. 11) o cuando equiparan el contenido del bien jurídico con los derechos de los individuos (véase Günther, Möglichkeiten einer diskursethischen Begründung des Strafrechts, en: Jung/Müller-Dietz/Neumann [eds.], Recht und Moral, Baden-Baden, 1991, p. 209 y ss.; pero tal concepto de bien jurídico presupone lógicamente ya el derecho y por eso no tiene ninguna función limitadora).

[24] En esta media no se puede compartir la opinión de Schulz, Strafrecht als Rechtsgüterschutz, en: Lüderssen (eds.), Aufgeklärte Kriminalpolitik oder Kampf gegen das Böse?, Baden-Baden, 1998, p. 221, cuando señala que el estatus ontológico por sí sólo no contiene ninguna instancia crítica.

[25] Jäger, Strafgesetzgebung und Rechtsgüterschutz bei den Sittlichkeitsdelikten, Stuttgart, 1957, p. 8 y ss., 13, 21 y ss.

[26] Amelung (nota 14), p. 309 y ss. y en especial p. 358 y ss.

[27] Rudolphi, Die verschiedenen Aspekte des Rechtsgutsbegriffs, en: Juristische Fakultät Gotinga (ed.), Libro-Homenaje a Honig, Gotinga, 1970, p. 151 y ss.; el mismo, SK-StGB, tomo I, 6. ed., Neuwied 1993, Vorbemerkungen zum AT, p. 1 y ss.

[28] Marx, Zur Definition des Begriffs «Rechtsgut», Colonia, 1972.

Hassemer[29] *y, en Grecia, de Spinellis*[30] *y Manoledakis*[31/32]. *A excepción de la postura de Amelung, quien finalmente para la protección de la persona apela a la voluntad de la sociedad*[33] —*lo que ya por razones constitucionales no puede ser aceptado*[34]—, *en todas las demás posturas se encuentran elementos especialmente útiles. Estos residen en el intento de determinación del contenido del bien jurídico como «unidades de funcionamiento social»*[35], *«objetos que el hombre necesita para el libre desarrollo de su personalidad»*[36] *o como «objetos homogéneos»*[37] *que son expresión de intereses humanos protegibles*[38]. *Las opiniones mencionadas, a pesar del margen más amplio o más estrecho que dejen para la posible desmaterialización del bien jurídico y, con ello, para el control de las decisiones legislativas*[39], *son todas expresión de un punto central común: la obligación del legislador no de crear bienes jurídicos, sino de elevar a bienes jurídicos bienes de la realidad empírico-social*[40].

---

[29]   *Hassemer, Theorie und Soziologie des Verbrechens, Frankfurt a. M., 1973, p. 105 y ss.*

[30]   *Spinellis, Das Rechtsgut und seine Bedeutung in der gegenwärtigen Strafrechtslehre, Poin. Chr. 1971, 721 y ss. y 801 y ss.*

[31]   *Manoledakis, Der dialektische Begriff der Rechtsgüter, Tesalónica, 1972; el mismo, Der Rechtsgutbegriff als Grundbegriff des Strafrechts, Tesalónica, 1998.*

[32]   *Las posturas de autores más jóvenes como Spyrakos (nota 16), p. 125 y ss. y Dimitratos (nota 15), p. 301 y ss. y especialmente 305 y ss., son cercanas a las de los autores mencionados en el texto, por lo que no son mencionados allí.*

[33]   *Así también Roxin (nota 7), p. 28. Cfr. también la crítica de Hassemer, Besprechung von Amelung, Rechtsgüterschutz und Schutz der Gesellschaft, ZStW 87 (1975), p. 161 y ss.*

[34]   *Véase sobre la protección de la dignidad humana el Art. 2. 2 de la Constitución Griega y el Art. 1 GG.*

[35]   *Rudolphi, (nota 27), Libro-Homenaje a Honig, p. 163; el mismo, (nota 27), SK-StGB, p. 5.*

[36]   *Marx, (nota 28), p. 86 y 62.*

[37]   *Hassemer, (nota 29), p. 60.*

[38]   *A favor de esta dirección también Manoledakis (nota 13), p. 91, que determina el concepto de bien jurídico de la siguiente manera: «Bienes jurídicos son las muchas personas y cosas iguales y de igual valor que circulan libremente en el espacio social así como las condiciones de sostenimiento de dicha circulación, la cual constatan también personas o cosas con propiedades concretas.»*

[39]   *Cfr. Manoledakis (nota 13), p. 86 y s.*

[40]   *Aquí se debe dar también una breve respuesta a la posición de Kindhäuser, Rationaler Rechtsgüterschutz durch Verletzungs- und Gefährdungsverbote, en:*

Este elemento es especialmente importante precisamente en estos
tiempos en los que el «Estado de la seguridad» que se nos avecina es
partícipe activo en el proceso de producción de bienes jurídicos dentro
del marco de una sociedad de riesgos y en los que la «internalización» de
los correspondientes valores de la sociedad, en todo caso, se produce
después tal y como es el caso cuando se trata de los bienes jurídicos de
la Unión Europea[41]. Sin embargo, mientras el legislador esté facultado
para crear bienes jurídicos, no puede haber un control efectivo de una
posible arbitrariedad. Por ello, no comparto la opinión de *Roxin* sobre el
bien jurídico, el cual define como *realidades* pero también como *finalidades* dentro del marco de un sistema social total que se basa en el libre
desarrollo del individuo[42]. Las *finalidades*, entendidas como deberes de
cumplimiento de la norma creados primero por el legislador, no se
refieren a realidades y eso es un elemento que genera preocupación.

Es de resaltar el hecho de que, aunque la dedicación al contenido del
bien jurídico —orientada además a su base empírica— alcanzó un hito
en los años setenta, especialmente en Alemania, esta discusión desde
entonces no sólo parece haber retrocedido, sino que incluso se hace

---

Lüderssen (nota 24), p. 263 y ss., que en su concepto adopta también la relación
entre el bien y aquel a quien el bien haya de aprovechar. Con ello, *Kindhäuser*
entiende, por ejemplo, el bien jurídico de la integridad corporal como: poder
decidir autónomamente acerca del estado del propio cuerpo (*cit.* p. 265). Pero esta
aproximación es más un reflejo del bien jurídico de la libertad personal que de la
integridad corporal y, al parecer, conduce a que *Kindhäuser* amplíe cada bien
jurídico como parte de la libertad personal. Sin embargo, este punto de partida no
puede ser acertado. En primer lugar, porque no todos los bienes jurídicos son
disponibles por sus titulares y estos, por tanto, no pueden decidir autónomamente
sobre ellos y, en segundo lugar, porque la relación entre el bien y aquel para quien
el bien ha de ser de provecho, constituye más bien *el poder de disposición* del titular
de un bien jurídico, que naturalmente no es el bien jurídico mismo sino más bien
el resultado de la manera determinada en que éste sea protegido.

[41] *Sobre esta evolución véase* Dimitratos (nota 15), 319; cfr. también *Baratta*, Jenseits
der Strafe - Rechtsgüterschutz in der Risikogesellschaft, en: Haft, entre otros
(eds.), Libro-Homenaje a Art. Kaufmann, Heidelberg, 1993, p. 400 y ss., así como
también *Denninger*, Der Präventions-Staat, KritJ 1988, 7 y 14, quien refleja de
manera especialmente plástica el paso de la seguridad jurídica a la seguridad de los
bienes jurídicos.

[42] *Roxin* (nota 7), p. 14.

notar una nueva determinación del bien jurídico sobre una base mucho más libre para el legislador[43].

En mi opinión, esto no es ninguna casualidad. La discusión más profunda acerca del bien jurídico —con la búsqueda de barreras límite para el legislador— se llevó a cabo en los años setenta, es decir, en una época en la que se había logrado superar la experiencia del nacional-socialismo y en la que la sociedad de la industria y la tecnología aún no había mostrado completamente sus riesgos.

A pesar de la distinta orientación del derecho penal en el momento actual, en el que más bien se intentan contrarrestar los peligros sociales y con ello se resalta un carácter abiertamente preventivo más que represivo del derecho penal[44], creo que la discusión más esencial que no hemos llevado hasta el final es precisamente la que afecta al contenido del concepto de bien jurídico y a la función de limitación que éste puede desarrollar en relación al concepto material de delito. Hoy en día, la discusión acerca de las limitaciones del legislador podrá ser ad objeto subversiva, pues prevención y limitación, ya por lógica, no se compatibilizan bien. Pero dicha discusión es tanto más necesaria, por cuanto que está en relación con el carácter democrático del derecho penal. En las sociedades de la Europa unida —con una herencia como la de la Convención Europea de Derechos Humanos pero también con aseguramiento jurídico-constitucional general de principios como el del Estado de derecho o el principio de legalidad— debería reinar la claridad sobre estas cosas. Claridad que no puede ensombrecerse con el argumento inicial, por otra parte general y por tanto no esencial, de que uno no puede enfrentarse a problemas del siglo XXI con la reserva intelectual del siglo XVIII[45]. Esto porque también es claro que el objetivo de una moderna «efectividad» del derecho penal no santifica los medios emplea-

---

[43]   Esta tendencia se hace patente en la exposición de *Roxin* (nota 7), p. 19 y ss., con el título «Gefährdungsstrafrecht, Risikogesellschaft, Zukunftssicherung durch Strafrecht: das Ende des Rechtsgüterschutzes?».

[44]   Véase por ejemplo *Hassemer*, (nota 11), p. 380 y ss. Cfr. asimismo *Albrecht, Das Strafrecht auf dem Weg vom liberalen Rechtsstaat zum sozialen Interventionsstaat*, KritV 1998, p. 182 y ss., y *Denninger* (nota 41), p. 1 y ss.

[45]   Así *Stratenwerth* (nota 20), *Zukunftssicherung*, p. 679 y ss., 689.

dos para ello. Más bien es necesario para dichos medios que se funcione dentro del marco de los principios mencionados anteriormente.

En este contexto, merece la pena decir algunas palabras acerca de una postura moderna según la cual el concepto de bien jurídico como límite de la punibilidad que se le sugiere al legislador no sólo sería *contrario al sistema* en un Estado democrático, sino también *superfluo*, pues esta tarea la asumirían los derechos fundamentales[46]. El significado de los derechos fundamentales como instrumentos de control de la punibilidad desde luego que no puede ponerse en duda. Pero entre este punto de vista y el de inutilizar el concepto de bien jurídico[47], como hace la postura a la que se alude, hay una distancia muy grande. El empleo del bien jurídico como límite de la punibilidad, por un lado, no puede calificarse como contrario al sistema porque los bienes que deben ser protegidos por el legislador son inferibles a partir de la Constitución[48]. Por otro lado, el concepto de bien jurídico como instrumento de control de la punibilidad tampoco es superfluo, ya que la teoría de los derechos fundamentales no es capaz de satisfacer por sí misma el objetivo del control de la punibilidad[49]. La generalidad que les caracteriza —y que, hasta cierto punto, incluso es inevitable por su referencia a varios ámbitos del Derecho y por la inseguridad acerca de cuándo se lesiona el núcleo de un derecho fundamental— nos prohíbe sacrificar el instrumento del bien jurídico. Éste precisamente puede revelar cualquier lesión. Pues cuando se introduce una punibilidad allí donde no se lesiona ningún bien jurídico, entonces es seguro que el ciudadano es utilizado como medio para

---

[46]   *Véase sobre esto* Appel, Verfassung und Strafe, Berlín, 1998, p. 333 y ss., 356 y especialmente 381, 389 s. Cfr. asimismo Lagodny, Das Strafrecht vor den Schranken der Grundrechte, Tubinga, 1996; Baratta (nota 41), p. 416, parece moverse también en la misma dirección.

[47]   En esta dirección, pero sin una contrapuesta Scheerer, Die Ohnmacht der Rechtsgutsidee und die Dominanz der Problemdefinition, en: Lüderssen (nota 24), p. 182.; Stächelin, Strafgesetzgebung im Verfassungsstaat, Berlín 1998, p. 81 y ss.

[48]   Véase, por ejemplo, Roxin (nota 7), p. 14; Robbers, Strafpflichten aus der Verfassung, en: Lüderssen (nota 24), p. 154; Stächelin, Strafgesetzgebung im Verfassungsstaat, Berlín, 1998, p. 81 y ss.

[49]   Característico es el propio intento en referencia a esto de Appel (nota 46), p. 571 y ss. Véase también la crítica de Stächelin (nota 48), p. 50 y s., en referencia a un intento análogo de Lagodny (nota 46), §§ 7-11.

un fin. Además, es importante que la teoría de los bienes jurídicos puede determinar también positivamente qué se puede castigar penalmente como agresión contra un bien jurídico, mientras que la teoría de los derechos fundamentales actúa en este campo principalmente de forma negativa, es decir, determina qué es lo que no se puede castigar, porque una imposición de pena supondría la lesión de un derecho fundamental. Y claro que, evidentemente, un control de la punibilidad a través de una determinación positiva puede ser mucho más efectivo que con una negativa.

Por tanto, sería falso con respecto a la cuestión de la punibilidad poner el bien jurídico al margen y dejar la tarea de control exclusivamente en manos de la idea de los derechos fundamentales. Al igual que, a la inversa, era errónea la durante largos años escasa toma en consideración de los resultados de la teoría constitucional en relación a los derechos fundamentales por parte de la teoría del derecho penal[50]. Lo único que tiene perspectivas para el futuro es, en mi opinión, un camino de cooperación en el que uno comprenderá que la función limitadora de la punibilidad del bien jurídico se alimenta de los principios jurídico-constitucionales —que al derecho penal le son propios— y de los derechos fundamentales. Por el camino de dicha cooperación intentan seguir también los siguientes pensamientos.

La cuestión, por tanto, de qué se debe castigar como delito o, en otras palabras, el contenido del concepto material de delito, es, en mi opinión, una de las cuestiones más elementales a las que también las directrices constitucionales para la represión penal han intentado responder al menos negativamente con el Art. 7. 1 de la Constitución Griega[51] y el Art. 103. 2 de la Ley Fundamental[52], en cuanto estos preceptos prohíben el castigo por el ánimo interno, es decir, por la mera actitud anímica

---

[50]   *Appel* (nota 46), p. 50 y ss.

[51]   Véase, por ejemplo, *Manoledakis, Strafrecht AT*, 4. Ed., Tesalónica, 1996, p. 35.

[52]   Cfr. *Stächelin* (nota 48), p. 227; de manera distinta *Appel* (nota 46), p. 117 y s. La prohibición de castigar por el ánimo interno es deducida también a partir del principio de culpabilidad (*Paraskevolopoulos, Gesinnung und Zurechnung im Strafrecht*, Tesalónica, 1987, p. 117 y ss.

(Gesinnung). Aún cuando uno no está dispuesto a aceptar una propuesta de determinación jurídico-constitucional del todavía controvertido concepto de bien jurídico, con ayuda del cual las decisiones del legislador jurídico-penal serían completamente controlables —tal y como proponen Jäger[53] y Stächelin[54] en la doctrina alemana y Manoledakis[55] en la griega— hoy en día es obligado al menos aclarar el cuadro que resulta de las reglas constitucionales existentes con respecto al contenido del bien jurídico —en forma de un marco común mínimo sobre el que quizá podríamos alcanzar acuerdo—.

En mi opinión, este marco consta de los tres puntos siguientes:

1. La prohibición constitucional del castigo por el ánimo interno ordena orientar la determinación del contenido del bien jurídico en base a magnitudes empírico-sociales, lejos de una fijación de fines morales o ideológicos[56]. La limitación jurídico-constitucional de la libertad personal mediante el derecho consuetudinario no contradice esta constatación. Pues, aunque el derecho consuetudinario constituye un valor aceptable, también la prohibición de castigo por el ánimo interno tiene rango constitucional. La limitación jurídico-constitucional de la libertad personal mediante el derecho consuetudinario no puede, por lo tanto, conducir nunca a la fundamentación de la punibilidad exclusivamente por la expresión del ánimo interno[57].

---

[53] *Véase Jäger, Irrationale Kriminalpolitik, en: Albrecht u. a. (eds.), Libro-Homenaje a Schüler-Springorum, Colonia, 1993, p. 240.*

[54] *Stächelin (nota 48), p. 319 y s.*

[55] *Manoledakos (nota 13), p. 50 y s., y nota 4. Cfr., sin embargo, para la doctrina griega las interesantes opiniones de Spinellis, Fragen des Einflusses der Verfassung von 1975 auf das Strafrecht, en: «Dimokriteio»-Universidad, Thrakien, Facultad de Derecho (ed.), Fünf Jahre Anwendung der Verfassung von 1975, Atenas 1981, p. 222; Paraskevopoulos, Die verfassungsrechtliche Dimension von Unrecht und Schuld, Yperaspissi 1993, 1251 ss., y de Sylikos, Die materialistische Begründung des Rechtsguts im Strafrecht, Atenas, 1996, p. 294, que sostienen que de la Constitución vigente se desprende que el delito debe manifestar también una lesión de bienes jurídicos concretos.*

[56] *De la Constitución resulta lo que no puede constituir delito y en relación al reconocimiento de las consecuencias de este principio jurídico-constitucional, la doctrina no se ha mostrado lo bastante «valiente».*

[57] *Cfr. sobre esto Roxin (nota 7), p. 16.*

Por eso el delito no puede basarse exclusivamente en elementos subjetivos. En la construcción del delito, los elementos subjetivos presuponen en principio los objetivos, a los que además cubren. Un equilibrio absoluto entre elementos objetivos y subjetivos lo tenemos en un delito tradicional de lesión como es, por ejemplo, el de daños. Un desequilibrio absoluto lo encontramos en la tentativa inidónea y en los delitos de peligro abstracto, cuando la realización del peligro en el caso concreto es absolutamente imposible[58]. En estos últimos casos es evidente que no existe ninguna agresión a un bien jurídico. Por ello se trata de punibilidad de la expresión del ánimo interno y es, como tal, inconstitucional[59].

De este modo se comprende que las agresiones que se dirigen *exclusivamente* contra el *sentir* de los ciudadanos, aun cuando afecten a las costumbres[60], no pueden ser punibles, pues aquí —si bien el ánimo del supuesto autor se expresa a través de una acción (¿de qué otro modo podría ser si no?[61])— la acción, mientras no tenga como punto de referencia ningún bien jurídico adicional tangible que tenga un contenido empírico, no alcanza más allá del propio ánimo interno. Efectivamente, el sentir de los ciudadanos como elemento subjetivo, o dicho de otra forma, como concepto relativo a la disposición, no constituye ningún factor del mundo empírico[62]. Y tampoco debería confundirse, por lo

---

[58] Véase sobre esto la tendencia manifestada por *Baratta* (nota 41), p. 404 y s., hacia una forma de «personalización» de la antijuridicidad, caracterizada por una mayor relevancia del «elemento subjetivo» de los tipos penales.

[59] Cfr. la crítica de *Manoledakis* (nota 51), p. 345 y ss. a la tentativa inidónea, quien, sin embargo, no considera la regla como inconstitucional. Por lo que respecta a los delitos de peligro abstracto con absoluta imposibilidad de realización del peligro en el caso concreto y a las opiniones que en relación a su inconstitucionalidad se han manifestado desde otra base, véase *Bohnert*, Die Abstraktheit der abstrakten Gefährdungsdelikte, JuS 1984, 184; *Cramer*, Der Vollrauschtatbestand als abstraktes Gefährdungsdelikt, Tubinga, 1962, p. 51 y ss, y *Stächelin* (nota 48), p. 96 y ss.

[60] Véase sobre esto, por ejemplo, *Roxin* (nota 7), p. 16.

[61] Véase también *Manoledakis* (nota 13), p. 52, y *Paraskevopoulos*, Gesinnung und Zurechnung im Strafrecht, Tesalónica, 1987, p. 41, 163.

[62] A modo de ejemplo, *Hassemer*, Einführung in das Strafrecht, 2ª Ed., Múnich, 1990, p. 183 y ss.

tanto, con un delito contra el orden público[63], el cual existe efectivamente como bien jurídico, pero su lesión presupone mucho más, pues
tiene que ver con un *estado concreto* que se conforma en el espacio social
y que configura, entre otros, el comportamiento de los ciudadanos[64].

La mera lesión del sentir de una persona no representa, por lo tanto,
ninguna lesión de un bien jurídico y por ello resulta erróneo el intento
de creación de un bien jurídico como el *sentimiento de seguridad del
ciudadano*[65]. Menos aún, naturalmente, puede entenderse la percepción
de dolor de los animales como bien jurídico[66].

2. *Legislación simbólica*[67], en la que en absoluto existe contenido de
lesión de un bien jurídico, es decir, de una verdadera lesión o puesta en
peligro de carácter jurídico, no puede ser aceptable en una sociedad
democrática, pues también conduce al castigo, constitucionalmente prohibido, del ánimo interno[68].

Por otra parte, es evidente que de cara a un replanteamiento de estos
límites, mucho depende de dónde se fije penalmente el punto final de la
puesta en peligro del bien jurídico, es decir, del peligro abstracto[69]. Una

---

[63] Cfr., sin embargo, la búsqueda por parte de *Roxin* (nota 7), p. 16, de dicho bien
jurídico para la fundamentación de la punibilidad de lesiones del sentir de la
generalidad.

[64] Sobre ello *Manoledakis*, Angriffe gegen die öffentliche Ordnung, 2ª ed., Tesalónica,
1994, p. 20 y ss, 23.

[65] Cfr. sobre esto la problemática de la extensión de la punibilidad a través del
desarrollo de un derecho fundamental constitucional a la seguridad en *Denninger*
(nota 41), 1; *Nauke*, Die Legitimation strafrechtlicher Normen - durch Verfassungen
oder durch überpositive Quellen?, en: *Lüderssen* (nota 24), p. 165, y *Kindhäuser*
(nota 40), p. 279.

[66] Así, en cambio, *Roxin* (nota 7), p. 18.

[67] Sobre el carácter hoy en día cada vez más simbólico del derecho penal, véase, por
ejemplo, *Hassemer*, Symbolisches Strafrecht und Rechtsgüterschutz, NStZ 1989,
553 y ss.; *Voss*, Symbolische Gesetzgebung, Ebelsbach 1989; así como también
Dimitratos, Kriminalpolitik und symbolisches Strafrecht, NoV 1993, 1054 y ss. y
Spyrakos (nota 16), p. 91 y ss.

[68] Cfr. asimismo *Roxin* (nota 7), p. 19.

[69] Cfr. sobre esto *Stächelin*, Interdependenzen zwischen der Rechtsgutstheorie und
den Angriffswegen auf die dadurch bestimmten Güter, en: *Lüderssen* (nota 14), p.
262.

concepción acerca del bien jurídico como elemento de la realidad empírica resultará inútil mientras el peligro penal abstracto se base en una peligrosidad general y abstracta del comportamiento que es condenada por el legislador y que en el caso concreto no habría de ser confirmada[70], es decir, mientras no se busquen en él verdaderas condiciones de peligro para los bienes jurídicos. Pero esta cuestión se seguirá tratando más adelante. Aquí basta decir que para que un hecho penal resulte penalmente significativo, no es suficiente, precisamente por las razones ya aducidas, que denoten una referencia general al bien jurídico[71], sino que tiene que manifestar una agresión a un bien jurídico en forma de lesión o puesta en peligro.

3. La creación de bienes jurídicos generales (o, denominándolos de otro modo, de bienes jurídicos universales) —como, por ejemplo, la salud pública— sin un contenido propio, autónomo, es una ficción[72] que falsea los elementos de la realidad social y que con ayuda de una amplia concepción de la puesta en peligro abstracta conduce a una fundamentación de la punibilidad que es contraria a los principios del Estado de derecho. El bien —y, en cuanto tal, bien jurídico— «salud pública» no existe. Existe únicamente la salud de los respectivos miembros de la sociedad. Por eso creo que frente a propuestas que con el fin del aseguramiento del futuro mediante el derecho penal[73] tratan los

---

[70]　Así, sin embargo, la opinión mayoritaria acerca de la puesta en peligro abstracta.

[71]　Véase, sin embargo, la aplicación de este término en relación al derecho penal de riesgos en *Roxin* (nota 7), p. 21.

[72]　Cfr. sobre esto la crítica de *Hassemer* (nota 67); *el mismo* (nota 11), 381; *Manoledakis* (nota 13), p. 117 y s. Aquí se debe aclarar que existen bienes universales que no constituyen una ficción, como, por ejemplo, el medio ambiente. Tales bienes poseen un contenido propio, autónomo, aunque sean protegidos en razón del ser humano. Sobre la protección de los bienes jurídicos colectivos cfr. también la peculiar postura de *Stächelin* (nota 48), p. 86, 89, 90 y ss. Pero los problemas también se dan en los bienes colectivos con contenido propio (véase sobre esto, por ejemplo, *Seelmann*, Atypische Zurechnungsstrukturen im Umweltstrafrecht, NJW 1990, 1257 y ss.).

[73]　Así *Stratenwerth* (nota 20), Zukunftssicherung, p. 679, 685 y s., 691, 694 y s. Críticamente *Hirsch* (nota 21), p. 13 y ss., como también *Schulz*, Strafrecht als Rechtsgüterschutz - Probleme der Mediatisierung am Beispiel «ökologischer» Güter, en: Lüderssen (nota 24), p. 214 y s.

distintos *contextos vitales* como *valores protegibles, es obligado tener especial cuidado.*

II. EL DESARROLLO DE LAS TESIS SOBRE LA PUESTA EN PELIGRO ABSTRACTA

La tipificación de delitos de peligro abstracto se ha revelado en los últimos años como la técnica de legislación predilecta, especialmente en los nuevos ámbitos de desarrollo del derecho penal[74]. En relación al derecho europeo, esta tendencia se hace especialmente palpable en la legislación penal complementaria[75], ello a pesar de las objeciones manifestadas en relación a esto por una parte de la doctrina[76].

El fenómeno, en mi opinión, más inquietante de las evoluciones modernas en el ámbito europeo es que en el ámbito de la doctrina, y especialmente de la doctrina alemana, que también posee una notable influencia sobre las ciencias extranjeras, se renuevan y amplían intentos que no sólo fundamentan peligros abstractos en los que el comportamiento penal carece de toda relación con una agresión a un bien jurídico, sino que conllevan también una transformación del concepto de peligro.

En oposición a *Cramer,* por ejemplo, que concebía la puesta en peligro abstracta, aunque empleando una expresión general[77], como *puesta en*

---

[74]　Véanse, por ejemplo, los ámbitos de la legislación relativa a sustancias estupefacientes, inmigración ilegal y delitos económicos.

[75]　En el caso griego, véanse, por ejemplo, las leyes 2161/1993 y 2168/1993.

[76]　En la doctrina penal griega, véase *Kaiafa-Gbandi, Begriff und Problematik der gemeingefährlichen Delikte,* Tesalónica 1994, p. 45 y ss., nota 139, y *Spyrakos, Abstrakte Gefährdung: Eine gefährliche Konstruktion im Strafrecht,* Poin. Chr. 1993, 360 y ss.

[77]　Véase *Cramer* (nota 59), p. 60 y ss., especialmente, p. 65, 68 y s. Defensor de la postura de *Cramer,* aunque para los delitos de peligro abstracto en toda su extensión, es también *Marxen, Strafbarkeitseinschränkung bei abstrakten Gefährdungsdelikten,* Hamburgo, 1991, p. 189 y s. Cfr. asimismo el intento de *Martin, Strafbarkeit grenzüberschreitender Umweltbeeinträchtigungen,* Friburgo, 1989, p.

peligro potencial, y a autores como Schroll[78], Graul[79] y Hirsch[80], los cuales —en realidad igual que la opinión mayoritaria[81]— hasta hoy ven en los delitos de peligro abstracto el castigo de comportamientos que son clasificados por el legislador al menos como peligrosos de manera general, avanza Hoyer[82] hacia una nueva fundamentación de esta categoría de delitos, aunque en lo restante permanece fiel a la postura clásica que ya se ha mencionado. Hoyer advierte de que en la puesta en peligro abstracta existiría un peligro actual y no futuro para el bien jurídico, que se encontraría en el peligro existente de una valoración errónea de la situación de hecho por parte del autor, esto es, en un riesgo de error, el cual no puede ser excluido tampoco a través de medidas que pueda tomar el sujeto actuante. Con ello queda claro, sin embargo, que el peligro para los bienes jurídicos se transforma en un peligro de posible valoración falsa del autor con respecto a la previsible realización de la magnitud de peligro objetiva

---

79 y ss., especialmente, p. 82 y ss., el cual, sin embargo, con la valoración ex ante del peligro vuelve a eliminar la ventaja de su postura.

[78] *Schroll, Die Gefährdung bei Umweltdelikten, Juristische Blätter 1990, 681 y ss.*

[79] *Graul, Abstrakte Gefährdungsdelikte und Präsumtionen im Strafrecht, Berlín, 1991, 148, 150, 357, 362.*

[80] *Hirsch, Gefahr und Gefährlichkeit, en: Haft y otros (nota 41), p. 548 y ss. Hirsch es de la opinión de que los delitos de peligro abstracto son equivalentes al castigo de hechos peligrosos que se definen como tales sobre la base de la valoración de un observador objetivo. La esencia de este riesgo, opina Hirsch, se encuentra precisamente en la incertidumbre acerca de si una acción es dañina o no. Con esta postura, sin embargo, se deroga el principio in dubio pro reo para esta categoría de delitos.*

[81] *Véase, por ejemplo, Cramer, en: Schönke/Schröder, StGB, 25. ed., Vor §§ 306 y ss., núm. marg. 3; Jakobs (nota 23), p. 102; Schünemann, Moderne Tendenzen in der Dogmatik der Fahrlässigkeits- und Gefährdungsdelikte, JA 1975, 793; Welzel (nota 23), p. 63; pero también Androulakis, Strafrecht AT, tomo II, Atenas, 1985, p. 184; Giannidis, Artikel 14 griegisches StGB, en: Androulakis/Mangakis/Spinellis (eds.), Systematische Auslegung des Strafgesetzbuchs, Atenas, 1997, p. 50; Psarouda-Benakis, Die strafrechtliche Verantwortung im Bereich der Strassenverkehrsübertretungen, Atenas 1965, p. 51; Spinellis, Fragen der Gefährdungsdelikte, Poin. Chr. 1973, 183; así como también Manoledakis (nota 13), p. 36 y s., 132, quien, sin embargo, destaca que los delitos de peligro abstracto con tal contenido son expresión de una desviación represiva en el marco de un sistema jurídico-penal liberal.*

[82] *Hoyer, Zum Begriff der «abstrakten Gefahr», JA 1990, 185 y s.*

y con ello cualquier argumento a este nivel puede estar referido solamente a elementos subjetivos.

En una dirección especialmente generosa con respecto a la punibilidad está orientada —a pesar de su opuesto punto de partida jurídico-político— la posición de *Kindhäuser*[83]. El contenido de desvalor de los delitos de peligro abstracto se refiere según *Kindhäuser* no a la relevancia lesiva de un comportamiento para los bienes jurídicos, sino a la posibilidad de que se disponga descuidadamente de los mismos. La puesta en peligro abstracta consiste, por lo tanto, *en el menoscabo de la seguridad necesaria para una disposición racional de los bienes*[84]. La magnitud de seguridad, que es central en la posición de *Kindhäuser*, es entendida como falta de cuidado fundamentada que afecta a la disposición de bienes, es decir, como falta de cuidadano de una persona que (se supone) decide racionalmente[85]. Una consecuencia práctica de esta posición, que además hace ver más claramente cuál es su contenido exacto, es la siguiente: la revisión de la erróneamente supuesta idoneidad de una condición para causar un daño no puede conducir a una corrección del juicio acerca de la peligrosidad abstracta de un comportamiento, ya que la falta de cuidado que proporciona la norma de seguridad tiene que estar fundamentada en el momento de la decisión acerca de la utilización de bienes. La constatación ex post de que ha existido la posibilidad de disponer de bienes sin peligro no puede ni eliminar los miedos que hayan existido previamente, ni dejar que se hagan realidad las disposiciones que se omitieron por cuidado[86]. Como se desprende de la exposición anterior, la posición de *Kindhäuser* sobre la puesta en peligro abstracta no afecta a la seguridad de los bienes jurídicos propiamente, sino a la valoración, a la percepción del ciudadano que decide racionalmente en qué medida son seguras las condiciones para que pueda disponer libremente de sus bienes y, con ello, experimente su libertad[87].

---

[83]	*Kindhäuser, Gefährdung als Straftat. Rechtstheoretische Untersuchungen zur Dogmatik der abstrakten und konkreten Gefährdungsdelikte*, Francfort del Main, 1989; *el mismo* (nota 40), p. 270 y ss.

[84]	*Kindhäuser* (nota 83), p. 279 y ss., 336 y s.

[85]	*Kindhäuser* (nota 83), p. 282, 287.

[86]	*Kindhäuser* (nota 83), p. 283.

[87]	Sobre la postura de *Kindhäuser* cfr. también la crítica de *Herzog*, Gesellschaftliche Unsicherheit und strafrechtliche Daseinsvorsorge, Heidelberg 1991, p. 41 y ss., y

Con todo ello, resulta revelador el proceso de evolución de las posturas sobre la puesta en peligro abstracta. Mientras que en la postura clásica mayoritaria el contenido de la puesta en peligro todavía se fija en relación a los bienes jurídicos, a pesar de que se trate de un juicio de peligrosidad del legislador basado en lo que acostumbra a suceder, en las posturas más nuevas no solamente son suficientes para el castigo de la puesta en peligro abstracta factores únicamente subjetivos carentes de toda posibilidad fáctica de puesta en peligro de bienes jurídicos, sino que el propio concepto de peligro que las fundamenta empieza a transformarse[88]. Para la suposición de un peligro abstracto, el elemento decisivo es la valoración del riesgo, la sensación de seguridad del ciudadano racional. En otras palabras: el autor puede ser castigado únicamente sobre la base de una percepción de inseguridad. En relación al castigo de comportamientos abstractamente peligrosos con dicha postura doctrinal debería ser claro, sin embargo, que en una amplia extensión constituye legislación penal simbólica, es decir, castigo de un comportamiento aún cuando no haya ninguna agresión a bienes jurídicos y, con ello, castigo del fuero interno del ciudadano —ello termina en la utilización abusiva del derecho penal[89]—. Si tenemos en cuenta que en los ámbitos que afectan

---

Spyrakos (nota 76), p. 374 y ss. Aquí se debe aclarar que la posición de Kindhäuser sobre el peligro abstracto se basa en la propia postura sobre la protección de bienes jurídicos. Además de las objeciones que ya se han hecho contra este punto de partida acerca de la protección de bienes jurídicos (véase nota 40) que también influyen en la correspondiente postura sobre el peligro abstracto, es importante destacar aquí que en la concepción de Kindhäuser para la suposición de una puesta en peligro abstracta, la valoración del riesgo de una persona que juzga racionalmente con respecto a la seguridad del ámbito de disposición del bien jurídico juega un papel central. En otras palabras: Puesta en peligro abstracta existe también, en su opinión, cuando dicha valoración se revela como falsa. Con ello se hace evidente que el ciudadano es castigado penalmente en base a una mera valoración o, dicho de otro modo, de cómo se percibe la seguridad. Por ello, tampoco resulta convincente el intento de Kindhäuser de defenderse de las críticas ejercidas contra su postura (nota 40, p. 276 y s.).

[88]   Esto puede reconocerse de manera característica en el desarrollo de Kindhäuser (nota 40), p. 272 y s. Cfr. sobre esto la interesante ordenación de las distintas posturas sobre la puesta en peligro abstracta en Müssig, Schutz abstrakter Rechtsgüter und abstrakter Rechtsgüterschutz, Francfort del Main 1994, p. 195, nota 63.

[89]   Con esta concepción, Kindhäuser (nota 40), p. 278 y s., intenta salir al paso del reproche de la extensión de la punibilidad. Pero su postura apoya una extensión

a las evoluciones modernas es normal que se castiguen delitos de peligro abstracto referidos a bienes jurídicos generales e incluso también por imprudencia, entonces ya tenemos el panorama completo de un adelantamiento de la represión penal inaceptable para un sistema liberal[90].

Esta evolución es especialmente preocupante para la función de garantía del derecho penal y podría conducir a una punibilidad incontrolable de la vida social. Por ello son absolutamente justificables las objeciones que se manifiestan contra un derecho penal de riesgos[91]. Y ello porque a través de su aportación se toma conciencia de los peligros a los que está expuesto el derecho penal con su tendencia incontrolable al castigo de acciones que no contienen ningún elemento real de amenaza para bienes jurídicos.

Por eso, en mi opinión, al Estado le está vedado tipificar delitos de peligro abstracto cuando la acción tipificada ni siquiera crea una fuente de peligros en funcionamiento, que pueda afectar al bien jurídico en el caso concreto y que con ello pueda conducir de manera autónoma a su lesión. Sólo las acciones con las características mencionadas llevan implícito un desvalor esencial como preparación del peligro que se refiere a la posibilidad real —es decir, constatable ex post y existente en el caso concreto[92]— de provocar autónomamente el resultado de lesión y constituyen con ello una puesta en peligro potencial del bien jurídico[93].

---

inmediata de la punibilidad ya a partir de su propio contenido y no desde el ámbito de aplicación de los delitos de peligro.

[90] Véase la postura crítica de *Kaifa-Gbandi*, *Bindung des Richters an das Gesetz und Fahrlässigkeitsdelikte*, en: Bemmann/Manoledakis (eds.), *Der Richter in Strafsachen*, Baden-Baden 1992, p. 129 y s.

[91] Así, por ejemplo, *Hassemer* (nota 67), 553 y ss., *Herzog* (nota 87), p. 54, 60, 63, y *Nauke*, *Entwicklungen der allgemeinen Politik und der Zusammenhang dieser Politik mit der Reform des Strafrechts in de BRD*, en: Hassemer (ed.), *Strafrechtspolitik*, Francfort del Main 1987, p. 27, 32.

[92] En contra *Grasso*, *Die Vorverlegung des Strafrechtsschutzes durch Gefährdungs- und Unternehmensdelikte im italienischen Strafrecht*, Anexo a la ZStW 99 (1987), p. 92; críticamente *Kratzsch*, *Prinzipien der Konkretisierung von abstrakten Gefährdungsdelikten*, JuS 1994, 377, 379.

[93] Cfr. *Beck*, *Unrechtsbegründung und Vorfeldkriminalisierung*, Berlín, 1992, p. 87, y *Prittwitz*, *Strafrecht und Risiko*, Francfurt del Main, 1993, p. 375 y s. Cfr. en una dirección similar a ésta *Triantafyllou*, *Das Delikt der gefährlichen Körperverletzung*,

Todas las demás acciones que se encuentran antes de este estadio pertenecen a las infracciones administrativas y no deberían, al estar amenazadas con penas criminales, falsear el carácter del derecho penal como derecho de protección de bienes jurídicos frente a agresiones fácticas.

III. LA CRECIENTE DISPOSICIÓN HACIA EL RECONOCIMIENTO DE LA RESPONSABILIDAD DE LAS PERSONAS JURÍDICAS

El reconocimiento de la responsabilidad de las personas jurídicas o de asociaciones de personas en general es una exigencia bastante antigua, especialmente en el ámbito de la criminalidad económica[94]. Sin embargo, ordenamientos con una fuerte tradición dogmática en derecho penal como, por ejemplo, el alemán, han rechazado esta exigencia hasta hoy —principalmente por la violación del principio de culpabilidad[95]—. Pero también en este ámbito parece que se modifican los tiempos. De ello se dan tres indicios:

1. A nivel europeo se ejerce una presión considerable en favor del reconocimiento de la responsabilidad de las personas jurídicas o las

---

Francfort del Main, 1996, p. 142 y s., 148, quien se decide, sin embargo, por una puesta en peligro abstracta sobre un juicio ex ante, lo que evidentemente lleva a resultados distintos.

[94] *Cfr. la exposición de Spyrakos, Die strafrechtliche Verantwortung der Unternehmen: Entwicklung oder Entstehung des Strafrechts?, en: Libro II en Memoria de Daskalopoulos/Stamatis/Bakas, Tomo I, Atenas, 1996, p. 385 y ss., con otras referencias bibliográficas; cfr. ya Philippides, Die strafrechtliche Verantwortung der juristischen Personen, Tesalónica, 1950, p. 79 y ss.*

[95] *Tras una discusión especialmente intensa en los años cincuenta, la institución de la responsabilidad penal de personas jurídicas fue rechazada casi por unanimidad. Exposición de las opiniones respectivas en Hirsch, Die Frage der Straffähigkeit von Personenverbänden, Opladen, 1993, p. 6 y ss.; cfr. más además Dannecker, Strafrecht in der Europäischen Gemeinschaft, JZ 1996, 877, pero también Schünemann, Die Strafbarkeit der juristischen Personen aus deutscher und europäischer Sicht, en: el mismo/Suárez González (eds.), Bausteine des europäischen Wirtschaftsstrafrechts, Colonia, 1994, p. 394, p. 394 y s.*

asociaciones en el contexto de la protección de los intereses financieros de la Unión Europea. La regulación de este instituto supone uno de los puntos más importantes del proyecto del Corpus Iuris, que es impulsado por la Comisión Europea[96].

2. En Alemania, el Estado Federal de Hessen ha presentado un «Proyecto» para someter a debate la correspondiente iniciativa de la Cámara Territorial (*Bundesrat*), según la cual se debería introducir en la parte general del Código penal una disposición que fundamente la responsabilidad penal de las personas jurídicas[97]. Lamentablemente desconozco cómo ha sido el avance de este Proyecto.

3. En la literatura penal alemana aumenta el número de voces en favor de admitir el instituto correspondiente[98].

Como resultado, cabe preguntarse: ¿es quizá injustificado el rechazo frente a la responsabilidad penal de las personas jurídicas?

---

[96]   Cfr. *Tiedemann*, Europäisches Gemeinschaftsrecht und Strafrecht, NJW 1993, 30, así como las Directivas del Consejo Europeo sobre la criminalidad económica Nr. R (81) 12 y, especialmente acerca de la responsabilidad penal de las personas jurídicas, Nr. R (88) 18; cfr. además el Protocolo Adicional del Convenio de Cannes del año 1995 sobre la protección de los intereses financieros de las Comunidades (sobre este último véase *Tiedemann*, Die Europäisierung des Strafrechts, en: Kreuzer/Scheunig/Sieber (eds.), Die Europäisierung der mitgliedstaatlichen Rechtsordnungen in der EU, 1997, p. 144 y s.). Por último, también el Proyecto del Corpus Iuris de las regulaciones penales para la protección de los intereses financieros de la EU, Art. 14.

[97]   Véase *Hamm* (nota 12), 662.

[98]   En favor del reconocimiento de la responsabilidad penal de las personas jurídicas en Alemania se inclinan actualmente, entre otros, *Alwart*, Strafrechtliche Haftung des Unternehmens - vom Unternehmenstäter zum Täterunternehmen, ZStW 105 (1993), p. 752 y ss; *Hirsch* (nota 95), p. 13 y ss, 21 y ss.; *Schroth*, Unternehmen als Normadressaten und Sanktionssubjekte, Gießen, 1993; *Stratenwerth*, Strafrechtliche Unternehmenshaftung, en: Geppert/Bohnert/Rengier (eds.), Libro-Homenaje a R. Schmitt, Tubinga, 1992, p. 295 y ss.; *Schünemann* (nota 95), p. 279 y ss.; y ante todo *Tiedemann*, Der Allgemeine Teil des europäischen supranationalen Strafrechts, en: Vogler (ed.), Libro-Homenaje a Jescheck, Berlín, 1985, p. 1411, 1419; *el mismo*, Die strafrechtliche Vertreter- und Unternehmenshaftung, NJW 1986, 1842, 1844; *el mismo*, Strafrecht in der Marktwirtschaft, en: Küper/Welp (eds.), Libro-Homenaje a Stree y Wessels, Heidelberg, 1993, p. 527, 531 y ss.

El marco de este comentario no permite lógicamente un análisis profundo de la problemática. A pesar de ello, es importante al menos hacer hincapié en los siguientes puntos centrales: la necesidad de combatir la actividad de personas jurídicas en el ámbito de la criminalidad económica no es puesta en duda. La cuestión es más bien si esa actividad habría de ser controlada con medios penales. Como obstáculo principal de la tesis que afirma la cuestión anterior se aduce conocidamente la violación del principio de culpabilidad.

Aquí se debería advertir, quizá, de que la tarea del principio de culpabilidad en favor de la introducción de la responsabilidad de las personas jurídicas o asociaciones no constituye una tarea sencilla, pues éste se considera como uno de los principios jurídico-estatales más importantes[99]. Por ello, se realizan intentos sistemáticos de hacer compatibles estas dos magnitudes.

Así, se intentó, por un lado, presentar el principio de culpabilidad como compatible con la persona jurídica o la asociación como autor penal aligerando de tal manera el contenido del concepto de culpabilidad, que en él ya no hay nada interesante salvo el hecho de que el «autor» se quedó atrás en su comportamiento con respecto al ciudadano medio; una constatación que también se entendió como posible para el caso de la actuación de federaciones[100]. Por otro lado, se intentó una superación del problema en una dirección aún más peligrosa, como es definiendo conceptualmente la culpabilidad a partir de las necesidades de prevención, y especialmente de prevención general[101]. Si según el criterio preventivo-general resulta adecuada y necesaria la imposición de pena en el caso de la asociaciones de personas, entonces no hay impedimento para reconocer también su responsabilidad penal.

---

[99]   *Para un refinado repaso del origen histórico del principio véase también Hamm (nota 12), 663.*

[100]   *En esta dirección, ante todo Tiedemann, Das Unternehmen als «Good Corporate Citizen» - ein Leitbild der europäischen Rechtsentwicklung?, en: Alwart (ed.) Verantwortung und Steuerung von Unternehmen in der Marktwirtschaft, Múnich, 1998, p. 28.*

[101]   *El principal defensor de esta tendencia es Jakobs, Schuld und Prävention, Tubinga 1976; el mismo (nota 23), p. 480.*

Aquí resulta claro que lo que se lleva a cabo es un «vaciamiento» progresivo del contenido de la culpabilidad de peligrosas consecuencias. Y ello no sólo porque la responsabilidad penal ya no contiene ningún elemento de referencia personal, sino también porque con ello se pierde la función limitadora de la culpabilidad. La culpabilidad ya no es el factor que fija lo permitido de la pena, sino que es, por el contrario, la necesidad de pena lo que da contenido a la culpabilidad[102]. Y ese es en definitiva el punto débil de todos los intentos que se esfuerzan en probar la compatibilidad del principio de culpabilidad con la responsabilidad penal de las personas jurídicas o las asociaciones. Su solución es una profunda aligeración del principio de culpabilidad para que con ello sea posible la responsabilidad penal basada en la culpabilidad de un tercero. Y eso, naturalmente, ya no es culpabilidad alguna, sino un subterfugio ficticio de culpabilidad que amenaza con minar otros ámbitos, a parte de la responsabilidad penal de las personas jurídicas.

Pero además de las especiales dificultades con el principio de culpabilidad que trae consigo en general la introducción de una responsabilidad penal de las personas jurídicas, su punibilidad ya viola, en mi opinión, el Art. 7. 1 de la Constitución Griega y el Art. 103. 2 de la Constitución Alemana —es decir, con anterioridad al ámbito de la culpabilidad, ya en el ámbito de la acción, pues la persona jurídica o la asociación jamás actúan por sí mismas[103]. En cambio, según la Constitución el hecho penal presupone, al igual que la pena, una acción. Sin una base de acción no pueden ni personas ni otros entes hacerse merecedores de pena. Tampoco basta para cometer un delito la acción de otro, aún cuando se realice en su nombre. De lo contrario, fallaría la prohibición de penar por el ánimo interno.

El argumento que se aduce de que la comprobación de una acción en el ámbito jurídico-penal sería el resultado de una adscripción y no de la descripción de un supuesto de hecho natural[104] tampoco es, mi opinión,

---

[102]   Cfr. sobre ello *Spyrakos* (nota 94), p. 397; *Hassemer* (nota 62), p. 234 y ss.

[103]   Así, ya *Manoledakys* (nota 51), p. 127 y ss.; cfr, además *Androulakis*, Strafrecht AT, Tomo 2, Atenas, 1985, p. 159 y ss., quien, sin embargo, no ve el problema en relación con el Art. 7 de la Constitución Griega.

[104]   Así, en cambio, *Neumann, Das Corpus Iuris im Streit um ein europäisches Strafrecht* (en imprenta).

convincente. Pues, aún cuando se trate aquí de un problema normativo, la normatividad sin una base empírica conduce a la arbitrariedad. Para mí, aquí es de aplicación el principio de que cada deber está concebido a partir de una realidad regulable y determinado al mismo tiempo por dicha realidad[105]. Una teoría de la acción no puede, por ello, respaldar sus resultados únicamente con principios normativos e ignorar el contenido empírico de las cosas. La supuesta «acción» de la persona jurídica es, en mi opinión, una ficción y ello ya lo muestra nuestra comunicación en la vida cotidiana.

Para cada responsable penalmente tiene que demostrarse la existencia de una acción propia. Por el contrario, para la persona jurídica o la asociación es imposible actuar por sí mismas[106]. Y con ello se explica porqué según nuestro sistema su responsabilidad penal no se permite ya constitucionalmente.

Sobre este punto hay una observación de Spyrakos que me parece especialmente interesante: «No hay criterios esenciales que puedan explicar porqué ha de valer aún como derecho penal un Derecho en el cual el concepto de hecho se vuelve superfluo, la diferenciación entre autoría y participación desaparece y conceptos como dolo, imprudencia, conciencia de la antijuridicidad y causas de exculpación no encuentran cabida»[107]. Ese es precisamente el derecho penal que se construye con la introducción de la responsabilidad de las personas jurídicas o asociaciones[108]. En dicha construcción es evidente que ya no existen las garantías fundamentales que ofrece el derecho penal, con lo que decae también el argumento de quienes prefieren la responsabilidad penal de las personas

---

[105] *Véase Hassemer (nota 29), p. 104.*

[106] *Sobre las dudas con respecto a la capacidad de acción de las personas jurídicas, cfr. ya los debates del 40. DJT, tomo I, Tubinga, 1953, p. 65 y ss.; tomo II, Tubinga, 1954, p. E7 y ss., E43 y ss.*

[107] *Spyrakos (nota 94), p. 399. Crítico con la imputación colectiva también Hassemer, Person, Welt und Verantwortlichkeit. Prolegomena einer Lehre von der Zurechnung im Strafrecht, en: Schulz/Vormbaum (eds.), Libro-Homenaje y Bemmann, Baden-Baden 1997, p. 188.*

[108] *Cfr. la regulación en el Art. 13. 2 del Proyecto de Corpus Iuris, en el que incluso se habla de una posibilidad de traspaso de la responsabilidad del superior de una empresa a los otros empleados.*

jurídicas antes que la administrativa porque la última no ofrece las mismas garantías que la primera[109]. Por ello, la solución del problema ha de buscarse en el desarrollo de un sistema de mayores garantías, también para la imposición de sanciones administrativas[110] —una dirección que encuentra también amplio apoyo en el ámbito del derecho administrativo[111]—.

Con estas tres estaciones que he presentado en mi reflexión acerca de la ciencia del derecho penal alemana en los umbrales del cambio de milenio, creo haber mostrado que se están viendo amenazados principios importantes del derecho penal, con los que siempre hemos medido su evolución y a cuya consolidación la dogmática penal alemana ha contribuido de forma decisiva. Y ello sucede a todo lo largo del sistema: desde el objeto protegido hasta el sujeto merecedor de pena, pasando por el hecho punible. Un elemento significativo es aquí que hoy en día estas amenazas —al menos en lo que se refiere a la acción estatal— ya no se producen de forma abierta, sino encubiertamente. Y es que la lealtad aparente es para el Estado actual especialmente importante. Pero con ello se desorienta al ciudadano y se dificulta mucho más su lucha por la justicia[112]. En eso creo que todos y tanto más la ciencia ciencia jurídico-penal alemana —de la que hemos aprendido el alfabeto de los principios jurídico-estatales— tenemos todavía mucho que trabajar en diálogo los unos con los otros, a pesar de la barrera lingüística. Es por eso por lo que el próximo siglo se presenta ante nosotros como un verdadero reto.

---

[109] *Las sanciones penales son preferibles para las personas jurídicas (empresas) a la vista de las garantías jurídico-estatales; cfr. en lugar de muchos, Stratenwerth (nota 98), p. 307, y Zugaldía Espinar, Erneut zur Frage der Strafbarkeit juristische Personen, en: Schünemann/Suárez González (nota 95), p. 329.*

[110] *Considera que el derecho administrativo sancionador es el ámbito de las sanciones a asociaciones, Hamm (nota 12), 662.*

[111] *Cfr. Lytras, Der Begriff der verwaltungsrechtlichen Geldbußen und die Verfassungsmässigkeit ihrer Verhängung, Atenas 1986, p. 449 y ss., 471 y ff., y Symeonidis, Die Überspannung der Sanktionsgewalt der Verwaltung und die Bestreitung ihrer Verfassungsmäßigkeit, Dioikitiki Diki, 1992, 495 y ss.*

[112] *Cfr. Baratta (nota 41), p. 414.*

Dogmática jurídico-penal alemana desde la perspectiva de la teoría polaca del Derecho penal[*]
(Comentario)

ANDREJ ZOLL

Cracovia

I

Está plenamente justificada la pregunta que *Hans-Joachim Hirsch* formuló en 1992, sobre si acaso existe una ciencia del Derecho penal independiente del ámbito nacional[1]. La ciencia del Derecho penal, al igual que cualquier otra disciplina jurídica, va íntimamente unida a la situación jurídica que en el momento actual goce de validez. Sin embargo, *Hirsch* señala con acierto que el legislador tampoco ejerce su actividad en un espacio vacío, sino que hace uso de las aportaciones de la ciencia jurídica. La teoría ha de proporcionarle al legislador modelos teóricos concretos para dar solución a la fundamentación de la responsabilidad penal. La creación de dichos modelos y su modificación no depende del estado actual del Derecho penal vigente. Tienen, por lo tanto, un carácter universal que es independiente del legislador nacional. En este sentido, la teoría jurídico-penal no es ni dogmática alemana, ni holandesa, ni polaca. Es una buena o una mala dogmática, la cual —

---

[*] Traducción de Teresa Manso Porto.

[1] *Hans-Joachim Hirsch, Gibt es eine national unabhängige Strafrechtswissenschaft?,* en: *el mismo, Strafrechtliche Probleme. Schriften aus drei Jahrzehnten,* Berlín, 1999, p. 128.

partiendo de las tareas conformadas según las civilizaciones para ser satisfechas por el Derecho penal— construye modelos más o menos racionales. Construye modelos que se caracterizan por una mayor o menor consistencia.

El reconocimiento de un grado esencial de independencia nacional por parte de la dogmática jurídico-penal no impide, sin embargo, preguntarse acerca de la aportación al desarrollo de este ámbito de la ciencia que hayan prestado representantes de diferentes Estados. Que representantes de la doctrina alemana han jugado un rol especial en el desarrollo de la dogmática jurídico-penal, es algo que no se puede poner en duda. Si uno se limita únicamente a los autores que han trabajado en el siglo XX, no puede por menos que destacarse la gran aportación al desarrollo del Derecho penal que realizaron autores como Beling, v. Liszt, Frank, posteriormente Welzel y Engisch, así como entre los autores vivientes Jescheck. Naturalmente, esta enumeración es en gran medida incompleta.

Un tema que sería merecedor de un análisis especial es la influencia de la dogmática jurídico-penal en la construcción del Estado de Derecho. El interés principal de la dogmática jurídico-penal reside en la estructura del hecho penal considerada como una totalidad, así como en los elementos de dicha estructura. En esta concepción el hecho penal se convierte en una manifestación con un carácter, al menos en alguna medida, normativo. Es una lesión de la norma de comportamiento, que tiene un carácter general y abstracto. Desde este punto de vista, la dogmática jurídico-penal se mantiene en oposición a la política penal, que trata el hecho penal como una manifestación real de naturaleza ontológica. Se puede comprobar que en los sistemas totalitarios es característica una forma de responsabilidad penal que se apoya en una justicia en el caso concreto, y, en relación con esto, en un rechazo de la dogmática penal. Por lo tanto, es evidente que los sistemas totalitarios, con independencia de los matices, ven con ojos críticos y rebosantes de sospecha los trabajos que proceden del ámbito de la dogmática penal. Este conflicto de la dogmática jurídico-penal con el sistema totalitario podía observarse muy bien en Polonia. En Polonia, durante el período comunista se logró en buena medida mantener las relaciones con la ciencia occidental, especialmente con la ciencia penal alemana, a lo que contribuyó con gran mérito el Instituto Max Planck de Friburgo. Estas relaciones posibilitaron que la ciencia jurídico-penal polaca se resistiese con éxito frente al

intento de imponerle el modelo soviético. Dicha resistencia se vio faci-
litada de manera esencial a través del hecho de que después de la
instauración del sistema comunista tuviera vigencia el Código penal de
1932, el cual era un buen ejemplo de la cultura jurídica europea. Por
tanto, la situación jurídica vigente constituía un magnífico punto de
apoyo para la continuación del desarrollo de la dogmática jurídico-penal
correspondiente al período anterior a la Guerra. En la época de los
gobiernos comunistas aparecieron trabajos que son testimonio fiel de las
aportaciones de la dogmática jurídico-penal alemana[2]. También en la
ciencia polaca cabe mencionar autores que adoptaron abiertamente el
finalismo[3]. Los ataques por parte de los representantes de la teoría fiel al
régimen comunista contra las personas que desarrollaban la dogmática
jurídica fueron muy intensos, pero además carecían de los elementos
propios de una discusión científica. La dogmática jurídico-penal casi
siempre fue calificada como signo de la teoría burguesa y del idealismo
que a ésta le caracteriza.

La vinculación de la ciencia jurídico-penal alemana con la polaca
tiene un carácter especial. No se debe olvidar que una parte esencial de
Polonia, después de la pérdida de independencia al final del siglo XVIII
pasó a estar bajo la soberanía de Prusia y, posteriormente, del Imperio
alemán. En estos territorios tenía vigencia la legislación prusiana y
alemana. Juristas polacos recibían su formación en universidades alema-
nas y necesariamente trasladaban la cultura jurídica alemana a la pobla-
ción polaca. El Código penal alemán de 1871 estuvo vigente en los
territorios de la antigua zona de ocupación alemana incluso después de
la recuperación de la independencia de Polonia en el año 1918, hasta
que entró en vigor el Código penal polaco de 1932. Eso significa que los
tribunales polacos aplicaban la legislación alemana y que en la interpre-
tación de cada uno de los preceptos se remitían no sólo a la jurispruden-
cia del Reichsgerichtshof, sino también a las opiniones de la ciencia

---

[2]   *Aquí hay que mencionar especialmente las publicaciones de W•adys•aw Wolter y*
       la llamada Escuela de Cracovia, fundada por él mismo.
[3]   *Por ejemplo, W•adys•aw* Mącior*, Problem przestępstw nieumyslnych na tle*
       aktualnych wymogów teorii i praktyki (Problemática de los delitos imprudentes
       desde una perspectiva teórica y práctica), Cracovia, 1968.

alemana. En la Universidad de Maguncia se ha presentado este año una tesis doctoral que se ocupa del problema del error, entre otras, desde la perspectiva de la interpretación que hacía el Tribunal Supremo polaco del antiguo parágrafo 59 StGB[4].

II

Lamentablemente, debemos compartir plenamente la tesis de Fletcher[5] acerca de que la vinculación de la ciencia jurídico-penal alemana con la ciencia de otros Estados tiene un carácter unilateral. Por desgracia, se puede comprobar que los penalistas alemanes apenas toman en consideración las aportaciones de representantes de la ciencia jurídico-penal de otros Estados. De ello da testimonio el hecho de que los autores alemanes no hacen referencia a autores extranjeros, ni siquiera cuando éstos publican —como sucede cada vez con más frecuencia con los representantes de la ciencia jurídico-penal polaca— en lengua alemana y en revistas científicas alemanas. El tratado de Jescheck y Weigend, que de todos los manuales alemanes es el que más toma en consideración el aspecto jurídico-comparado, prescinde totalmente de la doctrina jurídico-penal polaca. Ello sucede además en perjuicio de la ciencia alemana. Interesantes resultados científicos reporta especialmente la confrontación de la doctrina jurídico-penal polaca con la doctrina soviética y con la de los países del antiguo bloque comunista, surgida bajo la influencia de ésta. Muchas de las tesis que están consideradas como un avance en el desarrollo de la dogmática jurídico-penal surgieron no sólo en la doctrina alemana, sino que con independencia de los autores alemanes fueron defendidas además en otros Estados, entre ellos también en Polonia. Voy a referirme solamente a un ejemplo. W•adys•aw Wolter le dio fundamento en su trabajo publicado en 1924 «Czynnik psychiczny w istocie przestêpstwa»[6] a la tesis de que el dolo y la imprudencia son un factor

---

4　　Robert Lewandowski, *Die Geschichte der polnischen Lehre vom Irrtum im Strafrecht*, Berlín, 2001.

5　　Cf. *supra*, la ponencia principal de *Fletcher*, en este mismo volumen.

6　　W•adys•aw Wolter, Czynnik psychiczny w istocie przestêpstwa (*El factor subjetivo en la esencia del delito*), Cracovia, 1924, p. 18 ss.

psíquico de una acción antijurídica, mientras que la culpabilidad, por el contrario, se mantiene en una esfera completamente normativa. Esta tesis se anticipó en unos años a la consideración subjetiva del injusto y a la teoría puramente normativa de la culpabilidad de Welzel. Cabe añadir aquí, sin embargo, que Wolter, al contrario que Welzel, no construyó una concepción dogmática general a partir de sus tesis.

III

Pretendo presentar un análisis más exacto de las vinculaciones entre la dogmática penal alemana y la polaca en relación a la concepción acerca de la construcción del delito y de cada uno de sus elementos.

Especialmente la doctrina polaca, se apoyó ya en el período de entreguerras en la construcción del delito que se fundamenta en el hecho y adoptó el modelo de Derecho penal de hecho, no el de Derecho penal de autor. Ello encontró su expresión en el Código penal de 1932. Pero también merece la pena añadir que este Código penal, especialmente a través de la influencia de la escuela sociológica, de la cual era partidario Makarewicz, se caracterizaba por la doble vía. Esto significa que la responsabilidad penal se apoyaba en la culpabilidad manifestada en el hecho, mientras que las medidas de seguridad, por el contrario, se imponían frente al autor peligroso para la sociedad, independientemente de la culpabilidad.

En la época de la posguerra, el modelo de Derecho penal de autor fue puesto en boga por las autoridades comunistas. La visión de la sociedad, que se basaba en la lucha de clases, tenía que reflejarse también en el Derecho penal. Una estructura del hecho penal cuatripartita, que fue adoptada por la ciencia soviética (objeto del hecho penal, tipo objetivo, sujeto del hecho penal, tipo subjetivo), convertía al autor (sujeto del hecho penal) en un elemento independiente dentro de dicha estructura. Si el hecho constituía o no un hecho penal, debía depender también de quién era el autor, de si era un enemigo de clase o un defensor de los cambios comunistas. En la ciencia jurídico-penal, este punto de vista halló su reflejo en una concepción para la cual el grado de daño social decisivo para la penalidad del hecho dependía entre otros de las carac-

terísticas y condicionantes personales y, especialmente, de la actitud
político-social del autor[7]. En la doctrina jurídico-penal polaca predomi-
nó, sin embargo, la postura que rechazaba la influencia de las característi-
ticas del autor en el enjuiciamiento acerca del grado de peligrosidad del
hecho y, con ello, en el enjuiciamiento acerca de si el hecho constituye
un hecho penal[8].

Durante el período de entreguerras la doctrina polaca adoptó básicamente la construcción del delito de *Beling*. El representante más fiel de
esta concepción —*Stefan Glaser* — era profesor en la Universidad de
Vilna. Este autor defendía especialmente la diferenciación entre la
antijuricidad y el tipo legal. El adoptó de *Beling* la idea de que estos dos
elementos del hecho penal —la antijuricidad y la coincidencia con el
tipo— se relacionan entre sí como dos círculos que se superponen: el
hecho que se corresponde con el tipo legal aún no ha de ser antijurídico
y, a la inversa, no todo hecho antijurídico es con ello ya un hecho que
se corresponda con el tipo legal[9]. En esta época, en la ciencia polaca
también tenía defensores una concepción que fue especialmente defendida por *Adolf Hegler*[10] y por *Wilhelm Sauer*[11]. Ésta concebía el tipo legal
como tipificación de la antijuricidad. La determinación de la correspondencia del comportamiento con el tipo legal representa la *ratio essendi*
para el tratamiento de un determinado tipo de comportamiento como
lesivo para la sociedad. Dicha determinación es únicamente la *ratio
cognoscendi* para la determinación de la antijuricidad. En la doctrina
polaca ya era defensor de esta postura en la etapa de entreguerras
W•adys•aw Wolter[12]. La disputa continuó también después de la guerra y

---

7   Cf. *Igor Andrejew*, Nowy kodeks karny. Z rozwań nad projektem (El nuevo Código
     penal. Reflexiones acerca del Proyecto), Varsovia, 1963, p. 31.
8   Véase *Kazimierz Bucha•a*, Spoleczne niebezpieczeństwo czynu jako dyrektywa
     wymiaru kary (La peligrosidad social del hecho como indicador para la determina-
     ción de la pena), Krakowskie Studia Prawnicze, T. III, 1970, p. 150.
9   *Stefan Glaser*, Polskie prawo karne (El Derecho penal polaco), Cracovia, 1933, p.
     148.
10   *Adolf Hegler*, Die Merkmale des Verbrechens, ZStW 36 (1915), p. 36.
11   *Wilhelm Sauer*, Zur Grundlegung des Rechts und zur Umgrenzung des strafrechtlichen
     Tatbestandes, ZStW 36 (1915), p. 463.
12   *W•adys•aw Wolter*, Zarys systemu prawa karnego (Una síntesis del sistema jurídico-
     penal), Cracovia, 1933, p. 83 ss.

se concentró ante todo en el problema del lugar en el que se debían tratar las causas de exclusión de la antijuricidad dentro de la estructura del delito[13]. *La concepción tripartita de Beling sigue dominando en la doctrina polaca*[14]. *Sin embargo, en los últimos tiempos cada vez cuenta con más defensores la concepción que completa la estructura del delito de Beling con el elemento de la punibilidad del hecho*[15]. *Dicha concepción tiene en cuenta la solución adoptada por el legislador polaco a la cuestión de las llamadas bagatelas criminales en un plano jurídico-material (art. 1 § 2 Código penal polaco) y no, como en la legislación alemana, en el plano procesal, en el que se adopta el principio de oportunidad (§ 153 Ordenamiento procesal penal alemán). El delito es, según esta concepción, el comportamiento que contiene los elementos del hecho que están en contradicción con la norma sancionada, faltando las circunstancias excluyentes de la antijuricidad. Es, por tanto, un comportamiento antijurídico que cumple con los elementos del tipo determinados en la ley, esto es, un comportamiento punible que es socialmente dañino en grado superior al que sólo lo es escasamente; es, por tanto, un comportamiento merecedor de pena y el comportamiento de un autor del que se podía esperar que concediese atención a la norma sancionada. Es decir, es un comportamiento culpable.*

En la doctrina polaca se discute el problema de la ordenación de los distintos elementos del tipo en los elementos de la estructura del delito. En especial, es objeto de controversia si esa estructura está concebida en niveles —es decir, los distintos elementos pertenecen a diferentes niveles de dicha estructura y solamente a uno de ellos— o si la estructura del delito tiene diferentes aspectos —es decir, los distintos elementos de dicha estructura constituyen una especie de filtro a través del cual se

---

[13] Véase *Andrzej Zoll*, Okoliczno—ci wy•aczające bezprawno—© czynu (*Las causas de exclusión de la antijuricidad del hecho*), Varsovia, 1982, p. 144 ss.

[14] Cf. *Andrzej Marek*, Prawo karne. Zagadnienia teorii i praktyki (*Derecho penal. Problemas de teoría y práctica*), Varsovia, 1997, p. 83 ss.

[15] Véase *Andrzej Zoll*, O normie prawnej z punktu widzenia prawa karnego (*Acerca de la norma jurídica desde la perspectiva jurídico-penal*), Krakowskie Studia Prawnicze, T. XXIII, 1990.

juzga el hecho penal—.[16] *En ambos casos el hecho penal entero se juzga con todos sus elementos esenciales, pero en cada uno desde una óptica distinta. Yo soy de la opinión de que la última de las posturas acerca de la estructura del delito es la más correcta. Los defensores de una estructura del delito con muchos aspectos, lo que hacen es generalizar las conclusiones correspondientes a dicha corriente investigadora dentro de la dogmática alemana, que es la que defiende una doble posición del dolo en la estructura del delito.*

Al igual que en la ciencia alemana, también en Polonia se centran las discusiones no sólo en la propia estructura del delito, sino también en cada uno de sus elementos, esto es, manteniendo la postura de *Beling*: en el hecho, el tipo penal, la antijuricidad y la culpabilidad.

En la doctrina polaca halló reflejo la discusión que se llevó a cabo en Alemania en torno al hecho como fundamento de la estructura del delito. Especialmente, fue objeto de discusión si la omisión debiera tratarse exactamente igual que una acción, ambas por tanto como formas de un hecho —esta posición dominó decididamente en la doctrina polaca; su máximo representante fue *Wolter* —[17] o si la omisión fuera, como sostienen los finalistas, una base distinta de la estructura del delito —lo que realmente conduce al surgimiento de dos estructuras (así, sobre todo, *Macior*[18])— fue objeto de discusión. En la ciencia jurídico-penal polaca es defendida además una tercera postura acerca de la ubicación de la omisión dentro de la estructura del delito. Según ésta, ni la omisión ni la acción constituyen especies del hecho como fundamento de la estructura del delito, sino que constituyen ya el elemento del juicio acerca del comportamiento, sobre la base de su coincidencia con el tipo. El hecho se corresponde con el tipo legal en razón de los elementos en él contenidos (el tipo caracterizado a través de la acción) o en razón de

---

[16] Sobre esto, *Andrzej Zoll*, Handlung als Grundelement im Verbrechensaufbau, Archivum Iuridicum Cracoviense, T. XVII, 1984.

[17] W•adys•aw Wolter, *O czynie jako dzia•aniu lub zaniechaniu przestepnym (Sobre la acción como un hacer o un omitir)* Pañstwo i Prawo, 5-6/1956.

[18] W•adys•aw Macior, *Das Verbrechen als Verbotene Handlung oder als Mangel der gebotenen Handlung*, ZStW 93 (1981), p. 1053 ss.

la falta de determinados elementos (el tipo caracterizado por la omisión)[19].

Como anteriormente se mencionó, ya en 1924 contaba *Wolter* el dolo y la imprudencia entre los elementos subjetivos (psíquicos) que caracterizaban la antijuricidad. Este punto de vista, sin embargo, permaneció largo tiempo como opinión minoritaria y el propio *Wolter* tampoco fue siempre consecuente en este sentido. A la consolidación del esquema de división tradicional, en el que todo lo objetivo se ordena a la antijuricidad y todo lo subjetivo ha de tratarse como elemento de la culpabilidad, sin duda contribuyó también en la ciencia polaca la estructura del delito que fue defendida por la doctrina soviética. Sin embargo, la teoría de los elementos subjetivos de la antijuricidad decididamente cobra firmeza en la teoría actual. No cabe duda que en el éxito de dicha concepción ha tenido influencia la regla introducida en el nuevo Código penal, en la que los elementos subjetivos del hecho penal se separaron expresamente de la culpabilidad[20].

La doctrina jurídico-penal polaca tampoco es ajena a la discusión acerca de los elementos negativos del tipo. Esta concepción tenía muchos partidarios dentro de la ciencia polaca, especialmente en los años sesenta. Su defensor más destacado era *Wolter*[21]. Hoy día esta teoría ha perdido significación con respecto a las causas de exclusión de la antijuricidad —entre otros también debido a la influencia de la obra de *Hirsch* — [22]. También el nuevo Código penal reconoce el error disculpante en forma de suposición errónea de circunstancias que excluirían la antijuricidad como excluyente de la culpabilidad. El error no disculpable no excluye el dolo, pero puede ser motivo para una aminoración extraordinaria de la pena (art. 29 Código penal polaco). En la doctrina polaca, la teoría que se asemeja a la de los elementos negativos del tipo encontró aplicación, bajo la influencia

---

[19]   Cf. *Zoll* (n. 16).

[20]   Más detalladamente al respecto Andrzej Zoll, *Der Verbrechensbegriff im Lichte des Entwurfs des polnischen Strafrechtsgesetzbuches*, ZStW 107 (1995), p. 426.

[21]   W•adys•aw Wolter, *Funkcja b•¤du w prawie karnym (La función del error en Derecho penal)*, Varsovia, 1965, p. 66 ss.

[22]   Hans-Joachim Hirsch, *Die Lehre von den negativen Tatbestandsmerkmalen*, Bonn, 1960.

de la obra de *Wolter*[23], en el ámbito de la determinación de la relación entre los tipos básicos y los privilegiantes o los agravados. Según la concepción de *Wolter*, los elementos de los tipos modificados se encuentran en una relación inversa con respecto a los elementos del tipo básico. Los partidarios de esta postura rechazan, por tanto, la aplicación del principio *lex specialis derogat legi generali* a los tipos modificados.

Una fuerte influencia de la dogmática alemana sobre la teoría polaca se puede observar con respecto a la concepción de la imputación objetiva del hecho penal, especialmente cuando se trata de la imputación del resultado en caso de delitos de omisión impropios[24]. Esta imputación habría de basarse, tanto según la doctrina polaca como también según la ciencia alemana, en la responsabilidad del que es garante de que no se produzca el resultado. Tal concepción se recogió también en el nuevo Código penal polaco (art. 2). Resulta todavía dudoso, sin embargo, de qué fuentes surge la posición de garante. Efectivamente, la ley determina que la fuente ha de ser un deber jurídico especial. Sin embargo, la cuestión de si sólo un precepto que impone un deber de actuar concreto puede constituir un fundamento para la imputación del resultado o si hay además otras fuentes, es altamente discutible. También continúa siendo dudoso si acaso el comportamiento anterior del autor por omisión que ha generado el peligro para el bien jurídico puede ser tratado como fuente de un deber jurídico especial de evitación del resultado.

El problema de una imputación objetiva del hecho penal no se limita en la ciencia del Derecho penal polaca a los delitos de omisión impropios. Esta concepción también desempeña un papel cada vez más decisivo en los delitos imprudentes. Se debe resaltar que el art. 9, parágrafo 2 del nuevo Código penal polaco determina los requisitos para la impu-

---

[23] Cf. en especial W•adys•aw Wolter, Regu•y wy•ączania wielo ci ocen w prawie karnym (Reglas que excluyen una pluralidad de valoraciones), Varsovia, 1961.

[24] Véanse las obras de *Leszek Kubicki*, Przestepstwo pope•nione przez zaniechanie (El hecho penal cometido por omisión), Varsovia, 1975; *Jacek Giezek*, Przyczynowos© oraz przypisanie skutku w prawie karnym (Causalidad e imputación del resultado en Derecho penal), Wroc•aw, 1994; *Jaros•aw Majewsky*, Prawnokarne przypisanie skutku przy zaniechaniu (La imputación jurídico-penal del resultado en la omisión), Cracovia, 1997.

tación objetiva de un hecho cometido imprudentemente. Algunos autores también emplean la concepción de una imputación objetiva en relación a los delitos dolosos[25]. En la difusión de la concepción de una imputación objetiva en la dogmática jurídico-penal polaca tuvo una influencia esencial la traducción del estudio de *Claus Roxin* al polaco[26].

Sin duda bajo la influencia de la doctrina alemana se admite generalmente en la dogmática jurídico-penal polaca la distinción entre las causas de exclusión de la antijuricidad y causas de exclusión de la culpabilidad. En el nuevo Código penal polaco se distingue entre el estado de necesidad justificante (art. 26 § 1) y el estado de necesidad disculpante (art. 26 § 2). El criterio para la distinción es la ponderación de valor de los bienes jurídicos confrontados. El estado de mayor necesidad excluye la antijuricidad cuando el bien salvado constituye un valor superior al bien sacrificado.

También se le presta mucha atención en la doctrina polaca a la cuestión del error (debe mencionarse ante todo la excelente monografía de *Wolter*, Funkcja b•¤du w prawie karnym, Varsovia 1965)[27]. La teoría del error se vincula directamente a los esfuerzos de la doctrina alemana y, en suelo polaco, se da tratamiento a los mismos problemas de los que se ocupan los penalistas alemanes. La discusión llevada a cabo en Polonia acerca de la función del error condujo a una regulación bastante exacta de las consecuencias de los distintos tipos de error en el nuevo Código penal. El error de tipo excluye el dolo (art. 28, parágrafo 1). Una excepción a esta regla se previó, sin embargo, en relación a la suposición no disculpable de un elemento del tipo que hubiese conducido a una penalidad menor. A pesar de dicho error el autor sigue siendo responsable por el delito básico. El error disculpable acerca del delito privilegiante

---

[25]   *Kazimierz Bucha•a Andrzej Zoll*, Polskie Prawo Karne (El Derecho penal polaco), Varsovia, 1997, p. 148.

[26]   *Claus Roxin*, Problematyka obiektywnego przypisania (La problemática de la imputación objetiva), en: Tomasz Kaczmarek (ed.), Teoretyczne problemy odpowiedzialno ci karnej w polskim oraz niemieckim prawie karnym (Los problemas teóricos de la responsabilidad jurídico-penal en el Derecho penal polaco y alemán), Wroclaw, 1990, p. 5-23.

[27]   Véase n. 21.

*se reguló al igual que en el parágrafo 16 del Código penal alemán (art.
28, parágrafo 2). Además del ya antes mencionado error de prohibición
acerca de la existencia de una causa de justificación, el Código penal
prevé además el error sobre las circunstancias excluyentes de la culpabilidad. Las consecuencias de ambos tipos de error son idénticas. El error
disculpable acerca de las correspondientes circunstancias excluye la culpabilidad y, con ello, la punibilidad. El error no disculpable tiene como
consecuencia la posibilidad de una atenuación extraordinaria (art. 29).
El Código penal regula la responsabilidad por el error acerca de la valoración
jurídica del hecho de acuerdo a la opinión mantenida por la teoría de la
culpabilidad. Eso significa que sólo el desconocimiento disculpable acerca de
la antijuricidad excluye —por falta de culpabilidad— la responsabilidad
penal. El desconocimiento no disculpable únicamente es la base para una
atenuación facultativa extraordinaria (art. 30).*

*Bastante tiempo se mantuvo en la ciencia jurídico-penal polaca la
teoría psicológica de la culpabilidad. La teoría normativa de la culpabilidad, en especial en la forma de una teoría normativa pura, fue muy
duramente atacada durante el período comunista. Esta había de ser no
sólo el producto de la dogmática burguesa, sino que sus raíces tendrían
incluso conexión con el nazismo. A pesar del etiquetado de esta teoría,
en la literatura polaca tuvo sus partidarios también con anterioridad al
cambio de sistema político en 1989. Los partidarios de esta concepción
tenían también la mayoría en la Comisión para la Reforma del Derecho
Penal que elaboró el Proyecto de Código penal de 1997. En una de las
versiones del Proyecto apareció incluso una propuesta de definición de
culpabilidad como la exigibilidad de un comportamiento adecuado a
Derecho. En sucesivas etapas de trabajo durante el Proyecto, esta propuesta se calificó, sin embargo, como demasiado peligrosa para la función
de protección del Derecho penal. La teoría normativa pura encuentra,
sin embargo, a pesar de que finalmente se prescindió de esta definición
de culpabilidad, muchos puntos de conexión fuerte con el contenido del
nuevo Código penal. Pero ello no significa que sobre la base del nuevo
Código ya no sea defendida la teoría normativa compleja. Esta sigue
siendo defendida por Andrzej Wąsek[28]. En cambio, en la teoría polaca*

---

[28] Andrzej Wąsek, *Kodeks karny. Komentarz* (El Código penal. Un Comentario), T.
1, Gdańsk, 1999, p. 35.

faltan defensores de la teoría funcional de la culpabilidad, que en la ciencia alemana es defendida por Jakobs y Roxin[29]. Merece la pena apuntar, sin embargo, que en la ciencia polaca Stanis•aw Stomma defendió hace muchos años un punto de vista parecido[30].

El elemento que diferencia la dogmática polaca de la alemana es el tratamiento de los elementos materiales del delito en el contexto de la estructura del delito. Mientras que en la ciencia jurídico-penal alemana el problema de las bagatelas delictivas se sitúa fuera de la estructura del delito y sólo tiene significación en cuanto a la persecución del autor de este delito, la dogmática polaca —si bien existen voces que también pretenden tratar las bagatelas delictivas en el ámbito procesal, de acuerdo al principio de oportunidad[31]— menciona esta cuestión en el ámbito jurídico-material[32]. Un hecho que contiene todos los elementos típicos de un delito-bagatela no es un hecho penal. Sin embargo, esta discrepancia sólo tiene relevancia en el ámbito teórico. En la práctica ambas soluciones conducen a resultados similares: la no persecución de bagatelas delictivas.

Uno de los campos de actividad más importantes de la dogmática jurídico-penal es la elaboración teórica de los fundamentos de la punibilidad en caso de cooperación de varias personas al hecho penal. En este ámbito, la influencia de la dogmática jurídico-penal alemana sobre la polaca tenía un carácter distinto al de otros ámbitos de la dogmática. La teoría defendida por la doctrina alemana sobre la participación en un hecho penal ajeno fue cuestionada desde el principio en la doctrina

---

[29] Esta concepción fue tratada en la literatura polaca por *Jan Waszczyński*. Véase, *el mismo, Wina a prewencyjny aspekt kary (La culpabilidad y la función preventiva de la pena),* en: Zbigniew Cwiakalski (ed.), *Problemy odpowiedzialno ci karnej. Ksiega pamiatkowa ku czci Kazimierza Bucha•y (Los problemas de la responsabilidad penal. Libro-Homenaje a Kazimierz Bucha•a),* Cracovia, 1994, p. 271 ss.

[30] *Stanis•aw Stomma,* Fikcja winy *(La ficción de la culpabilidad),* Państwo i Prawo 10/ 1947, p. 11.

[31] *Marian Filar, O niektórych ogólnych zasadach odpowiedzialności karnej w projekcie kodeksu karnego (Sobre algunos principios generales de la responsabilidad jurídicopenal en el Proyecto de Código penal),* en: Lubelskie, Towarzystwo, Naukowe, *Problemy Reformy Prawa karnego (Los problemas de la reforma del Derecho penal),* Lublin, 1993.

[32] Más detalladamente Zoll *(supra* n. 20), p. 426.

polaca[33]. *Makarevicz creó una teoría autónoma de las formas de manifestación del hecho penal, que contenía tanto aspectos de la teoría de la participación —una exacta diferenciación y definición de cada uno de los partícipes— como aspectos de la teoría unitaria de autor —cada uno de los copartícipes comete un delito independiente—. La concepción de Makarevicz fue fundamento tanto del Código Penal polaco de 1932 como del de 1969. También el Código actualmente vigente se apoya en esta concepción. Debe añadirse, sin embargo, que también existen muchas dudas en la doctrina polaca que están especialmente vinculadas a los fundamentos de la punibilidad del inductor o del cómplice. Es especialmente discutible cuándo cometen un hecho el inductor o el cómplice: en el momento de la comisión por parte del autor o en el momento de la conclusión de la actividad inductora o de la prestación del aporte. En este contexto, algunos entienden la inducción y la complicidad como delitos sui generis cuya antijuricidad se caracteriza a través de la actividad de inducción (complicidad) a un determinado tipo penal y cuya comisión es independiente de las acciones del autor[34]. Otros, en cambio, en la inducción y en la complicidad ven comprendida la antijuricidad en el hecho penal cometido por el autor principal. Inducción y complicidad serían únicamente formas de manifestación de la realización de la antijuricidad[35]. La primera postura se aproxima a la inducción y la complicidad en las obras de Lüderssen y Stern.*

Las anteriores exposiciones acerca de la estructura del delito, hechas naturalmente de forma breve[36], muestran claramente que la doctrina jurídico-penal polaca tiene raíces comunes con la dogmática alemana y que las aportaciones de los penalistas alemanes en la ciencia polaca no sólo son conocidas, sino que además presentan puntos de inflexión en los trabajos de los penalistas polacos.

---

[33] Véase *Juliusz Makarewicz*, Kodeks karny z komentarzem (El Código penal con comentarios), Lwów, 1938, p. 128 ss.

[34] *Andrzej Zoll*, en: Kazimierz Bucha•a/Andrzej Zoll, Kodeks karny. Cześ© ogólna- Komentarz (Código penal. Parte General- Un comentario), Cracovia, 1998, p. 169 ss.

[35] *Wąsek* (n. 28), p. 264, así como *el mismo*, Strafbare Mitwirkung im polnischen Strafrecht, ZStW 90 (1978), p. 530 ss.

[36] Sobre ello también *Zoll* (n. 20), p. 417 ss., y la introducción de *Ewa Weigend*, Das polnische Strafgesetzbuch. Kodeks karny, Friburgo, 1998, p. 1 ss.

Proto-Derecho penal: programa y cuestiones de un filósofo*

OTFRIED HÖFFE
Tübingen

I. TRES RAZONES PARA UN PROTO-DERECHO PENAL FI-LOSÓFICO

Sólo en su fase inicial la filosofía se circunscribía a temas que quedan muy lejos del Derecho penal: a la cosmología (desde Tales) y a la ontología (Parménides). Desde el interés de los sofistas y de Sócrates por el ser humano, desde esa «inflexión antropológica», los grandes filósofos son al mismo tiempo grandes pensadores del Derecho y de la teoría del Estado; y desde sus padres fundadores, Platón[1] y Aristóteles[2], también se ocupan del Derecho penal. En la filosofía de la Ilustración, y especial-mente en Kant[3] y Hegel[4], esta tradición alcanza un momento álgido para perder después mucho de su ímpetu.

---

*   Traducción de Manuel Cancio Meliá.
1   Por ejemplo, PLATÓN, *Nomoi*, libros IX y X, en: IDEM, *Werke in acht Bänden*, t. 8., ed. a cargo de Gunther Eigler, Darmstadt, 1977.
2   Por ejemplo, ARISTÓTELES, *Nikomachische Ethik*, libro V; *Politik*, libro IV, capítulo 16, y *Rethorik*, libro I, capítulo 13, en: Immanuel BEKKER (ed.), *Aristotelis Opera*, 5 tomos, Berlin, 1831 a 1870.
3   Immanuel KANT, *Methaphysische Anfangsgründe der Rechtslehre* (1797), en: *Kants Werke. Akademie Textausgabe*, Berlin, 1968, t. VI, pp. 331-337 y 362 y s.; respecto de la interpretación, cfr. la breve síntesis de Otfried HÖFFE, en: IDEM (ed.), *Immanuel Kant. Metaphysische Anfangsgründe der Rechtslehre* («Klassiker Auslegen», t. 19), München 5ª ed., 2002, capítulo 11, *Vom Straf- und Begnadigungsrecht* (edición española, Barcelona, 1986, cap. 10.4: «El Derecho penal estatal»).
4   Georg Friedrich Wilhelm HEGEL, *Grundlinien der Philosophie des Rechts* (1820), §§ 82-104, en: *Werke in zwanzig Bänden*, Frankfurt a. M., 1976, t. 7, pp. 172-202;

Ahora bien, no se produjo una interrupción completa. Aún un penalista tan relevante como *Paul Johann Anselm von Feuerbach* hizo su
aprendizaje con filósofos, especialmente con *Kant*[5]. Más allá de esto,
tanto el neokantismo como el neohegelianismo tuvieron repercusiones
sobre la doctrina jurídico-penal. Y en nuestro siglo, una teoría jurídico-
penal de la acción, el finalismo, se inspira en *Max Scheler*, *Nicolai
Hartmann* y un poco en *Aristóteles*. Sin embargo, su certeza de que el
conocimiento relativo a la acción, al injusto y a los fundamentos de la
culpabilidad deriva del ser[6] es ajena a *Aristóteles*. El concepto final de
acción tampoco «tiene que ver con el pensamiento nacionalsocialista»[7];
las opiniones de *Max Scheler* son independientes, histórica y materialmente, de tal pensamiento. Más bien cabe decir que el concepto final de
acción se basa —con permiso— en una filosofía metodológicamente
débil, ya que no escapa a aquel error entre ser y deber ser que resulta
contrario tanto al empirismo de *Hume* como a la filosofía trascendental
de *Kant*[8]. Que se invoque, sin complicarse mucho, un ser, es muestra de
una «doctrina esencialista de Derecho natural», que probablemente tenga raíces neotomistas, pero no hace del todo justicia al propio *Santo
Tomás*. Pues para él, la regla y la medida del actuar humano está en la
razón (práctica). Sin embargo, en la medida en que para el finalismo
resulta decisivo el carácter dirigido de la acción, puede invocar un
«acervo común» de la filosofía, que, reconocido desde la ética del propósito de *Aristóteles*, pasando por *Santo Tomás*, hasta la teoría analítica

---

respecto de la interpretación, cfr. Georg MOHR, en: Ludwig SIEP (ed.), *G.F.W.
Hegel, Grundlinien der Philosophie des Rechts* («Klassiker Auslegen», t. 9), Berlin,
1997, capítulo 5, *Unrecht und Strafe* (§§ 82-104).

[5]   Cfr., por ejemplo, Eberhard KIPPER, *Paul Johann Anselm Feuerbach. Sein Leben als
Denker, Gesetzgeber und Richter*, 2ª edición, Köln, 1991 (especialmente el capítulo
II.).

[6]   Cfr. Bernd SCHÜNEMANN, «Einführung in das strafrechtliche Systemdenken», en:
IDEM, *Grundlagen des modernen Strafrechtssystems*, Berlin, 1984, pp. 34-45.

[7]   Winfried HASSEMER, «Strafrechtswissenschaft in der Bundesrepublik Deutschland»,
en: Dieter Simon (ed.), *Rechtswissenschaft in der Bonner Republik*, Frankfurt a. M.,
1994, pp. 259-310.

[8]   Otfried HÖFFE, «Naturrecht ohne naturalistischen Fehlschluß: ein rechtsphiloso-
phisches Programm», en: IDEM, *Den Staat braucht selbst ein Volk von Teufeln*,
Stuttgart, 1988, pp. 56-78.

de la acción, y que tampoco es superado por el concepto de voluntad de Kant.

En cambio, el complemento de una teoría del Derecho penal de inspiración filosófica, una doctrina jurídico-penal hecha desde la filosofía, prácticamente se ha extinguido. Teniendo en cuenta el alto grado de especialización de la ciencia del Derecho penal, podría considerarse, por parte de los filósofos, que el déficit se halla materialmente justificado, remitiendo, por lo demás, a la filosofía del Derecho desarrollada por juristas. Sin embargo, la obra en cuatro tomos de Joel Feinberg «The Moral Limits of the Criminal Law»[9] muestra que los filósofos siguen estando en condiciones de elaborar una «teoría» del Derecho penal. Sin embargo, en el caso de Feinberg ésta queda limitada a la cuestión de cuáles son las modalidades de conducta que un Estado legítimamente puede declarar criminales. Y en otro ámbito, respecto de la fundamentación del ordenamiento jurídico y del Estado, filósofos como John Rawls, Otfried Höffe y Jürgen Habermas[10] muestran cómo se puede abandonar la abstinencia que ha predominado durante tanto tiempo, adquiriendo de nuevo la capacidad de desarrollar un pensamiento relevante para la ciencia del Derecho y la del Estado. Por lo tanto, no es imprescindible dejar, como sucede actualmente sobre todo en el ámbito lingüístico alemán, el Derecho penal a la «filosofía del Derecho jurídica».

Ahora bien, el debate iusfilosófico de detalle es competencia de los juristas (con formación filosófica). Para que surja una filosofía del Derecho penal por parte de los filósofos es necesaria una provocación por una situación problemática —relativamente— nueva. En la actualidad, hay al menos tres factores que hablan en favor de tal situación: la evolución

---

[9]   Joel FEINBERG, *The Moral Limits of the Criminal Law*, tomo 1: *Harm to Others*, 1984; tomo 2: *Offense to Others*, 1985; tomo 3: *Harm to Self*, 1986; tomo 4: *Harmless Wrongdoing*, 1988, en cada caso, New York/Oxford.

[10] John RAWLS, *A Theory of Justice*, Cambridge (Mass.), 1971; Otfried HÖFFE, *Politische Gerechtigkeit. Grundlegung einer kritischen Philosophie von Recht und Staat*, 3ª ed. Ed., 2002; IDEM, *Demokratie im Zeitalter der Globalisierung*, München, 2002; Jürgen HABERMAS, *Faktizität und Geltung. Beiträge zur Diskurstheorie des Rechts und des demokratischen Rechtsstaats*, Frankfurt a. M., 1992.

en materia de política jurídico-penal, en la política mundial y en la ciencia del Derecho penal. A pesar de ser de naturaleza política, los dos primeros factores repercuten en la ciencia del Derecho penal; y los tres factores se encuentran interrelacionados:

El primer factor consiste en un movimiento opuesto a la descriminalización, predominante durante mucho tiempo, en una neocriminalización: puesto que el legislador penal introduce nuevas infracciones; puesto que éstas, al configurarse como delitos de peligro abstracto, no sólo extienden la punibilidad de modo cuantitativo, sino también cualitativo (las posibilidades de defensa disminuyen); puesto que, más allá de esto, las penas previstas se incrementan, se impone la cuestión fundamental —genuinamente filosófica, pero que repercute sobre la ciencia del Derecho penal— relativa a la legitimación del Derecho penal: ¿por qué razón y qué es lo que puede el Estado lícitamente penar? Y para responder a esta pregunta, esperamos no meras razones funcionales o pragmáticas, sino razones morales, de validez general.

El segundo factor baña la cuestión de la legitimación con una luz especial: a causa de la compleja evolución política mundial que denominamos de modo simplificador «globalización», por un lado, la cuestión no ha de resolverse en discursos vinculados a culturas específicas, en discursos «eurocéntricos», sino en discursos jurídico-penales válidos inter— o transculturalmente. Aquello que la filosofía reconoce desde el principio, en virtud de su vinculación a la razón común de los seres humanos, ha de entrar en el lugar correspondiente en la ciencia del Derecho penal: la emancipación de premisas específicamente vinculadas a un ámbito cultural y la concentración en discursos jurídicos interculturales. Por otra parte, el Derecho penal debe preocuparse, a pesar de sus raíces en Estados individuales, de los cometidos generados por la globalización y abrirse a un Derecho penal mundial que se compone de tres dimensiones[11]: una dimensión «nacional», una segunda que es internacional y una tercera que tiene una dimensión cosmopolita.

---

[11]   Cfr. Otfried HÖFFE, *Gibt es ein interkulturelles Strafrecht? Ein philosophischer Versuch*, Frankfurt a. M., 1999 (hay traducción española, *Derecho intercultural*, ed. Gedisa, Barcelona, 2000); IDEM (nota 10), *Demokratie*, especialmente capítulo 13.4.

En primer lugar, el Derecho penal se ve confrontado con «el extraño» que comete delitos como turista o como hombre de negocios, como peticionario de asilo o como emigrante. En este punto, el Derecho penal nacional debe ser válido interculturalmente en lo que se refiere a sus elementos decisivos. En segundo lugar, la justicia penal nacional ha de adquirir la capacidad, en el marco de la cooperación internacional, de llevar a cabo una Administración de Justicia mundial a título de representación. En tercer lugar, cada vez estamos más convencidos de que existen delitos contra la *humanitas* en un doble sentido: crímenes contra la humanidad que no pueden ser calificados como asuntos puramente internos de un Estado, que por ello se elevan algo por encima de su soberanía y demandan, en el sentido de un Derecho penal mundial cosmopolita, la presencia de la humanidad o de la comunidad de los pueblos.

El tercer factor, perteneciente a la ciencia del Derecho penal, que podría inspirar al filósofo, o quizás incluso provocarle, está en una reorientación del Derecho penal «moderno». Éste, según *Winfried Hassemer*, «se aparta de concepciones metafísicas y se adscribe a una metodología empirista»[12]. La alternativa que ello parece indicar, entre «metafísica o empirismo», no resulta afortunada. Pues el arranque impetuoso de una teoría de la acción relevante para el Derecho penal, las reflexiones de *Aristóteles* sobre los conceptos de lo voluntario, de lo libre y de la decisión, de lo involuntario, de la acción por ignorancia y de la acción en ignorancia, y desde luego también respecto del concepto de la debilidad de voluntad, pudo producirse sin metafísica, también sin teo-

---

[12]   Winfried HASSEMER, «*Kennzeichen und Krisen des modernen Strafrechts*», ZRP 1992, pp. 378-383, 379. Sin embargo, algunos años más tarde encontramos en Michael KÖHLER un desmentido parcial: su obra *Strafrecht. Allgemeiner Teil* (Berlin etc., 1997) se somete a elevadas pretensiones filosóficas; desarrolla la justicia penal desde el «concepto de Derecho como organización legal de la libertad conforme a la razón» (prólogo). También hay puntos de partida alternativos que se sustraen a la disyuntiva «metafísica-o-empirismo», por ejemplo, Günther JAKOBS, *Strafrecht, Allgemeiner Teil: Die Grundlagen und die Zurechnungslehre*, 2ª edición, Berlin, 1991. Respecto de la evolución histórica cfr. C. DEBUYST/F. DIGUEFFE/A. P. PIRES, *Histoire des savoirs sur le crime et la peine*, especialmente, tomo 2, *La rationalité pénale et la naissance de la criminologie*, Paris/Bruxelles, 1998.

logía, sin Derecho natural y sin ontología[13]. Incluso en el caso de una metafísica —si se toma a KANT como ejemplo[14]— no es necesario pensar escatológicamente, en un mundo trascendente al que se pudieran oponer los «fines de la pena que se persigan en este mundo». Más allá de esto, en la teoría del Derecho y del Derecho penal de Kant no entra la discutida metafísica del libre albedrío. Especialmente, hay otra ciencia que muestra que la filosofía y el método empírico no se excluyen mutuamente: a pesar de una victoria completa de la física empírica, existe una protofísica previa a ella: una teoría no empírica de los valores fundamentales de la física empírica, como son el espacio, el tiempo y la masa[15].

Sea desarrollada por juristas o por filósofos, o por ambos conjuntamente: una protociencia análoga a la protofísica, un proto-Derecho penal, se ocupa de los elementos básicos decisivos para el Derecho penal y la ciencia del Derecho penal. Mientras que la dogmática del Derecho penal aborda el Derecho penal positivo, lo que ocupa al proto-Derecho penal es —en un sentido neutral— una teoría pre- y suprapositiva: ésta no se dirige de ningún modo contra la apertura empírica, pero sí contra una pretensión de exclusividad; sólo rechaza el empirismo, no lo empírico. El proto-Derecho penal es, entonces, pre- y suprapositivo en la medida en que no se vincula ni al Derecho penal vigente, ni a una cultura del Derecho penal que sólo tiene validez en una determinada macroregión y una determinada época, como, por ejemplo, de la Edad moderna europea. Pero del mismo modo que una protofísica no sustituye la física empírica, el proto-Derecho penal no desplaza al Derecho penal «nacional» o a las características comunes de una determinada época. Ahora bien, debería identificar razones por las que un Derecho penal puede estar abierto a especificidades culturales y de una determinada época, es decir, que existe un «derecho a la diferencia»[16].

---

13   Cfr. Otfried HÖFFE, *Aristoteles*, 2ª edición, München, 1999, *especialmente capítulos 12-13.*

14   KANT *(nota 3); respecto de la interpretación cfr. el comentario cooperativo:* HÖFFE *(nota 3).*

15   Cfr. Gernot BÖHME *(ed.), Protophysik. Für und wider eine konstruktive Wissenschaftstheorie der Physik, Frankfurt a. M., 1976; Peter Janich (ed.), Sonderheft «Protophysik heute» der Philosphia naturalis 22, 1985.*

16   *Sobre este concepto cfr. Höffe (nota 10), Demokratie, capítulos 4.4 y 6.3.*

Con razón, en la física la protociencia no es más que el pasatiempo de algunos filósofos. Pues la reconstrucción metodológica de los valores físicos básicos sólo corrige una idiosincrasia empirista de la física empírica, y no a ésta misma. En el caso del Derecho penal, la protociencia alcanza un mayor peso; quizás, sin embargo, también tropiece con mayores dificultades metódicas:

Mientras que el objeto de la física, junto con sus leyes, se escapa a la libertad de acción de los seres humanos, el Derecho penal es hecho por seres humanos. Ya por esta razón, y, más aún, porque lleva a cabo la intervención más intensa en la libertad humana, los afectados, los ciudadanos, exigen legitimación. Y ésta ha de ser global: debe legitimarse la facultad de penar y tanto el Derecho penal material, los delitos, como el Derecho penal procedimental, el proceso penal. Ultimamente ha de legitimarse ante todo la neocriminalización. Y en la época de la globalización se tiene la expectativa de una validez inter- o transcultural. Especialmente respecto del núcleo de la facultad de penar, el Derecho penal material y procedimental, es necesario un discurso jurídico (penal) intercultural.

Al ofrecer en este punto la filosofía sus «servicios» conceptual-argumentativos, se renueva como disciplina práctica y política. Puesto que el proto-Derecho penal, si bien comienza —de modo análogo a la protofísica— con explicaciones conceptuales, pero después pasa a la legitimación, se compone de dos disciplinas completamente divergentes en lo metodológico, pero materialmente interrelacionadas: de una semántica de los elementos jurídico-penales básicos y de una ética del Derecho penal. Ésta última, sin embargo, ha de contar con la resistencia de una ciencia que recientemente se ha «convertido» a la metodología empírica; pero lo cierto es que la apertura a lo empírico no excluye la apertura a la filosofía, a no ser que se identifique la justificada apertura a lo empírico —algo no discutido desde la filosofía— con el empirismo, justificadamente criticado. Que las ciencias del Derecho penal están abiertas a las ciencias sociales, especialmente, a la criminología, debería ser evidente desde hace mucho tiempo. Y para ello no es necesario que paguen el precio del empirismo. De todos modos, el proto-Derecho penal no se vincula a un solo gran filósofo.

Aquí esbozaré al proto-Derecho penal tan sólo a título de ejemplo, para algunas cuestiones, más allá de esto, a falta de una filosofía del Derecho penal reciente, sin las finas distinciones que merece la altamente desarrollada ciencia del Derecho penal. Y mucho de lo que se expondrá es más una intuición reflexionada que un argumento trabajado. El programa (aún no la ejecución que a continuación se esboza) constituye, desde luego, una especie de «crítica de la razón que pena»: pues en el sentido filosófico de crítica, muestra tanto posibilidades legítimas y límites y entra a debatir —aquí al menos en forma de utopía (cfr. el apartado 6)— una posible abolición del Derecho penal.

II. SEMÁNTICA - SOBRE LA DESMITIFICACIÓN DE LA RE- TRIBUCIÓN

Con el «Programa para un nuevo Código penal»[17], en los años sesenta y al principio de los setenta, hubo profesores de Derecho penal que adquirieron influencia política. En el llamado Proyecto Alternativo, el posterior Senador de Justicia de Hamburgo, *Ulrich Klug*, dijo de modo vehemente —y, en lo que alcanzo a ver, de modo representativo para muchos de sus colegas— «adiós a Kant y Hegel»[18]. Respecto de dos elementos del proto-Derecho penal me permito protestar y solicitar una rehabilitación de convicciones kantianas. Muy posiblemente sean verdades de perogrullo, pero se oponen a errores muy extendidos, como, por ejemplo, la idea de que la alternativa entre retribución y prevención se corresponde con la de pasado y futuro, o la concepción de que la idea de

---

17   Jürgen BAUMANN (ed.), *Programm für ein neues Strafgesetzbuch*, Frankfurt a. M., 1968; cfr. IDEM, *Alternativ-Entwurf eines Strafgesetzbuches*, (1) *Allgemeiner Teil*, 2ª edición, Tübingen, 1969; (2) *Besonderer Teil: Straftaten gegen die Person*, Tübingen, 1970/71; *Straftaten gegen die Wirtschaft*, Tübingen, 1977; *Politisches Strafrecht*, Tübingen, 1968; *Sexualdelikte*, Tübingen, 1968. También IDEM (ed.), *Alternativentwurf eines Strafvollzugsgesetzes*, Tübingen, 1973.
18   Ulrich KLUG, «Abschied von Kant und Hegel», en: BAUMANN (nota 17), pp. 36-41.

la retribución no es compatible con la apertura de la ciencia del Derecho penal a lo empírico.

En primer lugar, debemos a *Kant* un concepto cuatripartito de la pena (criminal estatal) que debería resultar convincente hasta el día de hoy: la pena supone que a alguien (1) «por» (2) «su delito» (3) «se le impone» (4) «un dolor»[19]. Comencemos con el doble elemento mencionado en segundo lugar:

Aunque una pena logre reformar al autor, logre su resocialización, es decir, al final resulte beneficiosa para el autor, en un primer momento le inflige una afectación «material», un mal o un «dolor». A ello se suma una afectación «formal». Ciertamente, puede que el autor —en cualquier momento— asuma la pena por su propia convicción, es decir, que la reconozca libremente. Pero incluso en tal caso, la pena, en el plano puramente conceptual, se diferencia de un tratamiento odontológico doloroso, ya que uno no acude a la prisión (o a la pena de multa) como a un dentista, sino que se le «impone» el dolor; en su caso, éste es impuesto coactivamente.

Para el concepto de pena, el elemento más importante es el que *Kant* menciona en primer lugar, «por». También las catástrofes, las medidas de cuarentena y —para el ciudadano normal— los tributos constituyen males impuestos, y, sin embargo, no son penas criminales en este sentido. Forma parte de la pena un después menos exigente y, sobre todo, el «por». En cuanto reacción *post et propter*, se diferencia tanto del cuidado (pater- o maternalista) del autor, de la educación y reforma independiente del injusto, como de acciones puramente preventivas como las medidas de cuarentena, y, sobre todo, de la manipulación o del condicionamiento.

Mientras una pena se produzca *después* de un delito y *por él*, constituye, en el sentido original, y básicamente neutral del concepto, una retribución. Las pretendidas alternativas, la prevención y la resocialización, al menos en el plano semántico, sólo tienen un derecho secundario; de

---

[19]   KANT (nota 3), p. 331. Respecto de la interpretación, cfr. Höffe (nota 3), pp. 213-233.

modo primario, la pena tiene un sentido de retribución*. La proposición
de la teoría de la prevención *punitur ne peccetur* («se pena para que no
se cometa ningún delito») tiene en todo caso como presupuesto la
proposición, propia de la teoría de la retribución, *punitur quia peccatum
est* («se pena porque se ha cometido un delito»). Sólo dentro del presupuesto no preventivo se pueden defender concepciones preventivas, y
sólo dentro del marco independiente de las consecuencias cabe orientarse con base en consecuencias. Pero en la medida en que la «retribución
desmitologizada» sólo crea un marco, no tiene dificultades de apoyar
«propuestas tan cargadas de futuro como la remisión condicional de la
pena, las medidas de acompañamiento para autores juveniles y las medidas de apoyo de la libertad condicional»[20]. Más allá de esto, el concepto
de delito estricto que la acompaña no tiene dificultades con un
«desescombramiento del Derecho penal».

Sin duda alguna, la pena, puesto que se conoce previamente, despliega
una fuerza prospectiva. Puede intimidar al potencial infractor del ordenamiento jurídico («prevención negativa») y reforzar a los ciudadanos
dispuestos a la obediencia al Derecho en su actitud («prevención positiva»: estabilización de la norma; la pena tiene lugar para el ejercicio en
la confianza de la norma y de la fidelidad al ordenamiento jurídico). En
consecuencia, el «por» nunca implica sólo el pasado, sino siempre también el presente y el pasado: la retribución es una «retrospectiva en
prospectiva» o una «retrospectiva prospectiva». Y puede ser hecha compatible, sin dificultad, con el principio «protección del ordenamiento
jurídico». Sin embargo, en el plano conceptual y en el de la legitimación
sigue siendo prioritario el elemento retrospectivo, la retribución. La
intimidación es un efecto secundario que —desde luego— es inevitable,

---

*   En este lugar, el autor hace una referencia lingüística; la palabra alemana correspondiente a «retribución», *Vergeltung* —de modo paralelo al español— es la
sustantivización de un verbo: éste, «"gelten" significa en el alemán antiguo de la
primera y segunda época (*Alt-, Mittelhochdeutsch*) "pagar, restituir, indemnizar"»
(n. del t.).

20   Albin ESER, «Hundert Jahre deutscher Strafgesetzgebung. Rückblick und
Tendenzen», en: ARTHUR KAUFMANN (ed.), *Rechtsstaat und Menschenwürde. Festschrift
Maihofer*, Frankfurt a. M., 1988, pp. 109-134.

y, más allá de ello, muy bienvenido. Pues forma parte del concepto de Derecho en el sentido de derecho subjetivo el derecho de segundo orden a defender los derechos de primer orden contra aquel que los quiere vulnerar. Si la afectación aparece con violencia, se tiene derecho a ejercer contraviolencia[21]; y este derecho, visto desde la perspectiva sistemática, corresponde originariamente a los mismos sujetos que participan del Derecho. Sin embargo, con su monopolio de violencia, el Estado restringe este derecho. Precisamente por ello, en el sentido de justicia compensatoria, corresponde al Estado el cometido de asegurar a los ciudadanos los derechos de primer orden; y de ello forma parte, de modo irrenunciable, la prevención. La prevención forma parte del precio que el Estado debe pagar a los ciudadanos por su pretensión de monopolizar la violencia. Es la «retribución» que debe satisfacerse por la pérdida de poder de los miembros del ordenamiento que conlleva el monopolio de la violencia.

Durante miles de años predomina el pensamiento de la retribución en Derecho penal, siendo practicado tanto por pueblos primitivos como por culturas desarrolladas. La asunción de la retribución como elemento irrenunciable del concepto de pena da la razón a este consenso intercultural. En el nombre de una humanización, sin embargo, el Derecho penal moderno está orgulloso de contradecir esto, defendiendo en su lugar la intimidación y la rehabilitación. También por su «orientación a lo empírico» y con la «concepción de la orientación a las consecuencias», se muestra más bien partidario de concepciones preventivas en lugar de aproximaciones desde las teorías de la retribución[22]. Por ello, se

---

[21]   Cfr. KANT (nota 3), p. 231. Respecto de la interpretación, vid. HÖFFE (nota 3), pp. 41 a 62.

[22]   HASSEMER (nota 12); respecto de la teoría de la retribución cfr. también, por ejemplo, Michael S. MOORE, «The Moral Worth of Retribution», en: Ferdinand SCHOEMAN (ed.), *Responsibility, Character and the Emotions. New Essays in Moral Psychology*, Cambridge etc., 1987, pp. 179-219. Cfr. también Walter BURKERT, *«Vergeltung» zwischen Ethologie und Ethik*, München, 1994. Soy escéptico frente a la posición de acuerdo con la cual el estudio de Bronislaw MALINOWSKI *Crime and Custom in Savage Society*, New York, 1926, implica una crítica convincente de cualquier poder penal público. Por un lado, el estudio no es indiscutido entre los colegas de disciplina de MALINOWSKI. Por otro, no comparto la opinión defendida

impone plantear algunas repreguntas a las concepciones preventivas: ¿de qué clase son los elementos empíricos que el pensamiento de la prevención invoca? ¿cuáles son las posibilidades de falsación que prevé, y en qué medida reacciona frente a eventuales «falsaciones»? Respecto de la resocialización, el sobrio pensador empírico incluso podría verse en la necesidad de aprobar dos tesis de un psicólogo conscientemente provocador, Friedrich Nietzsche: «El verdadero remordimiento de conciencia es, precisamente entre los delincuentes y penados, algo extraordinariamente poco frecuente» y «en un cálculo global, la pena endurece y enfría»[23].

De acuerdo con el concepto de retribución, o, dicho con mayor exactitud, de la retribución general, sólo se puede castigar lícitamente a un delincuente imputable. Ésta podría ser la causa de la reciente aversión hacia el pensamiento de la retribución: que se reconozca con toda naturalidad la retribución general, denominándola, sin embargo, de otro modo, concretamente, «principio de culpabilidad», prescindiendo de la «retribución» por razón de determinadas connotaciones peyorativas. Los progresos en materia de humanidad de los que el «Derecho penal moderno» está orgulloso, es decir, la abolición de las penas corporales y de la pena de muerte, la liberalización respecto de los delitos, la humanización de la ejecución de las penas - todos ellos poco tienen que ver con la alternativa «retribución o culpabilidad». Por lo demás, para el discurso intercultural que hoy se impone, no es erróneo mantener una idea interculturalmente conocida, siempre que se la concentre en su núcleo legítimo: la retribución como contestación frente a algo «responsablemente producido», como respuesta frente a una acción subjetivamente imputable.

Más allá de esto, no debe perderse de vista que tampoco el concepto de culpabilidad está exento de gravámenes. Pues tanto las connotaciones

---

en épocas pasadas en la etnología o en la antropología (cultural) de que existen sociedades libres (en sentido estricto) de dominación. Cfr. MI trabajo «Kritik des Anarchismus», en: Otfried HÖFFE, *Politische Gerechtigkeit. Grundlegung einer kritischen Philosophie von Recht und Staat*, Frankfurt a. M., 1987, parte II: *Herrschaftsfreiheit oder gerechte Herrschaft?*

[23] Friedrich NIETZSCHE, *Zur Genealogie der Moral*, 2º tratado, nº 14, en: *Sämtliche Werke. Kritische Studienausgabe*, t. 5, München etc., 1980, p. 308.

teológicas como la cercanía hacia el concepto de libre albedrío y hacia la decisión por el bien y el mal más bien son caminos equivocados. La situación se presenta de otro modo si se deja completamente fuera de consideración la teología cristiana y la metafísica del libre albedrío, y, por consiguiente, se sigue manteniendo una actitud escéptica frente a la definición de la culpabilidad como «reprochabilidad de la formación de la voluntad»[24] propuesta por Hans Welzel: es necesario contentarse con la libertad de actuación y recurrir también en el caso de la «culpabilidad» a su acepción originaria, neutral, que denota la voz griega aition: en Derecho penal son decisivos aquellas personas y aquellos factores que son «culpables» en la génesis del suceso en el sentido de que, primero, esta génesis puede serle atribuída, y, segundo, imputada. El sujeto en cuestión ha de ser al menos uno de los factores causales, siendo, más allá de esto, responsable de su causalidad. Al mismo tiempo se observa que la «cualidad» fundamental del sujeto con capacidad para ser penado, la «culpabilidad modesta», la imputación, no aporta argumento alguno que hable en contra de la retribución y en favor de la prevención y de la resocialización.

Sólo entre paréntesis una acotación respecto de la popular comparación entre el Derecho penal de la edad moderna y el pensamiento del chivo expiatorio de culturas arcaicas: el Derecho penal del que se encarga el tribunal es una praxis «más moral» en la medida en que no se dirige contra un tercero inocente, contra el ser humano o el animal elegido como chivo expiatorio, sino contra el propio culpable, contra el autor. La justicia penal se toma la molestia de comprobar la concurrencia de culpabilidad, incluyendo la imputabilidad y la gravedad de la culpabilidad. Su orientación hacia el futuro es uno de los factores que amplían la justicia penal en una segunda dimensión. El Derecho penal coincide con el pensamiento del chivo expiatorio en que se enfrenta a un hecho violento producido en el mundo —un hecho que tendencialmente puede generar más violencia—, abriendo un futuro que —al menos inicialmente— estará exento de violencia. Ahora bien, el pensamiento del chivo expiatorio sólo reacciona frente a culpabilidad ya cometida, es decir, se

---

[24]   Hans WELZEL, *Das Deutsche Strafrecht*, 11ª edición, Berlin, 1969, pp. 138 y ss.

orienta, a este respecto, con base en el pasado. En cambio, el Derecho penal, al amenazar penas, siempre produce algo más que la mera retribución; al impedir (prevenir) delitos, está esencialmente orientado hacia el futuro.

De la retribución general deriva una primera carga de la prueba del Derecho penal. Le corresponde el rango de una obligación de dar y consiste en la presunción de inocencia que nos es tan familiar. Se manifiesta en una doble dirección: *en primer lugar*, corresponde al Derecho penal el cometido de desarrollar un concepto de culpabilidad diferenciado, lo que, dicho sea de paso, es reconocido desde la Antigüedad, en particular, desde Aristóteles[25], y pone en cuestión aquella concepción que plantearía dificultades fundamentales a un Derecho penal mundial, a saber, la idea de que la imputación estaría vinculada a nuestra cultura jurídica. Pues las alternativas del tipo de la destrucción de la vivienda del infractor o el sacrificio de personas en la construcción de diques (enterrándolas en el dique) no son de naturaleza intrapenal, sino extrapenal, y permiten, además, una crítica que no es meramente anacrónica o eurocéntrica.

Forma parte, en todo caso, del proto-Derecho penal la cuestión acerca de si la imputación es una construcción social *junto con* otras construcciones, alternativa, por ejemplo, a la magia y el animismo, o si, por el

---

[25] ARISTÓTELES (nota 2), *Nikomachische Ethik*, libro III, cap. 1-7; cfr. también libro II, cap. 1-11; al respecto vid. Christof RAPP, «Freiwilligkeit, Entscheidung und Verantwortlichkeit» y Richard ROBINSON, «Aristotle on Akrasia», respectivamente, en: Otfried HÖFFE (ed.), *Aristoteles. Die Nikomachische Ethik* («Klassiker Auslegen», t. 2), Berlin, 1995, cap. 6 y 9. Ofrece una concisa introducción Otfried HÖFFE, *Aristoteles. Leben, Werk, Wirkung*, 2ª edición, München, 1999, cap. 13. Respecto del debate reciente en torno a culpabilidad y responsabilidad vid. Hans Michael BAUMGARTNER/Albin ESER (ed.), *Schuld und Verantwortung*, Tübingen, 1983; Albin ESER/George P. FLETCHER (ed.), *Rechtfertigung und Entschuldigung*, 2 tomos, Freiburg, 1987-1988; Günther JAKOBS, *Das Schuldprinzip*, Opladen, 1993; Bernd SCHÜNEMANN, «Die deutschsprachige Strafrechtswissenschaft nach der Strafrechtsreform», GA 1985, pp. 341-380, y GA 1986, pp. 293-352; Bernhard WILLIAMS, «Moral Luck», en: *Philosophical Papers 1973-80*, Cambridge, 1981; IDEM, *Shame and Necessity*, Berkele, 1993, cap. 3; cfr. también George P. FLETCHER, *Rethinking Criminal Law*, Boston, 1978.

contrario, la imputación es superior a éstas, ya que se trata de un elemento pleno de sentido de la construcción de una sociedad humana en sí. Pues calificamos de «sociedad humana» una forma de coexistencia que excluye dos formas extremas, tanto el esquema «todos víctimas, no hay autores», en el que nadie «tiene la culpa» de nada, como el esquema «puros autores», en el que no hay ni agresiones ni status de víctima. Una sociedad humana se compone de «también-autores», es decir, de seres que suponen respecto de muchos actos y omisiones, en primer lugar, el responsable identificable, que, en segundo lugar —de nuevo, por regla general sólo parcialmente— sí «tiene la culpa» de lo que hace u omite.

Las sociedades no se diferencian por la «imputación en sí», sino que «la posibilidad de la imputación es una condición trascendental del trato de los seres humanos entre ellos en reconocimiento recíproco»[26]. Por esta razón soy escéptico frente a la afirmación adicional de Hassemer de que «los seres humanos pueden acordar qué es lo que entienden por imputación»[27]. Respecto de las determinaciones de detalle puede que tengan un «derecho a la diferencia»; pero el núcleo viene determinado por el cometido. Éste consiste en su determinación mínima en lo siguiente: coexistencia de sujetos en el sentido de también-autores; en su determinación óptima: coexistencia en un reconocimiento recíproco e igualitario.

Dentro del pensamiento general de la imputación probablemente pueda defenderse un modesto pensamiento de progreso, por ejemplo, que a Edipo sólo se le reproche un homicidio doloso, ya no un parricidio (exclusión de la responsabilidad por caso fortuito), y que Edipo respecto del homicidio tiene derecho a causas de exculpación. Pues de un concepto elaborado, «progresista» de la imputación forma parte la distinción entre justificación, exculpación y culpabilidad disminuida, entre imprudencia, imprudencia grave, inimputabilidad y culpabilidad por actos previos, de error de prohibición, exceso en la legítima defensa y estado de necesidad exculpante.

---

[26]　Winfried HASSEMER, «Prolegomena einer Lehre von der Zurechnung», en: Joachim SCHULZ/Thomas VORMBAUM (ed.), *Fesschrift für Günter Bemmann*, Baden-Baden, 1997, pp. 175-192, 179.

[27]　HASSEMER (nota 26), p. 176.

De la primera carga de la prueba derivan, *en segundo lugar*, estrictas exigencias frente al proceso penal: partiendo de que el tipo de acción siquiera sea punible de acuerdo con la primera carga de la prueba delictiva, además han de probársele al autor dos extremos sin duda alguna: *que su hecho se subsume bajo esa clase de acción* y *cuál es el alcance de su culpabilidad*: «nulla poena sine culpa».

Puesto que la culpabilidad, al ser sometida a una consideración más detallada, muestra ser un concepto comparativo —tanto en el plano subjetivo del autor, en la medida de la «culpa», como en el plano objetivo del hecho, en la medida del injusto—, la retribución general apunta hacia su ampliación en una segunda retribución, una retribución especial. De acuerdo con ésta, los delitos leves deben castigarse con penas leves, los graves, en cambio, con penas graves, lo que restringe las posibilidades moralmente legítimas de legislador y juez, al igual que el espacio para una intimidación independiente de la retribución. Ni es legítimo imponer «un castigo ejemplar» con fines de intimidación, penando más gravemente, ni lo es la renuncia a la pena en aquellos casos en los que no es necesaria la intimidación. En caso contrario, sería legítimo dejar sin pena aquellos crímenes que fueron cometidos con conocimiento y voluntad, pero que constituyen típicos casos de comisión aislada del hecho, que es poco probable pueda volver a cometerse en el futuro. Y lo que —con razón— se hace contra los criminales nacionalsocialistas que luego no volvieron a delinquir, también es adecuado en el caso de otros crímenes: una práctica de penar que se rija por la gravedad del delito.

III. LEGITIMACIÓN

Sin duda alguna, una mera semántica no tiene fuerza legitimatoria. Lo mismo vale para lo empírico, vertiente hacia la que se abre la ciencia del Derecho penal: de acuerdo con la falacia de ser-deber ser, los supuestos empíricos por sí solos no tienen fuerza normativa. Y el cometido rector que con frecuencia se postula, la «protección del ordenamiento jurídico», necesita de una comprobación ético-jurídica, y ésta —como veremos— aporta una relativización.

Respecto de ambos puntos de vista retributivos, la estrategia de legitimación es, de modo indiscutido, evidente. Para ello, queda claro que en el caso de la retribución general ésta no es un fin exclusivo, pero sí una condición imprescindible: partiendo del presupuesto de que se pueda penar, la retribución general —sólo los hechos culpables son punibles— tiene el rango de un imperativo moral, por consiguiente, de un imperativo «categórico». En aquellos casos en los que éste resulte infringido, penando en nombre del bien común, de la razón de Estado o de la intimidación a un inocente (sea que no ha cometido el hecho, sea que no es responsable de él), o no penando a un culpable en función de su culpabilidad, o no penando al autor de un delito grave que desde entonces vive sin llamar la atención, en estos casos se vulnera el bien jurídico más elemental del ser humano, su valor propio.

La retribución especial se basa en un principio igualmente indiscutido, el mandato de igualdad: en la medida en que el Estado opta, en general, por imponer penas a los delincuentes, por razones atinentes a la igualdad no puede lícitamente ni castigar a unos y dejar incólumes a otros, ni castigar a unos de modo draconiano y a otros con lenitud y comprensión. En contraposición con una praxis punitiva arbitraria, las diferencias de la pena sólo deben derivar del delito en sí mismo, de lo que forma parte esencial la cuestión de si concurre imputabilidad, inimputabilidad o semiinimputabilidad, de si concurre dolo, imprudencia o un error de Derecho.

Sólo entre paréntesis: puesto que no sólo serían injustas las desviaciones hacia arriba, sino también las consideraciones de lenitud, un Estado de Derecho tiene objeciones fundamentales contra un derecho de gracia —que según Kant es, «entre todos los derechos del Soberano, el más resbaladizo»[28]*. Las objeciones no abarcan una «gracia correctora», que corrige un fallo excesivamente duro, pero firme. Pues en este caso, en realidad, tan sólo se elimina una injusticia hecha por la Administración de Justicia. Tampoco resulta muy preocupante una «gracia que se anticipa a nuevas leyes»: cuando se reconoce la necesidad de una modificación legal por la idea de la justicia penal, como por ejemplo la deroga-*

---

[28]   KANT (nota 3), p. 337.

ción de la pena de muerte, es justa una medida de gracia, e incluso puede que sea necesaria en el nombre de esa justicia penal. En otros casos, sin embargo, resultan preponderantes las objeciones.

Los fines pragmáticos de la pena, prevención y resocialización, ya fueron defendidos antes de *Kant* como alternativa a la retribución. En consecuencia, se formula frente a *Kant* la sospecha de que con su crítica de una teoría del Derecho penal principalmente pragmática estaría retrocediendo hacia una posición previa a la Ilustración. En realidad *Kant* lleva a cabo para él mismo un radical cambio de posición que es desconocido incluso por conocedores de *Kant*: en la época anterior a la *Crítica*, permite al Estado exclusivamente una punición pragmática, la «pena como aviso» y reserva la punición moral (la «pena vengadora») al juez divino[29]. El *Kant* crítico rechaza esta posición. Su defensa de la retribución no significa un retroceso, sino, por el contrario, una radicalización y en cierto sentido la culminación de la Ilustración jurídico-penal. Ahora bien, esto sólo es correcto respecto de los argumentos de principio de *Kant*, no respecto de su comprensión lo más literal posible del Derecho de retribución, de su defensa de la pena de muerte y de la castración etc.

Invocando la «personalidad innata» que según él prohíbe usar al ser humano como «mero medio para las intenciones de otro», es decir, invocando en última instancia aquel principio de la dignidad humana que tiene rango primordial en la Constitución alemana, *Kant* exige con razón: «ha de determinarse con carácter previo» que el ser humano «es punible, antes de que siquiera se piense en la posibilidad de extraer de esa pena alguna utilidad para él mismo o para sus conciudadanos»[30]. El argumento de la punibilidad —como *Kant* aprecia con razón— es de naturaleza moral y halla su fundamento en el delito que se ha cometido («quia peccatum est»), mientras que la intimidación («ne peccetur»), en

---

[29] Immanuel KANT, *Eine Vorlesung über Ethik*, ed. a cargo de Gerd GERHARDT, Frankfurt a. M., 1990. Aún el manual sobre cuya base *Kant* da sus clases de filosofía del Derecho defiende el fin de la pena preventivo «de que los ciudadanos se hagan buenos»: Gottfried ACHENWALL/Johann Stephan PÜTTER, *Anfangsgründe des Naturrechts (Elementa Juris Naturae, 1750)*, ed. y trad. a cargo de Jan SCHRÖDER, Frankfurt/Leipzig, 1995, § 872, 2.

[30] KANT (nota 3), p. 331.

cuanto argumento pragmático de la prudencia penal «se basa en la experiencia de aquello que tiene el efecto más intenso de evitar delitos»[31]. Quizás sean válidas las siguientes palabras patéticas: considera primero la *justicia* penal, es decir, la culpabilidad y una pena proporcional, entonces la *prudencia* penal, la intimidación, te llegará por sí misma.

La retribución supone sólo un argumento necesario, pero no suficiente. La *ultima ratio* de la facultad punitiva del Estado, la pena, no se puede justificar respecto de cualquier comportamiento desviado, ni siquiera respecto de cualquier injusto. Sólo resulta legítima en el caso de aquel injusto grave, «último», al que se refiere el elemento aún no abordado del concepto kantiano de pena, el delito. El Derecho penal no debe degenerar en un instrumento general para la pedagogía popular y la solución social de conflictos. Tampoco debe hacerse dependiente de las expectativas de «la sociedad» o del ciudadano medio. Una pena legítima está estrictamente limitada, siendo admisible únicamente contra un «injusto máximo»: el delito.

Las cuestiones de detalle no incumben al proto-Derecho penal. Sin embargo, sí plantea una segunda regla de carga de la prueba, que es al mismo tiempo una segunda presunción de inocencia. Se trata de una «carga de la prueba delictiva» y de una «presunción de inocencia delictiva» que, desde luego, puede ser exigida interculturalmente. En otros campos, las comunidades sí disponen de una facultad de mantener sus peculiaridades; disponen del ya mencionado derecho a la diferencia. Pero en la medida en que lo invoquen en Derecho penal, han de reconocer la siguiente carga de la prueba como metaregla: que una clase de acción sea una vulneración del Derecho y que ésta tiene la gravedad de un delito es algo que el poder estatal y punitivo debe demostrar positivamente, en lugar de que el posible autor hubiera de demostrar la impunidad de su clase de acción. Y de ello deriva cierta resistencia a la reciente tendencia a la neocriminalización: mientras no se haya aportado la carga de la prueba, el correspondiente grupo de autores debe considerarse inocente, no necesariamente de modo general, pero sí inocentes en el sentido del Derecho penal.

---

[31]   KANT (nota 3), p. 363.

La presunción de inocencia delictiva asegura a cualquier miembro del ordenamiento jurídico el derecho de vivir de modo tan llamativo, excéntrico o desviado como desee, bajo el presupuesto de que no se haga culpable de un delito. Desde la perspectiva sistemática, incluso, esta segunda presunción de inocencia tiene preferencia. Antes de entrar en el análisis del caso concreto, debe quedar despejada cualquier duda acerca de que el tipo de supuesto en cuestión siquiera sea una vulneración del Derecho, y, además, de la gravedad correspondiente a un delito.

En este punto, el proto-Derecho penal dirige su mirada al tema Derecho y moral, aunque no de modo general, sino una mirada especial, «negativa». Ésta distingue al delito de aquellas otras infracciones de reglas que de modo un tanto simplificador pueden denominarse infracciones contra la moral (que carece de relevancia jurídica). Para ello, no resulta suficiente determinar el Derecho como una moral de mínimos y vincular al Derecho penal de modo tan genérico como vago a la protección de bienes jurídicos. Aquello que exige el discurso intercultural que apunta a un Derecho penal mundial, en lo esencial ya forma parte del discurso intracultural: a la justicia penal pública incumbe la carga de la prueba de que un comportamiento desviado no sea meramente excéntrico o provocativo, sino —al ser una lesión de normas elementales o, en su caso, fundamentales— sea además un injusto merecedor de pena. Si no es capaz de soportar la carga de la prueba, debe eliminar el delito.

Aquí están llamados los profesores de Derecho penal a colaborar, y necesitan —además de los evidentes conocimientos técnicos— valentía civil y objetividad. La valentía civil se opone incluso a estados de opinión poderosos, y, desde luego, no sólo a los pertenecientes a la opinión pública, sino también en los círculos propios. Y la objetividad permite no sólo llevar a cabo aquel «desescombramiento», en particular del Derecho penal sexual, que cuadra con la idiosincrasia propia, de orientación liberal. Plantea objeciones también en aquellos casos en los que —por una preocupación plenamente justificada por el medio ambiente, la protección de datos o la igualdad de derechos de los géneros— se desearía ampliar el Derecho penal sin poder soportar la pesada carga de la prueba delictiva.

Entre la desviación permitida por el Derecho y el delito merecedor de pena puede existir perfectamente un ámbito intermedio, a saber, las acciones que generan riesgos para los miembros del ordenamiento jurídico y contra los que una comunidad se protege legítimamente. A este contexto pertenecen los grandes riesgos o los riesgos lejanos, o, diciéndolo mediante una formulación positiva, el cometido del aseguramiento del futuro. Sin embargo, en el merecimiento de protección aún no hay una justificación suficiente de la criminalización. Por el contrario, para el ámbito intermedio han de introducirse otras formas de control. Incluso entonces, el legislador tiene derecho no a introducir un control social cualquiera, sino sólo a crear un control en forma jurídica, de modo que no debe renunciar a todos los medios jurídicos que en el pasado han demostrado su utilidad. Por consiguiente, a la carga de la prueba delictiva se le suma como mandato adicional el de desarrollar para otros bienes jurídicos merecedores de protección otras reacciones, que ya no son de carácter jurídico-penal.

IV. EL PRINCIPIO DE LOS DERECHOS HUMANOS

Uno de los cometidos directivos de cualquier Administración de Justicia, la objetividad, se ve facilitado por la existencia de criterios. Por razón de los dos metacriterios «injusto máximo» y «validez intercultural» se impone el concepto de los derechos humanos —si se parte del presupuesto de que no necesite premisas vinculadas a una determinada cultura como determinadas imágenes del ser humano o determinadas visiones del mundo. Por miedo a un eurocentrismo (sutil), algunos etnólogos defienden aquel relativismo cultural radical que ya conocemos del crítico de la Ilustración Joseph de Maistre: «He visto en mi vida franceses, italianos, rusos etc.; incluso sé, gracias a Montesquieu, que se puede ser persa: pero en lo que se refiere al ser humano, declaro que en la vida me lo he encontrado»[32]. El etnólogo Herkovits se pronuncia expresamente contra la idea de los derechos humanos[33], y el filósofo Rorty cree que no

---

[32] Joseph DE MAISTRE, «Considérations sur la France» (1814), en: IDEM, *OEuvres complètes*, Lyon, 1884-1886, reimpresión, Ginebra, 1979, tomo I, p. 74.

[33] Melville J. HERKOVITS, «Statement on Human Rights», *American Anthropologist* 49 (1947), pp. 539-543.

hay diferencias esenciales entre los seres humanos y los animales superiores[34].

Los críticos tienen razón en la medida en que muchos intentos de legitimación de los derechos humanos infravaloran la carga de la prueba[35]. Pero esto no es necesario. En el lado descriptivo no habrá infravaloración si se admite considerar la idea de aquellos intereses sencillamente mínimos que constituyen, en cuanto intereses de mayor rango lógico, relativamente trascendentes, las condiciones de la posibilidad de existencia de los intereses comunes. Si bien el esquema de legitimación es nuevo, la conclusión es conocida desde hace mucho tiempo, de modo visible, en determinaciones antropológicas indiscutidas: sean cuales sean los intereses que predominen en una determinada cultura, en cuanto condiciones de la posibilidad de configurar intereses y perseguirlos, en cuanto condiciones de capacidad de acción (conditions of agency), y, en ese sentido, en cuanto condiciones irrenunciables para el ser humano han de considerarse tres intereses: (1) el cuerpo y la vida, incluyendo las condiciones (materiales) para vivir; (2) el lenguaje y la razón y (3) una capacidad social general, también la necesidad social. En este sentido, la antropología filosófica incluye al ser humano en el círculo del zoon o animal, del ser con cuerpo y vida, y lo califica de logon echon o rationale y de sociale.

En el ejemplo del primero de los intereses trascendentales cabe mostrar cómo se pueden desvirtuar las objeciones: frente al intento de relativizar el significado, de rango lógico superior, del cuerpo y la vida, está la circunstancia de que también los mártires y los suicidas quieren

---

[34]   Richard RORTY, «Human Rights, Rationality and Sentimentality», en: Stephen SHUTE/Susan HURLEY (ed.), *On Human Rights. The Oxford Amnesty Lectures*, New York, 1993, pp. 111-134, 116 (versión alemana: «Menschenrechte, Rationalität und Gefühl», en: SHUTE/HURLEY [ed.], *Die Idee der Menschenrechte*, Frankfurt a. M., 1996, pp. 144-170).

[35]   Respecto de la fundamentación en detalle de lo dicho, vid. Otfried HÖFFE, *Politische Gerechtigkeit*, 3ª ed., 2002, parte III; IDEM (nota 10), *Demokratie*, cap. 2-4. Por la relación entre Derecho penal y derechos humanos resulta recomendable para la ciencia del Derecho penal ocuparse con mayor intensidad de la idea de los derechos humanos, y, en consecuencia, elaborar e introducir la dogmática de derechos fundamentales, que es a la que corresponde la cuestión.

decidir por ellos mismos por qué, cuándo y cómo mueren. De lo contrario, no son mártires o suicidas, sino víctimas de un delito contra la vida. Pero por muy elementales que sean los intereses, éstos no fundamentan derechos más que pagando el precio de la falacia de la deducción de un deber ser de un ser, es decir, que no los fundamentan en absoluto. De modo adicional al elemento descriptivo, es necesario un elemento genuinamente normativo, dicho con mayor exactitud: un elemento de aquella moral que los seres humanos se deben recíprocamente. Y, de nuevo, este elemento debe tener validez intercultural. Si se prescinde de todo aquello que es específico de una determinada cultura, queda la reciprocidad conocida de la regla de oro, si bien, en este ámbito, en una forma elemental, relativamente trascendente:

Los derechos humanos están vinculados a los correspondientes deberes humanos; así, por ejemplo, el derecho al cuerpo y a la vida existe en la obligación de todos los demás de renunciar a su capacidad de violencia. Ahora bien, existe un derecho a una prestación en aquellos supuestos en los que ésta es llevada a cabo bajo el presupuesto de que se produzca la contraprestación correspondiente. Los derechos se justifican con base en un sinalagma: pars pro toto, en una permuta. En consecuencia, para justificar los derechos humanos en su condición de derechos subjetivos, ha de demostrarse una reciprocidad que caracterice al ser humano por el mero hecho de ser ser humano. Ésta concurre en aquellos casos en los que un interés irrenunciable sólo puede ser realizado en y mediante reciprocidad. En éste ámbito, en el que los intereses son irrenunciables y al mismo tiempo están vinculados a la reciprocidad, el carácter irrenunciable se transmite a la reciprocidad; la correspondiente permuta es, a su vez, irrenunciable. No es ya por el mero hecho de que todos los seres humanos tienen un interés (de rango superior) en su cuerpo y en la vida por lo que existe un derecho humano, sino sólo porque, por un lado, el interés sólo puede realizarse en reciprocidad, y porque, por otro, en el «sistema de la reciprocidad» todos ya requieren aquella prestación, la renuncia a la violencia de los demás, que sólo se lleva a cabo bajo la condición de la contraprestación.

Una ciencia del Derecho penal que reconoce este esquema de argumentación ayuda al legislador penal a superar los prejuicios culturales. En este sentido, la Ilustración y la emancipación han contribuido a ir «desescombrando» poco a poco el Derecho penal, eliminando de la lista

de los delitos, por ejemplo, el suicidio y la tentativa de suicidio, además,
la homosexualidad y la así llamada «conducta indecorosa entre prome-
tidos», ya antes la herejía, las injurias al soberano y la crítica al Estado.
Sin embargo, especialmente en lo que se refiere a los delitos contra la
integridad corporal y contra la vida y contra la propiedad no concurre en
su base un prejuicio cultural. Por el contrario, se trata de derechos con
rango de derechos humanos. Más allá de ello, se reconocen prácticamente en cualquier lugar, lo que constituye un argumento empírico contra un
relativismo jurídico extremo: no se conocen culturas jurídicas en las que
no se prevean delitos contra la vida o contra la propiedad.

El consenso intercultural incluso llega más lejos. En las disposiciones
exactas sí hay peculiaridades; pero las clases habituales de delitos en la
actualidad aparecen prácticamente en todas las culturas: aparte de los
delitos contra la vida y contra la propiedad, también acciones punibles
contra el honor, los delitos sexuales, los de incendios, las falsificaciones
de medidas, pesos y de dinero, las falsedades documentales etc. Y con
base en ese consenso amplio, los profetas judíos de la Antigüedad, como,
por ejemplo, *Amos* (1,3-2,8), *Isaías* (13-23), *Jeremías* (46-51) y *Jonás* (1,1,
y s. y 3), no tienen dificultades a la hora de formular reproches no sólo
a su propio pueblo, sino también a pueblos ajenos; pues invocan crímenes y delitos generales de la humanidad. Respecto de éstos, el griego
Aristóteles crea una lista de dos veces siete delitos. Probablemente era
reconocida por todas las culturas de aquel momento, y, si se excluyen el
adulterio, el celestinaje y la distracción de esclavos, probablemente sea
válida hasta el día de hoy[36]. Y por mencionar la tercera de las culturas
generadoras de más repercusiones en el ámbito mediterráneo: en el
Derecho penal romano, el «concepto de delito... no está vinculado al
ciudadano [...], sino al ser humano»[37].

---

[36] ARISTÓTELES (nota 2), *Nikomachische Ethik*, libro V, capítulo 5, p. 1131a, líneas 6-
9: se consideran delitos «ocultos» el hurto, el adulterio, el uso de veneno, el
celestinaje, la distracción de esclavos, el asesinato alevoso y el falso testimonio;
siendo delitos «violentos» el maltrato, la privación de libertad, el homicidio, el
robo, la mutilación, las injurias y el insulto (cfr. también la traducción de la ética
nicomaqueíca de Olof Gigon, Zürich, 1951).

[37] Theodor MOMMSEN, *Römisches Strafrecht*, Leipzig, 1899, p. 119.

La sospecha de la concurrencia de prejuicios culturales, que se plantea sobre todo en lo que se refiere a los delitos contra el patrimonio puede ser desvirtuada con un experimento mental. No se confirma el orden patrimonial existente —en este sentido, cabe imaginar alternativas—, pero sí el derecho a que la propiedad sea protegida: imaginémonos un ladrón piadoso, un Robin Hood ideal, que pro principio sólo roba a los ricos y que, igualmente por principio, reparta su botín sólo entre los pobres. Aquí, de nuevo, no sólo han de reiterarse las objeciones a la justicia privada, en el sentido de que el ladrón ideal no se conduce de un modo estrictamente imparcial ni contra los ricos ni contra los pobres. Su conducta, convertida en regla, además es contradictorio en sí misma. Pues ésta impone a las víctimas del robo aquello que Robin Hood no desea ni para sí mismo —mientras el botín está sin repartir— ni para los pobres —en cuanto poseen el botín—. Si no sucede que primero Robin Hood, y después los pobres, pueden estar seguros de su botín, fracasa la obra vital de Robin Hood. Formulándolo en positivo, la redistribución del patrimonio sólo es imaginable bajo el presupuesto de la existencia de una protección del patrimonio.

Contra la tesis de la validez intercultural se impone otra objeción: la consideración de que forman parte del Derecho penal, incluso del núcleo de éste, delitos que —como la falsificación de dinero, de medidas, pesos y la falsedad documental— no conocen correspondencia en el ámbito de los derechos humanos. La contestación a esa objeción distingue entre una relación directa y una relación indirecta, mediata, con los derechos humanos, precisando mediante esta distinción nuestra estrategia de legitimación: la protección de derechos humanos del Derecho penal, o bien se refiere de modo inmediato a los derechos humanos, o bien de modo mediato: a través de instrumentos auxiliares de los derechos humanos. Tanto si se refieren el dinero, las medidas y pesos, o los documentos, a la propiedad, como al mundo de la economía como elemento irrenunciable de la naturaleza social —sirven a una causa con rango de derechos humanos. En este sentido, las infracciones penales mencionadas sólo muestran una relación mediata hacia los derechos humanos. En consecuencia, el Derecho penal no prohíbe renunciar a esos instrumentos. Quien vive sin hacer uso alguno de dinero, sin pesos y sin documentos, no comete un delito, pero sí quien, una vez que hace uso de ellos, los usa en un sentido que produce grave daño a la propiedad, o, en su caso, al mundo de la economía.

Más allá de esto, la legitimación en el plano de los derechos humanos capacita al Derecho penal para un Derecho penal mundial (tridimensional): si tanto su *ius puniendi* como sus delitos tienen validez general para la especie humana, la Administración de Justicia puede lícitamente dirigirse contra seres humanos de cualquier cultura[38].

V. CONTRA LA JUSTICIA PRIVADA

Una ulterior cuestión del proto-Derecho penal —«¿a quién corresponde el *ius puniendi?*»— parece ser ajena a la ciencia del Derecho penal. Pues la respuesta «el *ius puniendi* corresponde a un poder público» parece indiscutida. De hecho, la idea de que la facultad de penar corresponde sólo a un tercero no implicado, y, al mismo tiempo, autorizado previamente, a una instancia pública, sólo es puesta en duda por aquellas culturas arcaicas, muy tempranas, que practican una justicia privada, en los delitos capitales, la venganza de sangre. Si bien esta *praxis* en la actualidad ha desaparecido en gran medida, el tema es irrenunciable para un proto-Derecho penal sistemático. Ciertamente, parece pertenecer a la teoría general del Derecho y del Estado, a su justificación de los poderes públicos y su concepto, el Estado. Sin embargo, son dos las razones por las que la cuestión no es irrelevante para la ciencia del Derecho penal:

Por un lado, ha de fundamentarse la tercera dimensión del Derecho penal mundial, la responsabilidad cosmopolita: que una punición legítima de delitos contra la humanidad no corresponde a las «partes», a los afectados o Estados, sino sólo a un tercero no implicado y autorizado. Por otro lado, los tribunales arbitrales obtienen, tanto en el marco nacional como en el internacional, cada vez más peso. Cabe reconocer la razón de que esto sea así: los tribunales arbitrales suelen tener procedimientos más cortos, costas menores, menor publicidad y mayor flexibilidad. Y en el ámbito internacional, además resultan atractivos porque restringen en menor medida la soberanía de los Estados. Pues los Estados influyen en

---

[38]   Respecto de un Derecho penal mundial, cfr. también HÖFFE (nota 10), *Demokratie*, capítulo 13.4.

la designación de los jueces, en la competencia del tribunal y en las bases de decisión. En consecuencia, se impone también respecto de la Administración de Justicia penal la cuestión de si no sería adecuado descargarla considerablemente de tareas a través de tribunales arbitrales, tanto en el Derecho penal nacional como en el Derecho penal mundial (cosmopolita). Una ciencia del Derecho penal «sensible a su tiempo» no debe sustraerse a esta cuestión: ¿puede el Estado ceder la Administración de Justicia penal, o sólo debe existir una competencia de punición — exclusivamente— pública?

En la justicia privada, la víctima o su representante privado, un miembro de la familia en sentido estricto o de su grupo familiar (Sippe), intentan retribuir el injusto sufrido por sus propios medios: son ellos mismos quienes formulan la acusación, pronuncian ellos mismos el fallo y lo ejecutan ellos mismos, sea en la persona del autor o en la de su representante privado, un miembro de la familia en sentido estricto o de su grupo familiar.

Sólo entre paréntesis: en su novela «Vom Wasser», John v. Düffel hace aparecer a un hombre lisiado, quien quiere ser pintor, pero que por razones familiares debe asumir el rol de un fabricante, y vive ese sacrificio, y, al mismo tiempo, «los daños y las lesiones que fueron impuestos al lisiado» como algo injusto. «Y ese injusto requería venganza, una venganza destructiva y ciega, a la que no importaba en absoluto si alcanzaba a los culpables de ese injusto, sino que sólo y exclusivamente confiaba en el odio y en el desprecio por todos los que se le opusieran. Y tan poco como le importaba la culpabilidad de sus víctimas, tan poco se preocupaba por la culpabilidad que asumía con su furor de destrucción»[39].

Hay argumentos importantes en contra de lo anterior que resultan palmarios: la justicia privada, al dirigirse contra representantes o sustitutos del autor, infringe el principio de culpabilidad. Ahora bien, la punición en representación no forma parte del concepto de justicia privada, de modo que podría ser excluida de ésta. Pero, entonces, se plantea, en segundo lugar, el problema de la venganza de sangre: el problema de que

---

[39]   John v. DÜFFEL, Vom Wasser, Köln, 1988, p. 112.

en aquellos casos en los que no debe quedar sin castigo ninguna muerte violenta, amenaza una cadena infinita de retribución. Ciertamente, puede ser interrumpida mediante el pago del precio del hombre (Wergeld), transversal a dos grupos familiares, es decir, mediante un precio de sangre o expiación pagado al grupo familiar de la víctima (wer significa «hombre» en alemán antiguo). Pero entonces aparece, en tercer lugar, aún el problema de la Orestiada: quien mata a la inductora de un asesinato del esposo, mata a su madre, de modo que en un injusto prácticamente imposible resulta imposible el Wergeld. En consecuencia, el autor sólo puede ser perseguido por las Erinnyas o Furias, hablando en términos secularizados: por remordimientos de conciencia. Sin embargo, el hecho de que en los delitos más graves desaparezca la «justicia privada social» habitual, quedando tan sólo una «justicia privada interna», supone un trato desigual. Ésta sólo desaparece cuando se crea una instancia social que ya no sea idéntica con la víctima o con su grupo familiar, un tercero independiente de autor y víctima. Por consiguiente, uno de los elementos centrales de la justicia penal, el trato igualitario, exige una justicia social, pero ya no privada, es decir, una justicia pública.

Ahora bien, se podría dejar de lado el problema de la Orestiada como caso particular. Pero aún entonces se impone, en cuarto lugar, una objeción central contra la justicia privada: el riesgo de una reacción precipitada y el riesgo de una reacción desproporcionada. Puesto que el agente puede estar llevado por pasiones, o al menos afectado en su juicio por ellas, está amenazada la condición mínima de cualquier Derecho justo, la independencia. La perspectiva de parte, incluso, debe temerse en los tres elementos: en la acusación, en el fallo y en la ejecución. En la justicia privada, ni han de probarse sin asomo de duda el hecho y la culpabilidad, ni es necesario que se determine exactamente la gravedad del delito, ni pronunciada la pena de acuerdo con ésta, ni ejecutada la pena de manera proporcionada. Por el contrario, se reacciona con frecuencia, impulsado por venganza y sentimientos de odio, contra inocentes, y contra los culpables en exceso.

Contra la primera reacción errónea, la pena absolutamente errónea (se castiga a quien no fue), y la segunda, la pena relativamente errónea (se castiga erróneamente) hablan dos argumentos completamente distintos desde el punto de vista normativo. Por un lado, el sujeto castigado sólo en el caso de una pena errónea no podrá reconocer la pena, pues es una víctima de un injusto que clama por retribución. En consecuencia, amenaza con desatarse aquel incendio generalizado de violencia que se conoce de las culturas arcaicas que muchos consideran un argumento en contra decisivo. Se trata de un argumento de naturaleza teleológica, más exactamente, de sociopragmático o utilitarista; invoca el bienestar colectivo. Por otro lado, de modo independiente de lo anterior, existe una objeción genuinamente moral: en caso de faltar la objetividad, la condición de estar por encima de las partes, la iustitia privata se convierte en iniustitia; vulnera los dos imperativos categóricos de la justicia penal: cuando se infringe la retribución general, se impone una pena absolutamente errónea, cuando se vulnera la retribución especial, se impone una pena relativamente errónea. En ambos casos se descalifica la facultad de punir incluso aunque no afecte al bien colectivo, o incluso lo fomente. El argumento sociopragmático contra la justicia privada dice: incendio en cadena de violencia, el argumento moral: incendio en cadena del injusto.

Examinaremos la cuestión de si con ello se han identificado los argumentos contrarios esenciales con un experimento mental: imaginemos que el titular de la justicia privada domina sus pasiones y dispone de la virtud capital aquí aplicable, la sophrôsynê: buen juicio o sentido de la medida. En tal caso, él mismo se procurará objetividad. ¿Sería legítima tal «justicia privada ideal, en su caso, realizada mediante un tribunal arbitral que media entre autores y víctimas? Una respuesta previa y parcial sería: una justicia privada ideal ya no es verdaderamente privada; en aquellos casos en los que la víctima y los suyos son capaces, tanto emocional como cognitivamente, de salir de su rol de víctimas y asumir el de un tercero neutral, y si no reaccionan ni de modo precipitado ni desproporcionado, ya se está en camino hacia la justicia pública. Y puesto que en la justicia privada ideal —en el marco de lo humanamente posible— no hay pena errónea, ambos riesgos son neutralizados, el del incendio en cadena del injusto y el del incendio en cadena de la violencia.

Quien no exija nada más, ya en el plano conceptual ha de identificar la justicia privada ideal con la justicia pública: la justicia pública sólo será para él un representante, aunque sea un representante o sustituto necesario, puesto que la justicia privada real sigue estando amenazada por la falta de objetividad. Como aprecia el genealogo de la moral, también de la moral penal, *Friedrich Nietzsche*, la comunidad protege cuidadosamente al malhechor contra la ira sin freno de los lesionados[40]. También se preocupa de lo que es el sentido originario de la proposición *fiat iustitia pereat mundus*, sólo denostada por los que no la conocen. No significa, como lo traduce *Lutero*, «que suceda lo que es justo, aunque tenga que perecer el mundo por ello»[41], sino como traduce *Kant*: «...aunque los infractores en el mundo perezcan en su conjunto por ello»[42]. Pues la proposición exige no excluir en la justicia penal al *mundus*, lo que aquí significa, los poderosos de la tierra[43]. Entonces, ¿habla en contra de la justicia privada sólo el conocido argumento favorable a la existencia de las instituciones, a saber: puesto que no se puede confiar en la moral personal, es mejor confiar en elementos independientes de ésta, en las instituciones, las leyes y los procedimientos?

La justicia pública sólo sería un mero sustitutivo si ya la víctima tuviera un *ius puniendi* y cediera esa facultad a un tercero tan sólo por la razón de que, en cuanto víctima, tiende a la pena errónea. En contra de ello habla un argumento que, de momento, sólo soy capaz de formular intuitivamente: del derecho de segundo orden de defender los derechos de primer orden forma parte, ciertamente, cuando estos derechos son vulnerados, un derecho a la reparación, por ejemplo, en el caso de los daños en las cosas, un derecho a ser indemnizado. (El cometido de la reparación, dicho sea de paso, merece aún más atención por parte de la ciencia del Derecho penal). Ahora, en la medida en que la justicia pública prohíbe cualquier justicia privada, tiene el deber —en el sentido de justicia correctora— de defender el derecho a la reparación de la

---

40 Nietzsche (nota 23), pp. 308 y s.
41 Martin Luther, «Predigt vom 10. Mai 1535», en: *Werke*, tomo 41, Weimar, 1910, p. 138.
42 Kant (nota 3), tomo VIII, p. 378.
43 *Adriano VI*, educador del posterior emperador *Carlos V*, según se dice, rechazó con esta máxima archivar un procedimiento contra un asesino de alto rango (según Marino Sanito, *I Diarii 33*, Venezia, 1892 [redactado a principios del S. XVI]. Aquí según Detlef Liebs, *Lateinische Rechtsregeln und Rechtssprichwörter*, 2ª edición, München, 1982, pp. 73 y s.); *Fernando I*, educado por *Adriano VI*, eligió esta máxima como lema personal (J. Maulius, *Locorum communicum collectanea*, Bassel, 1562, p. 290).

víctima y de procurar, en la medida de lo posible, por sí misma la reparación. Este deber, según parece, no sólo es descuidado por la justicia penal, sino también por las ciencias penales[44]; en este ámbito es necesario recuperar terreno. La pena —que alguien sufre por haber hecho «sufrir» a otros—, sin embargo, es otra cosa. Al menos tiene un valor añadido que no corresponde a la víctima; tampoco una víctima razonable tiene derecho a juzgar al autor.

Si esta intuición es adecuada, también la víctima ideal —por ser estrictamente objetiva— comete un injusto en cuanto pena. A título de reparación, la justicia privada es perfectamente legítima, y sólo por el riesgo de falta de objetividad debe ser relevada por una justicia pública; pero la justicia privada no tiene derecho a penar. La pena legítima, desde el punto de vista de la legitimación, no es una justicia privada a título de representación, razón por la cual en este ámbito ni siquiera la justicia privada ideal no está en condición de extinguir el incendio en cadena del injusto. Pues quien «sufre» algo más que mera reparación, quien sufre además una pena, soporta en el valor añadido un injusto. Para evitar ese injusto, la pena no corresponde a la víctima ideal, sino sólo a un tercero genuino.

En caso de resultar confirmada, esta intuición probablemente tenga dos consecuencias jurídico-penales: por un lado, el más-que-reparación confirma la «presunción de inocencia delictiva»: el que el penar sólo está justificado en pocos supuestos, especialmente graves, de injusto, en el caso del «injusto máximo». Y puesto que la satisfacción de la víctima se produce a través de la reparación, la víctima no tiene una voz especial a la hora de determinar lo que es un «injusto máximo»; esto compete en exclusiva a la comunidad.

Por otro lado, en lo que se refiere a ese injusto, si una víctima perdona al autor, exonerándolo incluso del deber de reparación, ello no elimina

---

[44]   Ha sido sólo la introducción del nuevo § 46 en el Código penal alemán, por medio de la «Ley de lucha contra el delito» entrada en vigor el 1.12.1994, la que ha anclado —al menos, de modo rudimentario— la reparación. Cfr. respecto de esta temática: Jürgen SCHRECKLING et al. (ed.), *Bestandsaufnahme zur Praxis des Täter-Opfer-Ausgleichs in der BRD*, Bonn, 1991; Hans-Jürgen KERNER et al. (ed.), *Täter-Opfer-Ausgleich - auf dem Weg zur bundesweiten Anwendung?*, Bonn, 1994.

el merecimiento de pena: lo que no corresponde a la víctima no puede ser objeto de renuncia por ella. (En todo caso, no debe haber presión social hacia el perdón. Y la experiencia nos enseña que la víctima de un hecho violento, especialmente de una violación, se recupera más rápidamente si se declara «culpable» al autor y se le castiga). Por consiguiente, el perdón no exonera de pena, ni siquiera la atenúa. Tampoco la «justicia pública», en la medida en que no sólo se ocupa de mera reparación, sino también del penar genuino, puede perdonar, indultar. Pues respecto del valor añadido a la reparación, la pena, el «perdón privado» no tiene influencia. Y por razones de la justicia penal, la Administración de Justicia no debe tratar de modo diverso los autores, es decir, no puede practicar un «perdón público».

VI. UNA UTOPÍA

La justicia penal no admite un indulto particular, con excepción de la gracia correctora y de la gracia que se adelanta a la ley. Pero quizás sí permita una medida de gracia más general, quizás incluso universal. Encontramos en un filósofo, en Friedrich *Nietzsche*, pocos años después de la famosa obra de Enrico *Ferri*[45], y aún antes de la de Cesare *Lombroso*[46], y, desde luego, mucho antes de Arno *Plack*[47] y Helmut *Ostermeyer*[48] una suposición que uno no se espera en el duro crítico del cristianismo y del amor al prójimo: «No sería impensable una *conciencia de poder* de la sociedad, en la que podría darse el lujo más selecto que hay para ella - dejar *impune* a quien la lesionó»[49].

---

[45] Enrico FERRI, *I nuovi orizzonti del diritto e della procedura penale*, Bologna, 1881.

[46] Cesare LOMBROSO, *L'uomo delinquente: in rapporto all'antropologia, alla giurisprudenza ed alle discipline carcerarie*, tres tomos, Torino, 1889-1896; versión alemana: *Der Verbrecher (homo delinquens) in anthropologischer, ärztlicher und juristischer Beziehung*, dos tomos, Hamburg, 1894.

[47] Arno PLACK, *Plädoyer für die Abschaffung des Strafrechts*, München, 1974.

[48] Helmut OSTERMEYER, *Die bestrafte Gesellschaft*, München, 1975.

[49] NIETZSCHE (nota 23), p. 309.

Nietzsche no entra en los argumentos conocidos en favor de la abolición del Derecho penal. Ni ve que desaparezca el presupuesto del Derecho penal, la capacidad de culpabilidad de un ser humano, ni imputa al
Derecho penal motivaciones tan reprochables como la venganza o el
pensamiento del chivo expiatorio. *Nietzsche* considera que la pena es
perfectamente justa y rechaza vehementemente cualquier intento de
buscar «el origen de la justicia» en la base «del resentimiento»: «como
si la justicia no fuera más, en el fondo, que un desarrollo del sentimiento
de haber sido lesionado». Por el contrario, como paso previo al indulto
defiende un incremento de la descriminalización: «Conforme va creciendo su poder, una comunidad ya no da tanta importancia como antes a las
faltas de los individuos, ya que ya no le pueden parecer peligrosas y
subversivas en la misma medida que antes para la existencia del todo».
Y prosigue: «Cuando crece el poder y la seguridad en sí misma de una
comunidad, siempre se atempera también el Derecho penal»[50].

La extrapolación superlativa, la abolición de la pena, la caracteriza
como «autoabolición de la justicia: se sabe cuál es el bello nombre que
se le aplica - *clemencia*». Quien sienta que se le recuerdan pensamientos
cristianos, sufre al final del texto una desilusión. Para *Nietzsche*, la gracia
sigue siendo «como resulta evidente, el privilegio del poderoso»[51].

El proto-Derecho penal no tiene por qué ponerse de lado de *Nietzsche*,
pero debería prestar atención a su intuición de que aquellas comunidades
especialmente seguras de sí mismas pueden pensar en una abolición del
Derecho penal. La utopía sí tiene un lado que se aproxima a la moderna
ciencia del Derecho penal, «hambrienta de experiencia»: debe tenerse
en cuenta la sociedad real. En lugar de recrearse en reproches moralizantes
genéricos, debe reflexionarse acerca de cuál debería ser el aspecto de una
sociedad que «pudiera permitirse el lujo más selecto». Además, debe
pensarse en cómo se produce a sí misma una sociedad de esas características. Por otro lado, la utopía provoca una interesante consideración
normativa: que una comunidad tiene el derecho de punir y, a pesar de
ello, podría renunciar a ese derecho en el sentido de una gracia universal.

---

[50] NIETZSCHE (nota 23), pp. 308 y s.
[51] NIETZSCHE (nota 23), p. 309.

Sin embargo, no debe omitirse la última afirmación de Nietzsche: que la correspondiente gracia supone un «más allá del Derecho»[52]*.*

VII. JUSTICIA PROCEDIMENTAL INCOMPLETA

También hay principios con rango de derechos humanos respecto del procedimiento penal. El proto-Derecho penal no omite este tema, pero la ciencia del Derecho penal no debe esperar muchos elementos nuevos en este ámbito: el derecho humano probablemente más importante para el proceso penal es la otra cara del principio (modesto) de culpabilidad, la presunción de inocencia. La circunstancia de que la encontremos ya en la declaración francesa de los derechos del hombre de 1789 —como artículo 9: «tout homme étant présumé innocent»— no la desenmascara ya como una conquista exclusivamente perteneciente a la época moderna europea. Por el contrario, la regla de la carga de la prueba aplicable, el principio in dubio pro reo, forma parte de la herencia de justicia de la humanidad, y probablemente viene siendo reconocida desde que hay Derecho procesal penal. Sólo en culturas muy arcaicas, e incluso en este caso, no de modo generalizado, sino sólo en el caso de los procesos por sacrilegio, la carga de la prueba está del lado del presunto sacrílego. Sin embargo, el superar aquellos tiempos supone un progreso que cabe exigir a cualquier cultura jurídica.

¿Por qué los procedimientos, si existen en todos los ámbitos, tienen un peso especial en el procedimiento penal? La razón de ello se encuentra tanto en el carácter de ultima ratio de la pena estatal como en la clase del procedimiento correspondiente. El segundo punto de vista mencionado es infravalorado incluso por parte de teorías destacadas, así, por ejemplo, en la teoría sociológica conocida del primer Luhmann, la «legitimación por el procedimiento»[53]*. Pues no tiene en cuenta que existen tres clases completamente distintas, a las que corresponden tres tipos de justicia*

---

[52]   NIETZSCHE (nota 23), p. 309.
[53]   Niklas LUHMANN, *Legitimation durch Verfahren*, Neuwied, 1969 (2ª edición, 1975; libro de bolsillo, Frankfurt a. M., 1983), *Teil II. Gerichtsverfahren.*

procedimental completamente distintas: la justicia procedimental perfec-
ta, la pura y la imperfecta[54].

La justicia procedimental perfecta se define a través de un criterio
independiente para el resultado justo —por ejemplo, la división igualitaria
de una tarta— y un procedimiento que prácticamente asegure el resul-
tado: quien parta la tarta recibirá el último pedazo. En el caso de la
justicia procedimental pura —por ejemplo, el juego— no existe un
criterio independiente, sino solamente un procedimiento, de modo que
la ejecución correcta eo ipso comporta un resultado justo. En ambos
casos, la legitimación por el procedimiento lo tiene fácil. Sin embargo,
ni en la justicia procedimental pura ni en la perfecta puede suceder lo
que amenaza en cualquier proceso penal: un error judicial. En la forma
pura, carece de sentido hablar de error, en la forma perfecta, éste se
impide por vía procedimental. Los procedimientos puros son, en cierto
sentido, «analíticamente legítimos o justos»; los procedimientos perfec-
tos son, en cambio, tan sólo «empíricamente legítimos o justos», pero, a
pesar de ello, no están amenazados de error.

Los procesos penales forman parte de aquella tercera clase, de los
procedimientos imperfectos, respecto de los cuales sí existe un criterio
independiente para el resultado justo, pero no existe procedimiento que
ni siquiera con cierta seguridad pueda producirlo. Una ciencia del Dere-
cho penal que apueste —desde luego, con buenas razones— por una
procedimentalización, no debe dejar de lado este punto: a causa del hiato
mencionado, el procedimiento correcto sólo aporta legalidad, no legiti-
midad. (Lo mismo resulta de aplicación a la reciente concepción proce-
dimental de la democracia de Habermas[55]: los procedimientos democrá-
ticos, por sí solos, sólo alcanzan legalidad; para llegar a la legitimidad,
son necesarios presupuestos no procedimentales, especialmente, los dere-
chos humanos, y la capacidad de la política de hacer justicia a esos
presupuestos a pesar de la existencia de una justicia procedimental in-
completa. Y en este ámbito, puede constatarse, desde luego, que hay

---

[54]   Cfr. John RAWLS, *Eine Theorie der Gerechtigkeit*, Frankfurt a. M., 1975 (versión
       original inglesa Cambridge [Mass.], 1971), § 14.

[55]   HABERMAS (nota 10). Para una teoría de la democracia no meramente procedimen-
       tal, cfr. HÖFFE (nota 10), *Demokratie*, especialmente los capítulos 2-4.

política «mejor» y «peor»). Por lo demás, hay otra razón para no sobre-
valorar la procedimentalización: que los procesos penales necesitan, tanto en el concepto de la imputación como en sus diferenciaciones, de
presupuestos no procedimentales. En todo caso, es indiscutido el valor
normativo propio de los procedimientos, en cuanto protección («ciuda-
dela») contra la falta de equidad.

El criterio del procedimiento es indiscutido: quien haya cometido el
injusto que se le reprocha es culpable, quien no lo haya cometido es
inocente. Por consiguiente, la presunción de inocencia es un principio
dominante, pero no de validez exclusiva. Si un proceso penal ya fuera
justo por el hecho de evitar que se condene a inocentes, sólo tendría que
evitar cualquier fallo condenatorio. Sin embargo, en realidad existe una
segunda clase de error judicial: que se declare inocente a un culpable. En
consecuencia, un proceso justo está vinculado a un doble cometido de
maximización, aunque al mismo tiempo a una prioridad: a pesar de que debe
condenar sólo a los culpables, y, en la medida de lo posible, a todos los
culpables, debe probar, de acuerdo con el derecho humano a la presunción
de inocencia, la culpabilidad de los culpables sin asomo de duda.

Debido a la «doble maximización», el perfeccionamiento del proceso
penal no debe favorecer sólo a la defensa. Y a consecuencia del carácter
imperfecto del procedimiento, cabe defender formas alternativas, de
modo que cabe esperar la existencia de diferencias jurídico-culturales, y
éstas son, además, legítimas. Incluso ante la alternativa entre procedimiento penal europeo continental y procedimiento penal angloamericano difícilmente podrá constatarse una superioridad clara. (De acuerdo
con los críticos del procedimiento estadounidense, sin embargo, ya es un
lugar común que un inocente será absuelto con mayor probabilidad en
Europa que en los EE.UU., mientras que, a la inversa, es más probable
que un sujeto culpable puede abandonar el tribunal como hombre libre
en los EE.UU. que en Europa. Pues, así se argumenta, se da más importancia a la confrontación —telegénica— entre acusador y defensor que
a la búsqueda de la verdad; y las posibilidades de manipulación del
proceso son infinitas[56].

---

[56]   A. POSNER, «Sentence first, verdict afterwards», Times Litterary Supplement del
       26.2.1999, pp. 9 y s. (recensión de William T. PIZZI, Trials without truth, New York,

A causa de la justicia procedimental incompleta hay pocas razones para conceder al acusado de otras culturas jurídicas un derecho a «su» tipo de procedimiento penal. Puesto que el cometido director de evitar ambos tipos de errores judiciales, pero sobre todo los del primer tipo, es interculturalmente idéntico, en este ámbito, por el contrario, una cultura jurídico-penal puede aprender de las demás. Pues «nada en el mundo interesa tanto a la raza humana» —esto lo sabía ya Montesquieu— «que los conocimientos seguros acerca de las directrices más seguras para las sentencias penales que se han alcanzado en algunos países»[57]. Y debido a la justicia procedimental incompleta, ni un ordenamiento procesal, ni sus «principios intermedios» en los que se intenta operativizar el principio procesal rector, son fines en sí mismos que impidieran cualquier mejora. Ahora bien, las cuestiones relacionadas con la eficiencia siempre deben dar paso al cometido de la justicia penal y de su doble maximización.

VIII. COMETIDOS PÚBLICOS

En lo que se refiere al interés de conocimiento, la filosofía del Derecho y del Estado coincide con la ciencia del Derecho penal. Ambas disciplinas no pertenecen a las ciencias teóricas, que, como es el caso de las matemáticas puras, de la astrofísica o de la ontología, se practican por el mero conocimiento en sí, ni de las ciencias técnicas, que, como es el caso de las ciencias de ingeniería o de la medicina, ayudan a producir o restablecer algo. Son ciencias prácticas que buscan aclarar su objeto, mejorándolo mediante esta ilustración. En este sentido, al menos dos

---

1999; Kate STITH/José A. CABRANES, *Fear of Judging*, Chicago, 1998). Por lo demás, la experiencia en tribunales internacionales muestra una aproximación de los principios del procedimiento penal alemanes o europeos continentales a los del procedimiento penal angloamericano.

[57] Charles Louis de Secondat, Baron de MONTESQUIEU, *L'esprit des lois*, Génève, 1748 (versión alemana: *Vom Geist der Gesetze*, Stuttgart, 1965), libro XII, capítulo 2.). Respecto del Derecho comparado en materia procesal, vid. Gerhard MÜLLER, *Rechtsprechung im Vergleich der Länder Europas*, DRiZ 1993, pp. 381-387; Walter PERRON (ed.), *Die Beweisaufnahme im Strafverfahrensrecht des Auslands*, Freiburg, 1995.

*reformas del Derecho penal en Alemania se deben a profesores de
Derecho penal. Una de las primeras codificaciones «modernas», que al
mismo tiempo fue un ejemplo para el Derecho penal de casi todo el S.
XIX, el Código penal de 1813, fue redactado por Paul Johann Anselm von
Feuerbach*[58]*. Y la ya mencionada reforma de ciertas dimensiones después
de la segunda guerra mundial, la segunda Ley de reforma del Derecho
penal de 1975, fue inspirada de modo esencial por el grupo de trabajo del
llamado Proyecto alternativo*[59]*.*

*En cambio, en los últimos años, ciertamente, he visto que existe un
Comentario alternativo a la legislación penal*[60]*. Pero en la reforma
parcial del año 1998, que no resultó marginal, la 6ª Ley de Reforma del
Derecho penal, los profesores de Derecho penal no participaron de modo
esencial. De acuerdo con mi percepción ni siquiera ilustran de modo
suficiente a la opinión pública: ni al soberano democrático, a nosotros,
los ciudadanos, ni a nuestros representantes, el legislador. Si se me
permite partir de mi caso, muy mal espectador de televisión, pero atento
lector de los periódicos, no he sabido de los preparativos por los medios
de comunicación, sino sólo a través de un comentario casual de un
colega. Como ciudadano, me hubiera gustado tener noticia antes de ello:
qué es lo que planea el Ministerio de Justicia, y por qué; si los planes, al
ser racionales, merecen nuestra aprobación; si las modificaciones racio-*

---

[58]   Cfr. Gustav RADBRUCH, *P. J. A. Feuerbach. Ein Juristenleben*, Wien, 1934 (3ª
        edición, 1969; tomo 6 de las obras completas de RADBRUCH). Cfr. Paul Johann
        Anselm VON FEUERBACH, *Revision der Grundsätze und Grundbegriffe des positiven
        peinlichen Rechts*, en dos partes, Erfurt, 1799 y Chemnitz, 1800, reimpresión, Aalen,
        1966; idem, *Lehrbuch des gemeinen in Deutschland gültigen peinlichen Rechts*, Gießen,
        1802 (14ª edición, 1847), reimpresión, Aalen, 1973. Cfr., además: Otto ZWENGEL,
        *Paul Johann Anselm Fuerbachs Leben und Wirken: Insbesondere seine Staats- und
        Strafrechtsauffassung auf naturrechtlicher Grundlage*, Niederlauken, 1965.

[59]   Cfr. al respecto Claus ROXIN, *Strafrecht. Allgemeiner Teil*, tomo I, 3ª edición,
        München, 1997, pp. 70 y ss.

[60]   *Reihe Alternativkommentare*, ed. a cargo de Rudolf WASSERMANN; en ese marco,
        Kommentar zum Strafgesetzbuch, tomo 3, Neuwied, 1986; tomo 1, Neuwied, 1990;
        así como Ulfried NEUMANN/Ingeborg PUPPE/Wolfgang SCHILD (responsable de la
        edición), *Nomos Kommentar zum Strafgesetzbuch*, dos tomos, Baden Baden, a partir
        de 1995.

nales se deben al discurso con profesores de Derecho penal, a su sensibilidad frente a nuevos problemas y a su capacidad para encontrar
soluciones conceptual-argumentativas; o si, por el contrario, procede
formular críticas y éstas no sólo se basan en argumentos internos a la
disciplina, sino también —como supongo— político-criminales. Incluso
las críticas prudentes afirman que la Ley pretendía eliminar determinados
puntos débiles, pero que, al haber sido redactada de modo precipitado, ha
creado más problemas nuevos que los antiguos que ha eliminado. Si la
crítica estuviera justificada, a la ciencia del Derecho penal se le plantea
la tarea de proteger al Derecho penal frente a una legislación precipitada.
Precisamente porque el Derecho penal afecta a bienes jurídicos fundamentales, las modificaciones deben discutirse directamente con los miembros del ordenamiento afectados, es decir, con nosotros, los ciudadanos,
y deben ser explicados también directamente.

Ciertamente, en las revistas de la especialidad se discute: acerca de
una creciente neocriminalización en la Ley penal, acerca de una simplificación de los procedimientos y de los presupuestos, sobre una nueva
concepción del homicidio a petición. Sin embargo, en democracia, éste
y otros temas deben introducirse en el discurso público. Así como lo
hacen los profesores de Derecho del Estado y —aunque de otro modo—
los economistas, los profesores de Derecho penal deberían también inmiscuirse, si bien no modo político, sino modo scientífico. Para ello, los
medios de comunicación deben brindar su ayuda, concretamente, man-
teniéndose abiertos para estos temas, a veces, abriéndose para ellos. Y
respecto de algunos temas, como, por ejemplo, la violación dentro del
matrimonio, o la interrupción del embarazo, se discute mucho en la
opinión pública. De esa actividad de inmiscuirse científicamente forma
parte también la información acerca de un eventual nuevo entendimiento de conceptos básicos como la culpabilidad o la imputación, además,
la ilustración acerca de que los nuevos riesgos (por ejemplo, respecto de
la protección de los datos informáticos o del medio ambiente) exigen
nuevas respuestas, pero no necesariamente una nueva criminalización.
En este ámbito y en otros ha de buscarse la confrontación con una
opinión pública que en muchos casos, al principio, resulta ingenua.

Una segunda modesta pregunta: ¿he percibido correctamente que
respecto del conflicto de Kosovo, aparte de políticos y escritores, han
tomado la palabra numerosos especialistas en Derecho internacional

público, politólogos y filósofos, pero apenas profesores de Derecho penal? A mí, en todo caso, me hubiera interesado la cuestión de si en Yugoslavia se infringieron prohibiciones de validez intercultural, quizás incluso el Derecho yugoslavo vigente. El hecho de que un tribunal internacional haya formulado acusación parece hablar en favor de ello. En todo caso, un discurso jurídico-penal en la opinión pública, y aunque sólo se refiriera a la dificultad de una valoración jurídico-penal, hubiera aportado más claridad.

Una tercera cuestión: ¿en qué medida colaboran los profesores de Derecho penal alemanes en la preparación científica de un Derecho penal mundial en sus tres dimensiones: en la Administración de Justicia nacional y transfronteriza, finalmente, en aquel Derecho penal mundial cosmopolita respecto del cual la responsabilidad está en la comunidad de pueblos o en la humanidad? Pertenecen a esta cuestión tanto el tema «delitos de lesa humanidad» como la exigencia de liberalización frente a culturas jurídico-penales que, en el aspecto delictivo, prevén, por ejemplo, la apostasía, o que en el proceso penal vulneran el principio «sólo con base en pruebas concluyentes» o que aún prevén penas corporales, o —como es incluso el caso de un «Estado amigo»— la pena de muerte.

Mi cuarta pregunta es una cuestión previa: ¿la ciencia alemana del Derecho penal ya ha entrado de modo suficiente en discursos inter- y transculturales? Y si, en este ámbito o respecto de otras cuestiones, se desea la cooperación (crítica) de los filósofos, pero ésta falta aún, quisiera estimularles: provóquenles. Puesto que la filosofía mantiene ya cooperación con muchas ciencias, no me puedo imaginar que concurra un rechazo de principio.

Permítanme, para finalizar, plantear la cuestión de si la ciencia del Derecho penal, centrada en las discusiones conceptuales y la agudeza de sus argumentos, ha perdido algo de su idiosincrasia como ciencia práctica. En cuanto colega y ciudadano espero que me respondan de modo convincente: no.

La ciencia alemana del Derecho penal debe aprender a hablar
(Comentario)*

HERIBERT PRANTL
München

Querido profesor *Otfried Höffe*, cuando le he escuchado a Vd., he adquirido verdadera conciencia de mis propios déficit. Pues he de reconocer que interrumpí mis estudios de filosofía con el profesor *Kuttschera* en el segundo semestre por imposibilidad subjetiva. Pero, en última instancia, esa incapacidad me ha conducido a la situación de ser invitado aquí hoy, como dicen los organizadores, a título de «representante de la opinión pública». Intervenir con esa pretensión —«yo soy la opinión pública»— por supuesto, es pura presunción. Pero diré en mi disculpa: a ese trono me han subido los organizadores.

Ahora debería preguntar si es que existe esa opinión pública —pues es muy posible que no exista la opinión pública, sino muchas opiniones públicas: la opinión pública tal y como es creada por el *Süddeutsche Zeitung* o el *Frankfurter Allgemeine Zeitung*, la opinión pública del *Bild-Zeitung*, la opinión pública de *RTL 2* o la de *ARD***. ¿Es la opinión

---

*   Traducción de Manuel Cancio Meliá.

**   *Süddeutsche Zeitung* y *Frankfurter Allgemeine Zeitung* son periódicos supraregionales de prestigio (orientación política, respectivamente: centro-izquierda y derecha); *Bild-Zeitung* es un diario —el de mayor difusión en Alemania— de prensa amarilla; *RTL 2* (Radio Televisión Luxemburg 2) es una cadena de televisión de titularidad privada de bajo nivel; *ARD* (Arbeitsgemeinschaft der Rundfunkanstalten Deutschlands) es el primer canal de la televisión pública alemana, formada por una asociación de las diversas instituciones públicas de radiodifusión de los Estados federados alemanes (n. del t.).

pública sólo lo que pone en el periódico, lo que se programa en la radio y en la televisión? En este ámbito, los periodistas tienen una valoración de sí mismos considerablemente alta. Cuando acompañan al ministro a Moscú, a veces le dicen: si nosotros no escribimos nada, Vd. no estuvo. Es eso correcto: ¿lo que no pone en los periódicos, lo que no aparece en televisor, eso no está en el mundo? En consecuencia: habría y hay muchas diferenciaciones que hacer. Seré breve y entiendo mi posición aquí como representante de la opinión publicada, esto es, de los comentaristas y editiorialistas —y eso sigue siendo bastante amplio.

Debo reflexionar acerca de cuál es el papel que tiene la ciencia del Derecho penal en esta opinión pública. Para ello, no necesito agotar los quince minutos que están previstos para mí. Pues la respuesta es, en una brevedad brutal: «ninguno». Pero ésta es una respuesta periodística subrayada y simplificada, y esto no es una conferencia de redacción, sino un evento científico, y por ello puedo y debo explayarme algo más. Comencemos en otro lugar completamente distinto, comencemos con otra ciencia completamente distinta, que poco tiene que ver con el Derecho penal (menos cuando se trata de la criminalidad económica) — comencemos, entonces, con la ciencia de la economía, la economía pública. ¿Por qué? El economista es, en lo que se refiere a sus repercusiones públicas, justo lo opuesto del estudioso del Derecho penal. Todos conocen a los cinco sabios de la economía; nadie ha oído nunca nada, en cambio, de los cinco sabios del Derecho criminal. Es cierto que en las negociaciones entre verdes y socialdemócratas se habló de disponer que en el futuro las estadísticas de criminalidad fueran interpretadas por «sabios del Derecho penal». Pero ese proyecto, según lo que sé, no avanzó mucho.

Los economistas ya no se sienten como meros asesores de la política. Lo que más les gustaría sería redactar ellos mismos directamente las leyes; y esa es la actitud que adoptan —y la opinión pública les trata casi como si ya se hubiera llegado a ese punto. Hasta hace algún tiempo, las pretensiones de la ciencia económica eran casi retraídas— con buenas razones: la disciplina «economía», aún joven, tiene éxitos de pronóstico relativamente modestos; piénsese sólo, por ejemplo, en las predicciones de los llamados «institutos líderes de investigación». Estos expertos están a años luz de la exactitud propia de las ciencias de la naturaleza. Por ello, durante largo tiempo, los economistas se habían circunscrito a la idiosin-

crasia de que la economía es un punto de partida válido para explicar el comportamiento humano —pero no más. Después de que cayera el telón de acero y de que desapareciera el socialismo al menos como polo opuesto mental, la economía ha asumido una nueva cualidad— se ha convertido en la medida de todas las cosas, en la máxima instancia.

Mi colega, el periodista de economía *Hendrik Munsberg*, para ello ha citado al especialista en finanzas estadounidense *James M. Buchanan*, quien —de modo no completamente voluntario— ha demostrado a dónde conduce el puro liberalismo económico. *Buchanan*, premio Nobel de economía de 1986, en realidad pretendía demostrar que los seres humanos sólo por consideraciones económicas de modo necesario crean un Estado de Derecho y de libertades. El objetivo de conocimiento era la afirmación de que para ello no son necesarias consideraciones morales. Para fundamentar su tesis, Buchanan aducía un sencillo ejemplo: dos *Robinsones* viven en una isla, y ambos emplean sus escasos recursos exclusivamente para tres cosas: plantan patatas, roban al otro los frutos de su trabajo y se defienden contra las agresiones. Un día se dan cuenta de que sería más efectivo para ellos ahorrarse los esfuerzos dirigidos a los robos y la defensa e invertir los recursos así liberados también en el cultivo de las patatas. Por consiguientes, ambos hacen la paz, que confirman en un contrato. En ese momento, así la lógica de *Buchanan*, se ha creado la semilla para el Estado de Derecho y de libertades. Pero con razón los críticos se preguntan qué es lo que pasaría si la fuerza física estuviera repartida de modo desigual entre ambos intervinientes, es decir, si uno de los *Robinsones* tuviera una figura hercúlea y el otro fuera un enano. La respuesta parece clara: el más fuerte podría mandar al más débil al campo de patatas como esclavo. Para un *homo oeconomicus*, eso sería coherente —pero nadie diría que resultaría inobjetable desde el punto de vista del Estado de Derecho; y, con esto, casi hemos vuelto al Derecho penal.

Antes una constatación: la economía ha conseguido algo de lo que el Derecho penal está alejado años luz: juega un papel principal en las confrontaciones públicas, se ha convertido en parte de la política. Ahora bien: la economía ha llevado a cabo ese proceso en exceso. Los economistas ya no se limitan a mostrar caminos mediante los cuales puedan ser empleados medios escasos para fines sociales que compiten por ellos —ya de paso fijan también qué fines son importantes y cuáles no. Pero esto *es asunto de la política y sólo de la política. Por lo tanto, la economía es un ejemplo estimulante y poco recomendable, al mismo tiempo: muestra lo que la ciencia puede conseguir en la política y en la opinión pública. Pero también muestra —hoy en día, casi diariamente— como la competencia técnica puede convertirse en atrevimiento.*

Si la ciencia del Derecho penal quiere recordar tiempos en los que tenía repercusiones públicas, ha de retroceder bastante en el tiempo: hasta los proyectos de nuevo Código penal en los años sesenta y setenta, quizás. En los debates políticos en materia jurídica de los últimos años apenas se podía oír a la ciencia del Derecho penal. Ahora me podrán contestar que la política jurídica, en los últimos años, ha sido de modo general cada vez menos perceptible. Eso es correcto en el sentido de que de hecho, la relevancia de la política jurídica disminuye progresivamente. Los grupos de trabajo de los juristas en los partidos políticos se han convertido más o menos en rincones de juegos en el funcionamiento parlamentario. Le pasa a la política jurídica como al Danubio en su curso superior, que desaparece de pronto y de modo subterráneo, alimenta los afluentes renanos. Algo similar le sucede a la política jurídica —acrece a la política general de interior, no puede sustraerse ya a su caída. ¿Es esto una excusa para la no-presencia pública de las ciencias penales? ¿Cuál es la razón de que en la opinión pública no se sepa nada del Corpus Iuris, es decir, de los intentos (si bien muy extraños) de crear un Derecho penal europeo? ¿Cuál es la razón por la que, ciertamente, se publiquen en la Kritische Vierteljahrsschrift für Gesetzgebung und Rechtswissenschaft artículos relativos al peligro que supone que ese Corpus Iuris contenga la despedida común europea del Derecho penal de la Ilustración, pero no haya nada en la prensa sobre los trabajos para tales legislaciones europea? ¿Por qué no se debate acerca de ello en la opinión pública? Pueden decirme ahora, sencillamente: «¡Porque Vd. tampoco escribe nada sobre ello, Prantl! Y yo podría decir, de modo autocrítico y crítico hacia los medios de comunicación, que los medios de comunicación, por diversas razones, cada vez están menos en condiciones de hacer transparentes los temas complejos y de discutirlos de modo comprensible para la generalidad en un plano materialmente adecuado. Por lo tanto, podría acotar que los medios de comunicación prefieren frecuentemente convertir en escándalo menudencias, porque —dicho brevemente— otros temas les resultan demasiado difíciles —mientras que hasta el último periodista novel entiende la factura de peluquería imputada ilegítimamente al presupuesto público por parte de una presidenta del FDP* de Berlín.

Todo eso no es incorrecto, pero no es toda la verdad. De esa verdad completa forma parte la constatación de que parece evidente que la ciencia del Derecho penal ni puede hacerse notar ni entender por la generalidad. Esto significa: la ciencia del Derecho penal alemana no hace justicia a su responsabilidad pública. ¿Dónde, por ejemplo, estaba su voz competente y desapasionada en el espectáculo habido hace algún tiempo alrededor de las facultades especiales de investigación mediante dispositivos de escucha que afectan al círculo más estrecho de la intimidad («großer Lauschangriff»)? ¿Dónde estaban los penalistas en el gran debate acerca de la misión en Kosovo? Recibí manuscritos de teólogos, filósofos o lingüistas —ninguno de un penalista. Son en todo caso los criminólogos los que se ponen delante de las cámaras. Alemania vive desde hace algún tiempo una competición libre de las ideas de política jurídica con la menor originalidad posible: expulsar más extranjeros —aunque no sean extranjeros, sino inmigrantes. Encerrar a más seres humanos— aunque hace mucho tiempo que las prisiones alemanas no estuvieron tan llenas como ahora. Agravar más penas —aunque esto ya se haya hecho en incontables ocasiones sin éxito alguno. Promulgar más leyes— aunque casi parece imposible imaginar que haya más. ¿Cabe esperar seguridad interior de un legislador sin aliento? La paz jurídica no puede producirse ya por la sencilla razón de que los Gobiernos ya no dejan en paz al Derecho. ¿Y se pretende que esto no sea asunto de la ciencia del Derecho penal —proteger al Derecho penal de un legislador precipitado y sin aliento?

Hace tres años, después del asesinato de una niña —la víctima se llamaba Natalie—, el espanto impulsó a la gente a salir a la calle. Les atenazaba la sospecha de que también el Derecho podría tener la culpa de lo injusto y del crimen. En el lugar de origen de la niña, un pueblecito llamado Erpfach, las personas marcharon en silencio al puente sobre el Lech. Esta marcha con velas al lugar de los hechos estaba pensada como advertencia a políticos y juristas. Tal advertencia era y es necesaria.

---

*   *Freiheitliche Deutsche Partei*, partido liberal alemán (n. del t.).

También es una advertencia a la ciencia de no hablar con sus conocimientos, de modo elitista y arrogante, por encima de las cabezas de la gente. La corrección de las teorías, la corrección de las exigencias de la ciencia deben soportar también la confrontación con una opinión pública ingenua. La respuesta política oficial a los asesinatos de niños en 1996 fue la exasperación y extensión de la custodia de seguridad (Sicherheitsverwahrung)* —aunque ello estuviera en contradicción con los conocimientos científicos (por ejemplo, con el informe de investigación Sicherungsverwahrung auf dem Prüfstand del Instituto Max Planck de Derecho penal extranjero e internacional, informe que en casi 700 páginas alcanzó la siguiente conclusión: «Quizás una política criminal racional debería tomar los problemas de la custodia de seguridad, sin resolver durante ya más de 60 años, como punto de partida para ensayar un Derecho de sanciones sin custodia de seguridad»[1]. Parece claro que prácticamente ya no existe esa política criminal racional a la que aquí se alude— y este déficit debe apuntarse también en la cuenta del reducto de la racionalidad, la ciencia. Es necesario un acto de equilibrio: por un lado, no deben rechazarse de plano las expectativas de la opinión pública respecto del Derecho penal y de la Administración de Justicia con la actitud del experto curtido. Por otra parte, no aporta nada el incrementar aún más la fe errónea de la opinión pública en el Derecho penal como medicina universal.

¿A dónde llevar a los autores impulsados por sus instintos? ¿A dónde a los autores de delitos graves con trastornos de la personalidad y a los autores que comienzan a desarrollar a edades tempranas tendencias delictivas? Esa era la cuestión que se planteó en aquel momento, después de los asesinatos de niños. Hace treinta años ya se sabía una respuesta a esa pregunta, pero era demasiado cara. En el marco de la gran reforma del Derecho penal de entonces, se pensaba en internar a los autores mencionados en instituciones especiales. La experiencia que había en otros países con esa solución era buena, de modo que el Parlamento federal aprobó el correspondiente parágrafo 65 casi de modo unánime.

---

*   Prevista en el § 66 del Código penal alemán (n. del t.).
[1]   Cfr. Jörg KINZIG, *Die Sicherungsverwahrung auf dem Prüfstand*, Freiburg, 1996, p. 600.

Pero: nunca fue aplicado. Primero fue suspendido el precepto hasta 1978, y después derogada. La institución socioterapéutica, tal y como la preveía ese parágrafo, hubiera sido un sitio adecuado y seguro para el asesino de Natalie. Pero no hubo dinero para eso. Esa es la verdad sobre la política criminal en este país. Pero esa verdad no la conocen muchos. Ello es culpa de los medios de comunicación —pero también es culpa de la ciencia del Derecho penal.

La culpa de los medios de comunicación: el horrendo miedo a la criminalidad es, ante todo, un resultado de la representación medial de la criminalidad. Pues todos tienen interés por la criminalidad, porque es que es muy interesante. Lo espectacular, lo que genera miedo, es amplia-do, multiplicado, potenciado —en gran medida, el contexto social, las condiciones y consecuencias de la criminalidad quedan fuera de conside-ración. De ese modo, como lo ha expresado en una ocasión tan bien *Heinz Müller-Dietz*, sobre todo la televisión transmite la siguiente repre-sentación: «La criminalidad no se genera en la sociedad; por el contrario, se le impone a la sociedad desde fuera». Es significativo que se informe de modo casi exclusivo acerca de delitos capitales —en un noventa por ciento. Esto genera la impresión de una sociedad altamente criminalizada, en la que nadie puede ya estar seguro. El asesino se convierte en el prototipo de infractor del ordenamiento jurídico— de modo que también el destinatario ve en todo delincuente algo de asesino. Pero: eso no es culpa de la ciencia del Derecho penal, me dicen Vds. con razón. Pero ¿no debería al menos intentar corregirlo?

La deformación y la distorsión, la instrumentalización y explotación periodística del delito —en épocas pasadas (quizás Vds. hagan lo mismo en cuanto científicos) pensaba que forman parte del riesgo general de la vida. Los medios de comunicación: eso era para mí, cuando aún no era periodista, sino juez y fiscal, era otra denominación de «fuerza mayor». Hoy sé que lo de «mayor» no es cierto, lo de fuerza sí. Ésta se aprecia en cómo se convierte a seres humanos en objeto de los apetitos públicos.

Sobre este punto, acerca de la necesidad de nuevas categorías éticas en el periodismo, desde luego que se discute en mi oficio; y yo desearía, con toda franqueza, que hubiera científicos del Derecho penal echando una mano. Deseo una capacidad de discurso de la ciencia del Derecho penal más allá del círculo de la disciplina. El intento de algunos pocos científicos de actuar en la opinión pública evidentemente —al menos, ésta es mi percepción— se considera en los círculos de la disciplina más bien fuera de lugar. Parece que la publicidad en el marco de la opinión pública es en los círculos académicos un indicio de falta de cientificidad. Sin embargo, a mis ojos, el que no es científico es aquel cuya capacidad de articulación no pasa de *Neue Zeitschrift für Strafrecht*, *Goltdammer's Archiv* o el *Leipziger Kommentar*. Una ciencia que sólo genera frutos para sí misma es bastante inútil. Esto es, entiéndanlo de modo completamente correcto, una llamada de atención. Les emplazo a descubrir, por ejemplo, los suplementos culturales de los medios de comunicación como espacios adecuados para la ciencia del Derecho penal —y, por lo tanto, a llevar a cabo las discusiones allí donde tengan un eco público. Quien quiera una política criminal ilustrada, debe ilustrar.

¿La pena criminal como herencia cultural de la humanidad?*/**
(Comentario)

SEBASTIAN SCHEERER
Hamburg

En el cambio de milenio, la ciencia alemana del Derecho penal disfruta de unas referencias brillantísimas y de una confianza en sí misma sin asomo de duda. Sin embargo, aquellas se las ha dado ella misma, y ésta es ante todo un indicio de la fortaleza de sus mecanismos de defensa[1]. También le gusta felicitarse a sí misma por su carácter abierto

---

* El presente texto es una versión revisada de la conferencia interrumpida en el momento de su exposición oral.

** Traducción de Manuel Cancio Meliá.

[1] Cfr. respecto del papel de la ciencia del Derecho penal a la hora de hacer posible la «inconcebible crueldad y brutalidad» del Derecho penal en la Edad Media y a principio de la Edad Moderna (muerte civil [*Feme*, n. del t.], tortura, persecución de brujas): Eberhard SCHMIDT, *Einführung in die Geschichte der deutschen Strafrechtslehre*, reimpresión de la 3ª edición, Göttingen, 1965, pp. 65 y ss., 84 y ss., 153 y ss.; Richard van Dülmen, *Theater des Schreckens. Gerichstpraxis und Strafrituale in der frühen Neuzeit*, 2ª edición, München, 1988; Christian THOMASIUS, *Vom Laster der Zauberei. Über die Hexenprozesse. De Crimine Magiae. Processus Inquisitorii contra Sagas*, München, 1986 (original de la tesis doctoral: Halle, 1701). En la historia de la ciencia del Derecho penal, no fue la resistencia contra las crueldades su característica esencial, sino la actitud de sumarse pronto y retirarse tarde de cualquier nueva tiranía contra las minorías y «adversarios». Respecto de la función pasiva de la ciencia del Derecho penal en el pasado más reciente cfr. Wolfgang NAUCKE, *Deutsches Kolonialstrafrecht 1886-1918*, RJ 1988, pp. 297 y ss.; IDEM, «Über das Strafrecht des 1. Weltkrieges», RJ 1990, pp. 330 y ss.; IDEM, «NS-Strafrecht: Perversion oder Anwendungsfall moderner Kriminalpolitik?», RJ 1992, pp. 279 y ss.; IDEM, «Die Aushöhlung der strafrechtlichen Gesetzlichkeit durch den

al mundo. Pero lo que así se denomina es su internacionalidad de dirección única, diseñada para el suministro, a regiones enteras del mundo que hace generaciones recepcionaron el Derecho penal alemán, de todo tipo de reposiciones dogmáticas. En el centro de este tipo de internacionalidad está el sol de la ciencia alemana, alrededor de él las élites ávidas de conocimiento de la periferia trazan sus órbitas predeterminadas.

Ha sido la globalización económica la que de pronto ha puesto en el orden del día la búsqueda de elementos interculturalmente válidos para un verdadero Derecho penal mundial. El Proto-Derecho penal promete todo esto, así como la fundamentación ética de una ética penal, y ayuda en la elaboración de un Código penal mundial[2]. Ahora bien, al vincular la investigación básica en filosofía con la pretensión de una aplicación útil en la práctica, con ello se asume una empresa arriesgada de bastante magnitud.

I. UNA EMPRESA ARRIESGADA

Pues esta combinación expone al tratamiento de cuestiones fundamentales a la presión de expectativas de la obtención de réditos que se encuentran en una tensión enorme con las virtudes de la investigación básica (una escrupulosa radicalidad del pensamiento, la capacidad de aguante a la hora de soportar las cuestiones sin resolver y las ambivalencias). Ya en el esbozo del proto-Derecho penal se manifiesta ese problema. Pues a pesar de estar orientado a la averiguación de los fundamentos (y quizás bajo la presión de la actualidad, que, como es sabido, prácticamente ya ha decidido que sí procede, y por qué procede

---

relativistischen, politisch aufgeladenen Positivismus», en: Institut für Kriminalwissenschaften Frankfurt a. M. (ed.), *Vom unmöglichen Zustand des Strafrechts*, Frankfurt a. M. *et al.*, pp. 483 y ss.; Georg DAHM/Friedrich SCHAFFSTEIN, *Liberales oder autoritäres Strafrecht?*, Hamburg, 1933; Georg DAHM, *Nationalsozialistisches und faschistisches Strafrecht*, Berlin, 1935; Franz GÜRTNER (ed.), *Das kommende deutsche Strafrecht. Besonderer Teil. Bericht über die Arbeit der amtlichen Strafrechtskommission*, 2ª edición, Berlin, 1936; Jan TELP, *Ausmerzung und Verrat. Zur Diskussion um Strafzwecke und Verbrechensbegriffe im Dritten Reich*, Frankfurt, 1999; Alexander VON BRÜNNECK, *Politische Justiz gegen Kommunisten in der Bundesrepublik Deutschland 1949-1968*, Frankfurt, 1978.

2   Otfried HÖFFE (en este tomo).

un Derecho penal mundial, y asume de ese modo que sólo puede tenerse como objeto de discusión el «cómo» y el «cuándo»), el proto-Derecho penal se interesa claramente demasiado poco por la cuestión *muy profunda* de si es que existe tal núcleo, pero en cambio sí, con mucha presión e ímpetu, por la tarea de la codificación. Literalmente, se formula la siguiente respuesta a la cuestión de si existen elementos universales de la pena criminal, y sin esforzarse mucho en ofrecer referencias:

«Ciertamente, el modo de penar es muy distinto en las distintas sociedades y épocas. Pero el hecho de que una comunidad imponga penas ya está presente incluso en los imperios orientales de la Antigüedad y en culturas temporal y culturalmente aún más lejanas. Exagerando sólo un poco, puede considerarse que la institución jurídica de la pena criminal es un elemento socioculturalmente universal. - Universal no es sólo la institución jurídica, sino también gran parte de lo que se considera merecedor de pena. En las disposiciones exactas sí hay, desde luego, peculiaridades; pero las clases habituales de delitos en la actualidad aparecen prácticamente en todas las culturas: delitos contra la vida, delitos contra la propiedad, acciones punibles contra el honor, los delitos sexuales, los de incendios, las falsificaciones de medidas, pesos y de dinero, las falsedades documentales etc. Y por esta razón, los profetas judíos de la Antigüedad (...) no tienen dificultades a la hora de formular reproches (...) también a pueblos ajenos; pues invocan crímenes y delitos generales de la humanidad. Respecto de éstos, el griego Aristóteles crea una lista de dos veces siete delitos, que probablemente eran reconocidos por todas las culturas de aquel momento, y que (...) son válidos hasta el día de hoy. Y el Derecho penal romano (...) se ocupa en lo esencial de delitos que pueden considerarse infracciones del ordenamiento jurídico comunes a todos los seres humanos.

Si además se aprecia que importantes principios en el ámbito del proceso penal fueron reconocidos ya en momentos temporales muy tempranos, se puede decir, generalizando con precaución: hay elementos nucleares del Derecho penal que forman parte de la herencia de justicia de la humanidad»[3].

---

[3]   Así Otfried HÖFFE en el manuscrito de su conferencia; en IDEM (en la presente obra), este mismo punto tiene ahora otro tenor literal.

Ahora bien: es cierto que la idea del carácter universal del delito y de la pena se corresponde con la conciencia cotidiana del común de los ciudadanos y con la *communis opinio* de los estudiosos alemanes del Derecho penal, quienes ven, como es sabido, su cometido principal en el cultivo de la dogmática y no en la crítica de los puntos de partida de fondo —que son tratados de modo axiomático— y presupuestos empíricos de aquella. Pero ese amplio consenso, en principio, no es más que un hecho social, y no una muestra de que realmente las cosas sean así.

II. EL MITO DEL CARÁCTER UNIVERSAL

La tesis del carácter universal de la pena criminal no es más que un mito cuyas raíces y función son fáciles de identificar. Se debe a los primeros etnólogos, quienes, con base en prejuicios propios, «siempre afirmaban que el Derecho criminal es el único Derecho de los salvajes»[4]. De ellos tomaron *Émile Durkheim* y sus discípulos esa convicción, que pudo mantenerse hasta el comienzo de investigaciones etnológicas más serias. Desde entonces, sin embargo, el estudio de las sociedades preestatales en atención a sus normas y sanciones empezó seriamente, en realidad, y cambió por completo la imagen de las «sociedades primitivas»[5]. Ya *Malinowski* tuvo que constatar con sorpresa que en contraposición con la opinión dominante de su tiempo sólo se podían encontrar «sólo mandatos positivos», «cuya infracción sólo es objeto de expiación, y cuya maquinaria ni por procedimientos procústicos puede ser extendida más allá de la línea que separa el Derecho civil del Derecho penal»[*]. En

---

[4]   Bronislaw Malinowski, *Crime and Custom in Savage Society*, London, 1926, citado conforme a la traducción alemana de la 3ª edición de 1940 (*Sitte und Verbrechen bei den Naturvölkern*, Bern, 1949, p. 20).

[5]   Cfr. la excelente síntesis en Uwe WESEL, *Frühformen des Rechts in vorstaatlichen Gesellschaften*, Frankfurt, 1985.

[*]   Tomo la siguiente nota de traducción de la versión española del libro de MALINOWSKI (*Crimen y costumbre en la sociedad salvaje*, Barcelona, 1991 [traducción de J. y M. T. Alier], p. 73): «Procusto, personaje de la leyenda griega, era un bandido del Ática que colocaba a sus víctimas sobre una cama de hierro; si la excedían, cortaba la parte que sobresalía y, si eran más pequeños o cortos, los estiraba hasta hacerles

lugar del Derecho criminal que cabía esperar, sólo encontró un «sistema de obligaciones vinculantes consideradas justas por unos y reconocidas como deber por otros, que se mantienen en vigor por un mecanismo específico de reciprocidad y publicidad inherentes a la estructura de la sociedad»[6]. En la discusión científica, incluso, es ahora indiscutido que el Derecho penal y las penas criminales no son, de ningún modo, formas universales de control social: «En las sociedades libres de dominio, que — no se olvide— fueron características de la mayor parte de la historia de la humanidad, no existen. El control social en ese contexto no es represivo, sino que se dirige hacia la reinserción del sujeto desviado, reparación de eventuales daños, restablecimiento del status quo, pacificación y limitación del conflicto. Tan sólo con la aparición de las clases sociales, con la dominación y con la organización estatal de la sociedad se generan conflictos antagónicos que ya no pueden ser resueltos en el interés de la mayoría de los miembros de la sociedad, o incluso, del colectivo en su conjunto»[7]. Sin normas o sanciones no puede existir ninguna sociedad —pero sí sin penas criminales[8]. Las normas son algo universal, pero no las normas jurídicas; las sanciones, pero no las penas; el principio de reciprocidad, pero no la retribución mediante pena; la adscripción de responsabilidad, pero no la culpabilidad. Hay innumerables ejemplos de sociedades sin Derecho penal y sin penas criminales— y no cabe imaginar una sociedad mundial sin normas y sanciones, pero sí una sociedad mundial sin Derecho penal y sin penas.

III. UTILIDAD Y DESVENTAJAS DEL MITO

El error acerca del carácter universal de la pena criminal tiene como presupuesto que o se haga uso exclusivamente de bibliografía anticuada

---

ocupar exactamente la cama. Esta expresión indica la aplicación no inteligente, a rajatabla, de principios generales sin tener en cuenta las naturales variaciones de casos e individuos.» (n. del t.).

[6]   MALINOWSKI (nota 4), pp. 55 y s.

[7]   Henner HESS/Johannes STEHR, «Die ursprüngliche Erfindung des Verbrechens», en: Kriminologisches Journal, 2. Beiheft 1987, pp. 18-56, 18.

[8]   Cfr. Heinrich POPITZ, Die normative Konstruktion von Gesellschaft, Tübingen, 1980, pp. 69 y ss.

o que se extraigan las referencias usadas sólo de sociedades organizadas en estructuras de dominación, generalizándolas a continuación de modo inadmisible[9]. Los estudiosos del Derecho penal a los que se les plantea esta cuestión suelen disculpar su error afirmando que las sociedades sin estructuras de dominación, en primer lugar, ya han desaparecido hace tiempo en la oscuridad del pasado, y, en segundo lugar, no son precisamente candidatos a proveer los modelos de futuro de un futuro global, es decir, que *for all practical purposes* está plenamente justificado considerar la pena criminal un dato previo y una necesidad.

Sin embargo, debe contradecirse este punto de vista con toda decisión. Pues las consecuencias del error son graves. Esto sobre todo porque la tesis del carácter universal, *en primer lugar*, sugiere una dignidad de la pena en cuanto institución a servicio del bien común que no le corresponde (es que el Derecho penal, en lo esencial, no es un medio para la *autoprotección* de la sociedad, sino un instrumento para la *dominación sobre* la comunidad)[10]; *en segundo lugar*, porque da por presupuesta una

---

[9]   Los representantes de la tesis de la universalidad desde DURKHEIM hasta HÖFFE buscan su material o en las interpretaciones de los «etnólogos teóricamente creativos» del S. XIX —cuya falsedad se ha demostrado ya hace mucho tiempo— o en «culturas desarrolladas» ya fragmentadas en clases, organizadas de modo «proto-estatal», ignorando, en cambio, todos los resultados de la antropología jurídica comparada desde E. E. EVANS-PRITCHARD, pasando por E. A. HOEBEL y Lucy MAIR hasta M. BARKUN y R. HARAKO. Pues de lo contrario, no podrían dejar de constatar que no puede afirmarse seriamente que aquellos elementos del orden social que sólo son comunes al grupo parcial de las sociedades organizadas estatalmente sean *elementos universales* de las sociedades humanas.

[10] La tesis de la universalidad no conoce un concepto de dominación; su sujeto actuante son siempre «los seres humanos», «la generalidad» y «la comunidad». Frente a ello, la investigación demuestra que el Derecho penal no codificaba valores comunitarios, sino que, muy al contrario, servía a la manifestación e imposición de intereses de dominación contra intereses de la comunidad. Pero mientras la etnología jurídica muestra repetidas veces, y de modo convincente, que «historically the idea that some offences are to be treated as crimes does not spring from a general feeling that certain actions wrong the whole of society, but rather from the specific claim of rulers to assert their power» (en inglés en el original: «históricamente, la idea de que algunas infracciones deben ser tratadas como crímenes no emana de una convicción general de que determinadas acciones vulneran al conjunto de la sociedad, sino más bien de la pretensión específica de

racionalidad de principio de la pena, atribuyendo a la crítica fundamental con el estigma de la irracionalidad[11]. Una vez que se cree en el «hecho» ficticio «de que hasta el momento ningún Estado y ninguna sociedad ha podido funcionar sin pena o sin una medida similar a la pena»[12] (*Jürgen Baumann*), entonces tampoco hay que reflexionar en clave de futuro acerca de cuáles serían las condiciones sociales en las que el Derecho penal no sólo se podría mejorar de modo significativo, sino que harían posible una «sustitución» de principio «del Derecho penal por algo mejor»[13] (*Gustav Radbruch*). Con ello, se excluye ilegítimamente la posibilidad de una perspectiva crítica hacia la dominación, y de un cuestionamiento serio del Derecho penal ante el horizonte de la posibilidad de renunciar a él, del espectro de aquello de lo que puede hablarse racionalmente. Ahora bien, esto es tan nocivo desde el punto de vista de

---

quienes ejercen la dominación de asegurar su poder» [n. del t.]) (Lucy MAIR, *Primitive Government*, Harmondsworth, 1962, p. 160, cita conforme a HESS/STEHR [nota 7], pp. 45 y s.), para los representantes de la tesis de la universalidad, siguen siendo «los seres humanos» quienes, desde que «se han dotado de formas» más o menos estables de «convivencia», también se dotaron a sí mismos «del Derecho penal y de su consecuencia jurídica, la pena» (cfr. Jürgen BAUMANN, «Strafe als soziale Aufgabe», en: Robert HAUSER/Jörg REHBERG/Günter STRATENWERTH [ed.], *Gedächtnisschrift für Peter Noll*, Zürich, 1984, pp. 27-36, 27 y s.). La tesis de la universalidad oculta las verdaderas circunstancias del «nacimiento de la pena»; cfr. Viktor ACHTER, *Die Geburt der Strafe*, Frankfurt, 1951.

[11]   Si se sabe respecto de una institución social que está vinculada de modo indisoluble a la convivencia humana, es irracional criticar su existencia. Así, por ejemplo, no tiene sentido tampoco, en el plano de la «segunda naturaleza» del ser humano criticar la existencia de normas *per se*, del mismo modo que no tiene sentido criticar el hecho, en el plano de la «primera naturaleza», de que los seres humanos sólo tengan dos ojos en la cabeza, que, además están dirigidos ambos hacia delante (en lugar de disponer también de ojos en las sienes y en la parte posterior de la cabeza). Si se eleva a una institución no universal al rango de lo universal, se degradan los cuestionamientos intelectuales de la necesidad de su existencia, al mismo tiempo, a una muestra paradigmática de lo absurdo. Cualquier crítica de principio de la pena criminal en cuanto institución social tiene que parecer «loca», cualquier perspectiva abolicionista —incluso en su versión más leve, radbruchiana— estaría bajo la sospecha de ser absurda.

[12]   Jürgen Baumann (nota 10), p. 28.

[13]   Gustav Radbruch, *Einführung in die Rechtswissenschaft*, 12ª edición, a cargo después de la muerte del autor de Konrad ZWEIGERT, Suttgart, 1969, p. 151.

la confirmación científica de las teorías de la pena como ventajoso desde el punto de vista de la construcción de una legitimación aparente de la pena.

La tesis de la universalidad enmascara la función del Derecho penal en cuanto instrumento de autoprotección de la autoridad del Estado, cuya crueldad en comparación con la lenitud de los mecanismos de compensación sociales derivaba únicamente de su función adicional de la representación de un poder ilimitado. Por su *ímpetu legitimador de la autoridad* no sólo bloquea la curiosidad en relación con las alternativas de principio a la «razón punitiva», sino que impide de modo general la separación analítica entre aquellos modos de funcionamiento de la pena que están dirigidos a la *autorepresentación del poder* y aquellos que están dirigidos a la *protección de bienes jurídicos*. De este modo, los eventuales conflictos en el plano de los fines entre el cometido político de la pena en cuanto intimidación de la contestación y el cometido social de la pena en cuanto satisfacción de la víctima[14] y la *manifestación del Derecho* ni si quiera pueden entrar en consideración. Así, la tesis del carácter universal alimenta la creencia de que la pena criminal es expresión de *expectativas sociales de justicia*, pero oculta la distancia relativa de la *justicia penal* del principio de reciprocidad, así como el coste adicional que es necesario para su legitimación por razón de sus funciones de dominación. Hace que la pena criminal aparezca como expresión de una razón superior, mientras que los sociólogos saben que —a diferencia de las regulaciones no penales— debe su efecto de satisfacción no tanto a su carácter racional como al acallamiento del disenso[15].

IV. EL DILEMA DE LA CIENCIA DEL DERECHO PENAL

Sin embargo, la tesis de la universalidad permite, ante todo, una solución aparente para el dilema en el que se encuentra la ciencia del

---

[14]   Cfr. respecto de la función intimidatoria, con toda claridad en aquel momento, Friedrich SCHAFFSTEIN, «Der Streit um das Rechtsgutsverletzungsdogma», DStR 1937, pp. 335 y ss.; respecto de la actual función de subrayar la norma, en cambio, Felix HERZOG, *Prävention des Unrechts oder Manifestation des Rechts*, Frankfurt, 1987.

[15]   Cfr. Niklas LUHMANN, *Legitimation durch Verfahren*, Frankfurt, 1983.

Derecho penal debido al *giro empírico* desde hace más de un siglo. Pues después de que la pena fuera justificada desde los comienzos de la escolástica de la Antigüedad tardía hasta el S. XIX de modo metafísico[16], con la desmitificación del mundo hubo que justificar, de un día para otro (concretamente, de un siglo para otro), la pena como medio necesario de control social. Y eso era más fácil postularlo —*Franz von Liszt* lo hizo en el programa de Marburgo, en 1882, con las palabras: «Sólo la pena necesaria es justa»[17], pero menos hacerlo. Que era necesario llevar a cabo tal justificación, eso lo exigió en repetidas ocasiones *von Liszt*. Pero eso hubiera significado comprobar la idoneidad de la pena como medio destinado a obtener un fin, y tratar las teorías de la pena como hipótesis que deberían salir incólumes de intentos de falsación, aproximándose de modo probabilístico al reconocimiento como verdad. (Tal interés de la ciencia del Derecho penal hubiera sido idéntico —aunque conducido por expectativas contrapuestas— al interés de los abolicionistas en la crítica radical de la pena). Sin embargo, la ciencia del Derecho penal «no ha hecho justicia alguna...» a su «gran cometido»[18]. Así, aún hoy se encuentra ante el dilema de tener que afirmar, por un lado, la necesidad de la pena como hecho empírico, pero de no disponer, por otro, de pruebas

---

[16]   La pena era un mal a sufrir que debía imponerse al autor por su mal de acción, y la *necesidad* de la pena era, por su naturaleza, metafísica, y no social. Derivaba del plan divino (*San Agustín*), de la naturaleza (*Grocio*) o de los principios de la metafísica racional *a priori* (*Kant*). En su estructura fundamental axiomática, que la eximía de cualquier referencia a la efectividad social, la teoría de la pena no era distinta al comienzo de la Edad Media que al comienzo de la era industrial: la pena era un *malum passionis quod infligitur propter malum actionis* que se justificaba en sí misma —y se imponían penas por razón de reciprocidad y proporcionalidad basadas en lo metafísico: «pero si ha asesinado, debe morir» (Immanuel KANT, *Die Methaphysik der Sitten [Metaphysische Anfangsgründe der Rechtslehre]*, 1ª edición, Königsberg, 1797, p. 199 [2ª edición, p. 229], cita conforme a la edición de Darmstadt [Wilhelm WEISCHEDEL (ed.), *Immanuel Kant. Werke in zehn Bänden*, tomo 7, Darmstadt, 1968, p. 455]). Desde el punto de vista de la legitimación, la metafísica de la pena tiene la ventaja de que en realidad «*per definitionem* siempre funciona» (Walter KARGL, *Die Funktion des Strafrechts aus rechtstheoretischer Sicht. Schlußfolgerungen aus dem Milgram-Experiment*, Heidelberg, 1995, p. VI).

[17]   Franz VON LISZT, «Der Zweckgedanke im Strafrecht», ZStW 3 (1883), pp. 1-47, 31.

[18]   Así VON LISZT (nota 17), p. 47.

suficientes de la necesidad social que la justifique. Nunca hizo los deberes
que le mandó *Franz von Liszt* hace más de cien años.

V. TAREAS SIN HACER

¿Persigue el Derecho penal intereses legítimos? ¿Es idóneo, necesario
y proporcionado —en el sentido estricto que toma como punto de
referencia el ámbito nuclear de los derechos individuales—, en atención
a su cometido social, en lo que se refiere a su estructura, sus distintos
tipos, sus amenazas de pena y sanciones? Estas preguntas, puestas por
Franz von Liszt en el orden del día, tampoco han sido contestadas hasta
el día de hoy por la multitud de investigaciones empíricas en materia de
génesis de la norma y de sanción. ¿Realmente hace falta el Derecho
penal para «*afirmar* y *asegurar* públicamente las *normas fundamentales*
(...), para identificar los límites de la libertad que todo ciudadano debe
respetar para que podamos existir juntos», o, en su caso, para dar un
«*ejemplo de trato humano de la desviación*»?[19].

Lo que sería necesario es una evaluación de la institución de la pena
criminal *en gros* y *en détail*. Bajo el punto de vista de la *racionalidad de los
fines* se trataría de examinar las alternativas en atención a su mayor
idoneidad. Habría que plantear cuestiones como, por ejemplo, acerca de

---

[19]   Winfried HASSEMER, *Einführung in die Grundlagen des Strafrechts*, 2ª edición,
München, 1990, p. 326; cfr. también Jan Philipp REEMTSMA, *Das Recht des Opfers
auf die Bestrafung des Täters - als Problem*, München, 1999, p. 21, quien ve la teoría
de la prevención general positiva como teoría-marco, y con ello la función básica
de la pena en la «clarificación de la validez de las normas»: «Quien infringe una
norma positiva, debe contar con consecuencias desagradables... La medida de la
pena se orienta en atención a la idea de retribución en el sentido de que la
comunidad social manifiesta en la amenaza de pena cuál es la valoración del bien
jurídico lesionado —dicho de otro modo: cuál sería el grado en el que les parecería
insoportable a sus miembros una vida en una sociedad en la que no tuviera
vigencia la norma en cuestión. A través del fin de la manifestación de la norma
puede fundamentarse sin dificultad alguna por qué es necesario imponer una pena
aunque no exista riesgo de que el autor vuelva a cometer un delito, y tampoco
pueda suponerse un efecto simbólico de intimidación.»

si el Derecho penal (por ejemplo, en el ámbito de las drogas, pero también en otros ámbitos) no corre peligro de dañar, mediante un acoplamiento estructural inadecuado[20] con sus respectivos ámbitos de regulación, y mediante intervenciones sistémicas en mundos vitales organizados comunicativamente[21], justamente aquellos ámbitos que la *ratio legis* quiere proteger. ¿No habría que preferir una autolimitación del Estado que se contentara con impulsar procesos de autodirección y acompañarlos protegiéndolos? ¿No cabría imaginar no imponer el resultado alcanzado, sino el respeto a requisitos de justicia procedimental?[22] Todas estas alternativas, que deberían ser articuladas en detalle (fuentes de inspiración: *negotiated regulations, officially sponsored indigenous law, procedimentalización del Derecho, Derecho reflexivo, responsive law,* programas de relación, creación de redes de *semi-autonomous social fields*) tienen en común la *tendencia básica de la estatalización hacia la socialización* y a tomarse en serio la subsidiariedad del Derecho penal[23].

Esto conduce a una relación distinta entre Estado, ciudadano y sociedad bajo las condiciones de valores de la modernidad tardía o incluso postmodernos. Pues el Derecho penal es esencialmente un Derecho preconstitucional que «en realidad» necesita de un cuidadoso examen de su compatibilidad con el orden básico democrático y de libertades. ¿Se habría creado de este modo en 1949 si no hubiera ya existido en ese momento? Muy probablemente no se le pueda otorgar tal prima de legitimidad. Más bien habría que decir: *in dubio pro libertate.* Pues el Derecho penal, a lo largo de la historia, en todo caso ha probado su necesidad en cuanto medio de expresión de relaciones de autoridad[24]. En

---

20   Gunther Teubner, «Verrechtlichung - Begriffe, Merkmale, Grenzen, Auswege», en: Friedrich Kübler (ed.), *Verrechtlichung von Wirtschaft, Arbeit und sozialer Solidarität,* Baden-Baden, 1984, pp. 290-344, 316.

21   Cfr. Jürgen Habermas, *Theorie kommunikativen Handelns,* tomo II, Frankfurt, 1981, pp. 522 y ss.

22   Cfr. Teubner (nota 20), p. 340; en este contexto también habría que aprovechar para una reforma del Derecho penal la diferenciación de Höffe entre justicia procedimental completa, pura e incompleta (IDEM [en este tomo]).

23   Cfr. Teubner (nota 20), p. 292.

24   En este sentido, la pena criminal ya «le era tanto más próxima a las autoridades medievales cuanto más débiles e impotentes debían sentirse en el pobre círculo de

cuanto más intensa la adoración del Estado, menores son las pérdidas por fricción con la institución —elegida como próxima— del Derecho penal, una educación de los niños a modo de amaestramiento[25] y otros aparatos de configuración del «carácter autoritario»[26]. Y es que el Derecho penal no enseña el respeto ante la vida y el cuerpo de los conciudadanos, sino, en el mejor de los casos, la renuncia a ataques por miedo a la autoridad y obediencia frente al Estado[27]. Esto cuadraba con una época que veía la esencia de la pena en el «establecimiento de la gloria del Estado por la destrucción o el sufrimiento de quien se ha sublevado contra ella» (Stahl[28]), en la protección de la «gloria de la Ley» o en la «sumisión del delincuente bajo la gloria del Derecho» (Binding[29]). Pero ¿cuadran sus modos de funcionamiento, sus criterios de racionalidad y sus formas de organización aún en la sociedad con estructuras menos autoritarias?

---

su estatalidad, de la pequeñez de sus ámbitos de poder, en la inseguridad de las situaciones políticas que solía predominar» (SCHMIDT [nota 1], pp. 67 y s.), *y esto también en relación con quienes detentaban el poder en Inglaterra a principios del S. XVIII (Black Acts), con el Ancien Régime en descomposición y a los Jacobinos en su final, la Monarquía por la gracia de dios del S XIX, amenazada por la democracia y el socialismo, y los totalitarismos tan autoritarios como paranoicos del S. XX. En cuanto más autoritaria una sociedad, tanto más «natural» parecerá que el Estado es la verdadera víctima de todo delito, ya que ante todo se considera la lesión del monopolio de la violencia.*

[25]   Cfr. la compilación de fuentes de Katharina RUTSCHKY (ed.), *Schwarze Pädagogik. Quellen zur Naturgeschichte der bürgerlichen Erziehung,* Frankfurt/Berlin/Wien, 1977, y Alice MILLER, *Am Anfang war Erziehung,* Frankfurt, 1980, sobre todo pp. 17-112.

[26]   Theodor W. ADORNO *et al., The Authoritarian Personality,* London, 1950.

[27]   Ya HOBBES veía el sentido de la pena en el terror del poder estatal y en sus efectos sobre los súbditos, de modo que «thereby the better be disposed to ebedience»; cfr. Thomas HOBBES, *Leviathan* (1651), cap. 28, en: William MOLESWORTH (ed.), *The English Works of Thomas Hobbes of Malmesbury,* London, 1839, p. 297 (cita conforme a Thomas VORMBAUM [ed.], *Texte zur Strafrechtstheorie der Neuzeit,* t. I, Baden-Baden, 1993, p. 43).

[28]   Friedrich Julius STAHL, *Philosophie des Rechts* (1830), cita conforme a Gustav RADBRUCH, *Einführung in die Rechtswissenschaft,* cap. Derecho penal, 12ª edición (después de la muerte del autor, a cargo de Konrad ZWEIGERT), Stuttgart, 1969, p. 135.

[29]   Karl BINDING, *Grundriß des deutschen Strafrechts, Allgemeiner Teil,* 7ª edición, 1907, pp. 228, 235, cita conforme a NAUCKE (nota 1), «Die Aushöhlung...», pp. 487 y s.

La sociedad abierta es más sensible que la autoritaria para «lo falsamente general del Estado». Habla en su favor que no esté en condiciones de ver incluso en la pena de muerte el ideal de razón máxima, y que en conjunto le importe menos (como aún *Hegel*) la razón que la irracionalidad de la pena[30]. Está más dispuesta a tomar en serio los intereses de la víctima y de tratarlos como una parte importante de los intereses generales, pero menos a incluir entre los intereses generales también el interés de la autoridad en la autoafirmación de su omnipotencia intimidatoria o, incluso, a dejarse engañar por el legislador[31]. Finalmente, pondría en duda la posibilidad y legitimidad de una legislación penal central y con vigencia completamente general, respectivamente, la validez de la hipótesis que está en la base de lo anterior, es decir, de que las necesidades de conjunto de normas penales puedan ser averiguadas en un procedimiento centralizado[32].

La desestatalización de la reacción al delito permitiría llenar de contenido real la disposición de la sociedad, hoy aún débil, de volver a tener en cuenta los intereses de los implicados. Sería ésta una evolución

---

[30]   Hauke Brunkhorst, «*Sozialtherapie - Schuld - Strafe*», en: Siegfried Müller/ Hans-Uwe Otto (ed.), *Damit Erziehung nicht zur Strafe wird*, Bielefeld, 1986, pp. 17-28, 18 y s.

[31]   Cfr. Winfried Hassemer, «*Die Tauglichkeit des modernen Strafrechts*», en: *Lambros E. Kotsiris* (ed.), *Law at the Turn of the 20th Century*, Thessaloniki, 1994, pp. 199-217, 212.

[32]   El problema de la economía planificada fue que era imposible determinar por parte de burócratas en Moscú las necesidades de todos los ciudadanos de clavos, teléfonos y botones de pantalón —con completa independencia de que la burocracia de la planificación seguramente no tomaba nota de todos los deseos y necesidades, sino que decidía conforme a sus propios criterios qué es lo que debía considerarse una necesidad justificada y qué no. En realidad, sin embargo, existen muchos sistemas normativos y valorativos en la sociedad, y cabe dudar con toda justicia de si nuestros actuales procedimientos públicos de decisión son verdaderamente adecuados para tener en cuenta de modo idóneo todos los aspectos importantes de la situación, o, en su caso, de sacar las conclusiones correctas de las informaciones que de hecho se toman en cuenta (Nils Christie, «Conflicts as Property», British Journal of Criminology 17 [1977], pp. 1-15; John Burnheim, *Über Demokratie. Alternativen zum Parlamentarismus*, Berlin, 1985). La idea de que el sistema normativo centralizado no carece de alternativas puede parecernos nueva, pero eso no es necesariamente un argumento en su contra.

paralela, pero también un instrumento para el desarrollo paulatino de una civil society, *de una sociedad de ciudadanos autoconsciente que confía más en sus propias iniciativas, normas y responsabilidades que en la delegación en el Estado, y que, poco a poco, podría volver atreverse a pensar aquello a lo que aludía Friedrich Nietzsche cuando dijo que «no sería impensable una conciencia de poder de la sociedad, en la que podría darse el lujo más selecto que hay para ella - dejar impune a quien la lesionó»*[33]*.*

VI. CRÍTICA DE LA RAZÓN PUNITIVA

La ventaja, sólo aparente, de la tesis de la universalidad es la de atribuir el estigma del carácter superfluo, sino de completa irracionalidad, a la comprobación empírica de la necesidad de la pena —es decir, de hacer creer a la ciencia del Derecho penal que puede considerar que ya ha hecho sus deberes. Para ello, le viene muy bien que, por un lado, se refiere a un supuesto de hecho que en principio es empírico, y, con ello, hace justicia al marco de referencia «moderno», pero que, por otro lado, puede funcionar como nueva ratio scripta de origen escolástico que hace aparecer cualquier intento de falsación serio como una especie de rebelión contra la razón. La necesidad, y, con ello, la legitimación de la pena, en cambio, en realidad deben ser aún comprobadas— de modo autocrítico, sin anteojeras y subalternismo; persiguiendo una falsación. Y esto significa: mediante una crítica de la razón punitiva con miras a una ética del no-penar.

---

[33]　Nietzsche, *Zur Genealogie der Moral. Eine Streitschrift. Vollständige Asugabe nach dem Text der Erstausgabe* (Leipzig 1887), München, 1983, p. 60; Otfried Höffe *sólo puede usar esta cita como ejemplo positivo de la crítica (abolicionista) del Derecho penal, que él evidentemente no valora mucho —a la que parece reprochar que «se recrea en reproches moralizantes globales» (*idem, *en este tomo)— porque no sabe con qué intensidad ésta hace precisamente lo que él exige, a saber, «reflexionar acerca de qué características debería tener una sociedad» que pudiera renunciar a la pena; cfr. Nils* Christie, *Grenzen des Leids,* Bielefeld, 1986; Louk Hulsman/ Jacqueline Bernat de Celis, *Peines Perdues,* Paris, 1982.

La Ciencia del Derecho penal ante las tareas del futuro*

CLAUS ROXIN
München

I. PANORAMA

Quiero entrar sin preliminares en la materia y resumir en seis puntos, tal como a mí se me presentan, las tareas de futuro de la Ciencia del Derecho penal, que a continuación enuncio:

1. La Ciencia del Derecho penal también tendrá en el futuro como tarea fundamental la sistematización, interpretación y desarrollo del Derecho nacional vigente, esto es, la dogmática jurídico penal en sentido clásico. Esto es válido tanto para el Derecho material como para el Derecho procesal y el resto de disciplinas sectoriales de nuestra Ciencia.

2. La Ciencia del Derecho penal colocará con ello una y otra vez en el banco de prueba las clásicas concepciones y, caso de ser necesario, procederá a revisarlas, pero tendrá que dedicarse con especial intensidad a los nuevos problemas no resueltos que plantea al Derecho penal el desarrollo social, científico y técnico.

3. La Ciencia del Derecho penal tendrá también que cultivar de una forma más acentuada de lo que hasta ahora lo ha hecho el trabajo en el Derecho nacional sobre premisas supranacionales.

4. La Ciencia alemana del Derecho penal a veces tendrá que ampliar su rol central y otras restringirlo en el ámbito de las orientaciones jurisprudenciales y legislativas.

---

*   Traducción de Carmen Gómez Rivero.

5. *La Ciencia del Derecho penal no deberá limitarse en el futuro, como lo ha hecho durante mucho tiempo y todavía hoy en parte lo hace, al Derecho positivo, la* lex lata, *sino impulsar la política criminal científica; ésto significa que independientemente de las actuales orientaciones legislativas el Derecho penal del futuro tendrá que diseñarse una y otra vez y, con ello, poner en marcha un proceso permanente de reforma.*

6. *La Ciencia del Derecho penal tendrá que proporcionar finalmente las bases científicas para un Derecho penal supranacional a corto plazo esto es, el Derecho penal europeo y el Derecho penal internacional.*

II. LA DOGMÁTICA JURÍDICO PENAL Y PROCESAL PENAL COMO TAREA PERMANENTE DE NUESTRA CIENCIA

Desde hace tiempo la dogmática de la teoría general del delito es — ciertamente no por antonomasia pero sí por sus meritorios rendimientos— un producto exportable de la Ciencia alemana del Derecho penal[1]. Permítanme decir con franqueza: la dogmática jurídico penal con su mezcolanza de lógica y teleología, de interpretación jurídica fiel y de una tarea creativa perfeccionadora del Derecho, de sistemática estructurada y disposición a la solución de problemas por la vía de una apertura sistemática, de pensamientos vinculados a estructuras objetivas y de esquemas de imputación funcionalistas, de la genérica abstracción garantizadora de la seguridad jurídica y al mismo tiempo el esfuerzo por alcanzar la justicia en el caso concreto, es un magnífico campo de trabajo que también en el futuro abre a la Ciencia del Derecho penal considerables posibilidades de desarrollo.

---

[1]   *Con más detenimiento sobre el concepto y las tareas de la dogmática, véase Manfred Maiwald, Dogmatik und Gesetzgebung im Strafrecht der Gegenwert, en Otto Behrends/Wolfram Henckel (Hrsg.), Gesetzgebung und Dogmatik, Göttingen 1989, p. 120. Sobre la pregunta en torno a si la sistemática alemana del Derecho penal tiene un futuro, véase Walter Perron, Hat die deutsche Strafrechtsystematik eine europäische Zukunft?, en Albin Eser/Ulrike Schittenhelm/Heribert Schumann /Hrsg), Feschrift für Lencker, München 1998, p. 227.*

Este pronóstico optimista se opone, desde luego, a la actitud de escepticismo ante una dogmática agotada, propia de algunos científicos nacionales y extranjeros. La dogmática, se dice, es en algunos aspectos enrevesada y sutil. Ello amenaza con convertirse en un juego de perlas de vidrio sin consecuencias y retiene esfuerzos que podrían emplearse de forma más fructífera en otros ámbitos. Es cierto que hay ciertas manifestaciones dignas de crítica. Pero de ahí no puede deducirse una objeción decisiva. Porque no hay ninguna disciplina que no progrese también mediante errores y callejones sin salida. Que un instrumento musical pueda sonar mal no dice nada contra el instrumento, y un raudal de libros de pequeño valor no es ningún argumento contra las posibilidades de futuro de la literatura.

Pero para volver de nuevo a nuestra disciplina: en tanto que grupos enteros de científicos jóvenes desde Japón hasta Chile trabajan en nuestro Instituto —en el semestre de verano tengo en mi seminario más participantes extranjeros que alemanes— y en la medida en que por nuestra parte nosotros somos invitados a todos los lugares y podemos mensurar nuestras concepciones sobre la dogmática y sistemática del Derecho penal con nuestros anfitriones mediante fructíferos intercambios de opiniones conforme a standards internacionales y mejorarlas permanentemente, no tenemos razones para temer por el futuro de la dogmática jurídicopenal.

A las tareas de futuro de la Ciencia del Derecho penal pertenece también en especial medida el desarrollo de la dogmática del Derecho penal procesal, que en buena medida ha permanecido rezagada tras la del Derecho penal material[2]. Esto se debe a varias razones. Al principio el Derecho penal procesal fue cultivado en las Universidades menos que el Derecho penal material. Después el Derecho procesal penal ha sido siempre un dominio del Derecho judicial y por ello también se ha abierto a la influencia de la ciencia de forma más lenta que el Derecho penal material. Más tarde, en el período de posguerra, argumentos

---

[2]   Véase ya Claus Roxin, Die Rechtsprechung des Bundesgerichtshof zum Strafverfahrensrecht -Ein Rückblick auf 40 Jahre, en: Othmar Jauernig/Claus Roxin, 40 Jahre Bundesgerichtshof, Heidelberg, 1991, pp. 66 s.

constitucionalistas han remodelado de nuevo la vieja ordenación procesal penal con múltiples consecuencias incalculables. Y finalmente, la
influencia del proceso penal anglo-americano —desde el *fair trial* hasta el
plea bargaining— ha dado un contenido sustancialmente diverso al originariamente formalista Derecho procesal alemán.

En el fondo de esta historia de conversión del Derecho penal procesal
vigente en un sistema sólido, garante de la seguridad jurídica y al mismo
tiempo abierto a nuevos desarrollos, hay una intensa tarea de futuro que
quizás ni siquiera aún hemos percibido y que sólo ha sido emprendida de
forma incipiente. Baste pensar en algunos ámbitos problemáticos nucleares, como la teoría de la prueba prohibida[3], la práctica de la conciliación[4], o incluso el alcance del principio *nemo tenetur*[5], que son en buena
medida ignorados por el texto legal y todavía en modo alguno han sido
suficientemente integrados de la misma forma que los derechos fundamentales en una elaboración sistemática conceptual genérica de nuestro
Derecho procesal.

Yo sólo puedo proponer esta tarea y aquí ni siquiera puedo resolverla
someramente. Sin embargo, debe indicarse al menos que esta tarea tiene
un gran significado práctico. Una nueva ordenación procesal penal pendiente, que tendría que sustituir los continuos remiendos de los últimos
120 años[6], difícilmente puede prosperar sin la necesaria tarea científica
básica (y quizás por eso nunca ha sido tomada en serio). Tampoco puede

---

3   Desde que Erns Beling en 1903 en su escrito «Die Beweisverbote als Grenzen der
    Wahrheitsersforschung im Strafprozeß» acuñase el término prueba prohibida exis-
    te una discusión de opiniones inabarcable sin que hasta ahora haya prosperado una
    profundización teórica. Con más detalle Claus Roxin, Strafverfahrensrecht, 25 ed.,
    München, 1998, '24 D, con abundantes referencias.
4   Detalladamente al respecto, Bern Schünemann, Gutachten zum 58. DJT, München
    1990; Thomas Rönnau, Die Absprachen im Strafprozess, Kiel, 1990; Werner
    Beulke, Strafprozeßrecht, 3 ed, Heidelberg, 1998, núm. 394 ss; Roxin (nota 3), '15,
    núm. 6 ss.
5   Resumidamente Klaus Rogall, Der Beschuldigte als Beweismittel gegen sich selbst,
    Berlin, 1977, pp. 104 ss; véase también Torsten Verrel, Nemo tenetur -
    rekonstruktion eines Verfahrungsgrundsatzes, NStZ 1997, 361, 415.
6   Roxin ofrece un compendio de la historia del Derecho penal procesal (nota 3),
    "71,72.

ignorarse que el desarrollo de la legislación y de la justicia en el terreno de la Administración de Justicia penal en los últimos 20 años se ha desplazado cada vez más a la llamada idea de la eficiencia orientada a la eficacia de la función, con la que la seguridad jurídica pierde terreno frente al margen de decisión de los Tribunales y de los órganos de persecución penal. Especialmente los derechos y libertades fundamentales de los ciudadanos son puestos cada vez en mayor medida a disposición de ponderaciones procesales[7], que a la larga socavan estas garantías de una forma dudosa en un Estado de Derecho. La ciencia debe contrastar aquí mejores conceptos y, caso de ser necesario, exigirlos ante los Tribunales constitucionales.

III. VIEJOS Y NUEVOS ÁMBITOS DE TRABAJO

Aunque es trivial, no está de más decirlo de nuevo: El cambio de milenio no es ninguna ruptura de la época, sino simplemente un suceso en el calendario. Por tanto, no renovará de forma rotunda la tarea de la Ciencia penal sino que ante todo tendrá que aportar claridad a muchas cuestiones antiguas. Por sólo escoger dos ejemplos, todavía no tenemos ningún modelo que ofrezca consenso en el ámbito de la punibilidad por omisión[8], o del concepto de hecho en el proceso penal[9], que tan decisivo es para la armonía temática entre los Tribunales y los límites de la vigencia del Derecho[10]. Pero por lo demás también la ciencia tendrá que seguir trabajando con la misma intensidad que hasta ahora en todos los

---

[7] *Un ejemplo especialmente evidente de ésto lo ofrece la evolución de la jurisprudencia en el ámbito de la teoría de la prueba prohibida, donde el BGH procede cada vez mas a ponderar el interés del Estado en la averiguación de los hechos frente al interés individual del ciudadano en la garantía de sus derechos a la libertad, véase por ejemplo BGHS 19, 331, 27, 357, 34, 53, 38, 221 ss, 42, 377.*

[8] *Fundamentalmente al respecto, Rolf Dietrich Herzberg, Die Unterlassung im Strafrecht und das Garantienprinzip, Berlin, 1972; Bern Schünemann, Grund und Grenzen der unechten Unterlassungsdelikte, Göttingen, 1971; Joachim Vogel, Norm und Pflicht bei Unterlassungsdelikten, Berlin, 1993.*

[9] *Detenidamente Roxin (nota 3), '20, núm. 1 ss.*

[10] *Roxin (nota 3), '50, núm. 11 ss.*

terrenos, porque las viejas soluciones prosperan cuando se someten una
y otra vez al banco de prueba de las nuevas constelaciones de casos.
Además las nuevas concepciones teóricas siempre ofrecen nuevas posibi-
lidades de solución. No hay nada en la jurisprudencia que pudiera ser
archivado como algo definitivamente investigado.

No obstante, las grandes exigencias de futuro radican en ámbitos que
han surgido o cobrado su significado actual tras la posguerra a través de
nuevos desarrollos sociales, industriales, técnicos y de las ciencias empí-
ricas. A título de ejemplo enuncio seis ámbitos problemáticos, tres del
Derecho penal sustantivo y tres del Derecho penal procesal.

Un primer gran terreno de trabajo futuro lo representa el ámbito
completo de la criminalidad económica internacional[11], incluido la res-
ponsabilidad penal en las empresas (con muchas tareas nuevas para la
comprobación de la causalidad, imprudencia, autoría y participación así
como la responsabilidad por omisión). También pertenece a este ámbito
la problemática aún no resuelta de las sanciones a las sociedades[12].

---

[11]   *Véase al respecto, por ejemplo, Detlev Geerds, Wirtschaftstrafrecht und*
Vermögensschutz, Lübeck, 1990; Heike Jung, Die Bekämpfung der Wirtschaftskri-
minalität als Prüfstein des Strafrechtssystems, Berlin, 1979; Heinz-Bern Wabnitz/
Thomas Janovsky (Hrsg), Handbuch des Wirtschafts- und Steuerstrafrecht,
München, 2000; Klaus Tiedemann, Wirtschaftsstrafrecht und Wirtschaftskri-
minalität, Allgemeiner und Besonderer Teil, Reinbek, 1976; el mismo en
Handhabung und Kritik des neuen Wirtschaftstrafrechts -Versuch einer
Zwischenbilanz, en: Ernsr-Walter Hanack/Peter Rieß/Günter Wendisch (Hrsg).
Festschrift für Dünnebeir, Berlin, 1982, p. 519. Véase también el informe y el acta
de sesiones del 49 DJT, München, 1972 (Bd. I, Teil C, Bd. II Teil F).

[12]   *Detenidamente al respecto Hans Achenbach, Die Sanktionen gegen die*
Unternehmensdelinquenz im Umbruch, JuS 1990, 601; el mismo, Diskrepanzen
im Recht der ahndenden Sanktionen gegen Unternehmen, en Wilfried Küper/
Jürgen Welp (Hrsg.), Festschrift für Stree/Wessels, Heidelberg, 1993, p. 545;
Heiner Alwart, Strafrechtliche Haftung des Unternehmens -vom Unterneh-
menstäter zum Täterunternehmen, ZStW 105 (1993), pág 752; Hans Joachim
Hirsch, Die Frage der Straffähigkeit von Personenverbänden, Opladen 1993; el
mismo en Strafrechtliche Verantwortlichkeit von Unternehmen, ZStW 107 (1995),
p. 285; Harro Otto, Die Strafbarkeit von Unternehmen und Verbänden, Berlin,
1993; Bernd Schünemann, Unternehmenskriminalität und Strafrecht, Köln 1979;
el mismo, en Strafrechtsdosgmatische und kriminalpolitische Grundfragen der

Como segundo problema fundamental inmediato en el Derecho penal del futuro enuncio los grandes riesgos que amenazan a un número incalculable de hombres. Pueden provenir de la producción atómica o química, pero también de la industria farmacéutica, de la producción de alimentos, de la fabricación de comida para animales, etc[13]. Se trata de cuestiones básicas también de nuestra ciencia. ¿Es realmente el Derecho penal un instrumento adecuado para la lucha contra tales peligros?[14]; ¿o consistiría la mejor protección en la renuncia a determinadas posibilidades (la palabra clave sería el desarme nuclear) o en el perfeccionamiento de controles preventivos?

Yo creo que el Derecho penal viene en consideración sólo como tercera opción tras las dos formas enunciadas de disminución de riesgos. Pero aun así surgen todavía muchas preguntas no resueltas: ¿también cuando se trata de riesgos lejanos es el Derecho penal un instrumento de control adecuado en un Estado social, esto es, apropiado y proporcionado?[15] ¿Es el

---

Unternehmenskriminalität, wistra 1982, 41; Günter Stratenwerth, Strafrechtliche Unternehmenshaftung?, en: Klaus Geppert/Joachim Bohnert/Rudolf Rengier (Hrsg.), Festschrift für Rud. Schmitt, Tübingen, 1992, p. 295; Klaus Tiedemann, die «Bebußung» von Unternehmen nach dem zweiten Gesetz zum Bekämpfung der Wirtschaftskriminalität, NJW 1998, 1169; el mismo, Strafrecht in der Marktwirtschaft, en Wilfried Küper/Jürgen Welp (Hrsg.), Festschrift für Stree/Wessels, Heidelberg 1993, p. 527; Klaus Volk, Zur Bestrafung von Unternehmen, JZ 1993, 429.

[13] Entre tanto el Tribunal Supremo se ha ocupado de casos de este tipo en la llamada decisión del Lederspray así como en el llamado caso del Holzschutzmittel: BGHSt 37, 106;41, 206. Con más detalle sobre la responsabilidad por el producto y la empresa, Joerg Brammsen, Strafrechtliche Rückrufpflichten bei fehlerhaften Produkten?, GA 1993, 97; Lothra Kuhlen, Strafhaftung bei unterlassenem Rückruf gesundheitsgefährdender Produkte, NStZ 1990, 566; Eric Samson, Probleme strafrechtliche Produkthaftung, StV 1991, 182; Joachim Schmidt-Salzer, Strafrechtliche Produktverantwortung, NJW 1990, 2966; Bernd Schünemann, Die Strafrechtliche Verantwortlichkeit der Unternehmensleistung im Bereich von Umweltschutz und technischer Sicherheit, en: Rüdiger Breuer/Michael Kloepfer y otros (Hrsg.), Umweltschutz und technische Sicherheit im Unternehmen, Heidelberg, 1994, p. 137, 163.

[14] Básicamente Cornelius Prittwitz, Strafrecht und Risiko, Frankfurt a.M. 1993

[15] Esta pregunta es negada sobre todo por la así llamada Escuela de Frankfurt y es objeto de viva discusión; véase Claus Roxin, Strafrecht, Allgemeiner Teil, Band I, 3 ed, München 1997 '2, núm. 26-31.

concepto central de protección de bien jurídico, con el que hasta ahora se ha descrito la tarea del Derecho penal, realmente idóneo cuando se trata de daños al medio ambiente o de incidencias en el Código genético, cuyo verdadero alcance sólo las futuras generaciones percibirán?, ¿o tendría que ser reemplazado por otros criterios como el del aseguramiento del futuro?[16]

También nuestras categorías dogmáticas se ven expuestas a nuevas preguntas cuando se emplean contra grandes riesgos: ¿hasta dónde puede llegar la abstracción de los delitos de peligro abstracto y la generalidad de los «bienes jurídicos» colectivos (p. ej., la seguridad de la comunidad o las prevenciones estatales de peligros) y a partir de cuándo la sanción penal no es ya una prohibición legitimable?[17] ¿Es todavía el principio de culpabilidad, diseñado para el comportamiento individual, un medio adecuado para la limitación de la reacción estatal? Todas estas preguntas están todavía en el horizonte de nuestra Ciencia, y su elaboración ha comenzado. Sin embargo, su respuesta satisfactoria se encuentra todavía bastante lejana.

Como tercer ámbito de futuro también para el Derecho penal tiene que servir el problema general de la vida y muerte humana, que ha recibido nuevas dimensiones con el progreso de la ciencia. Esto abarca desde la protección de embriones pasando por la tecnología genética[18] y

---

[16] Günter Stratenwerth, Zukunftssicherung mit den Mitteln des Strafrecht?, ZStW 105 (1993), p. 679; con más detalle Roxin (nota 15), núm. 32.

[17] Al respecto, Roland Hefendehl, Strafrecht und Schutz kollektiver Rechtsgüter, escrito de habilitación aún inédito, 1998; Felix Herzog, Gesellschaftliche Unsicherheit und strafrechtliche Daseinworsorge, Heidelberg, 1991; Günther Jakobs, Das Strafrecht zwischen Funktionalismus und «Alteuropäischem» Prinzipzdenken. ZStW 107 (1995), p. 885; Lothar Kuhlen, Zum Strafrecht der Risikogesellschaft, GA 1994, 362; Heinz Müller-Dietz, Aspekte und Konzepte der Strafrechtsbegrenzung, en: Klaus Geppert/Johachim Bohnert/Rudolf Rengier (Hrsg), Festschrift für Rud, Schmitt, Tübingen 1992, p. 102; Cornelius Prittwitz, Strafrecht und Risiko, Frankfurt a. M., 1993; Bernd Schünemann, Kritische Anmerkungen zur geistigen Situation der deutschen Strafrechtswissenschaft, GA 1995, 210; Frank Ziegschang, Die Gefährdungsdelikte, Berlin, 1998.

[18] Arthur Kaufmann, Rechtsphilosophische Reflexionen über Biotechnologie und Bioethik an der Schwelle zum dritten Jahrtausend, JZ 1987, 837; Rolf Keller,

el Derecho de trasplantes[19] hasta las preguntas en torno al auxilio al suicidio[20], que se presentan de un modo distinto que antes a raíz de la moderna medicina intensiva. Todos estos temas son, como la completa protección de la vida, ámbitos nucleares de trabajo no sólo de la medicina o de la bioética, sino también del Derecho penal. Hasta ahora el legislador ha rehusado estos ámbitos de una forma considerable. La Ley de trasplantes con su intento de prohibición de la comercialización de órganos ha fracasado en buena medida[21] y la ayuda a morir ha quedado abandonada a las líneas básicas (jurídicamente no vinculantes) del Colegio Médico Federal[22]. Tanto más es tarea de la Ciencia del Derecho

---

Rechtiche Schranken der Humangenetik, JR 1991, 441; el mismo, Klonen, Embryonenschutzgesetz und Biomedizin-Konvention, en Albin Eser/Ulrike Schittenhelm/Heribert Schumann (Hrsg.), Festschrift für Lenckner, München 1998, p. 477; Bernard Losch, Lebensschutz am Lebensbeginn- Verfassungsrechtliche Probleme des Embryonenschutzes, NJW 1992, 2926: Friedrich-Christian Schroeder, Die Rechtsgüter des Embryonenschutzgestzes, en: Hans-Heiner Kühne (Hrsg.) Festschrift für Miyazawa, Baden-Baden 1995, p. 533; Detlev Sternberg-Lieben, Fortpflanzungsmedizin und Strafrecht, NStW 1998, I.

[19] Véase Erwin Deutsch, Das Transplantationsgesetz vom 5.11.1997, NJW 1998, 777; Ulrich Schroth, Die strafrechtlichen Tatbestände des Transplantationsgesetzes, JZ 1997, 1149; Jarmila Dufková, Die Zulässigkeit und Strafbarkeit der Organentnahme zu Transplantationszwecken im Vergleich zu klinischen Sektionen, MedR 1998, 304; Hermann Christoph Kühn, Das neue deutsche Transplantationsgestzt, MedR 1998, 455; Martin Heger, Erwiderung auf Schroth, Die strafrechtlichen Tatbestände des Transplantationsgesetzes (JZ 1997, 1149 ss), JZ 1998, 506.

[20] Detenidamente al respecto véase el Informe y acta de sesiones del 56 DJT, München 1986 (Bd, I, Teil D y Bd II, Teil M).

[21] Al respecto Ulrich Schroth, Die strafrechtlichen Tatbestände des Transplantationsgesetztes, JZ 1997, 1149 ss; véase también Peter König, Strafbarer Organhandel, Frankfurt a. M 1999.

[22] Véase Deutsches Ärzteblatt, 1979, 957 y actualmente NJW 1998, 3406. Sobre el contenido y sentido de una regulación legal véase el Proyecto Alternativo de una legislación sobre ayuda al suicidio; Stuttgart 1986, así como Adolf Laufs, Selbstverantwortetes Sterben?, en NJW 1996, 763; Erich Steffen, Noch einmal: Selbstverantwortetes Sterbens? NJW 1996, 763; Erich Steffen, Noch einmal: Selbstverantwortetes Sterben?, NJW 1996, 1581; Herbert Tröndle, Nochmals: Sterbehilfe, lex artis und mutmaßlicher Patientenwille, MedR 1988, 163; el mismo, Warum ist die Sterbehilfe ein rechtliches Problem? en ZStW 99 (1987), p. 35, con más referencias.

penal profundizar en la adecuada solución de problemas, en parte de lege lata, en parte de lege ferenda.

Mi cuarto ejemplo lo tomo del Derecho procesal penal. Los acuerdos ya mencionados entre el Ministerio Fiscal, el Tribunal y el abogado, que hoy ponen fin a una parte considerable de procesos, no están previstos en la Ley y transforman cada vez más nuestro proceso penal, concebido de forma contradictoria, en un proceso consensuado. Si un tal paradigma de cambio puede efectuarse sin fundamento legal es una pregunta tan abierta como la compatibilidad del acuerdo alcanzado fuera del juicio oral con los principios de publicidad, oralidad e inmediación, que presiden nuestro juicio oral[23]. Nuestro Tribunal Supremo se ha esforzado mucho en llegar a soluciones practicables[24]. Pero la elaboración hasta la casuística en el plano jurídico en sentido estricto de este desarrollo extralegal de alcance tan importante está todavía pendiente si al veredicto total, irrefutable para Schunemann[25] pero desatendido por la corriente mayoritaria, no se le quiere conceder el valor de última palabra. Pudiera ser que en el futuro necesitemos dos regulaciones procesales, una contradictoria y otra consensual.

---

[23]   *Además de la bibliografía citada en nota 4 véase Werner Beulke, Die Strafbarkeit des Verteidigers, Heidelberg 1989, p. 116; Werner Beulke/Helmut Satzger, Der fehlgeschlagene Deal und seine prozessualen Folgen -BGHSt 42, 191, Jus 1997, 1072; Reinhard Böttcher/Hans Dahs/Gunter Widmaier, Verständigung im Strafverfahren -eine Zwischenbilanz, NStZ 1993, 375; Hans Dahs, Absprachen im Strafverfahren -eine Zwischenbilanz, NStZ 1988, 53; Winfried Hassemer, Pacta sunt servanda -auch im Strafprozeß? BGH, NJW 1989, 2270, JuS 1989, 890; Klaus Lüderssen, Die Verständigung im Strafprozeß, StV 1990, 415; Lutz Meyer-Goßner, Entlastung der Strafrechtspflege -ein ungewöhnlicher Vorschlag, NStZ 1992, 167; Dierter Rössner/Christian Engelking, Der praktische Fall: Strafprozeßrech -Der «Vergleich» im Strafverfahren, JuS 1991, 664; Christoph Rückel, Verteidigertaktik bei Verständigungen und Vereinbarungen im Strafverfahren NStZ 1987, 297; Werner Schmidt-Hieber, Absprachen im Strafprozeß -Privileg des Wohlstandskriminellen? en NJW 1990, 1884; Thomas Weigend, Absgesprochene Gerechtigkeit, JZ 1990, 774; Gunter Widmaier, Der strafprozesualle Vergleich, StV 1986, 357.*

[24]   *BGHSt 36, 210,37,10, 298, 38, 102, 40,287, 43, 195; BGH NJW 1994, 12093; 1995, 2568; BGH BStZ 1994, 196.*

[25]   *Schünemann (nota 4); el mismo, Wetterzeichen einer untergehenden Strafprozeßkultur? Wider die falsche Prophetie des Absprachenelysiums, StV 1993, 657.*

En quinto lugar, los nuevos horizontes científicos dan paso a métodos de investigación en el proceso penal, debidos a los avances científicos y tecnológicos que eran desconocidos hasta bien entrados en la posguerra: aquí se incluyen los métodos de investigación computerizados, como la búsqueda del tipo «red de arrastre», la de «retícula» o el requerimiento de observación policial, pero también la aparición de medios técnicos como la vigilancia con cámaras, «el gran ataque de interceptación y escucha» y no en último lugar el análisis genético, que ha dado paso a una considerable ampliación de las posibilidades de prueba[26]. El legislador ha intentado que estos nuevos métodos, que no están tan lejos ya de la utopía de la total vigilancia ciudadana, sean compatibles con el derecho a la autodeterminación informativa así como con otros derechos fundamentales del acusado y el derecho del testigo a oponerse. Pero en el primer intento ésto no se ha conseguido de forma satisfactoria. Como sucede con la conciliación, si bien ahora de una manera distinta, está también aquí en juego la concepción genérica de nuestro proceso penal, que se basa en un cuidadoso balance entre las intromisiones estatales y los derechos de libertad de los ciudadanos. Un Estado de Derecho debe garantizarlos de igual modo. Al respecto existe aún una gran necesidad de investigación. Al final del proceso científico de clarificación quedará probablemente la exigencia de importantes modificaciones y de una derogación de las facultades de intromisión demasiado amplias.

El sexto y último punto central aún por mencionar del trabajo futuro afecta a la cada vez más acuciante aparición de agentes provocadores a través de los órganos de persecución penal. Los investigadores ocultos, esto es, policías que actúan de incógnito, han sido una vez más desconocidos legalmente[27]. Está todavía sin regular el problema de los llamados confidentes, esto es, agentes privados de la policía, que sin embargo aparecen cada vez más en buena parte de los ámbitos criminales[28]. Mas

---

[26]   *Sobre estos nuevos métodos de investigación véase Roxin (nota 3), '10, núm. 17 ss y '33, núm. 7 con más referencias.*

[27]   *Al respecto Roxin (nota 3), '10, núm. 25 ss., con más referencias.*

[28]   *Véase Roxin (nota 3), '10, núm. 29, con más referencias.*

allá de esto, la policía utiliza a veces gente privada para la toma de declaración de culpables y testigos[29].

Aunque ahora los órganos de persecución penal cuando toman declaración a culpables y testigos tienen que informarles previamente sobre su derecho al silencio y a no testificar, y nunca pueden motivar declaraciones mediante engaño, las llamadas personas de información renuncian a cualquier instrucción al respecto, y engañan sobre sus verdaderas intenciones a las personas que tienen en sospecha. Es evidente que estas formas de proceder apenas pueden compatibilizarse jurídicamente, y la tesis de que la moderna criminalidad, sobre todo la relativa a la criminalidad organizada, sólo podría combatirse con un ejército de espías no es ningún argumento jurídico, porque el fin no justifica los medios[30]. También aquí se trata de cuestiones básicas del proceso penal, que en absoluto han sido definitivamente aclaradas.

Incluso aunque fuera admisible la actuación de tales ayudantes encubiertos con una regulación legal o incluso sin ella, quedan por aclarar los límites de su permisibilidad. ¿Debe realmente ser castigado quien es inducido a delinquir por un agente provocador?[31] ¿Y bajo qué presupuestos podría castigarse, aun cuando se haga con fines de investigación, la

---

[29]   Aquí pertenece especialmente el llamado «Hörfalle», del que ya se había ocupado el gran senado del Tribunal Supremo; véase BGHSt 42, 139.

[30]   Sobre la problemática del Hörfalle véase BGHSt 42, 139, así como Klaus Bernsmann, Verwertunsverbot für Angaben eines Beschuldigten, die dieser ohne Kenntnis des Hintergrundes in einem Gespräch mit einer von der Polizei mit dem Aushorschen beauftragten Privatperson macht?, StV 1997, 116; Friedrich Dencker, Über Heimlichkeit, Offenheit und Täuschung bei der Beweisgewinnung im Strafverfahren, StV 1994, 671; Hans Lisken, Telefonmithören erlaubt?, NJW 1994, 2069: Joachim Renzikowski, Die Förmliche Verhenmung des Beschuldigten und ihre Umgehung, JZ 1997, 710; Claus Roxin, Nemo tenetur -die Rechtsprechung am Scheideweg, NStZ 1995, 465; el mismo, Zum Hörfallen-Beschluß des Großten Senats für Strafsachen, NStZ 1997, 18; Christian Tietje, Zulässigkeit des Telefonmithörens durch die Polizei- ein Fall der Art. 10 GG y 8 EMRK, MDR, 1994, 1078; Verrel (nota 5).

[31]   Detalladamente Roxin (nota 3), '10 núm.s. 27 ss; Imme Roxin, Die Rechtsfolgen schwerwiegender Rechtstaatsvertöße in der Strafrechtspflege, 3 ed., München 2000.

provocación de hechos punibles?[32] *Sobre este tema existe una amplia literatura y algunas sentencias, aunque no siempre coherentes (incluso del Tribunal Europeo de Derechos Humanos)*[33]. *Pero no hay ninguna claridad jurídica. Alcanzarla es una tarea científica urgente.*

Este inciso en el programa de futuro puede servir para mostrar la tarea tan importante que tiene ante sí la Ciencia del Derecho penal al comienzo del nuevo milenio.

IV. LOS FUNDAMENTOS SUPRANACIONALES DEL DERECHO PENAL

La ciencia penal del futuro tendrá que desarrollarse, y con esto me adentro en otra tarea importante, sobre fundamentos internacionales en mayor medida que hasta ahora lo ha hecho[34]. *Aunque históricamente existe jurisprudencia dictada sobre bases internacionales —por ejemplo, la del Derecho romano—, en el ámbito del Derecho aplicado por los Tribunales mayoritariamente se ha cultivado como una ciencia limitada nacionalmente. Esto es un error, y hoy más que antes. Como es sabido, ya Pascal*[35] *se ha burlado de la «cómica justicia, que la limita un río». Con razón no puede admitir que la verdad jurídica en este lado de los Pirineos sea distinta que la del otro lado.*

---

[32]   *Al respecto Claus Roxin, en LK, 11 ed., Berlin 1992, '26, núm. 67 ss, con más referencias.*

[33]   *Por ejemplo, EGMR, NSSZ 1999, 47, sobre la admisibilidad de una condena tras la intervención de un agente provocador.*

[34]   *Sobre los esfuerzos habidos hasta ahora en este ámbito, véase por ejemplo Ulrich Sieber (Hrsg.), Europäische Einigung und Europäisches Strafrecht, Köln 1993; el mismo en Memorandum für ein Europäisches Modellstrafgesetzbuch, JZ 1997, 369 con numerosas referencias.*

[35]   *Blaise Pascal, Pensées. Fragment 94, Mercure de France, 1976. La propuesta de esta idea proviene de Pascal en Essais von Montaigne. Allí dice: «)qué valor puede tener una virtud, ... que al otro lado del río es delito?) qué clase de verdad es esa que acaba en esta cordillera y por el contrario para el mundo del otro lado es una mentira? (Véase Michel de Montaigne, Essais, Erste Moderne Gesamtübersetzung von Hans Stilett, Frankfurt a.M, 1998, p. 298).*

De cara al futuro quiero defender esta tesis de que la Ciencia del Derecho penal, sin perjuicio de regulaciones en parte diferentes también de las modernas codificaciones, es sólo una, en cuya elaboración colaboran investigadores de todos los países. El círculo de participantes internacionales en nuestros Congresos es para mí una viva confirmación de esta hipótesis. De hecho, el objeto de la Ciencia del Derecho penal en los diversos Estados es, en efecto, más homogénea de lo que a menudo se piensa. Incluso la existencia de diferentes regulaciones legales no pone en tela de juicio la unidad de la Ciencia del Derecho penal. Quiero aclarar brevemente ambas afirmaciones, porque son clave para las consecuencias que quiero extraer de la forma de trabajar de nuestra Ciencia.

En primer lugar, la unidad del objeto de la investigación. La criminalidad es un fenómeno que aparece de forma muy similar en todos los modernos estados industrializados. Lo que se castiga en modo alguno es arbitrario, sino que a través de la investigación científica traza en buena medida las condiciones de una convivencia social segura y libre. En relación con los tipos «clásicos» del Derecho penal nuclear ésto es conocido desde hace tiempo: cualquier sociedad que no quiera hundirse en el caos tiene que castigar el asesinato, el robo, la violación, las detenciones ilegales y otras numerosas formas de delincuencia cuyo padecimiento destruiría el sistema social, a cuya protección se orienta el Derecho penal. Esto también vale para tipos penales nuevos, con historia más o menos corta. Quien sobre fundamentos internacionales quiera combatir eficazmente la criminalidad organizada no puede renunciar a castigar el blanqueo de capitales; la forma en que se tiene que configurar un tipo de tal clase, para ser lo más eficaz posible, es una cuestión científica de primer orden aún no resuelta y un problema universal[36]. Lo mismo vale en relación con la evitación de atentados al medio ambiente, que en las últimas décadas han alcanzado niveles amenazadores para la sociedad; también en este ámbito nuestro instrumental penal es todavía

---

[36] Sintéticamente y con referencias al Derecho comparado, Petra Hoyer/Joachim Klos, Regelungen zur Bekämpfung der Geldwäche und ihre Anwendung in der Praxis, 2º ed., Bielefeld 1998.

insuficiente, su mejora es una tarea de la que tienen que ocuparse de igual modo los científicos de todo el mundo[37].

Un gran ámbito de unidad supranacional del Derecho penal no resulta sólo de los tipos delictivos. También las categorías jurídicas de la teoría general del delito son objeto universal de investigación en cualquier ciencia desarrollada del Derecho penal. Institutos jurídicos como la «legítima defensa» o el estado de necesidad» juegan necesariamente un papel en cualquier ordenamiento jurídico, porque las situaciones vitales para las que fueron concebidas son idénticas. Si por ejemplo se contempla el Derecho de los Estados norteamericanos, que tan lejano es del Derecho continental europeo, se observará que lo que allí se conoce con el concepto de *defenses*[38] se corresponde con la misma figura jurídica de la que se ocupan los penalistas alemanes y asiáticos. También problemas como la causalidad, la imputación objetiva, el dolo, la imprudencia y el error, los actos preparatorios, la tentativa y el desistimiento o el castigo de la omisión aparecen en todas partes y no son algo peculiar de cada nación.

Sin embargo, los problemas vinculados con los distintos tipos y categorías de la teoría general del delito no se resuelven de la misma forma en todos los Estados. Pero tampoco este hecho, y con esto vuelvo a mi segunda afirmación nuclear, pone en duda el reconocimiento del carácter general de la Ciencia del Derecho penal. Es cierto que en los distintos Estados se regulan de forma parcialmente diversa los problemas del aborto, consumo de drogas, auxilio a morir o —por pasar a la dogmática de la teoría general del Derecho penal— el castigo de la tentativa idónea o de los delitos de omisión impropios. Pero, y esto es lo decisivo: los problemas son los mismos, y los argumentos que puedan aducirse en

---

[37]   Al respecto, por ejemplo, a nivel internacional, Karin Cornils/Günter Heine (Hrsg.) *Umweltstrafrecht in der nordischen Ländern*, Freiburg i. Br, 1994; Albin Eser/Günter Heine (Hrsg.), *Umweltstrafrecht in England, Kanada und USA*, Freiburg i. Br. 1994; Günther Heine (Hrsg). *Umweltstrafrecht in osteuropäisxchen Ländern*, Freiburg i. Br 1995, así como a nivel nacional Michael Kloepfer/Hans-Peter Vierhaus, *Umweltstrafrecht*, München 1995.

[38]   Detalladamente al respecto véase el estudio comparado de Stefan Stauder, *Die allgemeinen defenses des New York Penal Law*, Frankfurt a.M. 1999.

favor o en contra de una y otra solución, son limitados en numero, tienen en general validez internacional y más allá de cualquier esfuerzo político de armonización pueden llevar a un consenso internacional y llegar en sus consecuencias a reglas iguales o semejantes, de la misma forma que de hecho ya hoy día son características de otros ámbitos del Derecho penal en buena parte del mundo.

Sin embargo, no puede desconocerse que los condicionamientos políticos, sociales y culturales no son idénticos en todos los sitios y sobre todo no lo son en todos los ámbitos jurídicos. Tal identidad tampoco sería deseable, porque la riqueza y fertilidad de los europeos y de la civilización occidental presupone que se posibiliten las tradiciones individuales. Para una ciencia supranacional del Derecho penal esto tiene como consecuencia que los argumentos elaborados de modo cooperativo para la solución de sus tareas comunes no tienen que tener el mismo peso en cada Estado. Más bien en el valor que se conceda en la balanza a los argumentos jurídicos pueden influir —no en todas partes, pero aquí y allá— presupuestos históricos y socioculturales divergentes, de tal modo que algunos Estados aceptan soluciones diferentes a problemas jurídicos y sin embargo en su ámbito han encontrado el respectivo Derecho adecuado. En realidad hay diferentes verdades, sin que esto merme en lo más mínimo la universalidad de los métodos de la Ciencia penal utilizados para su descubrimiento.

No obstante, para el trabajo científico en Derecho penal ésto significa que sólo está a la altura de los tiempos aquél que tiene presente el estado de la discusión internacional más allá de la literatura y jurisprudencia nacional. Ciertamente la ciencia del Derecho penal tiene que darse por aludida, porque en este punto está a la cola de otros Estados. Ningún profesor español, polaco o japonés ignorará en la elaboración de problemas penales nucleares la literatura alemana. Sin embargo, el profesor alemán a menudo es culpable, cuando no es un profesional de Derecho comparado[39], de la desatención del pensamiento penal no alemán. La

---

[39]   Sobre las «funciones, métodos y límites de la comparación del Derecho penal» es instructivo Albin Eser, en: Hans-Jörg Albrecht u.a. (Hrsg.), Festschrift für Kaiser, Zweiter Halbband, Berlin, 1998, p. 1499.

transferencia científica en nuestra materia tiene a menudo una sola dirección.

Esto obedece a diferentes razones: los límites de la capacidad de trabajo, la falta de bibliotecas extranjeras de Derecho penal en la mayoría de las Universidades (el Instituto Max Planck de Friburgo representa aquí, incluso con parámetros internacionales, una excepción digna de elogio) y también la barrera del idioma, que sólo con un lenguaje universal, al que también pertenece en Derecho penal el alemán, se supera en cierto modo.

Sin embargo yo no creo que tengamos que resignarnos ante estas dificultades. Más bien veo aquí una tarea de futuro de la Ciencia universal del Derecho penal que por fin debe ser abordada. Necesitamos —naturalmente en varios volúmenes— un manual de Derecho penal internacional en el que se describa, compare e interprete el Derecho penal de todos los países europeos y también de los más importantes países no europeos. Ese manual debe comprender las reglas y el pensamiento del Derecho penal de su tiempo y no sólo juzgar el contenido de las normas, sino también la práctica de interpretación de los Tribunales así como contener las opiniones doctrinales influyentes y desde un prisma internacional valorar ponderativamente en clave político jurídica las ventajas e inconvenientes de los diferentes puntos de partida teóricos y de la aplicación práctica en los diferentes Estados. En tanto que con una perspectiva comparada se valoran de forma diferente las ventajas e inconvenientes de determinados modelos de solución, ésto debiera resultar evidente con la invocación de los argumentos hechos valer y remitirlo a la posterior discusión internacional.

Un trabajo de este tipo aún no se ha realizado de forma completa. Pero sería realizable si la mayoría de los profesores posibles de la mayoría de Estados posibles participaran en él contando con una financiación relativamente modesta de la comunidad internacional de Estados, incluyendo una traducción en los diferentes idiomas[40].

---

[40] Sobre los esfuerzos de armonización habidos hasta la fecha en el ámbito del Derecho penal europeo, véase Ulrich Sieber, Memorandum für ein Europäisches Modellstrafrechtgesetzbuch, JZ 1997, p. 371 s.

¿En qué consisten las ventajas de un trabajo de este tipo? En primer lugar en que daría un gran impulso a la Ciencia del Derecho penal, en la medida en que inmediatamente cada investigador insertaría en un contexto universal el ámbito problemático por él tratado más allá de la tradición nacional y de la legislación. Los seis campos de trabajo ya enunciados más arriba a título de ejemplo podrían tratarse entonces desde el principio en sintonía con la cultura penal internacional. La posibilidad de una orientación rápida y completa de tal clase, que inmediatamente ahorra pesquisas y reflexiones sobre lo ya pensado o proyectado, no existe hasta el día de hoy. Si alguna vez llegara a existir, beneficiaría considerablemente el nivel de la ciencia penal internacional en todo el mundo, porque cada operador en ese ámbito podría trabajar desde el principio sobre la base de los conocimientos adquiridos hasta entonces.

Además, tal compendio universal, que también podría obtenerse por los modernos sistemas de datos, reportaría una enorme ventaja al trabajo legislativo en todos los Estados. Cuando el Código penal debió ser reformado al principio de esta centuria se preparó para esa labor «Una exposición comparativa del Derecho penal alemán y extranjero» en 16 volúmenes por parte de numerosos profesores de Derecho penal[41]. De la reforma no salió nada entonces, pero la «exposición comparativa» ha permanecido durante años como un trabajo básico del Derecho penal, como dijera Radzinowicz, «a landmark in the history of comparative penal studies»[42]. Se trata de renovar y reelaborar esta tradición, ante todo porque las posibilidades de comunicación y de transmisión de información son hoy infinitamente mayores que a principios de siglo. Un manual básico de Derecho penal internacional sería una valiosa fuente de conocimiento en todo el mundo. Sería al mismo tiempo —y con ésto vuelvo de nuevo a mi tesis original— la manifestación más convincente de la unidad mundial de nuestra Ciencia del Derecho penal.

---

[41] Karl Birkmeyer y otros (Hrsg, Vergleichende Darstellung des deutschen und ausländischen Strfrechts, Allgemeiner Teil, Bd. I-VI, 1908 y Besonderer Teil, Bd. I-IX, 1909 (Registerband für AT und BT, 1909).

[42] Sir Leon Radzinowicz, International Collaboration and Criminall Science, The Law Quarterly Review 58 (1942), pág, 128.

V. ORIENTACIONES LEGISLATIVAS Y JURISPRUDENCIALES

A las eternas, y con ello también futuras tareas del Derecho penal, pertenecen igualmente las orientaciones jurisprudenciales y legislativas. Estas se han desarrollado en Alemania de manera muy diferente.

La discusión jurídica y la mutua influencia de la ciencia y la praxis en el ámbito del Derecho penal muestran en Alemania el panorama de una colaboración estrecha y fructífera[43]. Mientras que en algunos otros Estados los profesores y jueces viven más o menos en su propio mundo y los Tribunales sólo tienen noticias aisladas de las opiniones doctrinales, el Tribunal Supremo tiene en cuenta, al menos en sus sentencias principales, la literatura jurídico penal y no pocas veces ha aceptado nuevas concepciones científicas abandonando la vieja jurisprudencia. La lista de tales sentencias abarca desde la aceptación de la teoría de la culpabilidad[44] pasando por la vinculación de la participación al dolo del autor[45] —dos decisiones que ha hecho suyas el legislador de la nueva Parte General— hasta la impunidad de la participación en la puesta en peligro responsable[46], las posibilidades de desistimiento en la tentativa[47] y las consecuencias de una falta de información sobre el derecho a permanecer en silencio[48]; en el último caso incluso el Tribunal Supremo ha utilizado el estado de discusión internacional en una forma hasta ahora sin precedentes y totalmente en la línea de las exigencias destacadas por mí.

Si la influencia de la ciencia en la praxis en el Derecho material es más fuerte que en el Derecho procesal, donde a menudo la jurisprudencia ha estimulado a la ciencia a una investigación más profunda, esto se debe

---

[43] Véase Roxin (nota 2) p. 66.

[44] BGHSt, 2, 196.

[45] BGHSt 9, 370.

[46] BGHSt 32, 262; al respecto Claus Roxin, NStZ 1984, 410; Harro Otto, *Selbstgefährdung und Fremdverantwortung* -BGH NJW 1984, 1469, Jura 1984, 536; Walter Stree, *Beteiligung an vorsätzlicher Selbstgefährdung* -BGHSt 32, 262 y BGH NStZ 1984, 452, JuS 1985, 179.

[47] GBHSt 31, 170; al respecto Hans-Joachim Rudolphi, *Rücktritt von unbeendeten Versuch*, en NStZ 1983, 361.

[48] BGHSt 38, 214, nota de Gerhard Fezer, JR 1992, 385, así como Claus Roxin.

a la ya apuntada diferente evolución del Derecho material y procesal. Pero en conjunto la ciencia y la jurisprudencia se encuentran en un estado de intercambio comunicativo fluido y valioso para ambas partes.

En cualquier caso de cara al futuro tienen en este ámbito una capacidad constructiva el contacto personal entre prácticos y científicos. Cada uno de nosotros, que con motivo de conferencias o seminarios hemos discutido con prácticos sobre los problemas jurídico penales se habrá dado cuenta de los valiosos conocimientos que se pueden desprender de ello. El profesor ve ante todo el problema en un contexto de grandes interrelaciones, el práctico lo ve antes bajo el prisma de sus respectivas peculiaridades y de una solución forense viable. De la contemplación conjunta de todos estos puntos de vista resulta a menudo una solución capaz de consenso, y por ello teóricos y prácticos deben buscar un lenguaje científico. El así llamado lenguaje penal de Marburgo de 1997 con sus resultados sumamente valiosos y estimulantes para discusiones posteriores[49] ha marcado en este ámbito un comienzo prometedor, que debiera repercutir en la configuración de una tradición.

Mucho peor cultivado está el campo de la orientación legislativa, que en el futuro tendrá que volver a ser un campo central de la ciencia del Derecho penal. Considero como exponente de la tarea del legislador penal de mejor contenido y de técnica legislativa más acabada la nueva Parte General del Código penal vigente desde 1975. Su origen es un trabajo de 8 años de la Gran Comisión de Derecho penal formada mayoritariamente por profesores pero también por prácticos, que elaboró el Proyecto de 1962; de la consiguiente discusión de tres años de un grupo de trabajo de profesores, de los que surge el Proyecto alternativo, y de un exhaustivo informe de la Comisión especial de reforma del Derecho penal, que ha elaborado ambos proyectos de la actual Parte General. El resultado fue un compromiso, y como tal criticable[50]. Pero la Ley puede mostrarse —también desde un punto de vista internacional—

---

[49]   *Véase al respecto Frank Dietmeier, Marburger Strafrechtsgespräch 1997, ZStW 110 (1998), p. 393.*
[50]   *Véase Jürgen Baumann, Kleine Streitschriften zur Strafrechtsreform, Bielefeld, 1965.*

y tendrá todavía una larga vigencia, naturalmente bajo la aceptación de nuevos desarrollos político criminales.

Hasta ahora ninguna norma penal ha sido discutida ni siquiera aproximadamente de forma tan profunda. Más bien la colaboración de científicos, que al menos es visible en la legislación de ejecución de la pena[51], ha disminuido cada vez más con la consecuencia de que el arte de legislar en el ámbito del Derecho penal ha alcanzado hoy una especial profundidad. Prototipo de ello es la sexta reforma del Derecho penal de 1998. Al principio no fue concebida como una nueva gran concepción sino que se orientaba a eliminar deficiencias detectadas desde hacía tiempo en el viejo Código penal mediante un gran número de puntuales modificaciones. Debía ser así una especie de Ley reparadora y fue aprobada con una rapidez incomprensible aunque no había motivo alguno para tanta prisa, porque los defectos que se trataban de eliminar eran en su mayoría muy antiguos y en parte, como con el problema de la apropiación por terceros, habían aparecido ya con la publicación del Código penal de 1871. Por ello, se habría podido dejar más tiempo a la discusión y reflexión, sobre todo porque el legislador en su conciencia de propia incapacidad generada por la prisa había dejado inalterados la mayoría de los tipos malogrados, como las lesiones causadas con el consentimiento del lesionado[52], las coacciones[53] y el asesinato[54].

---

[51] Por ejemplo, Heinke Jung/Heiniz Müller-Dietz (Hrsg.), Vorschläge zum Entwurf eines Strafvollzugsgesetzes, 2 Auf, Bonn- Bad Godesberg 1974; Arthur Kaufmann (Hrsg.), Die Strafvollzugsreform, Karlsruhe 1971.

[52] Harald Niedermair, Körperverletzung mit Einwilligung und die guten Sitten. Zum Funktionsverlust einer Generalklausel, München, 1999; Detlev Sternberg-Lieben, Die objektiven Schranken der Einwilligung im Strafrecht, Tübingen, 1997.

[53] Qué comportamientos son subsumibles en el concepto de violencia ha sido discutido especialmente desde la BVerGE 92, 1 ss. De la literatura de la reforma con diferentes tendencias véase, Jürgen Baumann, Bei ' 240 StGB ist der Gesetzgeber gefordert, ZRP 1987, 265 ss; Rolf Peter Callies, Der strafrechtliche Nötigungstatbestand und das verfassungsrechtliche Gebot der Tatbestandsbestimmtheit, NJW 1985, 1513; Arthur Kaufmann, Der BGH un die Sitzblockade, NJW 1988, 2581; Heiko H. Lesch, Ist die Sitzblockade einer Straße eine Nötigung anderer mit Gewält?, StV 1996, 152; Rupert Scholz, Sitzblockade und Verfassung -Zur neuen Entscheidung des BVerfG, NStZ 1995, 424; Friedrich-Christian Schroeder, Die Grundstruktur der Nötigung und die Möglichkeiten zur Beseitigung

Lo que entonces ha hecho el legislador es crear más problemas que resolverlos. No puedo exponer ésto aquí en detalle, ni tampoco hace falta, ya que se expone en multitud de publicaciones[55]. Arzt[56] habla de una «ola inaudita de sarcasmo y de cólera impotente» que la ciencia del Derecho penal opone al legislador. Pero también el Tribunal Supremo habla, por sólo poner un ejemplo, con suave ironía de la «conocidamente poca acertada nueva concepción del precepto sobre el robo cualificado por parte de la 6 StRG»[57] y quiere encargar al Gran Senado la tarea de

---

ihrer durch das BVerG geschaffenen Lücken, NJW 1996, 2627; Jürgen Wolter, Verfassungskonforme Restriktion und Reform des Nötigungstatbestandes, NStZ 1986, 248 s.

[54] Sobre la discusión de reforma respecto a los tipos de homicidio: Peter-Alexis Albrecht, Das Dilemma der Leitprinzipen auf der Tatbestandsseite des Mordparagraphen. JZ 1982, 697; Günther Arzt, Die Delikte gegen das Leben, ZStW 83 (1971), p. 1: Heinrich Beckmann, Zur Regelung der vorsätzlichen Tötungsdelikte, GA 1981, 337; Albin Eser, Gutachten D zum 53. DJT, 1980 (al respecto la ponencia de Hans Fuhrmann y Karl Lackner en DJT actas de sesiones M, München, 1981); Gerd Geilen, Zur Entwicklung und Reform der Tötungsdelikte, JR 1980, 309; Karl-Heinz Gössel, Überlegungen zur Reform der Tötungsdelikte, DRiZ 1980, 281; Burkhard Jähnke, Über die gerechte Ahndung vorsätzlicher Tötung und über das Mordmerkmal der Überlegung, MDR 1980, 705; Harro Otto, Straftaten gegen das Leben, ZStW 83 (1971), p. 39; Hinrich Rüping. Zur Problematik der Mordtatbestandes, JZ 1979, 617; Heinz Zipf, Kriminalpolitische Überlegungen zu einer Reform der Tötungsdelikte usw, en: Rüdiger Herren/Diethelm Kienapfel/Heinz Müller Dietz /Hrsg.), Festschrift für Würtenberger, Berlin, 1977, p. 151.

[55] Como representativas se nombran aquí las siguientes exposiciones de posturas: Friedrich Dencker/Eberhard Streuensee/Ursula Nelles/Ulrich Stein, Einführung in das 6 StRG, München, 1998, Ellen Schlüchter (Hrsg.), Bochumer Erläuterungen zum 6 StRG, Frankfurt a.m 1998; Tatjana Hörnle, Die wichtigsten Änderungen des Besonderen Teils des StGB durch das 6 Gesetz zur Reform des Strafrechts, Jura 1998, 169; Christian Jäger, Die delikte gegen das Lebes und die körperliche Unversehrtheit nach dem 6 StrRG - Ein Leitfaden für Studium und Praxis, JuS 2000, 31; Claus Kreß, Das Sechste Gesetz zur Reform des Strafrechts, NJW 1998, 633; Hans Kudlich, Das 6 Gesetz zur Reform des Strafrecht, NJW 1998, 468; Rudolf Rengier, Die Brandstiftungsdelikte nach dem Sechsten Gesetz zur Reform des Strafrechts, JuS 1998, 397; Gregor Stächelin, Das 6 Strafrechtsreformgesetz - Vom Streben nach Harmonie, großen Reformen und höheren Strafen, StV 1998, 98; Gereon Wolters, Das sechste Gesetz zur Reform des Strafrechts, JZ 1998, 397.

[56] Gunter Arzt, Wisenschaftsbedarf nach dem 6 StraRG, ZStW 111 (1999), p. 758

[57] BGH NStZ 1999, 302.

esclarecer ese precepto. Este precepto no es ningún caso aislado. Por ejemplo, la Ley de trasplante de 1997 limita la donación altruista entre vivos con un rigorismo extremo, que ni es apropiado ni siquiera constitucional —a pesar del Tribunal Constitucional![58]

Interrumpo aquí la exposición y extraigo la conclusión: la ciencia del Derecho penal tendrá que orientar más al legislador en el futuro de lo que hasta ahora lo ha hecho desde las dos primeras leyes de reforma del Derecho penal si se quiere evitar un decaimiento de nuestra cultura penal. Pedir la opinión a los científicos con entrevistas (Hearings) que a veces son demasiado cortas, o que llegan demasiado tarde o que sólo tienen una función de coartada sirven tan poco como las posibilidades que estos tienen de expresar su opinión sobre los planes legislativos, sin que ello suponga para el legislador el menor compromiso. Más bien es necesaria una relación institucional de expertos científicos en las orientaciones de proyectos, como sucedió en su tiempo con la Gran Comisión de Derecho penal. Este no es el lugar para entrar en los detalles de organización. A comienzos de esta primavera Arzt ha presentado propuestas constructivas con las que tendríamos que familiarizarnos[59]. No me cabe duda de que aquí reside una gran tarea de futuro.

VI. POLÍTICA CRIMINAL CIENTÍFICA

En estrecha conexión con esto se encuentra mi próximo y quinto postulado de futuro: el desarrollo más amplio e intensivo de los conceptos político criminales y los proyectos de reforma a través de la ciencia del Derecho penal. No me refiero con esto a la ya mencionada colaboración en el asesoramiento de los proyectos que prepara el legislador, sino independientemente de ello a la profundización en los conceptos de

---

[58] BVerG reseña de actos 1 BvR 2181/2182/2183/98 (NJW 1999, 3399); *lamentablemente, la primera cámara del primer senado no se ha pronunciado sobre las objeciones constitucionales tan bien fundamentadas por Ulrich Schroth. Véase también Ulrich Schroth, Die strafrechtlichen Tatbestände des Transplantationssgesetzes, JZ 1997, 1151.*

[59] *Gunther Arzt (nota 56), págs 757 ss.*

reforma que serán presentados a una disciplina universal para la discusión y al legislador para estimular iniciativas legislativas. Si hasta ahora
esto ha sucedido muy poco, posiblemente se deba a la concepción tradicional de que la tarea de la jurisprudencia es la interpretación y sistematización del Derecho vigente, pero la creación de nuevas leyes se contempla como una tarea política y no científica.

Pero esto no es una objeción decisiva. Porque la ciencia no tiene que
promulgar leyes, sino proponerlas. Y estas propuestas tampoco deben
basarse en puntos de vista arbitrarios-subjetivos, irrelevantes
legislativamente, sino que deben elaborar los principio constitucionales,
especialmente el principio del Estado social y de Derecho, la absoluta
vigencia de la dignidad del hombre, el significado de los derechos fundamentales y los resultados de la discusión de una reforma internacional.
Esta es una tarea genuina de la ciencia y una tarea que sólo pueden
solucionar los científicos. El desarrollo científico de los proyectos de
reforma y legislativos tiene una cierta tradición en Alemania que se
extiende desde von Franz Lizt y sus discípulos hasta el Proyecto Alternativo de la posguerra[60]. Pero la ciencia del Derecho penal en su conjunto
no ha hecho suya hasta ahora esa tarea.

Para un Derecho penal del futuro deseo que las cosas sean distintas.
La razón de ser de esta exigencia reside en que el legislador en cuanto
instancia parlamentaria ya no está en condiciones, al menos en el ámbito
del Derecho penal, de desarrollar por sus propios medios grandes leyes de
reforma. Así lo evidencia la historia de las reformas del Derecho penal
alemán que en más de cien años no han avanzado de forma relevante en
la elaboración de una nueva Parte General del Código penal. La Parte
Especial y también la regulación procesal se basan todavía en los postulados del siglo pasado. Y también la Parte General del Código penal sólo
se ha elaborado en circunstancias que ya he mencionado en mi programa
de futuro: mediante quince años de intensiva discusión y mediante la
colaboración científica encubierta de Profesores alternativos desvinculados
de cualquier encargo oficial.

---

[60]   Detalladamente sobre los trabajos de reforma del Derecho penal desde 1871:
Roxin (nota 15) '4.

Lo que el legislador lleva a cabo sólo o con la ayuda de unos cuantos expertos sirve en buena medida a la actualidad diaria: la aceleración del proceso penal[61], la lucha contra el terrorismo[62] y la criminalidad organizada[63], el refuerzo de la protección de mujeres y niños o también de los testigos y afectados en el proceso penal[64]. Estas son metas tendencialmente justificadas, incluso cuando las reglas creadas a menudo no se han sopesado. Pero el aliento de un siglo de trabajo no sopla mediante estos parágrafos. Para ello se necesitan concepciones más amplias, no vinculadas a partidos y períodos legislativos, que tendrían que ser creadas por la Ciencia del Derecho penal en colaboración con la criminología y con la tarea de comparación jurídica. Ya se encargará el legislador parlamentario de hacer las reducciones y compromisos eventualmente necesarios.

Subrayo esta tarea porque de lo contrario la crítica que he formulado al moderno legislador recae sobre la Ciencia del Derecho penal. Un ejemplo actual podría mostrar esto. A menudo y con razón hay quejas de que el marco penal de los delitos violentos es demasiado bajo en comparación con los delitos contra la propiedad y el patrimonio. El legislador

---

[61]   Por ejemplo, la ley de lucha contra la criminalidad de 29.10.1994 entrada en vigor el 1.12.1994 ha regulado de nuevo el procedimiento abreviado; con más detalle al respecto véase Roxin (nota 3) '72, núm. 25 con más referencias.

[62]   Así, la ley para la modificación del StPO de 14.4.1978 ha ampliado las competencias de la policía en la averiguación de hechos terroristas y al mismo tiempo ha limitado los derechos de la acusación y defensa; más detenidamente Roxin (nota 3), '72 núm. 15 con más referencias. Véase también la ley de lucha contra el terrorismo de 19.12.1986 entrada en vigor el 1.1.1987, que centraliza las persecución penal en los hechos terroristas, así como la StrRÄndG de 9.6.1989 que entre otras cosas introduce el testigo principal y con ello también sirve a la lucha contra el terrorismo; con más detalles al respecto véase Roxin, nota 3) ' 72 núm. 19,21.

[63]   La OrgKG de 15.7.1992, entrada en vigor el 22.9.1992, se dedica a la «lucha contra el tráfico ilegal de drogas y otras formas de aparición de la criminalidad organizada». Con más detalles, Roxin (nota 3) ' 72, núm. 22, con más referencias. Mediante la Ley de 4.5.1998 para mejorar la lucha contra la criminalidad organizada, entrada en vigor el 9.5.1998 se ha introducido de forma provisional el punto principal de las «grandes escuchas»; con más detalles Roxin (nota 3), '10, núm. 24 con más referencias.

[64]   Baste de cita la Ley para la protección de las víctimas de 18.12.1996, entrada en vigor el 1.4.1987, así como la Ley de protección de testigos de 30.4.1998, entrada en vigor el 1.12.1998; con más detalles al respecto Roxin (nota 3) '72 núm. 18,26.

intenta remediarlo desde hace algunos años y especialmente con la sexta
Ley de Reforma del Derecho penal. Pero sólo ha dado como fruto
confusas iniciativas sobre penas mínimas y máximas[65]. No han satisfecho
a nadie porque carecen de apoyo criminológico y dan paso a numerosos
absurdos intrasistemáticos —pienso sólo en los delitos cualificados por el
resultado—. Esto se debe también a que no existe una ciencia de marcos
penales —prescindiendo de puntuales aspectos—. Un sistema científico
del marco penal sería el presupuesto para un buen trabajo legislativo. Lo
mismo vale para otros grandes proyectos de reforma.

La ciencia del Derecho penal tendrá que dedicarse en mayor medida
a proyectos de futuro y con ello, como se ha apuntado marginalmente,
también tendrá que aprender el trabajo en equipo, que contradice la
imagen tradicional de los eruditos como luchadores en solitario, pero que
abre muchos caminos nuevos de aprendizaje y conocimiento.

VII. EL TRABAJO EN DERECHO PENAL SUPRANACIONAL

Mi sexto y último aspecto de futuro afecta al Derecho penal
supranacional. ¿Dónde y cómo surgen aquí a la Ciencia del Derecho
penal nuevas tareas? A modo de un pequeño resumen enuncio cuatro
ámbitos, cuya elaboración científica presenta en mi opinión diferente
urgencia.

1. El desarrollo científico del Derecho penal nacional

En un futuro no demasiado lejano se elaborará un Código penal
universal en el ámbito del Derecho penal internacional. Porque el Tribunal penal internacional, cuyo alcance está próximo[66], no tendrá bas-

---

[65]   Sobre las modificaciones de marco penal véase en particular Claus Kreß, Das
       Sechste Gesezt zur Reform des Strafrechts, NJW 1998, 634 ss.
[66]   Los esfuerzos por llegar a un Tribunal internacional (véase Kai Ambos, Zum Stand
       der Bemühungen um einen ständigen Internationalen Strafgerichtshof und ein

tante a la larga con algunos tipos genéricos que se habían elaborado a propósito del Tribunal de Nüremberg sobre la base del Derecho consuetudinario internacional. Sin duda es necesario que hechos como el genocidio o los delitos contra la humanidad se castiguen, con independencia de si se cometieron en enfrentamientos internacionales o en guerras civiles. Porque el efecto preventivo de un Derecho penal internacional que funciona será mayor que el de un Derecho penal individual, porque apenas nadie puede sustraerse al mismo. Puede significar un paso decisivo en la línea de la realización de un viejo espacio de la humanidad de paz permanente.

Pero tipos como los citados son elásticos e imprecisos y no cumplen las exigencias de determinación que desde hace tiempo se reconoce internacionalmente para el Derecho penal interno. Ello puede conducir a abusos políticos y, en determinados casos, a desencadenar más conflictos internacionales que a solucionarlos. Esto explica probablemente la reticencia de algunos Estados contra tal Tribunal con competencia universal. Esta desconfianza sólo se superaría mediante la elaboración de unas reglas precisas y capaces de un consenso de Derecho penal internacional. Para la Ciencia del Derecho penal, que tendría que cooperar en este ámbito con el Derecho internacional, se abre aquí un nuevo espacio

---

Internationalen Strafgestzbuch, ZRP 1996, 263; Hans-Heinrich Jescheck, Zum Stand der Arbeiten der Vereinten Nationen für die Erreichtung eines Internationales Strafgerichtshofs, en Albin Eser (Hrsg.), Festschrift für Nishihara, Baden-Baden, 1998, p. 467), han conducido a la aprobación en Roma de un estatuto básico (publicado en EuGRZ 1998, 8618 ss). Con más detalle sobre el IStGH, que debe tener su sede en Den Haag, Kai Ambos, Der neue Internationale Strafgerichtshof -ein Überblick, NJW 1998, 3743; Ulrich Fastebrath, Der Internationale Strafgerichtshof, JuS 1999, 632; Klaus Kinkel, Der Internationale Strafgerichtshof -ein Meilenstein in der Entwicklung des Völkenrrechts, NJW 1998, 2650; Herwig Roggemann, Der Ständige Internationale Strafgerichtshof und das Statut von Rom 1998, NJ 1998, 505; Carsten Stahm, Zwischem Weltfrieden und materieller Gerechtigkeit -Die Gerichtsbarkeit des Ständigen Internationalen Strafgerichtshof (IntStGH), EuGRZ 1998, 577; Otto Trifferer, Der ständige Internationale Strafgerichtshof. Anspruch und Wirklichkeit, en: Karl Heinz Gössel y otros (Hrsg.), Gedächtnisschrift für Zipf, Heidelberg, 1999, pág. 493. En general sobre la «protección de los derechos humanos mediante el derecho nacional» Gerhard Werle, ZStW 109 (1997), p. 808.

de trabajo. Porque los tipos delictivos no son los mismos que en el
Derecho penal interno y en buena parte tienen que ser creados o incluso
perfilados en aspectos importantes. También para el funcionamiento
procedimental de tal Tribunal penal internacional tendrá que crearse
una codificación.

2. ¿Necesitamos un Código penal para Europa o la Unión Europea?

Sin embargo, me parece que aún está lejos de conseguirse un Código
penal válido para la criminalidad general en toda Europa o sólo para los
Estados de la Unión Europea[67]. Como es sabido, las instancias europeas
no tienen hasta ahora ninguna competencia para promulgar normas
penales. Por razones de Derecho nacional ésto será difícilmente realizable.

Pero al margen de ello, me parece que a corto plazo no es deseable un
Código penal europeo. Lo que existe en una Europa comunitaria y puede
elaborarse —y ya he expuesto que ésto ya es mucho— también se puede
realizar en el ámbito de un Código penal nacional. Porque en nuestro
Derecho penal en permanente evolución tenemos que esforzarnos en las
mejores soluciones, que en el estado actual de la cultura jurídico penal
no pueden alcanzarse mediante un Código penal único.

Ya he expuesto que un cierto grado de variedad no sólo pertenece a
la tradición europea más fructífera sino que también puede obedecer a

---

[67]   Sobre la «europeización» o «internacionalización» del derecho penal y de la
       Ciencia del Derecho penal, véase por ejemplo Gerhard Dannecker, Der Allgemeine
       Teil eines europäischen Strafrechts als Herausforderung für de Strafrechtswissens-
       chaft, en: Thomas Weigend/Georg Küpper (Hrsg.), Festschrift für Hirsch, Berlin,
       1999, p. 141; Kristian Kühl, Europäisierung der Strafrechtswissenschaft, ZStW 109
       (1997), p. 771; Friederik Rüter, Harmonie trotz Dissonanz: Gedanken zur Erhaltung
       eines funktionsfähigen Strafrechts im grenzenlosen Europa, ZStW 105 (1993), p.
       30; Ulrich Sieber, Europäische Einigung und Europäische Strafrecht, ZStW 103
       (1991), p. 957; Joachim Vogel, Wege zu europäisch-einheitlichen Regelungen im
       Allgemeinen Teil des Strafrechts, JZ 1995, 331; Thomas Weigend, Strafrecht
       durch internationalen Vereinbarungen -Verlust an nationaler Strafrechtskultur?,
       ZStW 105 (1993), p. 774.

exigencias objetivas. La nivelación de todas las diferencias se encuentra desde hace tiempo entre los peligros del centralismo, que también puede apreciarse en la actividad de los funcionarios europeos en todas partes. Además, un «Código penal único» concebido en el futuro próximo no codificaría las mejores exigencias desde un punto de vista objetivo, sino necesariamente compromisos políticos. Tales compromisos son a menudo malas soluciones, porque tienen más influencia determinados grupos de poder que los conocimientos científicos y también porque con concesiones mutuas a menudo resultan regulaciones contradictorias a aquellas que realmente laten en un modelo de compromiso.

Por estas razones me parece mejor, por lo menos en las próximas décadas, mantener la libre competencia de los Ordenamientos penales nacionales. De todos modos, como se ha dicho, ésto se caracteriza mediante una dosis cada vez mayor de colectividad. Y donde no están justificadas diferencias por circunstancias culturales o sociales, representan al menos un amplio campo de experimentación que al final da paso a las mejores soluciones. En una frase: el crecimiento evolutivo conjunto del Derecho penal europeo es preferible a la obstrucción centralista de una codificación unitaria. La elaboración e interpretación científica de un Código penal europeo me parece por ello más bien una tarea de las generaciones futuras más remotas. Aún no será el tema del futuro inmediato.

3. ¿Necesitamos un modelo de Código penal europeo?

Cuestión distinta es la de si se debe crear un modelo no vinculante de Código penal europeo[68], en el que pudieran encontrar un referente los Estados europeos —e incluso otros—. De tal forma de proceder hay ejemplos en Norte— y Sudamérica y también el Consejo de Europa se ocupa de tales reflexiones. Además naturalmente está a disposición de cualquier institución, de cada grupo de trabajo científico e incluso del Profesor individual trazar tal modelo de Código legal. No obstante, supuestamente sólo gozaría de una cierta autoridad un proyecto penal

---

[68] Detalladamente al respecto Ulrich Sieber, Memoranduum füe ein Europäische Modellstrafgesetzbuch, JZ 1997, 369 ss, con numerosas referencias.

augurado por la Comunidad Europea. Yo soy escéptico ante este tipo de modelos de Código penal casi oficiales. Porque muchas de las objeciones que se han esgrimido contra una codificación penal para toda Europa son válidas también para este modelo único no vinculante. Dependería mucho de la composición de la comisión encargada de la creación de tal modelo así como de las influencias políticas en vez de las científicas. Pero sobre todo: no necesitamos un modelo de este tipo[69]. Muchos Estados europeos han tenido en las últimas décadas Códigos penales total o parcialmente nuevos y con ello naturalmente también han tenido en cuenta el conocimiento científico de Europa y de importantes Estados de fuera de Europa. Para mí no es evidente qué nuevos conocimientos relevantes puede ofrecer un modelo unitario necesariamente más pobre frente al ámbito de ofertas internacional actuales.

Algo distinto sucede con los esfuerzos puramente científicos, libres de injerencias políticas, como lo que en Alemania defiende Tiedemann[70] y sus discípulos y en parte también han sido puestos en marcha. Porque si alguna vez se acomete un modelo de Código penal europeo —y como es sabido las pretensiones de centralización son fuertes en todos los ámbitos—, por lo menos no debe ser impuesto por Bruselas, sino elaborado por los principales expertos de la ciencia del Derecho penal europeo. Hoy puede verse como una tarea de la Ciencia del Derecho penal trabajar en tal desarrollo. Podría ser un producto asociado a la internacionalización exigida al principio de la Ciencia del Derecho penal nacional y ciertamente representa su quintaesencia.

4. Materias para una regulación europea completa

Pero al margen de mis reservas contra una unificación del Derecho penal europeo, hay ámbitos que también según mi opinión tendrían que

---

[69] *De otra opinión, Sieber (nota 68), 378 s., que de un modelo de Código penal internacional espera el reforzamiento de la cooperación internacional.*

[70] *Por ejemplo, Klaus Tiedemann, Das neue Strafgesetzbuch Spaniens und die europäische Kodifikationsidee, JZ 1996, 647. Zur «Regelung von Täteschaft und Teilnahme im europäischen Strafrecht», el mismo en: Albin Eser (hrsg.), Festschrift für Nishihara, Baden-Baden 1998, p. 496.*

desarrollar urgentemente una regulación supranacional y en los que existe una urgente necesidad científica. Enuncio dos:

a) Los intereses económicos y financieros de la Unión Europea

En primer lugar, los intereses económicos y financieros de la Unión Europea necesitan una protección penal especial que razonablemente tendría que ser igual en todos los Estados miembros. La Unión ya intenta alcanzar ésto hoy día, pero por vías diferentes y confusas: mediante preceptos penales administrativos[71], que no tienen el carácter de sanciones criminales, pero que sin embargo se parecen a ellas; mediante convenciones comunes y obligaciones contractuales de algunos miembros, mediante líneas jurídicas y mediante la exigencia de la interpretación «favorable a Europa» de las normas penales nacionales[72]. Esta confusión de reglas y las exigencias en parte aún cambiantes de los parlamentos y de los Tribunales nacionales debe reconocerse como un ámbito jurídico independiente de la Ciencia del Derecho penal y como tal sistematizarse y elaborarse jurídicamente de tal forma que no sólo se incorpore a los Ordenamientos jurídicos con el mismo contenido, sino que también sea interpretado de forma unitaria en la praxis jurisprudencial. Aquí radica una tarea que hasta ahora ha recibido escasa atención por parte de la ciencia jurídico penal. El así llamado Corpus Juris, que tiene tales reglas

---

[71] *Véase Gerhard Dannecker, en: Albin Eser/Barbara Huber (Hrsg.), Strafrechtsentwicklung in Europa 4.3, Freiburg i.Br, 1995, pp. 83 ss; Ulrich Sieber, Europäische Einigung und Europäische Strafrecht, ZStW 103 (1991), pp. 965 ss; Klaus Tiedemann, en: Dieter H. Scheuing (Karl F. Kreuzer/Ulrich Sieber (Hrsg.), Die Europäisierung der mitgliedstaatlichen Rechtsordnung in der Europäischen Union, Baden-Baden, 1997, II.4.*

[72] *Con más detalle al respecto, Hans-Heinrich Jescheck, en: LK 11, ed, Berlin/New York 1992, núm. 101; Theo Vogler, Die strafrechtlichen Konventionen des Europarats, Jura 1992, 586 ss; véase también Ulrich Sieber, The internationale Emergence of Criminal Information Law, Köln 1992, pp. 78 ss, así como la perspectiva general sobre el Derecho penal europeo en Hans.Heinrich Jescheck/ Thomas Weigend, Lehrbuch des Strafrechts. Allgemeiner Teil 5 ed., Berlin, 1996, pp. 182 ss.*

como contenido[73] ha sido elaborado por pocos expertos (naturalmente relevantes) sin gran publicidad científica[74] y, como por último ha expuesto Hassemer[75], sitúa exclusivamente en primer plano los intereses en la persecución penal. Aquí es necesaria una discusión más amplia de la Ciencia penal europea en su conjunto, para la que el Corpus Juris sólo quiere y puede ser una primera propuesta.

b) La lucha de la criminalidad internacional

Lo mismo vale para algunos delitos que debido a su modo de comisión internacional sólo pueden ser combatidos con éxito de una forma conjunta, por ejemplo la divulgación de pornografía infantil y de propaganda racista en redes informáticas internacionales[76], los delitos contra el medio ambiente, que también afectan a los Estados vecinos[77], el terrorismo internacional[78] y el tráfico de drogas[79]. Regulaciones distintas y una diferente intensidad dan paso para tales hechos a un «oasis de criminalidad» —también por ejemplo en ámbitos como el fraude fiscal y la evasión fiscal—, que podría dificultar o hacer imposible la lucha nacio-

---

[73]   *Hay una versión en alemán del «Corpus Juris de la protección penal para la protección de los intereses financieros de la Comunidad» de 1998, edit. por Mireille Delmas-Marty y con una introducción de Ulrich Sieber.*

[74]   *Véase sin embargo el informe de Barbara Huber/Guido Ruegenberg, Die Juristenvereinigungen zum Schutz der finaziellen Interesen der Europäischen Gemeinschaft im Spiegel ihrer Tagungen, 1997, ZStW 110 (1998), p. 279.*

[75]   *Winfried Hassemer, «Corpus Juris».- Auf dem Weg zu einem europischen Strafrecht? KritV 1999, 133.*

[76]   *Sobre los problemas criminológicos, técnicos, materiales y procesales materiales de este delito véase Ulrich Sieber, en: Thomas Hoeren/Ulrich Sieber (Hrsg.), Handbuch Multimedia-Recht, München, 1999, Teil 19; el mismo, Das Territorialitätsprinzipz der "3.9 StGB im globalen Cyberspace, NJW 1999, 2065.*

[77]   *Sobre los aspectos internacionales del Derecho penal medioambiental, véase detalladamente Michael Kloepfer/Jans-Peter Vierhaus, Umweltstrafrecht, München 1995 Núm 163 ss., con numerosas indicaciones.*

[78]   *Con más detalle George Daetwyler, Der Terrorismus und das internationale Strafrecht, Zürich 1981.*

[79]   *Por ejemplo Kai Ambos, Die Drogenkontrolle und ihre Probleme in Kolumbien, Peru und Bolivien, Freiburg i. Br 1993.*

*nal contra tales delitos. También en este ámbito se ha hecho mucho para
la unificación, sobre todo mediante el Consejo de Europa. Pero la ciencia
no debe dejar este ámbito a los políticos sino cooperar activamente a su
unificación sobre fundamentos europeos. Con el tiempo se dará paso a
un núcleo esencial de preceptos comunes que paso a paso podría ampliarse
y construir una célula para un crecimiento progresivo común del orden
jurídico penal europeo.*

VIII. CONCLUSIÓN

*Con esto llego al final. Mi generación fue la primera que pudo
estudiar en la posguerra sin el lastre de la dictadura y la guerra y que se
situó ante la tarea de colaborar conjuntamente, con los entonces ya
veteranos, en el desarrollo de un nuevo Derecho penal y procesal de un
Estado social y de Derecho y recuperar para la Ciencia alemana del
Derecho penal su prestigio internacional. Esta generación va pasando a
segundo término poco a poco y la respuesta a la pregunta en torno de
hasta dónde ha alcanzado la meta quiero dejarla aquí abierta (porque
esto ya no pertenece a mi tema). Pero en el trasfondo de mi contribución
quiero afirmar algo como resumen lapidario para las generaciones futuras:
las tareas que dejamos para el futuro son más amplias y complejas que
aquellas a las que nosotros nos enfrentamos.*

La Ciencia del Derecho penal ante las tareas del futuro[*]
(Comentario)

GÜNTER HEINE

Gießen

I. INTRODUCCIÓN

Tratándose de solucionar las tareas que plantea el futuro, la incertidumbre se encuentra ante una coyuntura favorable. Pero una cosa es cierta: podemos dar la supervivencia de nuestro gremio por garantizada si tomamos como medida el catálogo de tareas que magistralmente nos ha proporcionado la grandiosa conferencia de *Claus Roxin*. En cuanto a las transformaciones personales, quizá ni nosotros mismos podremos prescindir de la ingeniería genética. Porque lo que se exige es un/a penalista con profundos conocimientos dogmáticos, naturalmente políglota, que no sólo haga frente a las crecientes exigencias de la doctrina, sino que además asesore al legislador, a los tribunales y a los gremios internacionales, que promueva iniciativas de reforma propias, y que todo ello lo haga partiendo de una amplia base de conocimientos filosóficos, en ciencias sociales, jurídicas y especialmente de Derecho comparado. ¿Será necesario crear este/a Megacientífico/a en una probeta?

En cualquier caso, de esta variedad de tareas se desprende que es necesario que nos reorganicemos. Se hace necesario el trabajo en equipo, sobre todo transnacional, y son imprescindibles puestos (de trabajo) de clearing, Internet debe pertenecer al instrumental básico, y el penalista

---

[*] Traducción de María José Pifarré.

«general» dependerá del especialista[1]. Consecuencia de ello será quizás que en el futuro lo análogo al intercambio de escritos de Radbruch lo deberemos ver en los *chatrooms* de una ciencia del Derecho virtual.

Construir un nuevo sistema de organización a corto plazo es posible. Por el contrario, los nuevos retos de contenido que se plantean, marcan el inicio de una nueva época. Hay que tomar buena nota de que el Derecho de la modernidad tardía en su conjunto se encuentra en plena ruptura, y de que en esta ruptura el desplazamiento y la ampliación de tareas, *nolens volens*, incluye al Derecho penal, razón por la que existe una especial necesidad de ciencia.

Quisiera ahondar en estos nuevos retos en base a tres fenómenos:

Des-estatalización (*infra* II.1)

Internacionalización (*infra* II.2), y

Instrumentalización del Derecho penal para la resolución de crisis sociales (*infra* II.3)

Entre estos grupos se dan cuatro puntos de intercambios, igual que procesos anticíclicos. Se trata de señalar los cambios estructurales ocurridos en la sociedad, en el Estado y en el Derecho para buscar nuevas respuestas[2].

II. RUPTURA EN EL DERECHO (PENAL) – NECESIDAD DE ACUDIR A LA CIENCIA

1. Desestatalización

Por desestatalización entendemos cualquier tipo de reducción que sufra la clásica relación Sujeto-Estado. Este fenómeno se pone de mani-

---

[1] Cfr. *Gunther Artz*, Wissenschaftsbedarf nach dem 6. StrRG, ZStW 111 (1999), p. 760 s.; *Kristian Kühl*, Europäisierung der Strafrechtswissenschaft, ZStW 109 (1997), p. 778. Además, *Hans-Jörg Albrecht*, Determinanten der Sexualstrafrechtsreform, ZStW 111 (1999), p. 888.

[2] Cfr. *Ulrich Beck*, Die Erfindung des Politischen, Frankfurt a M. 1993; *Niklas Luhmann*, Metamorphosen des Staates, Information Philosopie 1994, p. 5 s., *Fritz W. Scharpf*, Die Handlungsfähigkeiten des Staates am Ende des zwanzigsten Jahrhunderts, PVS 1991 (32), p. 621.

fiesto, en general, en el desplazamiento de acento en las relaciones entre legislador, Estado, sociedad e individuo[3]*; los conceptos clave*[4] *son: «modificación de la responsabilidad», «reducción de la burocracia» y «privatización». Estas tendencias desestatalizadoras entran en conflicto con principios que son fundamentales en las estructuras tradicionales del Derecho; el Derecho público y el Derecho civil ya han tomado esta mutación en gran parte como un reto*[5]*. Pero esta desestatalización se está extendiendo también al Derecho penal, y lo está haciendo a distintos niveles.*

---

[3]   Cfr. *Joxerramon Bengoetxea*, L'Etat, c'est fini?, Rechtstheorie Beiheft 15. Recht, Gerechtigkeit und Staat, Berlin 1993, p. 93 s.; *Paul M. Kennedy*, In Vorbereitung auf das 21. Jahrhundert, Frankfurt a. M. 1993; *Wolfgang Welsch*, Unsere postmoderne Moderne, Weinheim 1991. Desde el punto de vista constitucionalista *Dieter Grimm*, Verfassungsrechtliche Anmerkungen zum Thema Prävention, KritV 1986, 38 s., *el mismo* (ed.), Wachsende Staatsaufgaben – sinkende Steuerungsfähigkeit des Rechts, Baden-Baden 1990. Además *Gunnar Folke Schuppert*, Rückzug des Staates?, DÖV 1995, 761.

[4]   Cfr. *Heike Jung*, Anmerkungen zum Verhältniss von Strafe und Staat, GA 1996, 509.

[5]   Cfr., en materia de Derecho público, *Wolfgang Hoffmann-Riem/Ebherard Schmidt-Aßmann* (ed.), Öffentliches Recht und Privatrecht als wechselseitige Auffangordnungen, Baden-Baden 1996. Además *Udo di Fabio/Matthias Schimdt-Preuß*, Leitsätze zu: Verwaltung und Verwaltungsrecht zwischen gesellschaftlicher Selbstregulierung uns staatlicher Steuerung, DVBl. 1996, 1354; *Wolfgang Hoffmann-Riem*, Innovation durch Recht im Recht, en: *Martin Schulte* (ed.), Technische Innovation und Recht, Heidelberg 1997, p. 3; *Arndt Schmehl*, Die Genehmigung zwischen staatlicher und privater Unweltverantwortung, en: *Klaus Lange* (ed.), Gesamtverantwortung statt Verantwortungsparzellierung im Umweltrecht, Baden-Baden 1997, p. 191 s.; *Friedrich Schoch*, Privatisierung von Verwaltungsaufgaben, DVBl. 1994, 962; *Rainer Wahl*, Risikobewertung der Exekutive und richterliche Kontrolldichte, NVwZ 1991, 414. En el Derecho civil, *Uwe Diderichsen*, Umwelthaftung – zwischen gestern und morgen, en: *Herbert Leßmann* (ed.), Festschrift Rudof Lukes, Köln 1989, p. 49; *Peter Marburger*, Grundsatzfragen des Haftungsrecht, AcP 192 (1992), p. 1; *Dieter Medicus*, Umweltschutz als Aufgabe des Zivilrechts – aus zivilrechtliche Sicht, NuR 1990, 146; Además, *Christoph Engel*, Zivilrecht als Fortsetzung des Wirtschaftsrechts mit anderen Mitteln, JZ 1995, 215. Cfr. También *Günter Heine*, Technischer Fortschritt in Spannungsverhältnis von Unternehmen, Gesellschaft und Staat, en *Martin Schulte* lug.cit., p. 57.

Actualmente aún se consideran inofensivas las tendencias que apuntan a la *privatización de parte de las tareas penales*, como es el caso de la privatización de la ejecución de la pena[6], aunque ante este fenómeno surja la pregunta de cómo hay que garantizar la realización de los fines de la pena y de los derechos de los afectados. La privatización de las *tareas de seguridad*[7] se plantea ya como más difícil, porque los derechos y deberes de los servicios de seguridad privados continúan en gran parte sin encontrar solución en la práctica, del mismo modo que también sigue sin recibir solución la cuestión de los límites de esta desestatalización de la seguridad.

Entretanto, en el campo de las sanciones parece asegurado que la reparación y la indemnización en sustitución de la pena se concilian con todos los fines de la pena[8]. Un observador crítico extranjero que adopta una posición jurídica orientada a las consecuencias del Derecho, como lo

---

[6]   Cfr. *Jung* (nota 4), p. 513 m. W. N.; *Thomas Weigend, Privatgefängnisse, Hausarrest und andere Neuheiten, BewHi* 36 (1989), p. 239 s. En general, Concil of Europe (ed.), *Privatisation of Crime Control*, Strasbourg, 1990.

[7]   Cfr. *Günther Kaiser, Kriminologie*, 3º ed., Heidelberg 1996, p.1096: *Lutz Gollan, Private Sicherheitsdienste in der Risikogesellschaft*, Freiburg, 1999; *Rüdiger Weiß/ Monika Plate* (ed.), *Privatisierung von polizeiliche Aufgaben*, Wiesbaden 1996. Además, *Heiker Jung*, Private Verbrechenskontrolle, en Günther Kaiser/Hans-Jürgen Kerner/Fritz Sack/Hartmut Schellhoss (ed.), *Kleines methodologisches Wörterbuch*, 3º ed., Heidelberg 1993, p. 409; *Hubert Bestel/Michael Voß*, Verformungen des Strafrechts durch private Sicherheitsdienste, en Institut für Kriminalwissenschaften (ed.), *Von unmöglichen Zustand des Strafrechts*, Frankfurt a. M. 1995, p. 313.

[8]   Cfr. *Jürgen Baumann y otros, Alternativ-Entwurf Wiedergutmachung*, München 1992; *Albin Eser/Kurt Madlener* (ed.), *Neue Wege der Wiedergutmachung im Strafrecht*, Freiburg 1990; *Heinz Schöch*, Empfehlen sich Änderungen und Ergänzungen bei den strafrechtlichen Sanktionen ohne Freiheitsentzug?, DJT-Gutachten, München 1992, p. C54 s. Sobre el parágrafo 46a StGB, *Uwe Brauns, Die Wiedergutmachung der Folgen der Straftat durch den Täter*, Berlin 1996. Además, *Christian Pfeiffer, Täter-Ausgleich im Allgemeinen Strafrecht*, Baden-Baden 1997. Cfr. también *Marianne Löschnig-Gspandl/Michael Kilchling*, Victim/Offender Madiation and Victim Compensation in Austria and Germany, European Journal of Crime 5 (1997), p. 58; *Thomas Trenczek*, Wiedergutmachung, Shadenersatz oder Strafe?, Baden-Baden 1996, p. 227 s.; *Susanne Walther*, Was soll «Strafe», ZStW 111 (1999), p. 123.

es *George Fletcher*[9], inmediatamente se pregunta si esta objetivación de las reacciones no se podría corresponder con una deflación del proceso penal, y si más que saldar cuentas con el autor, no sería más importante el hacer lo suficiente por la víctima, incluso en aras de una privatización parcial[10]. En el *Derecho procesal* no sólo están entrando en escena actores legales que ostentan pretensiones privadas (la víctima)[11], sino que además se está amortiguando la prevalencia de la pretensión punitiva del Estado a través de las distintas modalidades de la polémica «negociación en el proceso penal»[12]. ¿Nos hallamos ante una desdramatización de conflictos individuales (por lo que a falta de vista oral se renuncia a la discusión pública), o ante una nueva dramatización (porque han surgido disfunciones en los principios tradicionales)?

Esta desestatalización no se detiene ni siquiera ante los *presupuestos de la responsabilidad penal*. En general es de notar que el recurso a la reserva de ley está decreciendo. El modelo organizativo que plantea un Derecho establecido por el Parlamento bajo los imperativos «correcto o equivocado» viene modificado, cuando no sustituido totalmente, a favor de un Derecho cuyo contenido se debe fijar a través de la negociación. *Paliero habla llamativamente de un «Derecho fuzzy»*[13]. Este fenómeno se está dando al menos en los casos en que es la propia Administración la que en gran medida integra las normas penales abiertas o en blanco sin acudir para ello a un mandato penal específico, y en lugar de ello negocia

---

[9] Cfr. en este volumen *Fletcher*, p. 255.

[10] Cfr. *Albin Eser, Funktionswandel von Prozeßmaximen*, ZStW 104 (1992), p. 375.

[11] Sobre el renacimiento del interés por la víctima del hecho, v. *Albin Eser, Zur Renaissance des Opfers im Strafverfahren (Nationale und internationale Tendenzen)*, en: *Gerhard Dornseifer* (ed.), *Gedächtnisschrift Armin Kaufmann*, Köln 1989, p. 723.

[12] Cfr. *Bernd Schünemann, Absprachen in Strafverfahren?*, DJT-Gutachten, München 1990; *Heike Jung, Plea Bargaining and its Repercussions on the theory of Criminal Procedure, European Journal of Crime* 2 (1997), p. 112; *Thomas Weigend, Eine Prozeßordnung für abgesprochene Urteile?*, NStZ 1999, 57, así como *Eser* (nota 19), p. 361, 393 s., con problemática ulterior. Además, *Hans Müller-Dietz, Gibt es Fortschritt im Strafrecht?*, en *Kurt Schmoller* (ed.), *Festschrift Otto Triffterer*, Wien, 1996, p. 691 s.

[13] Cfr. artículo de Paliero, en este volumen.

con los afectados, tal como viene ocurriendo en amplios sectores del Derecho penal económico o del medio ambiente[14].

Incluso la «autorregulación» viene comúnmente aceptada: El hecho de que ya no sea sólo el Legislador —o la Administración cuando complementa las normas— quien establezca normas de comportamiento o sancionadoras, y que por el contrario sean los individuos sujetos a la ley los que contribuyan a dar forma a ésta, había sido hasta ahora un fenómeno restringido al sector del Derecho penal complementario, como por ejemplo ocurre en los casos de ausencia de objeciones sanitarias a productos en cuya clasificación el Derecho se ha «elaborado» a partir de los códigos privados del productor por voluntad del Legislador[15]. Mientras tanto, la formación de reglas por parte del sector privado ha alcanzado ya al Derecho penal nuclear. Desde el reconocimiento de la existencia de una responsabilidad por la organización de la empresa[16] el Derecho penal se ve gravado por el complemento de las normas realizado por el sector privado en materia de calidad organizativa, por ejemplo a través de las reglas de calidad del DIN ISO 9000. La libertad de organización (art. 9 Constitución alemana) goza de prioridad ante los estrictos requisitos legales, que además, bloquearían la capacidad de producción autónoma de reglas (evolución dinámica), independientemente de que aún no se vislumbra una solución organizadora de validez general, es decir, utilizable

---

14 Cfr. en general *Grimm* (nota 3), KritV 1986, 40; *Udo di Fabio*, Risikoentscheidungen im Rechtsstaat, Tübingen 1994, p. 469 s.; *Friedrich Schoch*, Der Verwaltungsakt zwischen Stabilität und Flexibilität, en Hoffmann-Riem/Schmidt-Aßmann (nota 5), Innovation, p. 223; *Hans-Heinrich Trute*, Verzahnungen von öffentlichem und privatem Recht —anhand augewählter Beispiele—, en: Hoffmann-Riem/Schmidt-Aßmann (nota 5), Öffentliches Recht, p. 192. En Derecho penal, v. *Heine* (nota 5), p. 61 s.; *el mismo*, Umweltstrafrecht im Rechtsstaat, ZUR 1995, 64 s. Además, *Michael Findeisen*, Deliktspezifische Strukturprävention gegen Geldwäsche im Finanzsektor, WM 1998, 2410; *el mismo*, Der Präventionsgedanke im Geldwäschegesetz, wistra 1997, 121 ss.

15 En materia de Derecho penal alimentario v. BT-Drs. 7/255, p. 37. Al respecto, *Günter Heine*, Normierung und Selbstnormierung im Strafrecht, ZLR 1997, 269; *Ernst Niederleithinger*, Normierung und Selbstregulierung aus der Sicht des Wettbewersrechts, ZLR 1997, 330; *Matthias Schmidt-Preuß*, Normierung und Selbstnormierung aus der Sicht des Öffentlichen Rechts, ZLR 1997, 249.

16 Cfr. BGHSt 37, 124 s. (Erdal-Lederspray); 40, 316; BGH NJW 1998, 769

para todo tipo de empresa[17]. *Resulta por tanto válida la famosa frase del Tribunal Federal Administrativo:* «*Es necesario que el modo de proveer (a los deberes organizativos) permanezca en manos del empresario*»[18].

b) Esta desestatalización podría entenderse como un ataque frontal a los principios fundamentales del Derecho penal. ¿No estamos convirtiendo al lobo en pastor cuando los destinatarios de la norma son copartícipes en la creación de los deberes tutelados con una sanción? ¿Y no nos devuelve la práctica de la conformidad pactada al campo de la resolución de conflictos basada en criterios de fuerza, sustituyendo a una basada en criterios propios del Derecho[19]*? Naturalmente, algunas cuestiones puntuales (como por ejemplo una parte de la práctica de la conformidad negociada)*[20] *se pueden integrar, unas veces mejor y otras peor, en la construcción dogmática tradicional del Derecho penal. Así, en la cuestión de la autorregulación privada, siempre es posible exigir dogmáticamente una última competencia de decisión y comprobación por parte de los tribunales, aún cuando de hecho el juez penal sólo despliegue funciones de notario, y en consecuencia ulteriores cuestiones fundamentales constitucionales incidan de manera tangencial*[21].

---

[17]   Cfr. *Gerald Spindler, Zivilrechtliche Verantwortlichkeit statt Unternehmensstrafbarkeit?, Informe del grupo de trabajo* «*Unternehmenstrafbarkeit*» *del Ministerio de Justicia alemán del 18.4.1999, manuscrito, p. 23 s.; cfr. Günter Heine, Die strafrechtliche Verantwortlichkeit von Unternehmen, Baden-Baden 1995, s. 253, 287 s., para una precisión del cuidado debido por parte de la empresa. Además, Andreas Ransiek, Unternehmenstrafrecht, Heidelberg 1996, p. 103 s.; el mismo, Strafrecht im Unternehmen und Konzern, ZGR 1999, 615 s.*

[18]   BVerwG DÖV 1992, 792.

[19]   *Bernd Schünemann, Die informellen Absprachen als Überlebenskrisen des Deutschen Strafverfahrens, en: Gunther Artz y otros. (ed.), Festschrift Jürgen Baumann, Bielefeld 1992, p. 376.*

[20]   *Sobre BGHSt 43, 195, y BGH NStZ 1999, exhaustivamente Weigend (nota 12), quien sobre la legalización de la negociación en el proceso sugiere la reflexión acerca de elaboración de un* «*segundo código de procedimiento penal*» *para procesos en los que no haya discusión. Cfr. también Jung (nota 12), p. 121; Alfons Zschockelt, Der Richter ist kein Handelspartner, en: Albin Eser y otros (ed.), Festschrift Hannskarl Salger, Köln 1995, s. 4396, 445. Cfr por último BGH NJW 2000, 526, zur Unwirksamkeit eines Rechtmittelverzichts.*

[21]   *Sobre este problema v. Heine (nota 15), p. 273. Sobre cuestiones de competencia y certeza v. BverfGE 80, 257; 83, 130; 84, 34, 55.*

c) Por todo ello, a nivel de investigación, es necesario advertir sobre la desestatalización entendida como *fenómeno estructural*, que quizá en proyectos particulares —como la cuestión de la puntual desdramatización del proceso o la objetivación de las sanciones a través de la reparación— nos proporcione las bases para perseguir una concepción global sostenible. A mi manera de ver, las teorías que se basan y que perseveran en la contraposición sujeto-Estado[22] constituyen ciertamente puntos de partida arquimedianos, pero no creo posible que la búsqueda de una verdadera ayuda a la solución de los problemas deba tratarse mediante el discurso con las ciencias jurídicas vecinas y con referencia a la experiencia extranjera (la desestatalización se entiende como un problema global), sino que debe hacerse en base a la *aceptación* del modelo transformado.

2. Internacionalización

De modo casi tan sorprendente como la caída del muro de Berlin, la «internacionalización» ha entrado en el Derecho penal. Con ello no me estoy refiriendo, naturalmente, al Derecho comparado clásico, sino a la *estructura del ordenamiento supranacional penal*, que desmiente la tesis de Kelsen sobre la unidad de Estado y Derecho[23]. De este fenómeno, para el Derecho penal se desprende cuanto menos un efecto de «aviso», pero a menudo se siguen consecuencias directas. La gran conquista que representa el Estatuto de Roma por el que se instituye el Tribunal Penal Internacional (de 17 de julio de 1998), que contiene normas referentes a una Parte General y una Parte Especial del Derecho penal, y un Derecho procesal penal que afectan a cuestiones como la autoría mediata o al dominio del hecho en la organización, no carece de consecuencias en el plano de los deberes nacionales. Es más, a aquellos Estados que lo han ratificado les viene impuesto el deber de ampliar sus leyes penales nacionales mediante la incorporación de delitos contra la Administración, entre los que se encuentra el delito de corrupción (Art. 70)[24]. Esto

---

[22] Cfr. por. ej. *Felix Herzog*, Geldwäschebekämpfung – quo vadis, WM 1999, 1905.
[23] Sobre este particular *Jung* (nota 4), p. 512 con ulteriores referencias.
[24] Cfr. *Kai Ambos*, Zur Rechtsgrundlage des Internationalen Strafgerichtshofs, ZStW 111 (1999), p. 194: *el mismo*, General Principles of Criminal Law in the Rome

se encuentra en la línea de una cantidad difícilmente controlable de Convenciones internacionales, como es el caso de la de la OCDE[25]. Y ya se están perfilando los contornos de un «bien jurídico colectivo global» de carácter supranacional referido a la protección, repartición y asegura-miento de bienes cada día más escasos como lo son la atmósfera, el agua, las frecuencias terrestres, etc[26]. Las repercusiones que esta nueva estructura del ordenamiento penal acarrea para el Derecho penal nacional las experimentamos a diario en el ámbito jurídico europeo[27]. Claus Roxin ha reclamado, con razón, la necesidad de sistematización en este aspecto[28]. Tras ello hay que situar una programación de intereses. Ya se puede advertir de manera general el espíritu de esta nueva política interior europea, que a nivel material se pone de manifiesto en la protección de contextos funcionales, y en el plano del Derecho procesal en una «policialización del proceso penal»[29].

Statute, Criminal Law Forum 10 (1999), 1. Sobre ello también, Otto Triffterer (ed.), Commentary on the Rome-Statute of the International Criminal Court, Baden-Baden 1999.

[25] Cfr. Manfred Möhrenschlager, Developments on the International Level, en: Albin Eser/Günter Heine/Barbara Huber (ed.), Criminal Responsibility of Legal and Collective Entities, Freiburg 1999, p. 89 s.; Mark Pieth; Internationale Harmonisierung von Strafrecht als Antwort auf transnationale Wirtschaftskri-minalität, ZStW 109 (1997), p. 757 s. Vid. También Thomas Weigend, Strafrecht durch internationale Vereinbarungen – Verlust an nationaler Strafrechtskultur, ZStW 105 (1993), p. 774.

[26] Cfr. Christoph Engel, Zivilrecht als Fortsetzung des Wirtschaftsstrafrechts mit anderen Mitteln, JZ 1995, 215.

[27] Sobre ello Gerhard Danneker, Strafrecht der Europäischen Gemeinschaft, en: Albin Eser/Barbara Huber (ed.), Strafrechtsentwicklung in Europa 4.3, Freiburg 1995, p. 1998 s.; el mismo, Strafrecht in der Europäische Gemeinschaft (Eine Herausforderung für Strafrechtsdogmatik, Kiminologie und Verfassungsrecht), JZ 1996, 870; Heike Jung, Criminal Justice – a European Perspective, Criminal Law Review 1993, 237.

[28] Cfr. el artículo de Roxin, en este volumen.

[29] Ursula Nelles, Europäisierung des Strafverfahrens, ZStW 109 (1997), p. 730. Cfr. también Peter-Alexis Albrecht/Stefan Braum, Defizite europäischer Strafrechtsent-wicklung, KritV 1998, 467, 476; Ulrich Sieber, Memorandum für ein Europäisches Modellstrafgesetzbuch, JZ 1997, 369; Jörg Wolters, Verbrechensbekämpfung – Eine europäische Sache? (Aspekte der internationalen polizeiliche Zusammenarbeit in Europa), Kriminalistik 1997, p. 86. Sobre la situación a nivel nacional, vid. Albin Eser, Entwicklung des Strafverfahrensrechts in Europa, ZStW 108 (1996), p. 86 s..

Que de ello surgen problemas totalmente nuevos de legitimación y control se demostrará brevemente a continuación sobre el ejemplo de la *Europol*: Europol existe, aunque aún permanezca políticamente abierto a medio plazo cuál haya de ser el alcance de sus competencias. En vista de la inmunidad fáctica de que gozan los empleados de la Europol se viene reclamando una esmerada regulación legal[30]. ¿Tiene que hacerse esto sólo a nivel nacional, con la cercana consecuencia de una limitación y burocratización de estos efectivos policiales europeos, o se debería introducir un dispositivo supranacional? Si y en qué medida a Europol debería seguirle un Eurojus, si y en qué medida al lado de la Fiscalía europea se debería instituir un control judicial europeo, qué principios se deben seguir para ello y bajo qué presupuestos se tiene que llevar a cabo la introducción de resultados de la actividad probatoria en el Derecho nacional[31] constituyen preguntas abiertas y tareas urgentes a resolver por la Ciencia del Derecho penal.

En conjunto, la «internacionalización del Derecho penal» requiere intervenciones a varios niveles: un trabajo de base dirigido al desarrollo de un «lenguaje común internacional» útil a la gestión de conflictos comunes, la persecución de proyectos parciales y una información general[32], además de una intensificación de la participación en grupos

---

Además *Mireille Delmas-Marty* (ed.), What kind of Criminal Policy for Europe?, Paris 1996; *la misma* (ed,), Corpus Iuris, Paris 1997.

[30] *Sobre el protocolo de inmunidad*, (BGBl. II 1998, p. 575; Abl.EG 1997 n° C 221, p. 2) v. *Martin Böse*, Die Inmunität von Europol, NJW 1999, 2416; *Sabine Gless*, Kontrolle über Europol und seine Bedienstete, Eur 1998, 752 s.; *Kay Hailbronner*, Die Inmunität von Europol-Bediensteten, JZ 1998, 285; sobre la efectivización de la tutela legal *Jochen Frowein/Nico Krisch*, Der Rechtsschutz gegen Europol, JZ 1998, 589; *Nelles* (nota 29), p. 753 s.; *Sabine Gless/Monika Lüke*, Strafverfolgung über die Grenzen hinweg, Jura 1998, 70. Sobre la evolución política *Edzard Schmidt-Jortzig*, Die Zukunftperspektiven von Europol, ZeuS 1998, 7 s.

[31] *Sobre la introducción de una Fiscalía europea del Corpus Iuris* (supra nota 29); para el establecimiento de un Eurojus *Wolfgang Schomburg*, Das Schengener Durchführungsabkommen, JBl. 1997, 561.

[32] Como ejemplo acerca de la estructura, el proyecto «Allgemeine strafrechtliche Strkturvergleich» llevado a cabo por *Albin Eser/Walter Perron*, v. *Walter Perron*, Sind die nationalen Grenzen des Strafrechts überwindbar?, ZStW 109 (1997), p. 281; *el mismo*, Überlegungen zur Erkenntnisziel und Unsersuchungsgegenstand

supranacionales (porque ahí es donde se establecen los cauces para el Derecho nacional), del mismo modo que una predisposición a la adopción de posiciones actuales en temas explosivos.

3. Instrumentalización del Derecho penal en las crisis de la sociedad

El hecho de entender la instrumentalización del Derecho penal como un avance, o por el contrario, temerla como la desnaturalización de éste[33] pone ya algo de relieve: para el legislador moderno el recurso a influenciar procesos sociales amenazadores en curso por medio de la violencia del Derecho penal no representa una simple moda pasajera. La presión en esta dirección proviene también del desarrollo internacional. El Derecho penal debería reducir los peligros para la futura vida en común, como lo son los megariesgos, ya sea aquellos que provienen de la economía, como los que origina la tecnología genética, la sociedad de la

---

des Forschungsprojekts «Allgemeine strafrechtliche Strkturvergleich», en Jörg Arnold/Björn Burkhardt/Walter Gropp/Hans-Georg Koch (ed.), Grenzüberschreitungen, Freiburg 1995, p. 127 ss. También ejemplificativas son las propuestas de *Roxin* y *Fletcher* de un código penal mundial (ver en este volumen los artículos). Como ejemplo de proyectos sectoriales, el llevado a cabo y codirigido por *Klaus Tiedemann*, Arbeiten zum europäischen Wirtschaftsrecht. Cfr. por ejemplo, *Klaus Tiedemann*, Der Allgemeine Teil des europäischen supranationalen Strafrechts, en: Theo Vogler y otros (ed.), Festschrift Hans-Heinrich Jescheck, volumen 2, Berlin 1985, p. 1411; *el mismo*, en: Karl Kreuzer/Dieter Scheuing/Ulrich Sieber (ed.), Die europäisierung der mitgliedstaatlichen Rechtsordnungen in der Europäischen Union, Baden-Baden 1997, p. 133. Cfr. también *Gerhard Danneker*, Sanktionen und Grundsätze des Allgemeinen Teils im Wettbewerbsrecht der europäischen Gemeinschaft, en: Bernd Schünemann/Carlos Suárez González (ed.), Bausteine eines europäischen Wirtschaftsrecht, Köln 1996; *Ulrich Sieber*, Memorandum für ein europäisches Modellstrafgesetzbuch, JZ 1997, 374.
Como ejemplo de información, la serie periódica editada por *Albin Eser/Barbara Huber* «Strafrechtsentwiklung in Europa», Freiburg. Cfr. también *Kristian Kühl*, Europäisierung der Strafrechtswissenschaft, ZStW 109 (1997), p. 777.

[33]   Cfr. por una parte *Bernd Schünemann*, Kritische Anmerkungen zur geistigen Situation der deutschen Strafrechtswissenschaft, GA 1995, 203 s., y por otra parte *Felix Herzog*, Gesellschaftliche Unsicherheit und strafrechtliche Daseinsvorsorge, Frakfurt a. M. 1991, p. 65 s.

información, y muchos más[34]. *El Derecho penal ya no se utiliza de manera puntual y reactiva, sino de modo prospectivo y llano.*

a) Como consecuencia de esta modificación en la misión del Derecho penal, se hace cada vez más difícil tanto fundamentar y poner límites a la responsabilidad penal como evitar los daños colaterales que aparecen como consecuencia de la creciente necesidad de información del Estado, sean los relativos a la procedencia del dinero en el blanqueo de capitales, a los conocimientos del «insider» y la volatilidad del curso cambiario o los creados por actuaciones erróneas de la burocracia o de organizaciones. Cada uno de ellos merecen se tratados de forma individual.

Las cuestiones colectivas se deben transformar en una responsabilidad individual. En parte, esto se viene realizando mediante nuevas formas de autoría: junto al criterio del dominio de la organización (Organisationsherrschaft) elegido por el Tribunal Supremo alemán, el legislador ha introducido recientemente en la parte especial del código penal formas de participación independientes, desvinculadas de la accesoriedad[35]. *Esto se viene haciendo a través del reconocimiento incondicional de delitos consistentes en la infracción de deberes, mediante la aceptación de la responsabilidad por la organización en lugar de basarla en el dominio del hecho, o mediante la construcción de un injusto característico del propio sistema originario*[36]. *El intento de la Ciencia de desarrollar una dogmá-*

---

[34]   En concreto: *Günter Heine*, Beweislastumkehr im Strafverfahren?, JZ 1995, 653 s. con numerosas referencias. Cfr. *Jung* (nota 4), p. 515, *Heinz Müller-Dietz*, Instrumentelle vs. Sozialethische Funktionen des Strafrechts, en: *Heinrich Scholler/ Lothar Philipps* (ed.), Festschrift Arthur Kaufmann, Heidelberg 1989, p. 96: *Kurt Seelmann*, Risikostrafrecht, KritV 1992, 452.

[35]   Sobre el dominio de la organización, v. BGHSt 40, 236 s., con notas de *Martin Gogger*, NStZ 1994, 586, *Heike Jung*, JuS 1995, 174, *Friedrich-Christian Schroeder*, JR 1995, 179, y *Claus Roxin*, JZ 1995, 45. Sobre nuevas formas de participación ver por último § 328 Abs. 2 Nr. 3 y 4 StGB nueva redacción.

[36]   Cfr. *Wolfgang Winkelbauer*, Umweltstrafrecht und Unternehmen, en *Albin Eser* y otros (ed.), Festschrift Theodor Lenckner, München 1998, p. 657 s.; *Gunther Jakobs*, Zu den Voraussetzungen gemeinsamer Organisation, GA 1996, 253; *Ernst-Joachim Lampe*, Systemunrecht und Unrechtssysteme, ZStW 106 (1994), p. 733 s. Sobre el principio de la responsabilidad sobre el conjunto del hecho, *Friedrich Denker*, Kausalität und Gesamttat, Berlin 1996, p. 219, 224 s., 261 s.

tica general del riesgo se encuentra aún en pañales, a pesar de lo cual, su punto de partida teórico, hacer del problema específico una medida general ya se pone en duda[37].

El enorme apetito de información del Estado que deriva de su nueva programática (detección de crisis desde el principio[38]) se cubre materialmente a través de deberes de información (como por ejemplo en la ley sobre blanqueo de dinero y en muchas leyes relativas al Derecho económico, medioambiental o social) y se asegura procesalmente a través de potestades de registro y comiso. Como estándar se hacen abiertamente patentes —inadvertidas por la ciencia del Derecho penal— autorizaciones a intervenciones como la contenida en el parágrafo 44 de la Ley sobre el sistema bancario (Kreditwesengesetz - KWG). Como desarrollo de una Directiva de la UE, y para asegurar la capacidad de funcionamiento de mercado de capitales, así como para la promoción de Alemania como plaza financiera, se ha otorgado a la Comisión de Vigilancia del Banco de Alemania (Bundesaussichtsamt für das Kreditwesen), con las limitaciones contenidas en el art. 13 de la Constitución, autorizaciones de comiso en locales de negocios y viviendas (aunque el legislador no las haya denominado autorizaciones a decomisar, sino que los ha declarado medidas de aseguramiento de medios de prueba, según el parágrafo 44c párrafo 4 sección 1 KWG[39]) con requisitos que harían palidecer de envidia a cualquier fiscal que investigue un delito grave. Y es que ni siquiera se prevé como necesario que exista una sospecha de comisión de un delito en el sentido del parágrafo 152 párrafo 2 de l Código procesal penal alemán, y lo que aún es más, es suficiente la concurrencia de hechos que justifiquen la suposición de una infracción objetiva (¡!). Y en cuanto a registros, las estrictas restricciones judiciales entran en juego sólo cuando se trate de viviendas (parágrafo 44c párrafo 3 sección 3

---

[37]   *Sobre la dogmática del riesgo, Günter Stratenwerth, Zukunftssicherung durch Strafrecht?, ZStW 105 (1993), p. 679 s.; Lothar Kuhlen, Umweltstrafrecht – auf der Suche nach einer neuen Dogmatik, ZStW 105 (1993), p. 696 s.; a nivel general y fundamental Wolfganf Frisch, Tatbestandmäßiges Verhalten und Zurechnung des Erfolgs, Heidelberg 1989, p. 21 s. y 208 s.*

[38]   *Grimm, (nota 3), KritV 1986, 43.*

[39]   BT-DRS. 13/7142, P. 92 y 94.

KWG). *Los hechos de los que se haya tenido conocimiento de este modo pueden ser comunicados a los órganos de persecución y acusación penal, para lo cual son decisivos los aspectos de justicia material, pero también la disposición a la colaboración*[40]. *También representa una novedad el que el parágrafo 44c KWG no se dirige a personas físicas, sino directa y únicamente a empresas. Sobre todo esto aún habremos de volver (infra III.2.d).*

Por último, debemos tomar constancia de que en la tradicional línea divisoria entre *fundamentación de la pena y medición de la misma*, los límites son cada vez más trasparentes[41]. Nos han enseñado que la pena se divide en unidades sociales de prevención, mientras que por el contrario, la asignación de responsabilidad sigue el tradicional dictado de la culpabilidad por el hecho. El problema de la cuantificación de la clásica culpabilidad por el hecho en la prevención —que para algunos es tan dramático y se presenta tan rico en matices como el intento de medir la gasolina en metros[42]— se ha visto desplazado. Como consecuencia de la instrumentalización del Derecho penal, son inevitables ciertas permeabilidades entre el fundamento de la pena y la medición de la misma. La asignación de la «culpabilidad por el hecho» (también) se realiza conforme a nuevas unidades de medida como la eficacia de la inversión en fondos (Allokationseffizienz), la buena disposición a la solución de conflictos, la indemnización de los daños producidos e incluso la igualdad de armas en el procedimiento y otras similares.

El cambio aparece más que lógico también en materia de *sanciones*. El abanico de las sanciones se amplía. Se exigen sanciones defendibles, es decir, sanciones que no se vean ineludiblemente ligadas a lo individual, sino que asuman directamente tareas de control, bien porque tengan el carácter de coacción administrativa, bien porque supriman el poder financiero que amenaza a la sociedad[43].

---

[40] Cfr. sobre § 9 KWG *Hans Fuhrmann*, en: *Georg Erbs/Max Kohlhaas, Strafrechtliche Nebengesetze*, Vol. II, München, § 9 KWG nota 3c; cfr. también *Christian Schröeder, Die Einführung des Euro und der graue Kapitalmarkt*, NStZ 1998, 555.

[41] Sobre ello, a nivel de fundamentos, *Claus Roxin, Sinn und Grenzen staatlicher Strafe*, JuS 1966, 377 s.

[42] *Detlef Krauß, Schuld und Sühne*, Reformatio 1990, 385.

[43] Cfr. la demostración de *Heine* (nota 34), 653 s.

b) En ocasiones este desarrollo se dirige en sentido contrario a la descrita desestatalización (supra II.1)[44] y en otras se mantienen estrechos puntos de intercambio recíprocos, como en el debilitado significado de la reserva de ley, el fortalecimiento del Ejecutivo y la flexibilización del Derecho penal. De nuevo: la instrumentalización del Derecho penal en la gestión de situaciones de crisis social no es un fenómeno pasajero que hay que dejar pasar, sino que se presenta como reacción a cambios globales, y está estructuralmente condicionado en el sector fundamental más amplio. No deberíamos subestimar, ante todas las cuestiones que ello ha provocado, el efecto socio-político o socio-psicológico beneficioso evidente a simple vista que en este campo se puede derivar para cualquier eventual plan de control, y que se puede expresar bajo este lema: ¿qué es una lesión corporal comparada con la puesta en peligro de la capacidad funcional de Alemania como centro financiero, o incluso con la visión de esa especie de parque humano del nos habla Sloterdijk? Todos estos peligros se deben contabilizar en el «haber» cuando la legitimación de la correspondiente norma penal se plantea desde el punto de vista constitucional[45].

c) Sería fatal proceder a la supresión de límites del Derecho penal a la vista de las dificultades acumuladas: ya sea en el sentido de que esta supresión ignore el orden del día y practique el «Business as usual», o de que se limite a manifestar sus preocupaciones únicamente en el lado del «debe» (y ahí sólo bajo los requisitos de la responsabilidad individual), y se obstine en «echarle el muerto» a las disciplinas jurídicas vecinas. Hay que tomar nota de que también en ese ámbito se han acumulado

---

[44]   *Ver también* Jung *(nota 4), 515.*

[45]   *Cfr. sobre el significado de «Gemeinwohlinterressen», Otto Lagodny, Strafrecht vor den Schranken der Grundrechte, Tübingen 1996, p. 420 s., y por ejemplo BverfG NStZ 1985, 173, así como en Grimm (nota 3), KritV 1986, 48. Decisivo tambiém Stratenwerth (nota 37), p. 688. De modo distinto, por ejemplo, Félix Herzog, Geldwäschebekämpfung —quo vadis, WM 1999, 1905; el mismo, Der Banker als Fahnder? Von der Verdachtsanzeige zur systematischen Verdachtsgewinnung —Entwicklungstendenzen der Gelswäschebekämpfung—, WM 1996, 1753.*

[46]   *Cfr. supra nota 5. para una visión general de la discusión acerca de los avances. Cfr. Heine (nota 5), p. 58 ss.; en el ámbito del medio ambiente, el mismo, Strafrecht zwischen staatlicher Risikolenkung und gesellschaftlicher Selbstre-*

problemas similares[46] *—y que en caso de duda hay que solicitar ayuda fuera de nuestro ámbito*[47]. *De nuevo, el trabajo interdisciplinar resulta ser una necesidad del desarrollo actual del Derecho para soportar el peso de las nuevas cargas de manera conjunta.*

III. CONSIDERACIONES FINALES

1. *En general, la pregunta que se plantea es: ¿Para qué conflictos, dentro del número claramente mayor de tareas a las que se enfrenta el Derecho penal, hay que mantener de modo estricto las clásicas garantías penales? ¿Dónde hay que desarrollar una garantía funcional? ¿En qué ámbitos ha dejado de exigirse el dogma penal en su sentido originario ligado al Estado de Derecho? Ciertamente el escepticismo es oportuno ante la pregunta de si una ciencia del Derecho penal que ofrece idéntico modelo de responsabilidad y de estrategias procesales para todo conflicto de intereses que se plantee en su zona de influencia —empezando por los delitos graves, pasando por la influencia en la economía y llegando hasta infracciones de bagatela— no apoya una fatal jurisprudencia de conceptos a costa de soluciones a los problemas basadas en una justicia adecuada al caso. No se deben resolver problemas distintos siempre conforme a un mismo patrón: es necesario resolverlos conforme a sus funciones.*

2. *Naturalmente, es necesaria una estructura común que haga más evidente la porosa epidermis del Derecho penal. Para ello, la técnica de la comparación del Derecho es indispensable*[48]. *Como sede de las preguntas acumuladas hay que examinar la idoneidad dentro de esta construc-*

---

gulierung, en: *Klaus Lange* (ed.), Gesamtverantwortung statt Verantwortungsparzellierung, Baden-Baden 1997, p. 208 s.

[47]   Cfr. por ejemplo *Michael Kloepfer*, en *Otto Lagodny*, Tagungsbericht zur Strafrechtslehrertagung 1989, ZStW 101 (1989), p. 939; *Günter Hager*, Das neue Umwelthaftungsgesetz, NJW 1991, 141.

[48]   Sobre la cuestión *Eser/Perron*, (nota 32).

ción de los planteamientos propuestos.

a) Esto afecta, por ejemplo, al *Derecho de medidas* que tiene que ser examinado desde el punto de vista de si es adecuado para la protección ante peligros, como, por ejemplo, el exceso de acumulación financiera[49].

b) Esto afecta también a todas y cada una de las llamadas zonas del llamado *Derecho penal accesorio o secundario*, en las que a pesar de lo que su propio nombre indica, se toca la auténtica música en la que se han formado las estructuras de la responsabilidad (con toda seguridad marcadas por la circunstancia de que no es raro que los funcionarios ministeriales que han formulado las iniciativas legislativas sean a su vez sus únicos comentadores, buscando «fundamento responsable» y despreciando la «escolástica de los profesores»[50]), estructuras que se sitúan bien lejos de la idea de responsabilidad individual propia del Derecho penal clásico. Naturalmente, aquí hay algunas cosas que enderezar. Una cuestión clave en este sentido la constituye el Derecho penal relativo a los estupefacientes, con su nivelación de los requisitos de la responsabilidad en comparación con sus escandalosamente altas penas de privación de libertad. Al contrario, la tarea de la ciencia consiste en formular aquellas condiciones bajo las que, para la solución de crisis sociales, aún se pueda hablar de responsabilidad del individuo, y valorar qué sanciones aparecen razonables para ello. En cualquier caso, la lógica de una ruptura de las suposiciones básicas del Derecho penal clásico se debe tratar de aclarar considerando el cambio esbozado. Por este motivo es correcto en su enfoque y hay que dar la bienvenida a que el Legislador se haya abierto camino a través de los sistemas satélite y haya aportado soluciones adecuadas al caso en la nueva problemática surgida, y que no haya aceptado en bloque una doctrina general idéntica para todo el Derecho penal. En caso contrario nunca se habrían puesto en práctica los arts. 30 y 130 OwiG. Sin embargo, a pesar de todos los ingeniosos esfuerzos

---

[49]   Cfr. *Günter Straterwerth, Geldwäscherei – ein Lehrstück der Gesetzgebung,* en *Mark Pieth (ed.), Bekämpfung der Gelwäsche, Stuttgart 1992, p. 106 s. Sobre las dificultades cfr. Albin Eser, Die Sanktionen gegen das Eigentum, Tübingen 1969, p. 136 s.y 284 s.*

[50]   *Elmar Hucko, Besprechung von Klaus Bieneck (ed.), Handbuch des Außenwirtschaftsrechts, GA 1999, 384.*

realizados nunca se ha logrado reconciliar de modo convincente la multa administrativa a las asociaciones con el clásico principio de culpabilidad[51]. Una cuestión totalmente distinta es si aún sigue teniendo sentido tratar de modo idéntico por un lado las infracciones empresarial-sistémicas y por el otro las infracciones individuales de bagatela (cfr. también *infra* d.). En cualquier caso, es evidente que dentro de la propia estructura del Derecho penal en sentido amplio hay determinados principios dogmáticos básicos y ciertas garantías del Estado de Derecho que son irrenunciables[52]; no se puede dejar en manos del legislador su sondeo bajo signo distinto. Allí donde estas garantías se opongan a un resultado adecuado al caso, la sanción individual, dependiente de un valor residual de desvalor ético-social, también pierde su legitimación desde la óptica de las demás condiciones funcionales señaladas. Para un «Derecho de enemigos» que destina la pérdida de libertad a una simple violación objetiva de la norma, tampoco hay lugar en el sistema satélite.

c) En el *núcleo duro del Derecho penal* hay que mantener sobre todo el espíritu abierto allí donde el orden social crezca en nuevas medidas de valor y con ello en experiencia, y por el contrario, se debe aspirar a «soltar carga» siempre que el estricto dogma penal ya no sea totalmente requerido. También a nivel procesal se derivan consecuencias[53]. Una pregunta central es si, y en qué medida, una diferenciación en este aspecto proporciona un éxito convincente.

d) Ante *riesgos sistémicos* debería prevalecer la receptividad a formas de *responsabilidad de organizaciones y sistemas*. Habría que reflexionar sobre la conveniencia de plantear una vía separada que se coloque al lado del sistema de reglas transmitido para la persona física, tanto para separar de modo adecuado al caso la responsabilidad individual de la responsabilidad colectiva, como para amortiguar la presión político-criminal y poder tener en cuenta el carácter típicamente global – lo que por

---

[51]   Sobre el estado de la discusión, *Peter Cramer/Günter Heine*, en: Adolf Schönke/ Horst Schröeder, StGB, 26. Aufl., München 2000, Vorbem. 127 vor § 25 (en preparación).

[52]   Cfr. *Heine* (nota 17), p. 191 s.

[53]   Cfr. *Weigend* (nota 12), 63; *Jung* (nota 12), p. 112, sobre la negociación en el proceso penal.

otra parte se haría en estrecha armonía con lo que viene sucediendo en el Derecho civil y en el administrativo sancionatorio[54]. No se puede evitar establecer un Derecho procesal adecuado. El legislador ha dado hace ya mucho tiempo directrices fundamentales adecuadas para ello, como por ejemplo las formuladas en el parágrafo 44c KWG[55].

3. En conjunto, la noble misión de la Ciencia del Derecho penal consiste, por un lado, en asegurar al individuo frente al manejo estatal ilimitado en tiempos de crisis; y, por otro, en poder ofrecer opciones de solución orientadas a los problemas que sean correctas sistemáticamente. El cambio de siglo es una buena ocasión para reflexionar sobre esto.

---

[54]   Cfr. *Heine* (nota 17), p. 243 s.
[55]   V. *supra* nota 39 s.

Derecho penal e ideología*
(Comentario)

NILS JAREBORG
Uppsala

1. Ideología no es una palabra precisamente popular en el contexto penal. Las ideologías se relacionan frecuentemente con la falta de racionalidad. En correspondencia con esto, en el ámbito de las ciencias naturales existe un claro rechazo a hablar de «Metafísica». A pesar de ello, toda ciencia tiene su lado metafísico, y ello precisamente porque toda construcción teórica, todo pensamiento abstracto, es producto de la fantasía humana. Nuestra vida mental viene marcada por su carácter metafísico tan pronto como comencemos a extrapolar del caos de estímulos que alcanza nuestros órganos sensoriales. En el sentido en que quiero utilizar la palabra «ideología» también las ciencias de la naturaleza tienen un fundamento ideológico. Por «ideología» entiendo en realidad (una serie organizada de) interpretaciones fundamentales referentes a un aspecto de la realidad, conceptos básicos en un sistema de pensamiento. Por supuesto, la mayoría de científicos prefieren hablar de teorías que de ideologías. A mí me parece que esto induce a error. Del mismo modo que en un sistema legal hay que distinguir entre principios y reglas, también se debería distinguir entre ideologías y teorías. La ciencia, en su componente básico, trata más de establecer una realidad que de describirla. El sueño de los positivistas lógicos de una ciencia libre de valores era, naturalmente, también una ideología, pero una ideología estéril.

---

* Traducción de María José Pifarré.

2. Hay muchos tipos de ciencias jurídicas. Lo que diferencia a la dogmática jurídica de otras ciencias jurídicas es su objeto. Como realidad, el sistema jurídico es en primer lugar una realidad normativa. La verdadera toma de decisiones es de interés secundario. De ello se desprende con gran claridad que la ciencia tiene un lado ideológico.

Una ideología penal consiste en una interpretación fundamental acerca de una pregunta que afecta al delito y/o a la pena. Su objeto es muy limitado si se compara con el de las «grandes» ideologías, como por ejemplo las políticas o las religiosas. Además, naturalmente, toda ideología penal depende de «grandes» ideologías. El modo de entender la relación entre Dios/dioses y los Hombres, la relación entre el Hombre y la Naturaleza, la organización óptima de la sociedad, los mecanismos causales y el estatus de diversos tipos de personas debe influir obligatoriamente en la interpretación de delito y de la pena.

A continuación voy a describir con la mayor brevedad posible algunas de las contradicciones con las que, con distintos niveles de claridad, hoy se encuentra el investigador del Derecho penal. Mi tesis consiste en afirmar que la solución a muchos de los problemas penales descansa de algún modo en la toma de posición ideológico-penal.

3. En niveles superiores es fácil identificar una contradicción en la política del Derecho penal. Con «política del Derecho penal» quiero referirme al debate social y a la toma social de decisiones acerca de la forma que hay que dar al sistema de Derecho penal y a sus objetivos. En este sentido, la política del Derecho penal es sólo una parte de la política criminal. Las ideologías de política del Derecho penal a las que me refiero se pueden caracterizar mediante los conceptos clave *conformidad al Estado de Derecho y efectividad*. En las últimas décadas ha tenido lugar en todo el mundo occidental el mismo fenómeno: un fuerte aumento de la politización del Derecho penal, acelerada por medios de comunicación de masas populistas unilateralmente sesgadas. La opinión pública quiere ver resultados rápidos, y a ello los políticos reaccionan debilitando las garantías relativas a la seguridad jurídica e introduciendo medidas legislativas simbólicas.

4. Quisiera mencionar ahora otros cuatro tipos de ideologías del Derecho penal que se refieren a aspectos concretos del sistema de Derecho penal. En primer lugar las *ideologías de la medición de la pena*. En este

campo se mantiene desde hace mucho tiempo la oposición entre *propor-cionalidad y prevención*. En el seno de ambas ideologías existe una gran variedad de modelos y una construcción teórica muy elaborada que en parte tiende a la conjunción de ambas. Sin embargo, es inevitable que estos dos puntos de vista, ante la cuestión de la asignación de pena a un nivel represivo predeterminado, lleve a una distribución distinta de la pena.

5. El nivel de represión no viene, naturalmente, predeterminado. Por un lado existe una ideología del «*law and order*», que presuntamente se deriva a menudo del «*common sense*», pero que en cualquier caso parece estar basado a nivel «de sensaciones». Por el otro lado existe una ideo-logía *humanitaria* (propagada sobre todo por los ideólogos de la propor-cionalidad) y una ideología de la *proporcionalidad de las perspectivas* (pro-pagada sobre todo por los ideólogos de la prevención); ésta última se basa en parte en la idea de que una aplicación exagerada de la fuerza es contraproducente.

6. Existen también distintas *ideologías del delito*, ideologías sobre la esencia del delito, sobre aquello que convierte al delito en reprochable o censurable. Aquí se observa una clara diferencia entre quien sostiene que aquél que comete un delito muestra (manifiesta) un tipo determina-do de actitud, y de aquellos que creen que no es así. Históricamente, las actitudes relevantes de no pertenencia y oposición a un dirigente indi-vidual se clasificaban como indiferencia o distanciamiento del orden jurídico como tal: cometer un delito significaría por tanto perturbar la paz jurídica, y hasta cierto punto, colocarse al margen del ordenamiento jurídico, caso en el que no concurren las necesarias convicciones jurídi-cas o de solidaridad con la comunidad jurídica. Este tipo de ideologías se pueden caracterizar de *colectivistas*. Frente a éstas se coloca otra ideología que —a falta de otra caracterización— se puede denominar radical. De esta ideología resulta que lo reprochable en el delito no es más que aquello que hace que el hecho merezca una pena (la *ratio legis*). En esta sede no puedo intentar aclarar cómo lo contrario podría traducirse en una terminología del bien jurídico. Entre otras cosas, esto nos lleva a afirmar que una visión colectivista llega a encontrar más fácilmente un fundamento para la criminalización de hechos que se ven como lesivos de intereses colectivos muy abstractos. Se corre el peligro de dejarse seducir por ficticias comunidades y efectos nocivos sumamente metafóricos.

7. *La última contradicción que quiero mencionar afecta a las ideologías de la moral penal. Como es natural, el sistema del Derecho penal es como tal un tipo de sistema moral de normas, en muchas cuestiones ligado a decisiones de compromiso que son resultado de casualidades históricas. A lo que me refiero es a una contradicción entre dos visiones de lo que podemos llamar el mensaje del Derecho penal. El Derecho penal puede ser autocrítico o moralista. La diferencia no radica de manera inmediata en que una sentencia exprese un juicio de desaprobación en el marco de un proceso penal. La diferencia está en cómo y con qué requisitos se puede expresar esta desaprobación. Cuando el Estado que castiga se cree autorizado a tratar al autor tan mal o peor de lo que el autor ha tratado a su víctima solamente porque el Estado es «bueno» y el autor «malo», a este Estado le falta la sensibilidad de cuál es el mensaje moral que está transmitiendo a los ciudadanos.*

La mayor parte de las comunidades morales son pequeñas. La comunidad ante la que el Derecho penal pretende ser legítimo es grande: se compone de los ciudadanos del Estado y de los demás que se encuentren en su territorio. Aunque con la invención de los derechos humanos se haya creado una comunidad moral que abarca a todos los hombres, hoy en día, en el terreno del Derecho penal estamos experimentando tendencias a una retrocesión, a una reducción de la comunidad moral relevante. Cada vez más delincuentes dejan de ser considerados como iguales para ser tratados como enemigos. La terminología militar invade la política criminal. Existen delincuentes que merecen ser tratados como enemigos; sin embargo, permitir que ello influencie la política criminal, desde mi punto de vista, corrompe moralmente. El miope tratamiento que los países occidentales han adoptado en materia de la criminalidad relacionada con las drogas ha preparado de modo especial el camino hacia este clima «moralizante».

8. *Los cinco tipos de contradicciones ideológicas que he descrito son lógicamente independientes entre si. Entre ellos materialmente se pueden realizar una amplia gama de combinaciones. Las dos combinaciones extremas son las siguientes: por un lado nos encontramos con los conceptos clave:*

— Conformidad con el Estado de Derecho

— Proporcionalidad

– *Humanidad*

– *Ideología radical del delito*

– *Moral autocrítica del Derecho penal*

Por el otro lado

– *Efectividad,*

– *Prevención,*

– *Law and order* (Ley y orden)

– *Ideología colectivista del Derecho penal* y

– *Moral moralizante del Derecho penal.*

Para mí, este último patrón ideológico abre el camino que lleva al terrorismo de Estado. Podría objetarse que todo esto no tiene mucho que ver con la vida cotidiana del penalista académico; como *Thomas Kühn*, se puede sostener que la «ciencia normal» se desarrolla en el marco de un paradigma cuyos requisitos fundamentales no se ponen en duda. No quiero excluir la posibilidad de que en ciertas ocasiones se pueda llevar a cabo algo en estado de inocencia ideológico-penal. El papel de las valoraciones es tan dominante en el Derecho penal que compararlo con el que desempeña en las ciencias de la naturaleza lleva a confusión. Mientras se pueda hablar de paradigmas, se los encuentra uno en construcciones de escuelas que también compiten entre sí en la «ciencia normal». Muchos problemas se presentan de tal manera que su solución presupone su confrontación con todos los tipos mencionados de ideologías del Derecho penal. Sólo a título de ejemplo menciono la tentativa inidónea.

¿El Derecho penal ante las tareas del futuro? Una respuesta podría ser: sin conciencia de las ideologías del Derecho penal, ello no es posible.

La Ciencia del Derecho penal ante las tareas del futuro[*]
(Comentario)

URSULA NELLES
Münster

La perspectivas y el tema por un momento me han hecho pensar en comprar una bola de cristal para consultar las profecías de Nostradamus.

En un mundo en el que los médicos que quieren descifrar el origen de la vida desarrollan —¿o mejor deberíamos decir descubren?— una teoría-marco formal que hace posible el análisis de estructuras de redes co-evolucionantes de economías políticas[1], en un mundo en que los estudiosos del cerebro descubren sistemas de referencia de los valores morales[2], los físicos y los químicos desarrollan una teoría de la comunicación a partir de la decodificación de los procesos intra e intercelulares[3], en que los biólogos crean programas informáticos[4] que envían conjuntamente con politólogos a concursos evolucionistas para reconocer en ello una teoría del comportamiento social[5], en un mundo en el que los filósofos

---

[*]   Traducción de María José Pifarré.
[1]   *Stuart Kauffmann, Der Öltropfen im Wasser; Chaos, Komplexität, Selbstorganisation in Natur und Gesellschaft, München 1998.*
[2]   *Roger Sperry (Premio Nobel de medicina 1981), Naturwissenschaft und Wertentscheidung, München 1985.*
[3]   *Gerd Binnig (Premio Nobel de física 1986), Aus dem nichts. Über die Kreativität von Natur und Mensch, München 1990.*
[4]   *Levy Steven, Künstliches Leben aus dem Computer, München 1993.*
[5]   *Robert Axelrod, Die Evolution der Kooperation, München 1987. Resumida visión general de los experimentos y sus resultados en Douglas R. Hofstadter, Metamagicum, Stuttgart 1988, p. 781 s.*

se ocupan de ingeniería genética[6] y los criminólogos son al mismo tiempo
teóricos del caos, tengo muchos problemas para adivinar cuáles son las
tareas del futuro de la —mejor dicho de una posible futura— ciencia
penal.

Roxin se ha acercado a este problema del único modo que a nosotros
como científicos —y no como esotéricos— nos es posible: ha señalado
cuáles son los problemas del presente, los ha proyectado hacia el futuro,
y ha definido las tareas de la ciencia penal ante el futuro como la
búsqueda y el hallazgo de soluciones a estos problemas.

I. EL MUNDO CAMBIA, «LA CIENCIA PENAL» PERMANECE

Estoy totalmente de acuerdo con la descripción que hace *Roxin* de los
problemas ante los que se encuentra actualmente el Derecho penal. Si
partimos de una visión del futuro en la que la «ciencia del Derecho
penal», en su forma actual de empresa científica institucionalizada, tiene
que resolver estos problemas en un periodo de tiempo próximo y abarcable,
entonces es cierto que ésta se encuentra ante el enorme catálogo de
tareas que *Roxin* tan impresionantemente ha desarrollado. El mismo
Roxin ha puesto de relieve, con razón, que este catálogo no es en modo
alguno un catálogo cerrado y que, por supuesto, ni puede ni debe serlo.

Partiendo de una visión del futuro definida en estos términos mi
comentario podrá limitarse a poner el acento de un modo diferente sobre
esas tareas, a esbozar vías de solución alternativas o a fijar otras priori-
dades. Quisiera intentarlo mediante una serie de puntos.

Estoy también completamente de acuerdo con la tesis de *Roxin* de que
en el futuro «el *centro de gravedad* de la Ciencia penal seguirá estando
centrado en la sistematización, interpretación y desarrollo del Derecho
nacional vigente», siendo éste un pronóstico —de hecho sombrío— del
efectivo estado de la Ciencia del Derecho penal en Alemania en las

---

[6] *Jacques Monod, Zufall und Notwendigkeit*, München 1975.

próximas décadas o incluso aún más allá. El ver en ello la tarea más importante de la ciencia penal acabará en querer hacer útil el método de la self-fulfilling prophecy para asegurar la existencia de la orientación tradicional de los penalistas. Más adelante lo motivaré detalladamente.

Me surgen algunas dudas acerca de si la cuestión de una nueva concepción del Derecho procesal penal nacional puede solucionarse en la dirección señalada por Roxin, que prevé dos ordenamientos procesales distintos, uno «contradictorio» y otro «consensual». En este sentido me inclino todavía por el método de la navaja de Ockham[7]: cuanto más sencilla sea una solución, mayor será la garantía de su corrección. Si realmente continúa tratándose de Derecho penal, el Derecho penal material y el formal sólo pueden relacionarse entre si de manera unitaria dentro de un ordenamiento en la medida en que entre ellos no se den fricciones ya a nivel de sus principios. Su misión la veo más bien en sustituir el aún en gran medida «inquisitorio» Ordenamiento procesal por uno consecuentemente contradictorio[8] que tenga en consideración la necesidad de una comunicación ordenada, que también pueda incluir cooperación, pero que no dé cabida a una componenda consensual[9] del tipo del «deal».

La perspectiva de que una de las funciones de la Ciencia del Derecho penal sea «asesorar al legislador», se me hace ciertamente incómoda. Es correcto afirmar que la tarea legislativa —tanto nacional como internacional— exige la observancia de las reglas del arte legislativo[10]. La sexta

---

[7]   «Frusta fit per plura, quod potest fieri per pauciora – pluralitas non est ponenda sine «necesitate»; cfr. en vision general Lexikon des Mittelalters (vol. N° 9, 1ª entrega, München, en su estado a febrero 1998), voz «Wilhelm von Ockham» (Miethke).

[8]   Franz Salditt, Die Entlassungsspirale. Über die Theorie und Praxis eines schlanken Strafverfahrens, en Joachim Schulz/Thomas Vormbaum (eds.), Festschrift für Bemman, Baden-Baden, 1997, p. 614 s.

[9]   Cfr. al respecto la aún válida crítica de Karl F. Schumann, Der Handel mit Gerechtigkeit, Funktionsprobleme der Strafjustiz und ihre Lösungen am Beispiel des amerikanischen plea bargaining, Frankfurt 1977.

[10] Al respecto, con una visión notablemente atemporal, Johann Adam Bergk, Die Theorie der Gesetzgebung, 1802, reimpresión Frankfurt a. M. 1969; además, Helmut Helsper, Die Vorschriften der Evolution für das Recht. Eine Naturwissenschaftliche

reforma penal ha dejado más que claro —como ya nos ha advertido *Roxin* con razón— qué es lo que pasa cuando no se observan estas reglas. La tarea legislativa en el ámbito del Derecho es, por lo que respecta a su contenido, sin embargo, aún —y de manera necesaria— producto de la política criminal, que a su vez forma sólo una pequeña parte de la política del Derecho. A mi modo de ver, no es posible entender que la tarea del investigador penal sea —y aún mucho menos que deba ser— la de proporcionar pautas al legislador acerca de la formulación correcta y sistemáticamente coherente de leyes, cuando éstas a su vez no se basen en un concepto de política criminal científicamente fundado, o al menos aceptable en cuanto a sus principios.

Y con esto quiero despedirme de momento de esta visión del futuro en la que en un mundo que cambia constantemente y cada vez más deprisa, la ciencia penal se pueda ver, incluso más allá todavía de un período de transición, como una constante.

II. EL DERECHO (PENAL) BAJO UN «ORDEN MUNDIAL DE LA ECONOMÍA»[11]

Sólo es posible juzgar qué tareas habrá que emprender científicamente en el futuro, cuál haya de ser su objeto, en qué orden afrontarlas y a qué posibles soluciones llevarían, si anticipamos mentalmente un posible futuro, y desde éste dirigimos la vista hacia un pasado en cuyo inicio situemos el presente. La determinación temática ante la que nos hallamos conlleva la oferta y el permiso expreso de anticiparse de modo discrecional y amplio al futuro para así desplegar perspectivas necesariamente especulativas. Eso es lo que quiero intentar.

Analyse des Gestaltungsspielraums von Juristen und Politikern mit Folgerungen, Köln 1989.

[11] *John Kenneth Galbraith*, A cultura do contentamento, São Paulo 1992, p. 53, habla de una «teología del *Laissez-faire*».

III. EL CAMBIO DE ÉPOCA

Mi tesis, en la que no me encuentro sola, consiste en que nos encontramos en una era de cambio de época tanto si el inicio de la época que acaba lo fijamos en el descubrimiento de América, como si lo hacemos en el anuncio de las tesis de Lutero, en la Revolución francesa, en la (primera o segunda) revolución industrial o en cualquier otro hito histórico, o si el paralelismo histórico más próximo a nuestro tiempo lo encontramos en la «invención de la agricultura en el neolítico».

Un indicador de este cambio de época lo constituye la disolución de los actuales modelos ordenativos. Los Estados nacionales trascienden progresivamente sus fronteras y van perdiendo significado[12]; unos empiezan a integrarse en asociaciones de Estados (ejemplo: la Unión Europea) y otros retroceden hacia una especie de tribalismo (la antigua Yugoslavia, algunos países de la Comunidad de Estados Independientes, la región caucásica o Filipinas). Las corrientes migratorias aumentan. Las estructuras sociales —como la familia— se ven erosionadas. Las comunidades religiosas que nos han sido legadas —como las iglesias del mundo occidental— pierden influencia y se retiran de la política laica[13] o bien se rebelan contra la pérdida de influencia —como por ejemplo ocurre en regiones fundamentalistas islámicas— una vez más mediante el empleo de la violencia y la dictadura. Esta erosión tampoco se detiene ante el Derecho, ni siquiera ante los sectores más clásicos del derecho. Ya es sabido desde hace tiempo que lo que el legislador, por ejemplo, etiqueta (a escala mundial) como Derecho penal, hace ya tiempo que no tiene por qué ser Derecho penal. Cada vez es más frecuente el Derecho policial o incluso el Derecho (público) de los servicios secretos[14]. La velocidad de esta disolución aumenta también debido a la aceleración del crecimiento

---

[12]   *Rolf Knieper, Weltmarkt, Wirtschaftsrecht und Nationalstaat, Frankfurt a. M. 1976; Martin Albrow, Abschied vom Nationalstaat, Frankfurt a. M. 1998.*

[13]   *Un ejemplo actual lo constituye la retirada de la iglesia católica del sistema de asesoramiento previsto en Alemania para mujeres embarazadas que consideren la posibilidad de abortar.*

[14]   *Vagn Greve, Criminal law in the 21st century, en: Peter Blume (ed.), Legal Issues at the Dawn of the Millenium, Kopenhagen 1999, p. 37, 46 s.*

y difusión del Conocimiento. El nivel de conocimientos de la Humanidad se duplica en un lapso de tiempo que cada vez se reduce a la mitad[15].

Quisiera ilustrarlo por medio de algunas viejas «profecías»[16]:

– 1876: Documento interno de la Western Union: «El teléfono simplemente tiene demasiados defectos para que pueda ser usado para la comunicación. El aparato no tiene ningún valor para nosotros».

– 1943: Watson (Presidente de la junta directiva de IBM): «Creo que hay un mercado mundial para unos cinco ordenadores».

– 1968: Ingeniero de la sección de investigación de IBM, acerca del microchip: «Bonito. ¿Pero para qué sirve esta cosa?»

– 1977: Olson, Presidente y fundador de Digital Equipment: «No hay ningún motivo por el que en el futuro alguien debiera tener un ordenador en casa».

– 1981: Bill Gates: «640 Kilobytes es todo lo que cualquier aplicación jamás debiera necesitar».

– 1994: Bill Gates: Para nosotros no hay nada que ganar en Internet[17].

El que este factor de aceleración ya ha alcanzado al Derecho penal puede incluso constatarse y ser verificado directamente en la Bundesgesetzblatt (Boletín Oficial del Estado alemán). En ella el legislador se preocupa por cambiar mediante otra nueva ley, una ley modificadora que ha aprobado ese mismo día[18].

---

[15] Cfr. Alvin Toffler, Der Zukunftsschock, Stuttgart 1970, p. 11 s., 29 s.; Fritjof Capra, Wendezeit, München 1988, p. 15 ss.

[16] Totalmente tomado de Norbert Golluch, Die wizigsten Prophezeiungen zum Jahrtausendwechsel, Frankfurt a. M. 1999.

[17] De hecho en 1999 el número de nuevos usuarios en Internet se sitúa en torno a los 170.000 diarios = 62 millones anuales de ingresos en el sistema (cifras extraídas de Mensch und Büro, fascículo 4/99, p. 108).

[18] Modificaciones al § 203.3 StGB por el art. 9 de la 3. Gesetz zur Änderung des Bundesnotarordnung (ley de modificación del reglamento federal notarial) de 31.8.1998, BGBl. I 2597, nuevamente modificada por el art. 7 de la Gesetz zur Änderung der Bundesrechtsanwaltsordnung (...) (ley de modificación del reglamento federal de la abogacía) y otras leyes de 31.8.1998, BGBl. I 2607.

IV. «GLOBALIZACIÓN»

¿Qué nombre dar a aquello que caracteriza esta nueva época? En el mejor de los casos se pueden reconocer algunos esquemas. Uno de estos esquemas tiene ya un nombre: «Globalización».

La llamada globalización tiene en primer lugar una naturaleza económica y afecta al mercado mundial. El poder económico-político del mundo se encuentra actualmente en manos de quinientos grandes bancos y multinacionales. Este poder se concentra en pocos países. De los 200 grupos más grandes de empresas multinacionales, que son los que realizan el 90% del volumen de negocio mundial, 176 tienen su sede en sólo seis países. Esto permite arriesgarse a realizar un pronóstico (mi segunda tesis) —verdaderamente sombrío— de que una de las perspectivas de futuro que se están perfilando vendrá determinada por un «orden mundial económico»[19].

Sus máximas más importantes son[20]:

– Intangibilidad del mercado

El libre juego de las fuerzas que regulan el mercado lo equilibra todo; el mercado se regula por sí mismo.

Prototípico sustrato y aplicación viviente de este principio lo constituye Internet, que funciona única y exclusivamente porque puede ser y es modificado, complementado, utilizado y alimentado por cualquier persona del mundo entero. Cualquier intento de intervención reguladora lo destruye.

– *Desregulación*

La exigencia que de ello se deriva se denomina desregulación. El Estado (todos los Estados) debería abstenerse en la medida de lo posible

---

[19]   *Die Gruppe von Lissabon, Grenzen des Wettbewerbs: Die Golbalisierung der Wirtschaft und die Zukunft der Menschheit*, Bonn 1997; *Viviane Forrester* habla de «terror de la economía» (*la misma*, Der Terror der Ökonomie, Wien 1997); confiado, *Ulrich Beck*, Was ist Globalisierung?, Frankfurt 1997.

[20]   *Andreas Müller*, en: Norbert Sommer (ed.), Mythos Jahrtausendwechsel, Berlin 1998, p. 187 ss.

de comportamientos económicos, y por tanto no debería promulgar ningún reglamento, ninguna ley, ninguna regla dirigida a sujetos económicos. El sistema «Política» se verá eclipsado por lo económico.

– *Neodarwinismo*

No son factores históricos, políticos o económicos los responsables de la falta de igualdad entre los hombres y de las desigualdades sociales; se trata más bien de que el principio de la «selección natural» que se observa en la naturaleza es también válido para el Hombre.

Si todas estas máximas tuvieran que ser ciertas —la determinación de nuestro tema no sólo nos exige este experimento mental, sino que verdaderamente nos lo lanza como desafío— ¿qué significaría eso para la Ciencia del Derecho penal?

V. «DISOLUCIÓN DE LAS FRONTERAS» DE LA CIENCIA DEL DERECHO PENAL

También la Ciencia del Derecho penal «perderá sus fronteras». Clasificar claramente la rama del Derecho que denominamos Derecho penal será imposible en la misma medida en que las consecuencias jurídicas se desdibujen como tales. El Derecho sancionador —según la clasificación internacional— oscila en todo el mundo entre soluciones de Derecho civil, como por ejemplo los *punitive damages* en los EE.UU., las medidas coactivas de Derecho público y las sanciones administrativas (ejemplo de éstas lo serían las medidas y sanciones en protección de los intereses financieros de la Unión Europea[21]), las medidas preventivas y las penas clásicas. Por el contrario, a veces, el potencial intimidador de la amenaza penal fácticamente se instrumentaliza para satisfacer fines fiscales (como

---

[21]   Para una visión general v. *Günter Heine*, Kontroll- und Sanktionsysteme des Gemeinschaftsrechts zur Bekämpfung von Betrug und anderen Unregelmäßigkeiten zu Lasten des EG-Haushalts, WuV 1996, 149 ss.; *Lothar Kuhl/Harald Spitzer*, Die Verordnung (Euratom, EG) Nr. 2185/96 des Rates über die Kontrollbefugnisse der Kommission im Bereich der Betrugsbekämpfung, EuZW 1998, 37 ss.

medio de presión dirigido a la «recaudación» de impuestos defraudados), fines del Derecho administrativo económico (por ej. leyes contra el blanqueo de capitales) o para la imposición de derechos en el Derecho civil (p. ej. los delitos patrimoniales en combinación con el Derecho del trabajo o el Derecho contractual[22]). El Derecho penal de los Estados nacionales llega incluso a erigirse en sanción indirecta de Derecho internacional (p. ej. como refuerzo penal de decretos de embargo[23]).

Esto provoca también una erosión en el Derecho penal formal. Cuando el objeto del proceso ha dejado de ser inequívocamente la «pena» — y precisamente porque ha dejado de serlo— y éste puede ser objeto de cualquier clasificación, se pierde también la sensación de necesidad de formas de protección y se estimula la fantasía a buscar soluciones de corte económico también en el Derecho procesal. La validez de esto no se limita a la práctica de los llamados «acuerdos en el proceso penal»[24], sino que se extiende al plano de la emanación de leyes.

Ejemplos de ello pueden serlo los siguientes: la propuesta de castigar el robo en comercios con una multa administrativa, el proyecto de «ley de fijación de la compensación autor-víctima dentro el proceso penal», que prevé una apertura del catálogo del § 153a StPO a cualquier condición u orden que al fiscal instructor le parezca adecuada[25], o la utilización como sustituto a la ejecución de la pena pecuniaria de la pulsera electrónica de control de cumplimiento de las penas de arresto domiciliario[26].

---

[22] Cfr. por ejemplo la construcción de «la responsabilidad penal por el producto»; al respecto *Joachim Vogel*, Verbraucherschutz durch strafrechtliche Produkthaftung, GA 1990, 241 ss.

[23] BGH NJW 1996, 602; OLG Düsseldorf wistra 1994, 37.

[24] *Friedrich Denckner/Rainer Hamm*, Der Vergleich im Strafprozeß, Frankfurt 1988.

[25] Busdesrats-Drucksache 325/99; en el interin aprobada y en vigor (cfr. BGBl. I 2491 de 27.12.1999).

[26] Ver al respecto *Matthias Krahl*, Der elektronisch überwachte Hausarrest, NStZ 1997, 457 ss.

VI. CONSECUENCIAS QUE SE DERIVAN PARA LAS «TAREAS» QUE DEBE AFRONTAR LA CIENCIA PENAL

¿Cuáles son las consecuencias de todo esto para las tareas que deberá afrontar la ciencia penal?

Mi opinión es que bajo la forma que hoy revisten no podrán seguir existiendo y no existirán. La tarea de la ciencia penal consistirá precisamente en elaborar todo el saber conseguido dentro del Derecho penal y el que de él se derive, los conocimientos y experiencias dogmáticos y político-criminales, para dirigirlos a la búsqueda de instrumentos de regulación y control alternativos y nuevos[27] en el contexto de un orden global. Con ello no quiero decir en absoluto que el abolicionismo y la «diversion» deban ser directriz y objetivo de la futura ciencia del Derecho penal. Lo que quiero decir es más bien que hay que perseguir con mucha más intensidad que hasta el momento la búsqueda de mecanismos de regulación que aún puedan alcanzar los actuales fines del Derecho penal bajo las nuevas condiciones del orden económico global, garantizando al mismo tiempo un margen de libertad individual lo mayor posible.

Pero esta tarea suena a excesivamente global, como si con ella se pudiera comenzar algo. Sin embargo, es posible fragmentarla si partimos del presupuesto de que el «cambio de época» que actualmente se observa se puede describir mediante el fenómeno de los «sistemas al borde del caos» (Chaos-Rand).

Según la llamada «hipótesis del sistema al borde del caos» y la teoría del «orden emergente» desarrollada en la bioquímica, evolución y co-evolución se consuman en el llamado borde del caos. La evolución no tiene la capacidad de alcanzar compromisos de adaptación ni dentro caos, el estado de la mayor ausencia de reglas posible, ni en un sistema que se encuentre en un estado de orden total. Sólo aquellas redes (sistemas) que se hallen al borde del caos —donde existe una relación equilibrada, una fase de transición, entre el orden y la total ausencia de

---

[27]   Escéptico, *Klaus Lüdersen, Das Strafrecht zwischen Funktionalismus und «alteuropäischem» Prinzipiendenken*, ZStW 107 (1995), p. 877 ss.; *Cornelius Prittwitz, Funktionalisierung des Strafrechts*, StV 1991, 435 ss.

reglas— son capaces de coordinar actividades complejas y de desarrollarse en estas circunstancias. Sólo en un estado de equilibrio al borde del caos es posible estabilizar los sistemas (también de nuevo). De este modo, los sistemas se pueden encontrar unas veces en la llamada zona subcrítica, un estado tendente al orden, y otras veces en la zona supracrítica, es decir, en un estado más caracterizado por la ausencia de reglas. Sólo cuando un sistema se encuentra en la zona supracrítica puede —incluso de manera explosiva— llegar a la abundancia de nuevas formas, que entonces aspirarán de nuevo a un estado de orden a través de la especialización, la adaptación o la extinción. Esta teoría ya se ha aplicado en procesos simulados a modelos de políticas económicas sencillas. Se supone, aún cuando no se ha probado, que esta hipótesis de los sistemas al borde del caos es también válida para (otros) sistemas sociales[28].

Si esto es así —y dado que nos movemos a nivel de proyecciones de futuro esta tesis quizá se verá pronto demostrada—, en este momento el sistema global —y con él también el Derecho penal— se encuentra en esta zona supercrítica, con lo que podemos suponer que se están abriendo nuevas posibilidades en las que en nuestro estado de orden relativo de la modernidad tardía aún no habíamos pensado. También para la ciencia penal el futuro será fascinante. La ciencia penal tendrá que utilizar el conjunto de su saber dogmático y los conocimientos que le han sido legados —incluidos los empíricos— para identificar como adecuados nuevos instrumentos de control, transformándolos allí donde sea posible en ofertas jurídicas, y para poder rechazar también aquéllos que se revelen como inadecuadamente fundamentados.

No parto de la base de que el cambio de época cambiará la Humanidad hasta el punto de que los individuos acaben por perseguir únicamente el bienestar general y que la prohibición del *neminem laede* se obedezca sin excepciones. En el futuro existirá (deberá existir) igualmente el Derecho penal o un equivalente suyo. Pero de la misma manera que en su día se sustituyó el binomio «caballo y carreta» por el de «automóvil y gasolina», del mismo modo que martillo y clavo se pueden sustituir por

---

[28] *Expuesto de modo comprensible para cualquiera por ejemplo en* Kauffmann *(nota 1).*

destornillador y tornillo, es posible que el normal binomio «culpabilidad y pena» se vea sustituido en algunos campos por algo similar a «atribución y pago de los costes»[29] *o incluso por el binomio positivo «responsabilidad por el bienestar general y provecho individual». Probablemente también conceptos normativos se verán sustituidos por otros técnico-cognitivos, tales como los que actualmente conocemos en la realidad, como la Policía de Internet, cuyos funcionarios actúan virtual y eficientemente como «Cyber-cops» (policías cibernéticos)*[30] *o «Net-nannies» (niñeras de la red)*[31].

VII. (CONSIDERACIÓN Y OBSERVACIÓN) FINAL

Ante estas perspectivas, aún más desplazadas hacia el futuro, estoy de acuerdo con Roxin *en que la política criminal de cuño científico es una importante, cuando no la más importante tarea ante el futuro del conjunto de las ciencias penales. Como tataranieta científica de* Franz von Liszt[32] *incluso diría: la ciencia penal debe ser reanimada.*

Pero una ciencia penal que se esfuerce en llevar a cabo esta tarea, se transforma por sí sola. Se convierte cada vez más en una ciencia de la Política criminal. Pero como ciencia política debe reflejar también lo «criminal» de su objeto, es decir, los problemas sociales, y debe entonces poner al Derecho penal permanentemente en el banco de pruebas como medio de solución de estos problemas.

---

[29]   El llamado «controlling penal» (ver *Hans-Jürgen Schroth, Strafrechtliches Controlling,* wistra 1992, 321).

[30]   Bajo este nombre, funcionarios de policía registran páginas web del mundo entero en busca de contenidos punibles.

[31]   Bajo este nombre se ofrecen páginas web de las que se pueden descargar filtros de software para la protección de niños y adolescentes.

[32]   *Franz von Liszt, Der Zweckgedanke im Strafrecht,* ZStW 3 (1883), p. 1 ss., p. 18: «... es necesaria una consideración imparcial y despasionada de la experiencia recogida. Ésta se ve condicionada por el paso de la función de castigar de los sujetos implicados, a órganos de prueba no implicados e imparciales.»

Por ello, a mi manera de ver, la tarea más importante que los científicos penalistas tienen ante sí es la de superar los límites de su propia disciplina, pensar y trabajar en red y abandonar las limitaciones, no dogmáticas, pero sí dogmatísticas.

De este modo tendremos la oportunidad, por la erosión de todos los sistemas de normas hasta hoy conocidos, de tomar en serio, analizar y evaluar algo como el *law in progress*. Y creo que sólo entonces tendremos la oportunidad de influir sobre la dirección que tome el desarrollo. ¿Y quizás tampoco sea todo tan grave, e incluso quizás pudiera suceder todo de forma distinta a como aquí lo he profetizado?

Consideraciones finales*/**

ALBIN ESER
Freiburg

I. SEÑORAS Y SEÑORES:

Si el moderador —seguramente con buena intención— ha anunciado mi intervención como una «palabra de conclusión», eso no se debe ni a que esté en el programa ni a que fuera mi intención; porque como debe observarse ante todo, mi intervención serán unas «consideraciones finales», y ciertamente ello se hace de forma intencional, porque la expresión «palabra de conclusión» puede entenderse fácilmente como una especie de «última palabra», algo que en cualquier caso no pretendo. No sólo porque sería pretencioso hacer una exposición temporalmente condicionada para una completa disciplina; más allá de ello, porque, de entrada, este coloquio no pretende ser el final, sino más bien el principio de un conocimiento compartido, que habría de desarrollarse por la totalidad de la Ciencia del Derecho penal tanto de forma retrospectiva como con visión de futuro. Tampoco puede tratarse aquí de un resumen de lo que ya ha sido expuesto y discutido en toda su extensión y amplia diversidad, y mucho menos aún como un intento de extraer cualquier tipo de recomendaciones concluyentes. Se trata más bien simplemente de algo mucho más modesto: de exponer, como despedida de estas

---

*   Traducción de Carmen Gómez Rivero.

**   Por razones de tiempo y debido a la cantidad de intervenciones habidas en la última sesión, las consideraciones que aquí se hacen, sólo pudieron exponerse entonces de forma esquemática y parcial. Esta versión escrita no constituye, por tanto, una trascripción literal de la mantenida oralmente, sino una modificada y completada con ulteriores consideraciones y reflexiones, aunque se mantiene en lo esencial la misma idea.

jornadas de intercambios de ideas —y con la esperanza de un reencuentro—, aquellas consideraciones que se imponen a un observador participante, que, como coorganizador de este coloquio, ha depositado ciertas expectativas que —en la medida en que no hayan sido ya satisfechas— con gusto seguiré de cerca en el futuro.

Quisiera agrupar las consideraciones que se imponen conforme a lo anterior —que son más o menos independientes y que en parte se solapan— en cuatro cuestiones: el estado de nuestra discusión, las tareas de la Ciencia del Derecho penal, la libertad y responsabilidad de los penalistas así como, finalmente, qué habría que hacer en el futuro.

II. ACERCA DEL ESTADO DE NUESTRA DISCUSIÓN

En lugar del intento, de todos modos imposible, de exponer una especie de «lista positiva», en el Haber, todo lo que ha sido tratado en este coloquio con diferentes puntos de vista y con distinta extensión, me parece más instructivo intentar confeccionar una «lista negativa», en el Debe, con todo lo que posiblemente sería igualmente provechoso para la discusión, pero sin embargo no ha sido abordado o sólo lo ha sido de forma incidental.

Esto vale de forma especialmente llamativa para todo lo que se refiere al Derecho penal de la antigua República Democrática alemana(DDR) y a la Ciencia del Derecho penal que se ocupó del mismo. Aunque aquí nos reunimos en un edificio que hasta hace apenas una década había sido sede de la «Academia de la Ciencia de la República Democrática Alemana», esto ha sido rememorado, si mal no me equivoco, sólo de pasada bajo la póstuma palabra clave «elaboración del pasado», e incluso esto, lo que no deja de llamar la atención, sólo por uno de los ponentes extranjeros. Por mera casualidad leí esta mañana una frase de Stefab Heym: «La República Democrática Alemana no será otra cosa que una nota a pie de página en la historia del mundo». Desde luego, si no cambia nada en la Ciencia alemana del Derecho penal, ni siquiera quedará una nota a pie de página para la Ciencia penal de la DDR. No es que hubiera que añorar esta fase de la historia de la Ciencia penal alemana. Sin embargo, pasarla completamente por alto y ni siquiera encontrar en ella valiosas consideraciones críticas puede dar la impresión de una aparente línea homogénea en la historia de la Ciencia alemana del Derecho penal.

Esta apariencia de una Ciencia alemana del Derecho penal «sin rupturas», que incluso ni siquiera en los casos en que llegó a ser cómplice de auténticos crímenes se la valora como un capítulo horrible que debería servir de enseñanza para un análisis más amplio, resulta si cabe más fatal aún respecto al casi absoluto desconocimiento de la época nacionalsocialista de la Ciencia alemana del Derecho penal. Ciertamente en la Ponencia relativa a la «Autocomprensión de la Ciencia del Derecho penal frente a los desafíos de su tiempo» se citaron ejemplos de la falta de cientificidad de las manifestaciones jurisprudenciales en la época del nacionalsocialismo, así como de casos opresivos de una llamada «política mediante omisión», que no hacía justicia a su responsabilidad científica. Pero no sólo esto. Dado que estas afirmaciones ejemplarizantes han quedado sin resonancia en la discusión ulterior; y en la medida en que el futuro se traza desde el conocimiento y las enseñanzas del pasado, también sería valiosa una investigación básica sobre hasta qué punto los errores de nuestros antecesores durante el nacionalsocialismo se hallan en sus doctrinas o simplemente se explican como debilidades personales. Si bien un colega del Este europeo ha dicho que la dogmática podía concebirse como un «medio de protección contra la dictadura», uno no puede por menos que mostrarse escéptico cuando se contempla el comportamiento de algunos penalistas de nuestro siglo que sucumbieron al nacionalsocialismo y adaptaron al mismo sus construcciones dogmáticas. Me refiero particularmente a Edmund Mezger en cuyo Tratado aprendí de buena fe yo a mediados de los años 50 las bases del Derecho penal, sin saber entonces cuál había sido su papel durante el nacionalsocialismo. Realmente abrí los ojos por primera vez cuando para la preparación de este coloquio organicé un seminario en el que —entre otras cosas— se trataba del papel de los penalistas más relevantes en esta centuria. Hasta ese momento nunca habría creído que —como adiviné en una ponencia sobre la obra de Mezger—, en tan poco tiempo pudieran degradarse principios tan fundamentales, como el de legalidad, y que con la misma rapidez, después de diversas vicisitudes políticas, pudieran restituirse de nuevo, como si no hubiera ocurrido nada. Esta afirmación no pretende ser un enjuiciamiento a título póstumo de la persona de

Mezger; *aunque no deja de asombrar y todavía está por explicar que se le concediese posteriormente un honroso puesto en la Gran Comisión de Derecho penal, a pesar de su pasado. Pero incluso aún reconociendo a la dogmática algunas funciones positivas, tal como se ha destacado a lo largo de este coloquio, la Ciencia del Derecho penal no debe dejar de averiguar en qué medida los errores pueden explicarse por debilidades personales o si el germen de ese desarrollo errado ya se encuentra en la teoría misma y por ello, pudiera ser de nuevo activado en el futuro[1].*

No debería omitirse un desideratum más amplio de esta temática, dado que ni en las ponencias y comentarios, ni en las discusiones que hubo tras la exposición de los mismos, se le ha prestado atención con la intensidad con que los organizadores habíamos previsto. Como de hecho ya fue subrayado en mi discurso de apertura, debe situarse como banco de pruebas no tanto el Derecho penal como tal sino más bien la ciencia que a él le sirve. Desde este punto de vista, por ejemplo, en relación con el siempre discutido caso del error de tipo permisivo, lo que importa no es cómo se soluciona de forma más satisfactoria en uno u otro Ordenamiento; sino de comprobar más bien y solamente cómo lo trata la Ciencia del Derecho penal. Esta focalización de la perspectiva interna sobre el tratamiento científico del Derecho penal habría sido al mismo tiempo también mucho más provechosa para la perspectiva externa, como sucede por ejemplo desde el punto de vista de la filosofía. Por muy interesante que pudiera ser conocer un determinado «Proto Derecho penal» fundamentado filosóficamente, más interesante todavía hubiese sido desde la perspectiva que aquí se plantea comprobar en qué medida la filosofía del Derecho penal y la dogmática penal de este siglo, respectivamente, están a la altura de la filosofía contemporánea. Lo mismo cabe decir del punto de vista de las ciencias sociales, desde las que podría

---

[1]   *Por lo que se refiere a Mezger, quiso la casualidad que en el almuerzo final coincidiera con un colega que me llamó la atención sobre una recensión aparecida dos días antes en el Frankfurter Allegemeine Zeitung el 4.10.99 de Wolfgang Grasnick sobre el libro Jürgen TELP, Ausmerzung und Verrat, Frankfurt a.M. 1999, en el que se confirma lo que acababa de decir sobre Edmund Mezger. Más adelante me referiré a las conclusiones de la ponencia de Nina Parra en relación con este tema.*

descubrirse una experiencia interesante: Mientras «ilustrados» especialistas en Sociología criminal se mostraban todavía atrapados en el debate abolicionista, en las ponencias sobre las perspectivas de futuro se hizo evidente una actitud abierta hacia la perspectiva sociológica que dado la procedencia jurídica de los ponentes no era esperable sin más. Esto es esperanzador.

III. ACERCA DE LAS TAREAS DE LA CIENCIA DEL DERE-CHO PENAL

A este respecto el panorama de la ciencia alemana del Derecho penal aparece cercenado, porque apenas se proyecta sobre sí mismo. Sumida completamente en la preocupación por el objeto —el Derecho penal—, la ciencia alemana del Derecho penal parece haber perdido de vista su fin último. Si se observa la sagacidad y tenacidad con que se ha trabajado en la elaboración del sistema jurídico y en darle consistencia a la dogmática jurídico-penal, el celo con el que se ha discutido la estructura del hecho punible y las estructuras problemáticas análogas, o la forma en que el Derecho penal excluye nuevas exigencias de protección para preservar su «pureza», no se puede evitar la impresión de que con ello se pretende más la protección del Derecho penal que la protección a través del Derecho penal. En resumen, el Derecho penal permanece intacto; con ello quedan determinados intereses sin cubrir, de los que eventualmente pasan a ocuparse otras disciplinas jurídicas.

Si se indaga por las razones por las que se cuida tanto el Derecho penal, seguramente no puede desconocerse que ello se debe sobre todo a que la pena es un arma decisiva y enérgica de la violencia estatal y que debe protegerse de manipulaciones, excesos o cualquier otro tipo de abusos. En este celo por la conservación de la pureza del Derecho penal parece sin embargo que gran parte de la Ciencia del Derecho penal ha perdido de vista tanto su propia tarea como la meta última del Derecho penal. Esto se evidencia en dos fenómenos.

Si se concibe de forma «radical» hasta en las raíces de modo primario la tarea del Derecho como la garantizar la mayor medida posible de libertad en las relaciones humanas en tiempos de paz, entonces el Derecho penal tampoco puede entenderse como un fin en sí mismo, sino —simplemente— como un instrumento para alcanzar aquella meta, de lo que recibe especialmente la tarea bifronte, tanto de restituir la paz jurídica destruida, como de asegurar los bienes jurídicos más importantes para la libertad y seguridad frente a las futuras lesiones. Pero precisamente por este carácter instrumental no deja de sorprender que el Derecho penal y con ello su elaboración científica se hayan «absolutizado» tanto. Y así, en lugar de concebir la pena como un instrumento frente a otros y colocarla en una relación integradora de conjunto, se ha pasado a entenderla como un *art fixum*, que tiene su propio valor en sí misma y que debe ser protegida ante «suavizaciones» y diferenciarse de otros instrumentos. Por muy cierto que sea elaborar los presupuestos del hecho punible teniendo en cuenta la finalidad y gravedad de la sanción, no deja de ser igualmente cierto que esto puede repercutir disfuncionalmente cuando la sanción se presenta como inamovible y el ámbito de lo «punible» se determina desde atrás según «la pena», algo comparable con el rabo que el perro agita. Esta «consideración» a la que yo mismo contribuí de forma manifiesta en mi tesis doctoral sobre «El límite entre el hecho punible y las contravenciones administrativas», puede sin embargo conducir fácilmente a una reducción de perspectivas cuando la lesión digna de castigo sólo se contempla desde el punto de vista retrospectivo de una determinada sanción —como latente en la pena misma— y no desde un punto de vista externo a la sanción. Frente a esta reducción —que en última instancia es favorecida por la propia denominación de nuestra disciplina como Derecho penal— la solución debe estar en no dejarse circunscribir por más tiempo a la caracterización como «Derecho penal» —de todas formas temporalmente no demasiado antigua—, sino en rememorar su objeto: la tarea de hacer frente a la lesión de determinados intereses jurídicamente dignos de protección de forma preventiva y sancionadora, y en todo caso humana. Este cambio de perspectiva tendría, entre otras, dos tipos de consecuencias. Por una parte, la preocupación principal no sería tanto la protección del Derecho penal, como que éste sea un instrumento lo más eficiente posible y al mismo tiempo conforme a las exigencias de un Estado social contra determinadas lesiones de bienes jurídicos. Por otra parte, la atención se orientaría con ello a la «herida» individual causada y al «daño» social que hay que curar, esto es, a reparar. Con un «Derecho criminal» así orientado de nuevo primariamente al delito, la pena —tan importante como siempre— sería sólo uno más entre otros instrumentos y ciertamente no el último en orden a la reparación, algo que en las concepciones penales tradicionales sólo con dificultades se deduce de forma clara. Ciertamente debe observarse que si la meta es finalmente constructiva y, por tanto, desde un punto de vista social, debe consistir en la restauración de la paz destruida por el hecho, ello no puede conseguirse sin una satisfacción individual de la víctima. Así vista, la reparación no es accidental, sino constitutiva para el sentido pleno de la pena.

El Derecho criminal, y con él la Ciencia que de él se ocupa, tiene también que ser consciente de su destinatario. Si lo único que se discute es la ordenación sistemática del error de tipo permisivo, que de forma significativa también ha surgido en este coloquio repetidas veces con diferente caracterización, no se puede evitar la impresión de que ante todo se trata de colocar este fenómeno en un determinado sistema del delito libre hasta donde sea posible de contradicciones, sin que también se haya empleado una fracción de tiempo y dispendio de ingenio para comprobar lo que significa para el ciudadano una representación errónea de los presupuestos fácticos de las causas de justificación. Lo que más preocupa es si la construcción dogmática es conforme al sistema; pero es indiferente el mensaje ético-jurídico que se derive de ahí, caso de que en realidad se reflexione[2]. Querer disculpar esta ceguera ético jurídica con el argumento de que la norma misma, en la medida en que no ha regulado esta clase de error, no muestra ningún interés en hacerse entender al ciudadano, desconocería la dependencia en la que se encuentra el legislador ante la ciencia del Derecho penal: aun cuando éste quisiera ser soberano en la elección entre posibles alternativas de regulación, no puede prescindir de reflexionar anticipadamente sobre su labor en el terreno problemático, que debe ser la tarea de la ciencia del Derecho

---

[2]   Después del coloquio me llamó la atención von Otto Lagodny sobre una sentencia de Egon Friedell, en la que venía en consideración una manifestación del fenómeno aquí destacado: «A un pensador no se debe preguntar qué punto de partida adopta, sino cuántos puntos de partida tiene. En otras palabras, ¿tiene un amplio instrumental de pensamiento o adolece de una falta de ubicación, esto es, de un sistema?

penal. Si ésta pierde su meta propia, tampoco el legislador, que se orienta por ésta, podrá alcanzar la suya.

Esta pérdida de la meta tiene aún consecuencias peores allí donde se olvida quien es el genuino destinatario de una norma. Basta volver al error de tipo permisivo para tener un clásico objeto de demostración. Cuando lo que se contempla en la discusión teórica es si realmente un error de esta clase excluye el dolo, o si se trata simplemente de una exclusión de la culpabilidad dolosa o incluso sólo de una renuncia a las consecuencias jurídicas, y se ordenan los respectivos argumentos a favor o en contra de cada una de estas soluciones, lo que en primera línea interesa al aplicador de Derecho —si es que no se llega incluso finalmente ahí—, es encontrar una «ordenación sistemática», una «dogmática limpia» o las reglas «consistentes» construidas de cualquier modo; mientras que cuando de lo que se trata es de las respectivas consecuencias que en la dirección de la conducta del ciudadano tiene una u otra opción, apenas se le dedica a este problema la menor atención. Lo principal para el aplicador del Derecho es encontrar soluciones «lógicas», pero lo que esto signifique de antemano para el comportamiento del ciudadano es irrelevante. En este sentido actúa el estudiante diligente de Derecho con frecuencia ya desde sus primeros trabajos, incluso antes de que siquiera pueda vislumbrar el posible sentido interno de la construcción de delito, inculcándosele que busque la solución menos errónea, elevando a principio rector la falta de contradicciones formales. Este severo peso en el tratamiento constructivo bajo el desconocimiento del mensaje ético jurídico es expresión elocuente de que con la ciencia penal realmente sólo se trata de describir con qué criterios y de qué modo constructivo y con qué consecuencias un determinado comportamiento deba ser sancionable: Este es el punto de vista del aplicador del Derecho, pero no desde luego el punto de vista del ciudadano que sólo pregunta por cual es la mejor forma de comportarse. Esta reducción, resumida en esencia, solo puede ser evitada siendo consciente de la diferencia entre las normas dirigidas al comportamiento del ciudadano y las normas de tratamiento vigentes para el aplicador del Derecho y, no en último lugar, formulando normas de conducta que puedan ser entendidas por el ciudadano. Con ello se habría ganado mucho, si como teóricos se dejaran guiar por la experiencia de la misma forma que pueden hacer los prácticos; no se debe introducir una teoría antes en el mundo si no es en la práctica manejable.

IV. EN TORNO A LA LIBERTAD Y RESPONSABILIDAD DEL CIENTÍFICO

Ciertamente es de suscribir todo lo que en el curso de este coloquio se ha dicho en torno a la libertad de conciencia y con ella también del científico. Esto vale especialmente para el Derecho penal alemán de ese siglo, que sobre todo durante los dos regímenes políticos injustos que se dieron en el mismo ha sido políticamente instrumentalizado hasta el abuso, si bien también en períodos democráticos no se ha librado de tentaciones de este tipo.

Ya la pregunta en torno a en qué medida la libertad de la ciencia del Derecho penal sólo se ve amenazada desde fuera y si ésto sólo es desde una perspectiva lejana o renovada, o si la amenaza surge ya de sí misma, sería digna de atención. No tengo la impresión de que esta «Investigación de conciencia» de nuestra Ciencia esté agotada, caso de que realmente haya sido acometida alguna vez de forma seria.

Más importante es mencionar conjuntamente la libertad y responsabilidad de la ciencia y reconocer a ambas por su «cientificidad». Descubrirse que está orientada a la búsqueda de la verdad y que se ocupa de forma metódico sistemática de casos, es algo ciertamente correcto, pero no decisivo; sin embargo, eso es lo que sucede si se reduce a un concepto de responsabilidad científico interno e individual; caracterizar la ciencia del Derecho penal como una «ciencia de la conducta» (también práctica) es demasiado estrecho. Porque también es responsabilidad del penalista investigar en qué medida el Derecho penal es —y tiene que ser— más que las ciencias espirituales de la interpretación histórica-filológica de los textos o del análisis científico social o la descripción de acciones o de intenciones, y en qué medida tienen también lugar valoraciones que —de forma consciente o inconsciente— pueden influir en tomas de posturas o comportamientos. Pertenece a la responsabilidad del científico del Derecho penal junto a la ciencia «interna» también la conciencia de las consecuencias «externas».

Si altero lo que hasta ahora ha sido la tónica de mi exposición de describir simplemente fenómenos sin dar nombres, no puedo hacer, sin embargo, lo mismo, cuando se trata de analizar algunas construcciones de Günther Jakobs. No obstante, espero que no altere nuestra amistad personal el hecho de enfrentarme abiertamente a dos de las tesis que él sostiene, y que literalmente me asustan.

Una de ellas se refiere a la desaparición de la lesión del bien jurídico del concepto del delito y al vaciamiento de la pena, en la medida en que su fin se agote ya con la confirmación de la norma. ¿No nos debe asustar con esto la posible intercambiabilidad de cualquier contenido de injusto y la pena?, ¿no invita la reducción a la lesión de la norma o la confirmación de la misma a llegar a una prohibición o mandato formal, en lugar de preguntarse por el bien jurídico protegido?, ¿no se olvida que tanto el autor como la víctima son personas cuando con la pena sólo se trata del aseguramiento del Derecho y del injusto sin que también se busque, incluso de forma primaria, una superación socialmente constructiva del hecho, que a la víctima le de satisfacción y al autor le reinserte socialmente y mire al futuro mediante el establecimiento de la paz jurídica?

Esta frialdad de la contemplación limitada a la lesión de la norma produce aún más estremecimiento cuando se atiende a la frontera que traza Jakobs ente el ciudadano en el ámbito Derecho penal en un Estado de Derecho y los enemigos del sistema. El que los enemigos no sean considerados «como personas», es una consideración que ya ha conducido alguna vez a la negación del Estado de Derecho; por no decir nada de cuáles sean los criterios que se utilizan para catalogar al «ciudadano» como «enemigo»: Porque, ¿quien podría realmente decir de qué lado se encuentra el mejor ciudadano o el enemigo más grande, cuando el uno, actuando por razones políticas en un supuesto interés de la comunidad, comete un delito contra la seguridad del Estado, y con ello ataca la libertad de los otros, y el otro sirviéndose de artimañas en materia de impuestos comete un fraude tributario o un fraude de subvenciones lesionando el orden económico? Diseñar sistemas jurídicos teóricos, aunque no sean concluyentes en sí mismos es una cosa, otra es deducir consecuencias de ello, y esto no es menos importante en el ámbito de la responsabilidad del científico[3].

---

[3]   *Post festum tengo que confesar que lamento haberme dado cuenta durante la exposición de estas reflexiones que, conforme al programa, después de mis consideraciones finales no estaba prevista ninguna discusión más y, por tanto, que*

También en el plano colectivo, la Ciencia del Derecho penal, como contrapone Björn Burkhardt al trabajo individual del científico en particular, tendría que reflexionar desde diferentes puntos de vista sobre la responsabilidad y la libertad. Sólo quisiera referir dos puntos, uno de los cuales afecta a la elección del campo de problemas de los que se ocupa la Ciencia del Derecho penal. Ciertamente, al igual que el científico individual, la ciencia del Derecho penal también tiene que ser completamente libre en la elección de su objeto de estudio —y en todo caso exenta de presiones—. Sin embargo, hay que preguntarse si la Ciencia del Derecho penal debido a su responsabilidad interna no tiene que sentirse obligada no sólo a cuidar caballos de batalla de moda y dar vuelta a la misma figura jurídica —como la apostrofada más de mil veces en este coloquio como «actio libera in causa», con la menor relevancia práctica posible—, sino más bien prestar también atención científica a las cuestiones reales de la época.

Si se hablase de una «responsabilidad (de la ciencia) por omisión», sería aplicable sin duda para aquellos campos en los que las normas se multiplican mientras la ciencia penal fuera de ellos se conforma con simples demandas, en lugar de proporcionar el necesario «trabajo de acarreo». A la vista de la afrenta que el legislador ha hecho a la Ciencia alemana del Derecho penal con la Sexta Ley de reforma del Derecho penal, al redactarla sin tener para nada en cuenta la opinión de los científicos, lo que los penalistas debemos de hacer es, en lugar de enojarnos, indagar mejor las causas y pasar a la ofensiva sin autocompasión. En cualquier caso, esto tendrá difícilmente efectos en tanto que los políticos parlamentarios —como dijera Rupert Scholz— vean al penalis-

---

Jakobs no haya tenido ninguna posibilidad de contestar. Pido disculpas por esto, que el mismo Jakobs admitió al final de la sesión —sobre todo porque él seguramente contará con una nueva oportunidad de respuesta. En la medida en que él se extrañaba sobre este lenguaje, que hasta ahora no había oído, de que «el miedo sea una categoría jurídica», yo quisiera por mi parte no disimular que tal falta de conocimiento de las consecuencias de las posibles repercusiones jurídicas de una teoría, no me provoca menos miedo, con lo que quiero subrayar conscientemente que hablo de «miedo» y no de «temor», porque lo último siempre sería inteligible de alguna forma como algo concreto, mientras que el miedo encuentra su fuente en la incontrolabilidad de la difusión de las consecuencias.

ta como un «jugador de canicas». Esta imagen difícilmente desaparecerá mediante la simple protesta, sino que es necesario que tanto en nuestro pensamiento como en los escritos identifiquemos de manera más radical la función última que estamos obligados a cumplir: en concreto, ofrecer una contribución a la libertad en la seguridad de los derechos del hombre mediante la investigación dogmática y la configuración político criminal del Derecho penal.

Un aspecto adicional, que no puede desconocerse en el plano colectivo, es el que en la discusión se ha invocado como el «poder de autodepuración que tienen las recensiones bibliográficas». De hecho, ahí podría residir una oportunidad para separar las granzas vacías del trigo rico en ideas. Sin embargo, esto serviría de poco si, como sucede cada vez más en las recensiones de libros, estos son más o menos duramente criticados y, sin embargo, finalmente se recomienda su lectura. El tiempo de la vida es un bien que no retorna, que también se puede perder cuando se anima a leer un libro costoso en tiempo del que finalmente no se puede esperar ningún valor digno de reconocimiento sino incluso temer que confunda. También cuando alguien escribe, y caso de que encuentre algún editor que quiera publicarle lo que él quiera y ni mucho menos se le haya insinuado la prohibición de no escribir, habría que descubrir la responsabilidad científica de quien hace la recensión en llamar a las cosas por su nombre y hallar luz donde sólo era de esperar oscuridad. Quien a pesar de eso no se acobarde, debe hacerlo asumiendo al menos el riesgo que de ello se deriva.

V. PERSPECTIVAS DE FUTURO

Incluso si todavía se reflexionase sobre mucho más de lo que ha salido en este coloquio o si se entrase en nuevas perspectivas podrían bastar las impresiones y reflexiones anteriores para tomar finalmente en consideración otros pasos.

El primero de ellos se refiere a la reflexión sobre lo ocurrido en este siglo pasado, algo que, como era de esperar, sólo puede ser fragmentario. Que eso serviría para aclarar algunos aspectos se ha demostrado en dos seminarios que he realizado en preparación de este coloquio sobre «la

Ciencia del Derecho penal en el siglo XX», en los que se trató, en primer lugar, las «líneas de reforma, las reacciones críticas y las líneas de desarrollo dogmático» así como la pregunta sobre los posibles «avances en la dogmática jurídica penal: cómo, mediante qué, con qué efectos». Fue asombroso comprobar cómo algunas ideas aparentemente nuevas ya eran conocidas a principios de siglo e incluso ya habían sido concebidas mejor, o en qué medida hoy a menudo ya no se sabe lo que se había escrito en los años 30 o 40. Esta «pérdida de memoria», posiblemente no depende en última instancia de que en los manuales y comentarios —la mayoría, para evitar largas citas— a menudo no se citen los autores más antiguos, algo que ya es problemático desde el punto de vista de los derechos de autor, pues con ello desaparece el «autor» en sentido literal de una idea, mientras se llena el mercado con simples repeticiones de la misma. A la vista de esto un «balance del rendimiento» amplio como al mismo tiempo sólido de la Ciencia penal alemana en el milenio sólo sería posible, después de nuestras comprobaciones, mediante una cooperación conjunta de tantos como sea posible —lo que no debe entenderse como disuasión sino como una llamada—.

En relación con las tareas de futuro de la Ciencia penal alemana, yo esperaría que este coloquio no fuera algo efímero, sino que en cualquier forma siempre encontrase su continuidad. En este sentido, yo ya había reflexionado en las Jornadas de Derecho penal celebradas en Hallen en mayo de 1999 en torno a si alguna de las cuestiones aquí planteadas no podrían resurgir en las próximas jornadas de Derecho penal que se van a celebrar en Passau en el 2001. No me pronuncio sobre lo que habría de tenerse en cuenta, para no invadir la competencia de otros.

Sabemos valorar el hecho de que nuestro Max-Planch-Institut siempre haya encontrado reconocimiento para sus trabajos preparatorios y se le asignen nuevas tareas, y entenderlo como estímulo para afrontar unos u otros retos. Esto no significa un abandono de los otros institutos de investigación del Derecho penal de nuestro país sino que más bien tiene que entenderse como una llamada a más iniciativas privadas. A veces es sorprendente todo lo que podría conseguirse si uno se lo propone. Por ejemplo, cuando se habla en el proceso penal del fenómeno del «acuerdo», esto me recuerda que en mi calidad de miembro de la Diputación permanente de las jornadas jurídicas alemanas, conseguí introducir el «acuerdo» en el programa de las jornadas haciendo frente a vientos en

contra —para mi una importante experiencia de todo lo que puede
conseguirse con empeño. De forma paralela este coloquio tiene que
agradecerse también a una iniciativa privada, a la que desearíamos continuidad en el futuro.

Al final de este coloquio alguien me preguntó en alusión al título del
segundo tema si lo encontraba como «afortunado» o «sin consecuencias». Entre tanto he tenido claro que no sólo existen los pares afortunado—sin consecuencias, sino que también hay otras posibilidades inter-
medias de combinaciones, como, por ejemplo, «exitoso, pero lamentablemente sin consecuencias». Desde mi punto de vista, sería lo mejor si
este coloquio se recordase como «afortunado y rico en consecuencias».

Con mi sincero agradecimiento a todos los que de algún modo —
como organizadores, moderadores, ponentes o comentaristas— han cola-
borado, así como a los patrocinadores —la Sociedad Max-Planck y la
fundación Thyssen— que han posibilitado la financiación, o que como
la Academia de la Ciencia Berlin-Brandenburg han puesto sus espacios
a nuestra disposición, declaro concluido este coloquio.

Lista de participantes*

KONRAD ADAM, Dr., *Frankfurter Allgemeine Zeitung, Frankfurt/Main*

KOFFI KUMELIO AFANDE, Dr., *Max-Planck-Institut, Freiburg*

HEIKO AHLBRECHT, Dr., *FernUniversität Hagen*

HANS-JÖRG ALBRECHT, Prof. Dr., *Direktor des Max-Planck-Instituts, Freiburg*

DIETLINDE ALBRECHT, Dr., *Universität Halle-Wittenberg*

HEINER ALWART, Prof. Dr., *Universität Jena*

KAI AMBOS, Dr., *Max-Planck-Institut, Freiburg*

KNUT AMELUNG, Prof. Dr., *Universität Dresden*

MANUEL DA COSTA ANDRADE, Prof., *Universidade de Coimbra/Portugal*

JÖRG ARNOLD, Privatdozent Dr., *Forschungsgruppenleiter Max-Planck-Institut, Freiburg*

LUIS ARROYO, Prof. Dr., *Universidad de Castilla-La Mancha, Ciudad Real/España*

GUNTHER ARZT, Prof. Dr., *Universität Bern/Suiza*

JOACHIM BABENDREYER, *Staatssekretär im Justizministerium Mecklenburg-Vorpommern, Schwerin*

HEINZ GEORG BAMBERGER, Dr., *Präsident des Oberlandesgerichts Koblenz*

ALESSANDRO BARATTA, Prof. Dr., *Universität Saarbrücken*

NICOLAS BECKER, *Rechtsanwalt, Berlin*

WERNER BEULKE, Prof. Dr., *Universität Passau*

KLAUS BILDA, Dr., *Präsident des Oberlandesgerichts Düsseldorf*

HILDEGARD BODENDIECK-ENGELES, *Vorsitzende Richterin am Landgericht Kiel*

BRIGITTE BOEHME, *Richterin am Oberlandesgericht Bremen*

LORENZ BÖLLINGER, Prof. Dr., *Universität Bremen*

HERBERT BÖLTER, *Ministerialdirigent, Justizministerium Baden-Württemberg, Stuttgart*

HANS OTTO BRÄUTIGAM, Dr., *Minister der Justiz und für Bundes- und Europaangelegenheiten des Landes Brandenburg, Potsdam*

---

*   *Registrada al 24.09.1999. Los títulos, cargos y nombres de ciudades, instituciones y universidades se transcriben en el idioma original.*

UWE BRAUNS, Prof. Dr., Rechtsanwalt, Köln

JOSÉ DE SOUSA E BRITO, Prof.,Tribunal Constitucional, Lissabon/Portugal

MICHAEL BRUNS, Bundesgerichtshof, Karlsruhe

TORSTEN BÜHL, Max-Planck-Institut, Freiburg

BJÖRN BURKHARDT, Prof Dr., Universität Mannheim

MANFRED BURGSTALLER, Prof. Dr., Universität Wien/Austria

JOSÉ CEREZO MIR, Prof. Dr., Universidad Nacional de Educación a Distancia, Madrid/España

JÜRGEN CIERNIAK, Bundesgerichtshof, Karlsruhe

SIEGFRIED COENEN, Dr., Generalstaatsanwalt, Köln

KARIN CORNILS, Dr. Dr. h.c., Max-Planck-Institut, Freiburg

RITA-ELISABETH CRYNEN, Richterin am Oberlandesgericht Köln

HERTA DÄUBLER-GMELIN, Prof. Dr., Bundesministerin der Justiz, Berlin

HANS DAHS, Prof. Dr., Rechtsanwalt, Bonn

RAINER DALLY, Dr., Richter am Oberlandesgericht Rostock

RÜDIGER DECKERS, Rechtsanwalt, Düsseldorf

FELIX DÖRR, Dr., Rechtsanwalt, Frankfurt/Main

ELISABETH DOLEISCH VON DOLSPERG, Richterin am Oberlandesgericht Köln

MASSIMO DONINI, Prof. Dr., Università di Modena/Italia

GUNNAR DUTTGE, Dr., Universität Bochum

RENATE ELF, Oberstaatsanwältin beim Bundesgerichtshof, Karlsruhe

DIETER EMRICH, Generalstaatsanwalt beim Bayerischen Obersten Landesgericht, München

ALBIN ESER, Prof. Dr. Dres.h.c. M.C.J., Universität Freiburg, Direktor des Max-Planck-Instituts

RAINER FAUPEL, Dr., Staatssekretär im Ministerium der Justiz und für Bundes-und Europaangelegenheiten des Landes Brandenburg, Potsdam

THOMAS FISCHER, Prof. Dr., Referatsleiter im Sächsischen Staatsministerium der Justiz, Dresden

GEORGE P. FLETCHER, Prof. Dr., Columbia University, School of Law, NewYork/EEUU

LUIGI FOFFANI, Dr., Universitá di Catania/Italia

VASILIKI LALLA-FRENZEL, Rechtsanwältin LL.M., Aristoteles Universität Thessaloniki, z. Zt. Universität Regensburg

GEORG FREUND, Prof. Dr., Universität Marburg

WOLFGANG FRISCH, Prof. Dr., Universität Freiburg

TOBIAS FRISCHE, Max-Planck-Institut, Freiburg

MONIKA FROMMEL, Prof Dr., Universität Kiel

HERMANN FROSCHAUER, *Generalstaatsanwalt beim Oberlandesgericht München*

HELMUT FUCHS, *Prof. Dr., UniversitätWien/Austria*

JEAN GAUTHIER, *Prof. Dr., Universität Lausanne/Suiza*

WERNER GEISLER, *Prof. Dr., Universität Mannheim*

KARLMANN GEISS, *Präsident des Bundesgerichtshofs, Karlsruhe*

HEINZ GIEHRING, *Prof. Dr., Universität Hamburg*

ALICIA GIL GIL, *Dr., Universidad Nacional de Educación a Distancia, Madrid/ España*

FERDINAND GILLMEISTER, *Dr., Rechtsanwalt, Freiburg*

KIRSTEN GRAALMANN-SCHEERER, *Dr., Leitende Oberstaatsanwältin, Bremen*

GEORG GREEVEN, *Rechtsanwalt, Düsseldorf*

VAGN GREVE, *Prof. Dr., Universität Kopenhagen/Dinamarca*

HELMUT GROPENGIESSER, *Max-Planck-Institut, Freiburg*

WALTER GROPP, *Prof. Dr., Universität Gießen*

BERNHARD HAFFKE, *Prof. Dr., Universität Passau*

FRITJOF HAFT, *Prof. Dr., Universität Tübingen*

AXEL HAEUSERMANN, *Berlin*

RAINER HAMM, *Prof. Dr., Rechtsanwalt, Frankfurt/Main*

BERNHARD HARDTUNG, *Dr., Universität Bochum*

ARTHUR HARTMANN, *Dr., Universität Heidelberg*

REGINA HARZER, *Privatdozentin Dr., Universität Bielefeld*

WINFRIED HASSEMER, *Prof. Dr. Dr. h.c., Richter des Bundesverfassungsgerichts, Karlsruhe, Universität Frankfurt/Main*

ROLAND HEFENDEHL, *Prof. Dr., Humboldt-Universität Berlin*

GÜNTER HEINE, *Prof. Dr., Universität Gießen*

WILHELM HEITMEYER, *Prof. Dr., Universität Bielefeld*

ROLF HERZBERG, *Prof. Dr., Universität Bochum*

FELIX HERZOG, *Prof. Dr., Humboldt-Universität Berlin*

THOMAS HILLENKAMP, *Prof. Dr., Universität Heidelberg*

HANS HINDERER, *Prof. Dr., Universität Halle-Wittenberg*

WOLFGANG HOLL, *Dr., Alexander von Humboldt-Stiftung, Bonn*

GERRIT HORNUNG, *Freiburg*

JÜRGEN HOSSFELD, *Generalstaatsanwalt, Naumburg*

HANS-PETER HUBER, *Cheflektor beim Verlag C. H. Beck, München*

KARL HUBER, *Dr., Vizepräsident des Oberlandesgerichts München*

RAINER HUBER, *Ministerialrat, Sächsisches Staatsministerium der Justiz, Dresden*

BARBARA HUBER, *Dr., Max-Planck-Institut, Freiburg*

PETER HÜNERFELD, Prof. Dr., Max-Planck-Institut, Freiburg

ERLING JOHANNES HUSABØ, Prof., Universität Bergen/Norwegen

DIANA ILLING, Max-Planck-Institut, Freiburg

BURKHARD JÄHNKE, Dr.,Vorsitzender Richter am Bundesgerichtshof, Karlsruhe

GÜNTHER JAKOBS, Prof. Dr., Universität Bonn

NILS JAREBORG, Prof. Dr., Uppsala Universitet/Suecia

WOLFGANG JOECKS, Prof. Dr., Universität Greifswald

RIBERO DE FARIA JORGE, Prof. Dr., Universidade de Porto/Portugal

MICHAEL KAHLO, Prof. Dr., Universität Leipzig

MARIA KAIAFA-GBANDI, Prof. Dr., Aristoteles Universität, Thessaloniki/ Grecia

STÉFANOS KAREKLÁS, Dr.,Thessaloniki/Grecia

KATSUYOSHI KATO, Prof. Dr., Universität Aichi/Japón

JÜRGEN KAUBE, Frankfurter Allgemeine Zeitung, Berlin

CLAUDIA KEISER, Dr., Universität Hannover

RAINER KELLER, Prof. Dr., Universität Hamburg

EBERHARD KEMPF, Rechtsanwalt, Frankfurt/Main

HANS-JÜRGEN KERNER, Prof. Dr., Universität Tübingen

DIETHELM KIENAPFEL, Prof. Dr., Universität Linz/Austria

MICHAEL KILCHLING, Dr., Max-Planck-Institut, Freiburg

URS KINDHÄUSER, Prof. Dr., Universität Bonn

JÖRG KINZIG, Dr., Max-Planck-Insitut, Freiburg

DIETHELM KLESCZEWSKI, Dr., Universität Hamburg

EHRHART KÖRTING, Dr., Senator für Justiz, Berlin

GÜNTER KOHLMANN, Prof. Dr., Universität Köln

HEINZ KORIATH, Prof. Dr., Universität Saarbrücken

DAMJAN KOROSEC, Prof. Dr., Universität Ljubljana/Eslovenia

LOTHAR KUHLEN, Prof. Dr., Universität Mannheim

DAVOR KRAPAC, Prof. Dr., Universität Zagreb/Croacia

CHRISTOPH KREHL, Dr., Oberstaatsanwalt beim Bundesgerichtshof, Karlsruhe

ARTHUR KREUZER, Prof. Dr., Universität Gießen

JUSTUS KRÜMPELMANN, Prof. Dr., Universität Mainz

KARL-LUDWIG KUNZ, Prof. Dr., Universität Bern/Suiza

KRISTIAN KÜHL, Prof. Dr. Dr., UniversitätTübingen

GEORG KÜPPER, Prof. Dr., Universität Potsdam

OTTO LAGODNY, Prof. Dr., Universität Salzburg/Austria

RAIMO LAHTI, Prof. Dr., Universität Helsinki/Finlandia

HEIKO H. LESCH, Privatdozent Dr., Universität Bonn

HANS LILIE, Prof. Dr., Universität Halle-Wittenberg

NIKOLAOS LIVOS, Prof. Dr., Universität Athen/Grecia

MARIANNE LÖSCHNIG-GSPANDL, Dr., Universität Graz/Austria

KLAUS LÜDERSSEN, Prof. Dr., Universität Frankfurt/Main

REINHARD MERKEL, Prof. Dr., Universität Rostock

DIETER MEURER, Prof. Dr., Universität Marburg

JÜRGEN MEYER, Prof. Dr., Mitglied des Deutschen Bundestages, Berlin

LUTZ MEYER-GOSSNER, Prof. Dr., Vorsitzender Richter am Bundesgerichtshof, Karlsruhe

REGINA MICHALKE, Rechtsanwältin, Frankfurt/Main

VINCENZO MILITELLO, Prof. Dr., Università di Palermo/Italia

CARSTEN MOMSEN, Dr., Universität Göttingen

FRANCISCO MUÑOZ CONDE, Prof. Dr., Universidad de Sevilla/España

REINHARD MOOS, Prof. Dr., Universität Linz/Austria

THOMAS MÜLLER, Freiburg

HEINZ MÜLLER-DIETZ, Prof. Dr. Dr. h.c., Universität Saarbrücken

JAN MUSIL, Prof. Dr., Rektor der Polizeiakademie der Tschechischen Republik, Prag/ República Checa

WOLFGANG NAUCKE, Prof. Dr., Universität Frankfurt

URSULA NELLES, Prof. Dr., Universität Münster

CORNELIUS NESTLER, Prof. Dr., Universität Köln

ULFRID NEUMANN, Prof. Dr., Universität Frankfurt/Main

MARTIN NIEMÖLLER, Richter am Bundesgerichtshof, Karlsruhe

HARUO NISHIHARA, Prof. Dr. Dr. h.c.mult.,Waseda UniversitätTokyo/ Japón

PETAR NOVOSELEC, Prof. Dr., Universität Zagreb/Croacia

JÜRGEN NUSSBRUCH, Dr., Vorsitzender Richter am Landgericht i.R., Heidelberg

THOMAS NUZINGER, Universität Mannheim

MASAMI OKAUE, Universität Niigata/Japón, z. Zt Universität Freiburg

FERDINAND VAN OOSTEN, Prof. Dr., University of Pretoria/Sudáfrica

GISELTRAUD OTTEN, Dr., Richterin am Bundesgerichtshof, Karlsruhe

HANS-ULRICH PAEFFGEN, Prof. Dr., Universität Bonn

CARLO ENRICO PALIERO, Prof. Dr., Università di Pavia/ltalia

MARIA FERNANDA PALMA, Prof. Dr., Universidade de Lissabon/Portugal

CHARIS PAPACHARALAMBOUS, Dr., Justizministerium Athen/Grecia

NINA PARRA, Max-Planck-Institut, Freiburg

RUI CARLO PEREIRA, Prof. Dr., Director General am Ministério da Administraçaõ Interna, Lissabon /Portugal

LORE MARIA PESCHEL-GUTZEIT, Dr., Justizsenatorin der Freien und Hansestadt Hamburg

LORENZO PICOTTI, Prof. Dr., Università di Trento/Italia

HANS PIESKER, Bundesanwalt beim Bundesgerichtshof, Karlsruhe

KURT PILLMANN,Vizepräsident des Oberlandesgerichts Köln

XAVIER PIN, Université de Grenoble/Francia

PAUL-GÜNTER PÖTZ, Ministerialdirigent a.D., Wachtberg

HERIBERT PRANTL, Dr., Süddeutsche Zeitung, München

INGEBORG PUPPE, Prof. Dr., Universität Bonn

HENNING RADTKE, Prof. Dr., Universität Saarbrücken

ERARDO CRISTOFORO RAUTENBERG, Dr., Generalstaatsanwalt des Landes Brandenburg

KONRAD REDEKER, Prof. Dr., Rechtsanwalt, Bonn

GÖTZ REUKER, Rechtsanwalt, Dortmund

ERHARD REX, Generalstaatsanwalt des Landes Schleswig-Holstein

CHRISTOPH RINGELMANN, Universität Gießen

ANABELA RODRIGUEZ, Prof. Dr., Universidade de Coimbra/Portugal

CLAUS ROXIN, Prof. Dr. Dr. h.c.mult., Universität München

C.F. RÜTER, Prof., Universität Amsterdam/Holanda

NICOLE RUPP, Freiburg

FRANZ SALDITT, Prof. Dr., Rechtsanwalt, Neuwied

GÜNTHER M. SANDNER, Dr., Richter am Landgericht Berlin

DIRK SAUER, Universität Mannheim

HERO SCHALL, Prof. Dr., Universität Osnabrück

SEBASTIAN SCHEERER, Prof. Dr., Universität Hamburg

UWE SCHEFFLER, Prof. Dr. Dr., Universität Frankfurt/Oder

HELMUT SCHMITZ, Oberlandesgericht Koblenz

ROLAND SCHMITZ, Privatdozent Dr., Universität Kiel

GABRIELE SCHMÖLZER, Prof. Dr., Universität Graz/Austria

HEINZ SCHÖCH, Prof. Dr., Universität München

RUPERT SCHOLZ, Prof. Dr., Mitglied des Deutschen Bundestages,Vorsitzender des Rechtsausschusses des Deutschen Bundestages, Berlin

HANS-LUDWIG SCHREIBER, Prof. Dr. Dr. h.c., Universität Göttingen

FRIEDRICH-CHRISTIAN SCHROEDER, Prof. Dr. Dr. h.c., Universität Regensburg

ULRICH SCHROTH, Prof. Dr., Universität München

HORST SCHÜLER-SPRINGORUM, Prof. Dr., Universität München

JÖRG SCHWALM, Dr., Generalstaatsanwalt des Freistaates Sachsen, Dresden

WALTER SELTER, Generalstaatsanwalt, Düsseldorf

LOTHAR SENGE, Bundesanwalt beim Bundesgerichtshof, Karlsruhe

DIETER SIMON, Prof. Dr. Dres. h.c., Präsident der Berlin-Brandenburgischen Akademie der Wissenschaften, Berlin

GIULIO DE SIMONE, Dr., Università di Teramo/Italia

BERND-RÜDEGER SONNEN, Prof. Dr., Universität Hamburg

DIONYSIOS SPINELLIS, Prof. Dr., Universität Athen/Grecia

WOLFGANG SPRENGER, Dr., Ministerialdirigent im Sächsischen Staatsministerium der Justiz, Dresden

DETLEV STERNBERG-LIEBEN, Prof. Dr.,Technische Universität Dresden

DANIELA SOLIN-STOJANOVIC, Richterin am Bundesgerichtshof, Karlsruhe

ASBJØRN STRANDBAKKEN, Prof. Dr., Universität Bergen/Noruega

BERNHARD STRÄULI, Dr., Universität Genf/Suiza

GERHARD STRATE, Rechtsanwalt, Hamburg

GÜNTER STRATENWERTH, Prof. Dr., Universität Basel/Suiza

FRANZ STRENG, Prof. Dr., Universität Erlangen

CHRISTOPH STRÖTZ, Dr., Leitender Ministerialrat im Bayerischen Staatsministerium der Justiz, München

CARL-FRIEDRICH STUCKENBERG, Dr., Universität Bonn

MORIKAZU TAGUCHI, Prof. Dr., Waseda Universität, Tokyo/Japón

NORIO TAKAHASHI, Prof. Dr., Waseda Universität, Tokyo/Japón

JÜRGEN TASCHKE, Dr., Rechtsanwalt, Frankfurt/Main

SILVIA TELLENBACH, Dr., Max-Planck-Institut, Freiburg

FRIEDRICH TOEPEL, Privatdozent Dr., Universität Bonn

OTTO TRIFFTERER, Prof. Dr., Universität Salzburg/Austria

KENJI UEDA, Prof., Doshisha University Kyoto/Japón

BERNHARD VILLMOW, Prof. Dr., Universität Hamburg

KLAUS VOLK, Prof. Dr., Universität München

HEINZ WAGNER, Prof. Dr., Universität Kiel

DOROTHEE WALTHER, Dr., Verlagsdirektorin beim De Gruyter Verlag, Rechtsanwältin, Berlin

SUSANNE WALTHER, Privatdozentin Dr., Max-Planck-Institut, Freiburg

KRISTIANE WEBER-HASSEMER, Staatssekretärin a. D., Frankfurt/Main

THOMAS WEIGEND, Prof. Dr., Universität Köln

GERHARD WERLE, Prof. Dr., Humboldt-Universität, Berlin

EDDA WESSLAU, Prof. Dr., Universität Bremen

PETER WILKITZKI, Ministerialdirigent im Bundesministerium der Justiz, Berlin

THOMAS WINTER, Max-Planck-Institut, Freiburg

PETRA WITTIG, Dr., Universität Passau

GERHARD WOLF, Prof. Dr., Universität Frankfurt/Oder

JÖRG WOLFF, Prof. Dr., Universität Lüneburg

GABRIELE WOLFSLAST, Prof. Dr., Universität Gießen

RAINER ZACZYK, Prof. Dr., Universität Trier

INGEBORG ZERBES, Dr., Universität Wien/Austria

DIMITRI ZIOUVAS, Griechenland, z. Zt. Universität Freiburg

ANDRZEJ ZOLL, Prof. Dr. Dr. h.c., Uniwersytet Jagiellónski, Krakau/Polonia

JAN ZOPFS, Privatdozent Dr., Universität Heidelberg

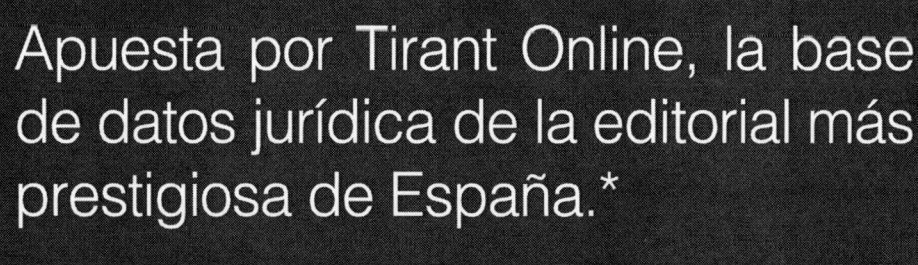